REINHOLD WEIER · DAS THEOLOGIEVERSTÄNDNIS MARTIN LUTHERS

KONFESSIONSKUNDLICHE
UND KONTROVERSTHEOLOGISCHE STUDIEN
BAND XXXVI

HERAUSGEGEBEN VOM
JOHANN-ADAM-MÖHLER-INSTITUT

REINHOLD WEIER

DAS
THEOLOGIEVERSTÄNDNIS
MARTIN LUTHERS

VERLAG BONIFACIUS-DRUCKEREI PADERBORN

Als Habilitationsschrift auf Empfehlung der
Kath.-Theologischen Fakultät der Universität Mainz
gedruckt mit Unterstützung der
Deutschen Forschungsgemeinschaft

ISBN 3 87088 123 2

IMPRIMATUR. PADERBORNAE, D. 9. M. I. 1976, NR. G 100/76
VICARIUS GENERALIS BRUNO KRESING

DRUCK BONIFACIUS-DRUCKEREI PADERBORN 1976

VORWORT

Die vorliegende Untersuchung wurde im Herbst 1973 abgeschlossen. Sie stellt die überarbeitete Fassung meiner Habilitationsschrift dar, die im Jahre 1968 von der Kath.-Theologischen Fakultät der Universität Mainz angenommen wurde.

Unter denen, die mir anregend und helfend zur Seite standen, nimmt den ersten und herausragenden Platz mein Lehrer, Herr Professor Dr. Dr. h. c. Rudolf Haubst, ein. Ich danke ihm von Herzen.

Außerdem gilt mein Dank der Deutschen Forschungsgemeinschaft, die durch ihre finanzielle Hilfe die Drucklegung ermöglicht hat.

Ich danke für die Aufnahme meiner Arbeit in die Reihe „Konfessionskundliche und kontroverstheologische Studien".

Herrn Dipl. theol. Peter Prassel danke ich für die Anfertigung des Registers.

Trier, im September 1975

Reinhold Weier

INHALT

9

11

13

ABKÜRZUNGEN
(Außer den Siglen in LThK²)

Allen	— (Hrsg.) P. S. Allen, Opus epistolarum Des. Erasmi Roterodami, Bd. 1—12, Oxford 1906—1958.
H	— (Hrsg.) Heidelberger Akad. d. Wissensch., Nicolai de Cusa Opera omnia, Leipzig-Hamburg 1932ff.
Hofmann	— (Hrsg.) G. Hofmann, Johannes Tauler, Predigten, Freiburg 1961.
Holborn	— (Hrsg.) A. u. H. Holborn, Des. Erasmus Roterodamus. Ausgewählte Werke, München 1933.
Knaake	— (Hrsg.) J. K. F. Knaake, Johannis Staupitii opera quae reperiri poterunt omnia, Bd. 1, Potsdam 1867.
LB	— Erasmus von Rotterdam, Opera omnia, hrsg. J. Clericus Bd. 1—10, Leyden 1703—1706.
LThK²	Lexikon für Theologie und Kirche, Freiburg ²1957 — 1965.
Mulder	— (Hrsg.) W. Mulder, SJ, Gerardi Magni Epistolae, Antwerpen 1933.
Opera (Erasmus)	— Opera omnia Des. Erasmi Roterodami, hrsg. Union Académique Internationale et Académie Royale Néerlandaise des Sciences et des Sciences humaines, Amsterdam 1969 ff.
Opera (Gerson)	Johannes Gerson, Opera, Basel 1518.
Opera (Thomas v. Kempen)	— Thomas Hemerken von Kempen, Opera omnia, hrsg. M. J. Pohl, Bd. 1—7, Freiburg/Br. 1904 — 1922.
Qu. Psalt. (Faber)	— Faber Stapulensis, Quincuplex Psalterium, Paris 1509.

14

Schöpff	— (Hrsg.) F. W. Tr. Schöpff, Aurora sive bibliotheca selecta *etc.*, Bd. 1—8, Dresden 1857—1864.
Sent.	— Kommentar zu den Sentenzen des Petrus Lombardus.
Tübinger Predigten (Staupitz)	— Staupitz. Tübinger Predigten, hrsg. G. Buchwald und E. Wolf, Leipzig 1927.
Vetter	— (Hrsg.) F. Vetter, Die Predigten Taulers, Berlin 1910.
Walter	— (Hrsg.) Johannes von Walter, De libero arbitrio διατριβή sive collatio per Des. Erasmum Roterodamum, Leipzig ²1953.

EINLEITUNG

Theologieverständnis bedeutet Verständnis *von* Theologie und als solches Reflexion über Theologie. Insofern ist es von dieser unterscheidbar. Bei Luther selbst gehört Reflexion über Theologie aber zugleich zur Theologie hinzu. Wie ist das möglich? Hier ist zu bedenken, daß Theologie selbst in zweierlei Sinn verstanden werden muß. Einmal im Sinne des Inhaltes der Theologie, also (thomasisch gesprochen) als sacra doctrina. Dieser Sinn des Begriffes von Theologie ist in der Gegenwart wohl gewöhnlich gemeint, wenn ohne nähere Erklärung von Theologie geredet wird. So wie mit Naturwissenschaft die Lehre der Naturwissenschaft gemeint ist. Theologie wird aber außerdem im Sinn des theologischen Vollzugs oder (scholastisch gesprochen) im Sinn des theologischen Habitus verstanden. Der theologische Vollzug und der theologische Habitus haben die mittelalterlichen Theologen bereits intensiv als Problem beschäftigt. Für Luther ist das Theologie-Betreiben von seinen ersten theologischen Bemühungen an, die uns bekannt sind, Problem. Die Lehre vom Theologie-Betreiben nun läßt sich ebenso als Theologie bezeichnen wie als Theologieverständnis. Sie ist Theologie im eigentlichen Sinn, weil Theologie-Betreiben nicht lediglich als wissenschaftliches Problem verstanden werden kann, sondern es in vielerlei Weise mit Gottes gnadenhaftem Wirken zu tun hat.

Verständnis von Theologie ist unterscheidbar von Inhalt und Vollzug der Theologie, bezieht sich aber auf beides. Besonders eng ist die Beziehung zwischen dem Vollzug von Theologie und Theologieverständnis. Jegliches Reden über den Vollzug von Theologie ist Aussprechen von Theologieverständnis. Dieses ist aber nicht einfach identisch mit Verständnis des Theologie-Vollzuges, weil es sich außerdem auf den Inhalt von Theologie bezieht, und zwar auf den Inhalt im ganzen genommen, auf den Inhalt als solchen.

Das Wort Theologieverständnis kommt in den Schriften Luthers nicht vor. Vielleicht ist das ein Grund dafür, daß noch keine Monografie zum Thema existiert. Aus folgenden Gründen erscheint jedoch die Erforschung von Luthers Theologieverständnis als echtes Desiderat. Zunächst einmal ist der enge Zusammenhang zwischen Luthers theologischen Bemühungen und seinem reformatorischen Tun wert, neu durchdacht zu werden. Dazu kann die Klärung seines Theologieverständnisses einen Beitrag leisten. Die Arbeit von Karl Bauer über die Wittenberger Universitätstheologie, der nach seiner eigenen Aussage als erster diesen Zusammenhang monografisch untersucht hat, kann nicht das letzte Wort zum Thema sein[1].

Gerhard Ebeling stellt in seinem Werk über Luthers Denken mit neuer Eindringlichkeit den genannten Zusammenhang heraus[2]. Er weist darauf hin, daß Luther nicht nur Mönch, Prediger, Schriftsteller, „Reformator", geistiger Führer einer gewaltigen Bewegung war. Man vergesse gar zu leicht, wie stark Luther sich als Universitätsprofessor gefühlt habe. Luther habe außerordentlich tief die Verantwortung empfunden, die mit diesem Amte verbunden ist. Ebeling erklärt: „Das akademische Lehramt, von der Sache her mit dem Predigtamt eng verbunden, war der Ausgangspunkt und blieb der tragende Grund, der Luther zu dem umwälzenden Geschehen nötigte und instand setzte, das man unzureichend als ‚Reformation' zu bezeichnen pflegt"[3]. Man mißdeute zwangsläufig den eigentlichen Kern und Sinn des Reformationsgeschehens, wenn man nicht den „strengen Bezug (Luthers) auf den Beruf des Universitätsprofessors" im Auge behalte[4]. Aus der Tatsache seines akademischen Auftrages habe Luther schließlich auch die Sicherheit geschöpft, zu seinem Werke wahrhaft berufen zu sein. Ebeling erinnert dabei an folgende Stelle aus Luthers Schriften: „Ich hab's oft gesagt und sage es noch: Ich wollte nicht der Welt Gut nehmen für mein Doktorat; denn ich müßte wahrlich zuletzt verzagen und verzweifeln in der großen, schweren Sache, so auf mir liegt, wo ich sie als ein Schleicher hätte ohne Beruf und Befehl angefangen. Aber nun muß Gott und alle Welt mit zeugen, daß ich es in meinem Doktoramt und Predigtamt öffentlich habe angefangen und bis daher geführt mit Gottes Gnade"[5].

Sodann schildert Ebeling, daß die Universität Wittenberg in den ersten Jahren der Reformation einen solchen Zustrom an Studenten erhalten habe, daß bereits im Jahre 1520 alle anderen deutschen Universitäten überflügelt gewesen seien. Für mehrere Jahrzehnte sei Wittenberg mit Abstand führend geblieben[6].

Noch unmittelbarer führt Ebeling an die Bedeutung unseres Themas heran, indem er zeigt, wie die allerersten Anfänge von Luthers Bewegung Versuch einer Reform des Theologiestudiums gewesen seien und

---

[1] K. Bauer, Die Wittenberger Universitätstheologie und die Anfänge der Deutschen Reformation, Tübingen 1928, VII.
[2] G. Ebeling, Luther. Einführung in sein Denken, Tübingen 1964.
[3] AaO., 5.
[4] Ebd.
[5] WA 30/III,522,2-8 (Übersetzung zit. n. Ebeling, aaO., 6).
[6] Ebeling, aaO., 7f.

wie der ganze weitere Verlauf der Reformation „von höchst bedeutsamen Maßnahmen der Studien- und Universitätsreform" begleitet gewesen sei[7]. „Es ist selbstverständlich nur ein Teilaspekt, aber ein sehr wesentlicher, wenn man die Reformation als einschneidenden Wendepunkt in der Universitätsgeschichte und von daher in der Geschichte der Bildung überhaupt betrachtet"[8].

Jedoch hat auch Ebeling sich nicht präzis das Theologieverständnis Luthers zum Gegenstand seiner Untersuchung gemacht.

Unserer Fragestellung sehr nahe kommt Karl Gerhard Steck in dem Buche über „Lehre und Kirche bei Luther"[9]. Er weist darauf hin, daß seine Arbeit als erste sich monografisch mit dem Lehrproblem Luthers befasse. Wir fragen: Was versteht Luther unter Theologie? Steck fragt: Wie versteht Luther Lehre? Man sieht aus dieser Formulierung, wie das von Steck behandelte Problem unserer Grundfragestellung fast entspricht — wenigstens auf den ersten Blick. Jedoch ist Stecks Interesse enger. Es geht ihm wirklich um den Begriff der Lehre im Sinne Luthers.

Luther spricht in den sehr zahlreichen Praefationes, die er zu eigenen oder fremden Werken geschrieben hat, häufig *über* Theologie. Solches Schreiben *über* Theologie ist eben Darlegung von Theologieverständnis. Insofern ist Theologieverständnis ein Thema, das nicht nur hie und da von Luther berührt wird, sondern wovon er mit einer gewissen Regelmäßigkeit in allen Perioden seines Schaffens geschrieben hat[10]. —

Die Darlegung von Luthers Theologieverständnis hat zur Voraussetzung eine Entscheidung über ihren Ausgangspunkt. Beim ersten Blick auf das Material scheint das gerade nicht der Fall zu sein. Denn die frühesten von Luther erhaltenen literarischen Zeugnisse enthalten bereits Äußerungen, die sich für unser Thema als wichtig erweisen. Es erscheint mithin als natürlich, mit der Interpretation der frühesten Aussagen Luthers zu beginnen und dann den weiteren Verlauf der Entwicklung zu verfolgen.

Jedoch ist zu bedenken, daß Theologieverständnis als Reflexion über Theologie jedenfalls in der logischen Ordnung der Ausbildung von Theologie nachfolgt. Auch wenn man hier mit einem Apriori rechnet

---

[7] AaO., 8f. [8] AaO., 9.
[9] K. G. Steck, Lehre und Kirche bei Luther: FGLP, R. 10 Bd. 27, München 1963, 12.
[10] In den Praefationes liegt der Grundstock für das Material meiner Untersuchung. Je weiter diese voranschritt, um so mehr wurde der Ansatz durch anderes Material ergänzt oder auch in den Hintergrund gedrängt. Aber ich möchte nicht versäumen, den roten Faden zu nennen, der mich zunächst durch die Riesenmasse des Stoffes hindurchgeführt hat.

und wohl auch rechnen muß, bleibt doch die Tatsache, daß Verständnis von Theologie im Verhältnis zum Vollzug der Theologie sozusagen die höhere Reflexionsstufe darstellt. Nun ist aber die Ausgestaltung der Theologie Luthers zweifellos in einem großen Gärungsprozeß erfolgt. Was ist dann im Auf und Ab seiner Gedanken, in ihrem Brodeln und Kämpfen schon Verständnis von Theologie? Was ist Vollzug der Theologie?

Wenn man unvorbereitet an die Texte herangeht, die der Zeit dieses Gärens entstammen, besteht dann nicht die Gefahr, bestimmte Texte nach einer vorgefaßten Meinung überzuinterpretieren, weil eben noch nicht alles so deutlich ausgesagt ist? So gesehen erscheinen die frühesten Äußerungen Luthers nicht als der best-gesicherte Ausgangspunkt. Obgleich dann der Vorteil preisgegeben ist, einfachhin dem Laufe der Entwicklung folgen zu können, erscheint daher als richtiger, von einem Punkte auszugehen, wo Luther unzweideutig sagt oder zu sagen versucht, wie er Theologie versteht und wie sie nicht verstanden werden dürfe.

Wir werden erst im zweiten Teil unserer Untersuchung die frühen und frühesten Texte Luthers zum Thema Theologieverständnis behandeln. Das hat zur Folge, daß dort die Blickrichtung in etwa rückwärts gewandt ist, obgleich wir innerhalb der frühen Texte doch im wesentlichen wieder der Entwicklung folgen wollen.

Im dritten Teil ist dann in einer ausschließlicheren Weise der Weg rückwärts verfolgt, nämlich hinein in die geistige Situation, aus der heraus Luther gedacht hat, anders ausgedrückt im Blick auf sein geistiges Milieu, im weiteren Sinn auf seine Quellen.

ERSTER TEIL

LUTHERS THEOLOGIEVERSTÄNDNIS
ETWA SEIT DEM JAHRE 1518

Luther hat sich in einer außerordentlich deutlichen Weise über sein Theologieverständnis dort geäußert, wo er die theologia crucis der theologia gloriae gegenüberstellt. Er versteht Theologie als theologia crucis. Sie ist die wahre Theologie. Und er grenzt sie von aller anderen, nicht-wahren Theologie ab, die er als theologia gloriae verdammt. Er hat seine Auffassung von theologia crucis und theologia gloriae thesenhaft für die Heidelberger Disputation im Jahre 1518 formuliert. Obwohl er dem, was er damals sagte, später durchaus treu geblieben ist, hat er den Ausdruck theologia crucis und gloriae sonst nur selten verwendet, zum Beispiel einmal in der Erklärung der fünfzehn Stufenpsalmen 1532/33[11]. Die Sache selbst ist mit besonderer Zuspitzung in De servo arbitrio erneut dargelegt.

Heidelberger Disputation und De servo arbitrio sind also für unseren Zusammenhang besonders interessant, und unter diesen beiden Quellen lenkt die Heidelberger Disputation zunächst unser Augenmerk auf sich. Nicht nur wegen der expliziten Formulierung der Thesen, sondern auch wegen ihres Termins. Das Jahr 1518 stellt nämlich einen besonders markanten Zeitpunkt dar für die Beschreibung des luther'schen Theologieverständnisses. Irgendwie bezieht sich doch unser Interesse auf das ganze theologische Wirken Luthers. Wie soll man nun dieses Wirken überschauen und *das* grundlegende Verständnis von Theologie dabei ermitteln? Da bietet eben das Jahr 1518 (oder etwa dieses Jahr) sich als günstiger Einstiegspunkt an. Die Theologie hat ihre „ausgebildete Gestalt"[12] im wesentlichen erreicht. Die Einflüsse, die seine eigene Position mitbestimmen, sind weitgehend schon am Wirken. Jedenfalls gilt das für Einflüsse aus der mittelalterlichen Theologie, ja auch weitgehend für den Humanismus. Was in Zukunft sein Denken noch an Einflüssen positiv befruchten wird, kommt eher aus den Kreisen seiner reformatorischen Freunde, besonders von Melanchthon her. Nun wird er (nach innen) die eigene Position entfalten und (nach außen) mit seinen Gegnern kämpfen.

---

11 WA 40/III,193,6f. — Vgl. Ebeling, Luther, 259.
12 Zum Ausdruck vgl. P. Meinhold, Luther heute. Wirken und Theologie Martin Luthers, des Reformators der Kirche in ihrer Bedeutung für die Gegenwart, Berlin-Hamburg 1967, 120ff.

Man kann auch mit ziemlicher Sicherheit sagen, daß im Jahre 1518 das „reformatorische Grunderlebnis" bereits stattgefunden hat oder doch gleichzeitig sei. Man braucht also über den Termin dieses Erlebnisses nicht zu streiten[13].

Von 1518 aus läßt sich die weitere Entwicklung verfolgen. Es läßt sich aber auch von hier aus nach den frühen Ansätzen zurückfragen.

A. Verständnis von Theologie als theologia crucis im Gegensatz zur Theologie des Scheins und falschen Glanzes

Im folgenden beginnen wir mit der Darstellung der Thesen über theologia crucis und gloriae aus dem Jahre 1518. Sodann wollen wir verfolgen, wie das Theologieverständnis, das sich in diesen Aussagen spiegelt, weitergewachsen ist und sich in verschiedenen Richtungen ausgefaltet hat.

1. KAPITEL

DIE THESEN ZUR HEIDELBERGER DISPUTATION (1518)
ÜBER DEN THEOLOGUS CRUCIS UND
DEN THEOLOGUS GLORIAE

Von den vierzig Conclusiones (Sätzen) der Heidelberger Disputation haben fünf direkt den Gegensatz von theologia crucis und theologia gloriae zum Thema:

„19. Nicht der heißt mit Recht Theologe, der das Unsichtbare Gottes als einsichtig betrachtet durch die geschaffenen Dinge,

20. Sondern wer das Sichtbare und den ‚Rücken' Gottes in der Betrachtung durch Leiden und Kreuz verstehen lernt.

21. Der theologus gloriae nennt das Böse gut und das Gute schlecht, der theologus crucis sagt das, was die Wirklichkeit ist.

22. Jene Weisheit, die das Unsichtbare Gottes aus den Werken für einsichtig betrachtet, bläht völlig auf, macht blind und verstockt.

24. Jedoch ist jene Weisheit nicht schlecht und das Gesetz nicht zu fliehen. Vielmehr mißbraucht der Mensch ohne theologia crucis das Beste auf das schlimmste"[14].

---

[13] Zur genaueren Entfaltung der Problematik vgl. u. 65ff.

[14] WA 1,17-28: 19. Non ille digne Theologus dicitur, qui invisibilia Dei per ea, quae facta sunt, intellectu conspicit, 20. Sed qui visibilia et posteriora Dei per passiones et crucem conspecti intelligit. 21. Theologus gloriae dicit malum bonum et bonum

Luther nimmt das Problem der Gotteserkenntnis als Ausgangspunkt seiner Überlegungen. Es gibt zweierlei Gotteserkenntnis: eine falsche, die Gott in seiner Herrlichkeit und Majestät zu erfassen sucht, und die wahre Gotteserkenntnis, die ihn in der Niedrigkeit und Schmach des Kreuzes sucht[15].

Erkenntnis Gottes in seiner Herrlichkeit und Majestät ist Erkenntnis Gottes am Kreuz Christi vorbei durch die sichtbaren Dinge. Wer aber Christus nicht kennt, der kennt nicht den in den Leiden verborgenen Gott[16]. Das ist keine pure Frage des intellektuellen Erkenntnisweges, sondern eine Frage der menschlichen Grundeinstellung. Wer Gott an Christus vorbei erkennen will, liebt eben die „Herrlichkeit" mehr als das Kreuz, die Macht mehr als die Schwachheit, die Weisheit mehr als die Torheit (des Kreuzes)[17]. Indem der Mensch das Kreuz verkennt („ignoriert", ignorat), ist er Feind des Kreuzes Christi[18]. Er liebt die „Werke" und deren „Herrlichkeit"[19], und — so muß man nun hinzufügen — er geht auch selbst dem Leiden aus dem Wege. Christus hat sich erniedrigt. Auch der Mensch muß sich erniedrigen. Er muß erkennen, daß er selbst nichts ist und daß die Werke nicht seine eigenen sind, sondern Gottes Werke[20].

Eben darin, daß einer das Kreuz verkennt und haßt (beides ist ein und dasselbe!), liegt schon, daß er das Gegenteil liebt, nämlich (menschliche) Weisheit, Herrlichkeit und Macht[21]. Er ist voller Neugier und Ruhmsucht[22]. Der theologus gloriae ist ein Mann, der Eigengerechtigkeit sucht und durch das Geschaffene nicht den im Leiden verborgenen Gott, sondern Gott, wie er offenbar ist aus den Werken, erkennen will[23].

Die Theologie des Kreuzes hat zum Inhalt die Erkenntnis des Vaters durch Christus den Gekreuzigten[24]. Dieser *Inhalt* der Theologie ist völlig

malum, Theologus crucis dicit id quod res est. 22. Sapientia illa, quae invisibilia Dei ex operibus intellectu conspicit, omnino inflat, excaecat et indurat. 24. Non tamen sapientia illa mala nec lex fugienda, Sed homo sine Theologia crucis optimis pessime abutitur.

15 WA 1,362,11-14: Ut nulli satis sit ac prosit, qui cognoscit Deum in gloria et maiestate, nisi cognoscat eundem in humilitate et ignominia crucis.

16 WA 1,362,23f.: Dum ignorat Christum, ignorat Deum absconditum in passionibus.

17 WA 1,362,24f.: Praefert opera passionibus et gloriam cruci, potentiam infirmitati, sapientiam stulticiae, et universaliter bonum malo.

18 WA 1,362,23 und 25f.

19 WA 1,362,26f.: Quia odiunt crucem et passiones, Amant vero opera et gloriam illorum.

20 WA 1,362,31ff.

21 WA 1,362,37f.: Ex quo crucem ignorant atque odiunt, necessario contraria diligunt, scilicet sapientiam, gloriam et potentiam etc.

22 WA 1,363,5ff.   23 WA 1,362,8f.

24 WA 1,362,18f.: In Christo crucifixo est vera Theologia et cognitio Dei. Nemo venit ad Patrem nisi per me. Ego sum ostium etc. — Vgl. Joh 14,6 und Joh 10,9.

unlösbar von ihrem Vollzug. Theologie des Kreuzes ist Liebe zum Kreuz und Verzweiflung an sich selbst, Glaube an Christus[25]. Dem Theologen des Kreuzes genügt, daß er leidet und durch das Kreuz zunichte gemacht wird in seinem Eigendünkel[26]. Er stirbt mit Christus, das heißt, er empfindet den Tod als gegenwärtig[27].

Die Theologie des Kreuzes ist also durch zweierlei gekennzeichnet. Sie hat das Kreuz zum Inhalt (und will so zur Erkenntnis des Vaters gelangen), und sie besteht als Vollzug darin, daß der Theologe eintritt in die Situation des Kreuzesleidens. Entsprechend ist die Theologie der Herrlichkeit durch zweierlei gekennzeichnet. Sie hat die Majestät und Herrlichkeit Gottes zum Inhalt (die sie am Kreuz vorbei erkennen will), und sie ist Streben nach eigener Herrlichkeit: nach eigener Weisheit, Macht und so weiter.

Luther ist also überzeugt, daß der Inhalt der Theologie nicht nur in einem formalen Sinne Rückschlüsse über den Vollzug der Theologie zuläßt, sondern daß der Theologe als Mensch so oder so eintritt in das, was seine Theologie beinhaltet.

Wie der Theologe des Kreuzes und überhaupt jeder Mensch, der sich unter das Wort der Bibel stellt, in die Situation des Kreuzes eintritt, hat Luther von seiner persönlichen Erfahrung von Anfechtungen her besonders eindringlich in De servo arbitrio (1525) beschrieben. Er sei mehr als einmal angefochten gewesen „bis zur Tiefe und zum Abgrund der Verzweiflung". Er habe gewünscht, niemals erschaffen zu sein. Aber endlich habe er verstehen gelernt, wie heilsam diese Verzweiflung sei und wie sie der Gnade so nahe liege[28].

Der Versuch, Gott in seiner glorreichen Majestät zu erkennen, ist nach Luther Ausdruck für Streben nach eigenem Ruhm, Rühmen der eigenen Werke, ist zugleich nichts anderes als spekulative Gotteskenntnis: der Versuch, das Unsichtbare an Gott durch die geschaffenen Dinge zu erkennen.

Wenn man von der Gegenüberstellung theologia crucis — theologia gloriae hört, könnte man zunächst meinen, Luther wolle zwei Typen von

[25] WA 1,354,15f.; 29f.
[26] WA 1,363,34: Sibi scit satis esse, si patitur et destruitur per crucem, ut magis annihilatur.
[27] WA 1,363,36f.: Mori et exaltari cum filio hominis: Mori, inquam id est, mortem praesentem sentire.
[28] WA 18,719,9-12: Ego ipse non semel offensus sum usque ad profundum et abyssum desperationis, ut optarem nunquam esse me creatum hominem, antequam scirem, quam salutaris illa esset desperatio et quam gratiae propinqua. — Vgl. R. Weier, Das Thema vom verborgenen Gott von Nikolaus von Kues zu Martin Luther: Buchreihe der Cusanus-Gesellschaft, Bd. 2, Münster 1967, 195.

Theologie vergleichen[29]. Das will er nicht. Theologia gloriae ist durchaus das Gegenbild zu Theologie. Sie ist allem, was den Namen Theologie verdient, auf das krasseste entgegengesetzt. Wenn O. H. Pesch versucht, Luthers Theologie und die Theologie des Thomas von Aquin als zwei mögliche Typen von Theologie gegenüberzustellen[30], so muß hierzu folgendes bemerkt werden. Erstens, daß Luther seine Theologie nicht als einen Typ von Theologie, sondern gerade im Vergleich mit der Scholastik als die einzig mögliche Weise echter Theologie betrachtet hat (so einzig möglich, wie er seine Rechtfertigungslehre für die einzig mögliche hält), und zweitens ist zu fragen, ob nach der Meinung von Luther die Theologie des Thomas nicht überhaupt theologia gloriae ist (und zwar insofern dieser die invisibilia dei durch die geschaffenen Dinge zu erkennen sucht). Unter diesen Vorbehalten muß die Fragestellung von Pesch als legitim anerkannt werden.

Luther hat die Ablehnung der theologia gloriae bis zu äußersten Konsequenzen getrieben. Schon in den Dictata super Psalterium (1513 bis 15) hatte er jene Theologen, die in stolzer Überheblichkeit gleichsam zum Himmel hinaufsteigen wollen, als teuflische Lehrer bezeichnet[31]. In

---

[29] Daß Luther Neigungen zu typisierenden Beschreibungen hatte, ist sicher. So reduziert er beispielsweise die Vielzahl theologischer Auseinandersetzungen im Lauf der Theologiegeschichte auf drei Grundformen: auf die Auseinandersetzungen um die Gottheit Christi[1], auf die Kämpfe um die Menschheit Christi[2] und schließlich um die Erlösungstat Christi[3]. In den Tischgesprächen unterscheidet er zwei Typen von mittelalterlichen Theologen: die viri conscientiae, zu denen er Joh. Gerson und Wilhelm von Paris rechnet, und die theologi speculativi. Als solche etikettiert er Thomas von Aquin, Duns Skotus, Ockham, Alexander von Hales, Bonifaz (VIII.)[4].

[1] WA 50,267,14-29 (Die drei Symbola oder Bekenntnis des Glaubens Christi 1538): Widerumb hat ich gemerckt, das aller jrthum, ketzerey, abgötterey, ergernis, misbrauch und bosheit jnn der Kirchen daher komen sind ursprünglich, das dieser Artickel oder stuck des glaubens von Jhesu Christo veracht oder verlorn worden ist. Und wenn mans bey dem liecht und recht ansieht, so fechten alle ketzerey wider den lieben Artickel von Jhesu Christo ... Etliche haben angegriffen seine Gottheit und solchs mancherley weise getrieben.

[2] WA 50,268,4f.: Etliche haben seine menscheit angegriffen und seltzam gnug das spiel getrieben.

[3] WA 50,268,21ff.: Und was haben wir, die letzten grössesten heiligen jm bapstum angericht? Bekennet haben wir, das er Gott und mensch sey. Aber, das er unser Heiland, als fur uns gestorben und erstanden etc., das haben wir mit aller macht verleugnet und verfolget, horen auch noch nicht auff.

[4] WATi Nr. 2544a u. b.

---

[30] O. H. Pesch unterscheidet zwischen „existentieller" und „sapientialer" Theologie. Er beschreibt Luther als Repräsentanten existentieller Theologie, Thomas als solchen der sapientialen Theologie. — Ders., Die Theologie der Rechtfertigung bei Martin Luther und Thomas von Aquin. Versuch eines systematisch-theologischen Dialogs: Walberberger Studien, Theol. R. Bd. 4, Mainz 1967, 935ff.; ders., Existentielle und sapientiale Theologie. Hermeneutische Erwägungen zur systematisch-theologischen Konfrontation zwischen Luther und Thomas von Aquin: ThLZ 92 (1967) 738.

[31] WA 4,65,39.

der Römerbriefvorlesung (1515/16) nannte er die scholastischen Theologen Feinde des Kreuzes Christi[32]. Im Jahre 1523 erklärt er in Abwandlung von 2 Kor 6,15: „Der Versuch, Christus und Belial zu versöhnen: nämlich die gotteslästerliche Scholastik und die Hl. Schrift"[33]. Hier ist freilich zu bedenken, daß der Versuch, die Scholastik als teuflisch zu erweisen, nicht bei Luther beginnt. Im Spätmittelalter sind die Auswüchse der scholastischen Theologie mehrfach als teuflisch bezeichnet worden. Johannes Gerson hat Luthers Gegenüberstellung von Christus und Belial auf der einen Seite, der (entarteten) Scholastik und der Bibel anderseits vorweggenommen[34]. Außerdem ist zu bedenken, daß die Gegenüberstellung von Christus und Belial überhaupt ein beliebtes Thema des späten Mittelalters war[35]. Nicht zuletzt haben Wiclif, Hus und ihre Anhänger versucht, den Antichristen in ihrer Zeit aufzuspüren[36].

2. KAPITEL

DAS REINE EVANGELIUM IM GEGENSATZ ZU MENSCHLICHEN „ZUSÄTZEN"
THEOLOGIE UND KIRCHLICHE LEHRVOLLMACHT.
KLARHEIT DER SCHRIFT. AUTORITÄT DER CHRISTLICHEN PREDIGT

Im selben Jahre, in dem Luther seine Thesen über die theologi crucis und die theologi gloriae formuliert hat, bezeichnet er zum ersten Male, wenn auch noch zögernd, den Papst als Antichristen[1]. Man spürt auf den ersten Blick, daß die Ablehnung des Papstes und die Verteufelung der Scholastik in einem inneren Zusammenhang stehen. Er tritt hervor, wenn

---

[32] WA 56,301,25-302,7.
[33] WA 11,284,6-8 (Ad Brismannum epistola): Conatus Christus et Belial conciliare, nempe sacrilegam scholasticen et literas sacras.
[34] Vgl. u. 254f.
[35] z. B. Belial zu teutsch, Straßburg 1508 (Ink. 434, Priesterseminar Mainz). Darin Gerichtsverhandlung zwischen Christus und Belial. — G. Biel, Sermones de tempore, 68 E-F: Diabolus rex babylonis qui est princeps mundi animas hominum suam hic diem habere facit dum futura non prospicientes istis transitoriis congaudendo contente excecantur ... Christus rex suis amatoribus suadet presentia contemnere, futura previdere et diem visitationis ante mentis oculos semper habere (Zit. n. H. A. Oberman, Spätscholastik und Reformation, Bd. 1, Zürich 1965, Titelbild). — Vgl. in den Exerzitien des Ignatius von Loyola die Besinnung über zwei Banner (2. Woche, 4. Tag, n. 136-148).
[36] H. Preuß, Die Vorstellungen vom Antichrist im späteren Mittelalter, bei Luther und in der konfessionellen Polemik. Ein Beitrag zur Theologie Luthers und zur Geschichte der christlichen Frömmigkeit, Leipzig 1906, 52ff.
[1] R. Bäumer, Martin Luther und der Papst: Katholisches Leben und Kirchenreform im Zeitalter der Glaubensspaltung, Bd. 30, Münster 1970, 54.

man nach den entscheidenden theologischen Motiven für seine Ablehnung der päpstlichen Lehrvollmacht fragt.

Luther hat die Gefährlichkeit der päpstlichen potestas docendi in seinen Streitschriften seit 1517 und „vor allem im Umkreis der Leipziger Disputation 1519" zu beweisen versucht[2].

Den springenden Punkt zeigt eine Stelle der Operationes in Psalmos (1519): Der Glaube findet seine Sicherheit, indem er sich auf das Wort der Schrift stützt. Das ist aber nur möglich, wenn der Mensch ganz unmittelbar auf dieses Wort hören und es einfachhin verstehen kann. Wenn man, um eine Schriftstelle zu verstehen, erst warten muß, was der Römische Stuhl darüber urteilt, ist es mit der Gewißheit, die uns das Wort der Schrift schenken will, vorbei[3]. Welches Gewicht diese Überlegung für Luther hat, ist klar, wenn man bedenkt, daß es bei seinem Ringen um die Rechtfertigungsproblematik um eben diesen einen Punkt geht, daß der Mensch sich im Glauben auf das Verheißungswort des Evangeliums verlassen könne und so und nicht anders die Grundhaltung für sein ganzes Leben als Christ findet[4]. Deshalb kann Luther erklären, in Glaubenssachen sei jeder Christ sich selber Papst und Kirche[5].

„Grandios" nennt Karl G. Steck die Ausführungen Luthers zu unserem Thema in der Responsio ad librum Ambrosii Catharini aus dem Jahre 1521[6]. Darin versucht der Reformator zu zeigen, daß der Papst „Zusätze" zum Evangelium hinzufüge, die das ganze Christentum verfälschen[7], ja es zur Heuchelei und Lüge machen[8].

Im Laufe der Jahre wurden Luthers Angriffe gegen das Papsttum nicht zurückhaltender, sondern heftiger, ja immer wüster[9]. Immer bestimmter behauptet er, daß der Papst den Glauben an das reine Evangelium behindere.

---

[2] Steck, Lehre und Kirche, 18.

[3] WA 5,646,25-30: Non nisi eo sensu doceri permittitur, quem incertum futurum e Romana sede expectamus. Sors iacitur et quaeritur eius intelligentia, sed quia non nostrum est diffinire, et incertum est, in quam inclinaturum sit sacrosanctissimum scrinium pectoris illius sanctissimi (nisi ubi certum est, in suum questum et tyrannidem tortam esse scripturam), eventum et fortunae mensam ... adorare oportet.

[4] M. Kroeger, Rechtfertigung und Gesetz. Studien zur Entwicklung der Rechtfertigungslehre beim jungen Luther: FKDG 20, Göttingen 1968, 166ff.

[5] WA 3,407,35f.: In his enim, quae sunt fidei, quilibet Christianus est sibi Papa et Ecclesia.

[6] WA 7,705-778. — Steck, Lehre und Kirche, 18 Anm. 14.

[7] Solche „Zusätze", additamenta, deutet Luther in anderem Zusammenhang bezeichnenderweise als Übersetzung des Wortes Leviathan. — Vgl. E. Wolf, Leviathan. Eine patristische Notiz zu Luthers Kritik des Papsttums, in: Peregrinatio. Studien zur reformatorischen Theologie und zum Kirchenproblem, München 1954, 135-145.

[8] Steck, aaO., 22f. (= Erläuterung von WA 7,759,23-34).

[9] R. Bäumer, Der junge Luther und der Papst: Cath 23 (1969) 420.

27

Mit der Deutung lehramtlicher Entscheidungen als unerlaubter menschlicher Zusätze ist im Kern auch die Autorität von Konzilsentscheidungen in Frage gestellt. Seit der Leipziger Disputation (1519), in der Luther durch Eck getrieben wurde, äußerste Konsequenzen aus seinen Ansätzen zu ziehen, weigert er sich, dem Spruch eines allgemeinen Konzils unbedingte Verbindlichkeit zuzuschreiben[10]. Freilich bleibt seine Haltung gegenüber den Konzilien nicht ohne Differenzierung. Insbesondere hat Luther die Geltung der alten Symbola nie in Zweifel gezogen, ja er hat ihre Bedeutung sogar herausgestellt[11].

Das Fazit lautet im Sinne Luthers: Theologie kann man nicht betreiben, indem man auf päpstliche Lehrverkündigung hört, sondern nur im unmittelbaren Hören auf die Schrift. Es geht um die Reinheit des Evangeliums. Das Wort der Schrift ist Heil für den Menschen. In der Begegnung mit ihm findet er den Glauben und die Rechtfertigung. Er verläßt sich auf das Wort und muß sich ganz darauf verlassen können. Nichts darf sich zwischen das Wort des Evangeliums und seinen Hörer schieben. Menschliche Übermalungen und Zusätze sind vom Teufel. Am schlimmsten ist es, wenn solche Zusätze mit Autorität vorgetragen werden, sich also gewaltsam zwischen den Menschen und das Evangelium schieben wollen. Nichts anderes ist die päpstliche potestas docendi. Um der Rechtfertigung des Menschen willen, die dieser in der unmittelbaren Begegnung mit der Schrift und nur in ihr finden kann, muß daher mit aller Kraft gegen die päpstlichen Ansprüche gekämpft werden.

Steck hat die Schwäche von Luthers Position treffend markiert: er verzichte auf das „gemeinsame Hören"[12]. Der einzelne begegnet als einzelner der Schrift.

In demselben Maße, in dem Luther sich gegen menschliche Übermalungen der Schrift zur Wehr setzt, muß er die innere Kraft des Wortes der Schrift betonen: eine Kraft, die vom Worte der Schrift ausgeht und die durch den Hl. Geist zugleich im Inneren des wahren Hörers bewirkt wird. Die begriffliche Klärung der hiermit zusammenhängenden Probleme gelingt ihm in der Assertio omnium articulorum aus dem Jahre 1520[13] durch die Unterscheidung einer claritas externa und interna der Schrift[14].

[10] Bäumer, Der junge Luther, 416.
[11] Vgl. u. 111.
[12] Steck, Lehre und Kirche, 219.
[13] Assertio omnium articulorum M. Lutheri per bullam Leonis X, novissimam damnatorum (WA 7,94-151).
[14] Steck, Lehre und Kirche, 124. Ebd. Literaturhinweise.

Claritas interna entspricht dem, was Bernhard von Clairvaux als das Zeugnis des Hl. Geistes in unserem Herzen bezeichnet hat[15]. Luther stellt nun heraus, daß solche Klarheit nicht nur innerlich im Herzen aufleuchtet, sondern daß vom Worte Gottes her aktiv solche Klarheit ausgeht[16]. Die Hl. Schrift ist lebendig in dem Sinne, daß sie die Klarheit und Sicherheit des Glaubens aktiv begründet. Die Klarheit kommt von außen auf uns zu vom Worte her. In diesem Sinne ist das Wort der Schrift klar: Gewißheit begründend.

Durch dieses Wort kommt der Hl. Geist und vertreibt unser eigenes Sinnen, den Eigen-Sinn[17]. So interpretiert sich die Schrift selbst, so richtet und erleuchtet sie. Die Schrift ist wirklich Licht und Lehrer[18].

Für die scholastischen Theologen war es spätestens seit der Auseinandersetzung mit der aristotelischen Wissenschaftslehre im 13. Jahrhundert selbstverständlich, daß die ersten Prinzipien einer Wissenschaft in sich bekannt sein müssen, wenn sie nicht von einer anderen Wissenschaft entlehnt werden, der dann die erstere untergeordnet wäre[19]. Luther wendet diesen Gedanken auf seine Auffassung von der Schrift an. Das „erste Prinzip" der Theologie sind nur die Worte Gottes, das ist die Hl. Schrift, von ihr geht Licht und Einsicht aus[20].

---

[15] Bernhard v. Clairvaux, In festo annuntiationis b. Mariae virginis, sermo 1 (PL 183,383f.). — Luther zitiert diese Stelle ausführlich in seiner Scholie zu Röm 8,16 (Ipse enim spiritus testimonium reddit spiritui nostro) und interpretiert sie (= WA 56,369,27-370,23). Ein zweites Mal verweist er „dem Sinne nach" (sententialiter) auf dieselbe Stelle in der Scholie zu Hebr 5,1 (1517) (= WA 57,169,13-19). Seine Bemerkungen hierzu sind hochbedeutsam. Sie markieren den Punkt, wo Luther die Vollgestalt seiner Rechtfertigungslehre zum ersten Male vorträgt. So M. Kroeger, Rechtfertigung und Gesetz, 144f.; 166.

[16] Faber Stapulensis, Qu. Psalt., Ps. 118 X i 3, fol. 187ᵛ. — Vgl. Weier, Das Thema vom verborgenen Gott, 151f.

[17] WA 7,97,34-36 (Assertio omnium articulorum): Solum verbis dei studendum esse, spiritum autem sua sponte venturum et nostrum spiritum expulsurum, ut sine periculo theologissemus. — Steck, Lehre und Kirche, 125.

[18] WA 7,97,23 (Assertio): Ipsa per sese certissima, facillima, apertissima, sui ipsius interpres, omnium omnia probans, iudicans et illuminans. — Steck, aaO., 126.

[19] H. Meyer, Die Wissenschaftslehre des Thomas von Aquin: PhJ 47 (1934) 205; 48 (1935) 26.

[20] WA 7,97,30-32 (Assertio): Vides, et hic veritatem tribui non nisi capiti verborum dei, hoc est, si verba dei primo loco didiceris et eis velut principio usus fueris pro omnium verborum iuditio. — Schon Wilhelm v. Auvergne († 1249) hatte die Glaubensgewißheit mit den obersten Denkprinzipien verglichen. — Vgl. G. Englhardt, Die Entwicklung der dogmatischen Glaubenspsychologie in der mittelalterlichen Scholastik vom Abaelardstreit (um 1140) bis zu Philipp dem Kanzler († 1236): BGPhThMA Bd. 30 H. 4-6, Münster 1933, 306f. — Die scholastische „Konklusionstheologie" betrachtete die articuli fidei analog zu den Denkprinzipien. — Vgl. M.-D. Chenu, OP, La théologie comme science au XIIIᵉ siècle: BiblThom 33, Paris 1957, 68f.; G. Söhngen, Art. Konklusionstheologie: LThK²; ders., Die Weisheit der Theologie durch den Weg der Wissenschaft, in: (Hrsg.) J. Feiner — M. Löhrer, Mysterium salutis, Bd. 1, Einsiedeln 1965, 971f.

Wieso geht solche Klarheit und solches Licht von der Schrift aus? Luther beweist hier nichts mehr[21]. Daß die Schrift Gottes Wort sei, ist für ihn (und für seine Zeitgenossen) so selbstverständlich, daß hier gar keine Frage aufkommt. Hier geht es nur darum, das Gottes-Wort-Sein der Schrift in seiner Tiefe und der Fülle seiner lebendigen Wirklichkeit auszusagen.

Die Art und Weise seiner Argumentation ist nicht abstrakte Reflexion, sie ist stark assertorisch, getragen von mächtigem Bewußtsein zur Lehrvollmacht. Das drückt sich zum Beispiel in den von ihm gebrauchten Superlativen aus: (Scriptura) ipsa per se certissima, facillima, apertissima (und dann erst das theologisch wichtige) sui ipsius interpres[22].

Das theologische Problem, das sich aus der kompromißlosen Konfrontierung des reinen Evangeliums und der menschlichen Zusätze ergibt, ist die Frage, welche Autorität denn dann überhaupt ein christlicher Lehrer oder Prediger haben kann. Hierzu ist zweierlei zu sagen. Zunächst einmal, daß Luther mit großer Kühnheit nicht nur das geschriebene Wort der Schrift, sondern auch die christliche Predigt und Lehre als Gottes Wort deutet. Des Predigers Wort soll man als Gottes Wort ansehen. Andererseits gibt es aber auch falsche Prediger. Luther ist überzeugt, daß die wahren Gläubigen die Stimme des Hirten von der Stimme des Mietlings zu unterscheiden vermögen[23].

Luther selbst spricht nicht selten von seiner eigenen Verzagtheit. Andererseits ist er felsenfest überzeugt, daß die doctrina fidei, die er vorträgt, göttliche Lehre ist[24]. Alles sei verflucht, was gegen diese Lehre ist, selbst die Liebe[25]. Er vergleicht sich zuweilen mit den Aposteln, Evangelisten, Propheten[26]. Er nennt sich „einen Ecclesiasten von gotis gnaden"[27]. Auf sich bezieht er, was er von allen rechten Verkündigern des Evangeliums sagt[28]. Luther fühlt sich durch Gott gezwungen, seinen Weg zu gehen[29]. —

[21] Steck, Lehre und Kirche, 142. [22] WA 7,97,23f. (Assertio).
[23] Steck, aaO., 53; 71f.; 119.
[24] K. Holl, Luthers Urteile über sich selbst, in: Gesammelte Aufsätze zur Kirchengeschichte, Bd. 1, Tübingen ⁶1932, 392; 406f.
[25] WA 40/II 47,26-28 (Ad Gal. 1535): Maledicta sit charitas, quae servatur cum iactura doctrinae fidei, cui omnia cedere debent, charitas, Apostolus, Angelus e coelo etc. — Im Kontext betont Luther, daß er grundsätzlich zur Liebe mit allen bereit sei. Sein schockierender Ausdruck ist also hyperbolisch. Er will akzentuieren.
[26] WA 19,261,24 (Wider den Rathschlag der Mainzischen Pfafferi etc. 1526); WA 30/III 290,28 (Warnung an seine lieben Deutschen 1531).
[27] WA 10/II 105,17f. (Wider den falsch genannten geistlichen Stand etc. 1522).
[28] Steck, aaO., 41ff.
[29] H. Frh. v. Campenhausen, Reformatorisches Selbstbewußtsein und reformatorisches Geschichtsbewußtsein bei Luther (1517-1522): ARG 37 (1970) 128-150.

Scheinbar haben wir inzwischen die Unterscheidung von theologia crucis und gloriae aus den Augen verloren. In Wirklichkeit aber besteht eine geheime Zuordnung zwischen dem Verhältnis von Gottes Wort — menschliche Zusätze einerseits und theologia crucis — theologia gloriae andererseits. Die theologi gloriae sind eben jene, von denen die menschlichen Zusätze erfunden werden. Der theologus crucis ist derjenige, der nur das Wort Gottes hören will und — indem er die Schrift studiert — von ihr getroffen und ergriffen wird.

Kritisch ist zu fragen, ob Luther den Wesenszusammenhang zwischen Spekulation, hochmütigem „Glorieren", Übermalung des Wortes Gottes durch menschliche Zusätze, päpstlicher und konziliarer Lehrvollmacht zu Recht behauptet. Klar ist aber, daß der Kampf gegen die spekulative Theologie und der Kampf gegen die hierarchische Lehrvollmacht als Kampf für die Theologie des Kreuzes und für die Reinheit des Evangeliums von menschlichen Zusätzen gewollt ist.

3. Kapitel

Verteidigung des Rechtes scharfer theologischer Zuspitzungen in De servo arbitrio (1525)

Luthers De servo arbitrio stellt in mehr als einer Hinsicht eine Aufgipfelung seiner Theologie dar. Er selbst hat bei verschiedenen Gelegenheiten je verschiedene seiner Schriften als sein Meisterstück bezeichnet. Wenigstens einmal hat er auch De servo arbitrio so hervorgehoben[1].

Aufgegipfelt ist in De servo arbitrio die theologia crucis, nämlich seine Theologie vom Zorn Gottes, der uns durch das Gesetz und den Gedanken an die Prädestination zu Boden drückt, und vom Glauben, der die Güte Gottes im Blick auf das Kreuz Christi unter seinem Zorn verborgen erkennt[2].

Aufgegipfelt ist in besonderer Weise auch die Lehre von der lebendi-

---

[1] WABr Nr. 3162,6-8 (An Capito 9. Juli 1537): Magis cuperem eos (sc. libros meos) omnes devoratos. Nullum enim agnosco iustum librum, nisi forte de Servo arbitrio et Catechismum. — Im Anschluß an diese Stelle wird immer wieder hervorgehoben, daß Luther De servo arbitrio als sein Meisterwerk betrachtet habe. So P. Tschackert, Die Entstehung der lutherischen und reformatorischen Kirchenlehre, Göttingen 1910; H. Grisar, SJ, Luther, Bd. 1, Freiburg 1911, 569; W. H. van de Pol, Das reformatorische Christentum in phänomenologischer Betrachtung, Einsiedeln 1956, 372. — Daß Luther bei anderen Gelegenheiten auch andere Schriften als seine besten bezeichnet hat, weist nach K. Holl, Luthers Urteile über sich selbst, 399.
[2] Vgl. u. 177.

gen Kraft der Schrift. Diese Kraft zeigt sich darin, daß sie Klarheit ausstrahlt und im Herzen des wahren Hörers der Schrift Gewißheit begründet. Dieser Punkt ist für unseren Zusammenhang entscheidend. Wir haben gesehen, wie die Ablehnung der theologia gloriae in sich schließt die Frontstellung gegen ein Theologisieren aus menschlichem Hochmut und Eigensinn, ferner wie diese Ablehnung auch zu verstehen ist als Frontstellung gegen die menschlichen „Hinzufügungen" zum Evangelium, bald auch gegen päpstliche und konziliare Lehransprüche.

Die Ablehnung der hierarchischen Lehrautorität ist konsequenterweise nur möglich, wenn die Schrift selbst in lebendiger Kraft Klarheit und Gewißheit ausstrahlt. Und eben diese Konsequenzen entfaltet Luther mit aller Eindringlichkeit in De servo arbitrio.

In der Responsio ad librum Ambrosii Catharini (1521)[3] und in anderen Schriften etwa der gleichen Zeit war Luther zu sehr scharfen Antithesen vorangeschritten (Hie menschliche Zusätze, die vom Teufel sind, hie Gottes Wort). Als dann 1524 Erasmus in den Kampf eingriff, stellte er das Recht solcher Antithesen direkt oder indirekt zur Debatte. Grundmotto im Kampf des Erasmus ist die modestia, die Mäßigung.

Zunächst zu den äußeren Daten der Auseinandersetzung. Erasmus hat 1524 eine Schrift De libero arbitrio publiziert[4] und darin die Auffassung vertreten, die Frage nach dem freien Willen sei eine der Hauptstreitfragen zwischen Alt- und Neugläubigen[5]. Auf Luthers Antwort in De servo arbitrio 1525 replizierte er dann zweimal, nämlich durch Hyperaspistes I (1526) und deren Fortsetzung Hyperaspistes II (1527)[6].

Wir verfolgen die Frage, wie Luther das Recht scharfer theologischer Zuspitzungen gegen Erasmus verteidigt.

a) Kritik an der „Mäßigung" und dem Skeptizismus des Erasmus

Gleich zu Beginn seiner Darlegungen hebt Luther hervor, daß Erasmus sich für Frieden und Maßhalten einsetze. Diesen Bemühungen stellt er die These entgegen, als Christ müsse einem an kategorischen Aussagen

---

3 WA 7,705-778.
4 De libero arbitrio διατριβή sive collatio, hrsg. J. v. Walter: Quellenschriften zur Geschichte des Protestantismus, Bd. 8, Leipzig 1910 (²1953). Vgl. LB IX 1215-1248.
5 K. H. Oelrich, Der späte Erasmus und die Reformation: RGStT 86, Münster 1961, 124.
6 LB X 1249-1336 (Hyperaspistes diatribae adversus servum arbitrium Martini Lvtheri, l. I); LB X 1337-1536 (Hyperaspistes, l. II).

gelegen sein, ja man müsse daran seine Freude haben[7]. Luther bezeichnet kategorische Aussagen als assertiones. Es sind Aussagen, die kein Wenn und Aber kennen, Aussagen, die mit unumstößlicher Sicherheit und Gewißheit vorgetragen werden. Jedenfalls wird hier schon klar, daß die assertiones verstanden werden sollen im Gegensatz zur modestia des Erasmus[8]. Die modestia, die von Erasmus gefordert wird, enthält also in den Augen Luthers gerade die entscheidende Verderbnis. Worin liegt sie?

Wir setzen zur Beantwortung bei einem Kernpunkt der Auseinandersetzung ein: der Frage nach der lebendigen Klarheit, die von der Schrift ausgeht. Daß eine solche Klarheit besteht, wird von Luther mit aller Entschlossenheit zur Konsequenz behauptet: Es gibt im theologischen Sinn überhaupt keine Dunkelheit der Schrift. Im theologischen Sinn ist die Hl. Schrift absolut klar. Im theologischen Sinn, das soll heißen von Gott her. Er verleiht der Schrift diese Klarheit. Von Gott her gesehen wäre der dunkelste Punkt der Punkt ihres tiefsten Geheimnisses. Wenn nun Gott eben dieses tiefste Geheimnis erklärt hat, dann ist die (theologische) Dunkelheit bis auf ihren Grund behoben. Dunkelheit der Schrift gibt es dann nur in einem uneigentlichen Sinn, etwa auf der philologischen Ebene. Sie rührt von „Unkenntnis der Worte und der Grammatik", nicht aber von der Erhabenheit der berichteten Dinge. „Denn was könnte in der Schrift noch an Erhabenem bleiben", erklärt Luther, „nachdem die Siegel zerbrochen und der Stein vom Eingange des Grabes gewälzt ist und jenes erhabenste Geheimnis preisgegeben ist: daß Christus, der Sohn Gottes, Mensch geworden, daß Gott dreieinig ist, Christus für uns gelitten hat und ewig herrschen wird?"[9] „Somit ist also alles, was die Schrift enthält, uns preisgegeben — mögen auch einzelne Stellen uns durch Unkenntnis von Wörtern dunkel bleiben ... Dieselbe Sache, die also aller Welt offenbar geworden ist, wird in der Schrift zuweilen mit

---

[7] WA 18,603,2-12: Primo illud, quod etiam aliis libellis pervicatiam asserendi in me reprehenderis, Et in hoc libello dicis, te adeo non delectari assertionibus ... Non est enim hoc Christiani pectoris, non delectari assertionibus, imo delectari assertionibus debet, aut Christianus non erit. — WA 18,603,28f.: Tolle assertiones, et Christianismum tulisti.

[8] Luther hat in der Assertio omnium articulorum aus dem Jahre 1520 sich bereits durch den Titel der Schrift zur assertorischen Denkweise bekannt. Erasmus kontert in der Diatribe: Non delector assertionibus (Walter 3,15f.). Nun dreht Luther noch einmal den Spieß herum: Worum es geht, sind gerade die assertiones.

[9] WA 18,606,16-26: Sed esse in scriptura quaedam abstrusa et non omnia exposita, invulgatum est quidem *per impios Sophistas* ... Hoc sane fateor, esse multa loca in scripturis obscura et abstrusa, *non ob maiestatem rerum, sed ob ignorantiam vocabulorum et grammaticae,* sed quae nihil impediant scientiam omnium rerum in scripturis. Quid enim potest in scripturis augustius latere reliquum, postquam fractis signaculis et voluto ab hostio sepulchri lapide, *illud summum mysterium proditum est* Christum filium Dei factum hominem, Esse Deum trinum et unum. Christum pro nobis passum et regnaturum aeternaliter?

klaren Worten gesagt, zuweilen ist sie noch unter dunklen Wörtern verborgen"[10].

Diese Klarheit, die vom lebendigen Wort der Schrift ausgeht, läßt keinen Raum für Skeptizismus, sie verlangt von Gewißheit getragene, also kategorische Aussagen. Das Stichwort des Skeptizismus hatte Erasmus selbst Luther gegeben. Er hat in seiner Diatribe sich zu einer „gemäßigten skeptischen Theologie" bekannt[11]. Ihm hält Luther nun entgegen: „Der Heilige Geist ist kein Scepticus"[12].

Wir schalten hier einen Exkurs über den Skeptizismus des Erasmus ein, um die Gegenposition Luthers genauer zu verstehen.

Erasmus hat sich in seiner Diatribe tatsächlich zur Haltung eines „gemäßigten Skeptizismus" bekannt. Er führt dort aus, daß seiner ganzen Natur der Kampf widerstehe, daß er lieber auf dem freien Feld der Musen in spielerischer Gelassenheit tätig sein möchte[13]. Sodann erklärt er: „Ich habe so wenig Geschmack an Behauptungen, daß ich leicht gesonnen bin, einer skeptischen Sentenz zu folgen, solange die unantastbare Autorität der Hl. Schrift und die Dekrete der Kirche das erlauben. Dieser freilich unterwerfe ich mich in jedem Falle bereitwillig — ob ich nun einsehe, was sie vorschreibt, oder ob ich es nicht einsehe"[14].

Auf den Angriff Luthers hin hat Erasmus in den Hyperaspistes versucht, die Art seines Skeptizismus deutlicher zu bestimmen. Er betont noch einmal, daß er nicht daran denke, den Glaubensartikeln und der Hl. Schrift im ganzen gegenüber skeptisch zu sein. Es gehe ihm um theologische Lehrsätze, die noch umstritten und für eine Definition der Kirche noch nicht reif seien[15].

---

[10] WA 18,606,30-35: Res igitur in scripturis contentae omnes sunt proditae, licet quaedam loca adhuc verbis incognitis obscura sint ... Eadem vero res, manifestissime toti mundo declarata, dicitur in scripturis tum verbis claris, tum adhuc latet verbis obscuris. — Vgl. E.-W. Kohls, Die Theologie des Erasmus, Textband, Basel 1966, 61.

[11] WA 18,613,24f.: Huc ducit nos tua illa moderata Sceptica Theologia.

[12] WA 18,605,32: Spiritus sanctus non est Scepticus.

[13] Diatribe (Walter 3,13-15): ... ut qui semper arcano quodam naturae sensu abhorruerim a pugnis: eoque semper habui prius in liberioribus Musarum campis ludere, quam ferro cominus ingredi.

[14] Diatribe (Walter 3,15-20): Non delector assertionibus, ut facile in Scepticorum sententiam pedibus discessurus sim, ubicunque per divinarum Scripturarum inviolabilem auctoritatem et Ecclesiae decreta liceat, quibus meum sensum ubique libens submitto, sive assequor quod praescribit, sive non assequor. — Der humanistische Hintergrund der erasmischen Fragestellung wird deutlich bei E. Monnerjahn, Zum Begriff der theologischen Unklarheit im Humanismus: Festgabe J. Lortz, Reformation. Schicksal und Auftrag, Bd. 1, Baden-Baden 1958, 277-304.

[15] LB X 1258 D-E: Quantum tribuam sacris Litteris, quamque non vacillem in articulis fidei, puto satis liquere ex scriptis meis. Hic adeo non opto ne habeo Scepticum animum, ut pro his mortem oppetere nihil dubitaturus sim ... Sed de dogmatibus

In der Tat muß man zugestehen, daß Erasmus klaren Glaubenswahrheiten gegenüber keineswegs den Skeptizismus empfiehlt[16] — jedenfalls nicht in seiner Diatribe. Man darf nicht überhören, daß Erasmus im selben Zusammenhang, in dem er von seiner Neigung zum Skeptizismus spricht (solange es nicht um Glaubenswahrheiten geht!), seiner Sehnsucht Ausdruck verleiht, „auf dem freien Felde der Musen zu spielen"[17]. Das bedeutet doch wohl, daß ihm das Ideal einer weiten und kritischen Geistigkeit am Herzen liegt.

Der späte Erasmus, der immer wieder darüber klagt, daß die Scholastik der Forschung unerträgliche Fesseln anlege, interpretiert mit dieser Klage am besten seine eigene Aussage. Es geht ihm darum, den Weg für scharf kritische Forschung freizumachen[18]. Es trifft in Wahrheit Erasmus höchstens der Vorwurf, daß er das Wort von der sententia Scepticorum, der er leicht folgen wolle, nicht genügend gegen Mißverständnisse abgeschirmt hat, daß er seine Forderung des „methodischen Zweifels" (wenn man so sagen darf) nicht deutlich genug präzisiert und auch die Stoßrichtung seiner quasi-skeptischen Äußerungen (die im Grunde gegen die übertriebene Autoritäts- und Schulgebundenheit der Scholastik seiner Zeit geht) nicht ganz klarstellt.

Versucht man nun sachlich den Gegensatz zwischen Luther und Erasmus in der Skeptizismus-Frage zu bestimmen, so ist zunächst zu sagen, daß Luther keineswegs Gegner einer humanistisch-kritischen Wissenschaftlichkeit ist. Der Gegensatz betrifft vielmehr den Bereich, wo auch Erasmus gerade kein Skeptiker ist, sondern sich ebenfalls zu „gewissen" (= kategorisch sicheren) Aussagen bekennt. Für Erasmus ist der Bereich der assertiones der Bereich der definierten Dogmen der Kirche[19]. Erasmus bekennt sich zur kirchlichen Bindung der Theologie,

contentiosis loquor, in quibus et olim Ecclesia Sceptica fuit, diu considerans antequam definiret.
[16] C. J. de Vogel, Erasmus and Church Dogma, in: (Hrsg.) J. Coppens, Scrinium erasmianum, Bd. 2, Leiden 1969, 109; 118f.; 130. — De Vogel betont, daß Erasmus keinen Unterschied anerkenne zwischen primären oder wesentlichen Dogmen und sekundären, die nicht wesentlich wären. Im Gegensatz hierzu meint P. Meinhold, daß Luther gerade „dem theologischen Humanismus des Erasmus mit seiner Unterscheidung von wesentlichen und nicht wesentlichen Glaubenswahrheiten" entgegengetreten sei. Ders., Luther heute, Berlin-Hamburg 1967, 104.
[17] Diatribe (Walter 3,14f.). — Eine Verdeutlichung dessen, worum es Erasmus geht, ist vielleicht eine Bemerkung von K. Jaspers über das bekannte Buch „Homo ludens" von J. Huizinga, in dem dieser die großen Kulturerscheinungen als Spiel deutet. Dieser erkenne „den unbedingten Ernst in dem Spiel, das nicht nur Spiel ist". Solcher Ernst liegt auch in dem „Spielen", von dem Erasmus spricht. Luther bestreitet ihn. — Vgl. K. Jaspers, Philosophie und Welt. Reden und Aufsätze, München 1958, 49.
[18] Diatribe (Walter, 3,15f.): Non delector assertionibus.
[19] LB X 1258 D-E.

während für Luther alle Klarheit und Gewißheit von der viva vox evangelii allein herrührt.

Jedoch ist damit nicht alles gesagt. Es besteht ein Unterschied in der Art und Weise, wie Luther und Erasmus von unumstößlichen Wahrheiten sprechen. Für Erasmus sind sie die Grenzmarke für das „freie Feld", wo er sich zu Hause fühlt, wo die litterae meliores sich entfalten, wo er auch skeptisch sein darf. Unumstößliche Wahrheiten sind für ihn Absicherungen. Für Luther dagegen sind die unumstößlichen Wahrheiten das, was ihn trifft, worum sein Denken kreist, was er deshalb aussprechen will und muß.

Erasmus will trotz seiner Abneigung gegen assertiones die unumstößlichen Wahrheiten nicht einfach an den Rand des Bewußtseins drängen. Jedoch vertritt er den Standpunkt, daß man die Geheimnisse Gottes (und um sie handelt es sich ja bei den Dogmen) eher anbeten als erforschen müsse. So betont er nachdrücklich in seiner Ratio perveniendi ad veram theologiam[20]. So betont er auch in der Diatribe[21]. Melanchthon hat in den Loci communes von 1521 eben diese Aussage des Erasmus zum eigenen Motto gemacht[22].

Erasmus war kein spekulativer Theologe. Jedoch geriet er unversehens in spekulative Probleme hinein. Dies gerade im Bereich der unumstößlichen Wahrheiten. Freilich nicht nur ihnen, sondern der ganzen Hl. Schrift gegenüber, nämlich dadurch, daß er erkennt, daß verschiedene Aussagen der Schrift dem Buchstaben nach miteinander in Widerspruch zu stehen scheinen und daß auch gewisse dogmatische Aussagen in antithetischem Verhältnis zueinander stehen.

Das Problem der scheinbaren Widersprüche der Schrift ist ein wichtiger Grund, warum er sich für die allegorische Auslegungsmethode einsetzt. Ausdrücklich erklärt er zum Beispiel in der Ratio von 1518, man müsse scheinbare Widersprüche der Schrift mit Hilfe der allegorischen Methode auszugleichen versuchen[23].

---

[20] Ratio (Holborn 179,35-180,9): Cum loca subis religione veneranda, exosculari omnia, adoras omnia ... Quod datur videre, pronus exosculare; quod non datur, tamen opertum quicquid est adora simplici fide proculque venerare, absit impia curiositas ... Fortassis hoc nos docuit Moses faciem suam obvelans, ne dominum intueretur e rubo sibi loquentem. [21] Diatribe (Walter 7,11f.).
[22] CR 21,13. — Vgl. W. Maurer, Der junge Melanchthon zwischen Humanismus und Reformation, Bd. 2, Göttingen 1969, 233; 243.
[23] Ratio (Holborn 274,24-30): Verum in allegoriis, ut huc redeamus, quoniam his omnis fere constat divina scriptura, per quam aeterna sapientia nobiscum veluti balbutit, praecipue cura ponenda est ... Aliquoties palam falsus est, nonnumquam etiam ridiculus et absurdus est verborum sensus, si simpliciter accipiatur. Etc. — Vgl. J. B. Payne, Erasmus. His Theology of the Sacraments, (s. l.) 1970, 49; ders., Toward the Hermeneutics of Erasmus, in: Scrinium erasmianum, Bd. 2, Leiden 1969, 19.

In seiner Diatribe sieht er speziell ein Problem darin, daß eine Reihe von Schriftstellen den freien Willen zu beweisen, eine andere Reihe ihn zu widerlegen scheinen. Hier empfiehlt er als Ausweg die moderatio. Zusammenfassend schreibt er: „Bis jetzt haben wir aus der Hl. Schrift die Stellen zusammengetragen, die den freien Willen beweisen, und umgekehrt auch jene, die ihn ganz zu widerlegen scheinen. Da aber der Hl. Geist, den alle Stellen zum Urheber haben, nicht mit sich im Widerstreit liegen kann, so sind wir gezwungen, ob wir wollen oder nicht wollen, eine Mäßigung der Lehre (sententiae moderationem) zu suchen"[24].

Die moderatio ist hier nichts anderes als Harmonisierung. Warum heißt die Harmonisierung moderatio, Mäßigung? Offenbar geht es darum, den Aussagen das Zugespitzte zu nehmen und so ihren Einklang herzustellen.

Das Problem solcher Schein-Widersprüche von Bibelstellen oder Dogmen kommt naturgemäß oft nur dem Fachtheologen zum Bewußtsein. Die Frage ist, ob das gläubige Volk damit befaßt werden soll. Erasmus lehnt das entschieden und nicht ohne gegebenen Anlaß ab. In der Predigt soll man nicht gelehrte Quästionen vortragen (und das sind doch wohl zum großen Teil solche Widerspruchsfragen!)[25]. Er vertritt damit einen Standpunkt, der auch sonst im ausgehenden Mittelalter geltend gemacht wurde[26].

Man muß also unterscheiden zwischen Problemen, die nur die Theologen angehen, und solchen, die für das ganze gläubige Volk von Bedeutung sind. So wohlbegründet diese These ihrem Ansatz nach ist, so gefährlich ist sie natürlich auch, nämlich als Versuchung zur Unredlichkeit. Aber das steht hier nicht zur Debatte. Jedenfalls wendet Erasmus seine Auffassung auf das Problem des freien Willens an. Es ist nach seiner Auffassung ein reines Theologenproblem.

Im Grunde, so meint er, habe Luther diese Frage ohne angemessenen Grund hochgespielt. Nicht einmal für Theologen habe es viel Zweck,

---

[24] Diatribe (Walter 77,3-7): Hactenus ex divinis libris loca contulimus, quae statuunt liberum arbitrium, et ex adverso, quae videntur in totum tollere, Quoniam autem spiritus sanctus, quo auctore prodita sunt haec, non potest pugnare secum, cogimur velimus nolimus aliquam sententiae moderationem quaerere.

[25] Vgl. u. 283.

[26] Gabriel Biel betont, daß Schulfragen nicht vor Laien abgehandelt werden sollen. Ihr religiöses Empfinden darf nicht verletzt werden: Sent. III dist. 3 q. 1 a. 1 nota 3. Ähnlich Geiler von Kaysersberg in der Navicula Poenitentiae. — Vgl. E. J. D. Douglass, Justification in Late Medieval Preaching: Studies in Medieval and Reformation Thought, Bd. 1, Leiden 1966, 4.

sich damit abzugeben[27], erst recht hätte er das gläubige Volk damit verschonen sollen[28].

Luther pariert die Einrede des Erasmus durch Berufung auf den Willen Gottes. Er sei überzeugt, daß es Gottes Wille sei, die Lehre vom unfreien Willen öffentlich zu predigen. Über die Gründe des göttlichen Willens nachzuforschen, ist nicht unser Recht. Wir müssen uns Gottes Willen anbetend beugen[29]. Ja er glaube sogar, daß es ein Zeichen echter Theologie sei, wenn sie Unruhe hervorrufe. Das Wort Gottes muß sich im Widerstreit durchsetzen. Der Friede, den Erasmus verteidigt, sei die Behäbigkeit des Fleisches. Er mache das Wort Gottes von der Meinung der Menschen abhängig. Das Wort Gottes sei doch gekommen, um die Welt zu verändern. Wer die Unruhe besänftigen will, die von ihm ausgeht, will in Wahrheit das Wort Gottes beiseite schieben und behindern[30].

Gott habe keineswegs im dunkeln gelassen, wieso die Lehre vom unfreien Willen für uns Menschen notwendig und nützlich sei. Zunächst sei zu bedenken, daß wir durch die Erkenntnis von der Unfreiheit des Willens so verdemütigt werden, daß wir unser Heil nicht mehr aus eigenen Werken, sondern nur noch von der Barmherzigkeit Gottes erwarten[31]. Das zu beherzigen sei für unser Heil geradezu entscheidend. Ferner sei zu bedenken, daß Glaube überhaupt nur dort möglich sei, wo der Gegenstand des Glaubens verborgen bleibt: Fides est rerum non apparentium[32].

Luther ist also überzeugt, daß es sich bei dem Streit über die Unfreiheit des Willens um einen Kernpunkt alles Christlichen handelt: Wer davon nichts weiß, versteht überhaupt nichts „von den christlichen Dingen". Gewiß sei das Wort vom unfreien Willen dem Buchstaben nach nicht in der Schrift enthalten. Aber auch das Wort Homousios, das im Kampf gegen die Arianer die entscheidende Rolle gespielt hat, ist dem Buchstaben nach nicht in der Schrift enthalten[33]. Trotzdem sei die Lehre

---

[27] Diatribe (Walter 1,5-9): Labyrinthus ... de libero arbitrio. Nam haec materia ... theologorum ... ingenia ... exercuit, sed maiore, sicut opinor, negotio quam fructu.

[28] Diatribe (Walter 11,12-17). — Vgl. WA 18,632,21f.: Quae igitur utilitas aut necessitas talia invulgandi, cum tot mala videantur inde provenire?

[29] WA 18,632,22-26: Respondeo, satis erat quidem dicere, Deus voluit ea vulgari.

[30] E. Wolf, Über „Klarheit der Heiligen Schrift" nach Luthers „De servo arbitrio": ThLZ 92 (1967) 724. Ebd. Hinweise auf WA 18,625,10; 626,25; 631,20. — Steck, Lehre und Kirche bei Luther, 54.

[31] WA 18,632,29-633,6: Primum, Deus certo promisit humiliatis, id est deploratis et desperatis, gratiam suam.   [32] WA 18,633,7. — Vgl. Hebr 11,1.

[33] WA 18,741,34-742,5: Quantas victorias Arriani iactabant, quod syllabae istae et literae Homousios non haberentur in scripturis, nihil morati, quod aliis verbis idem efficacissime probaretur? ... Habe igitur victoriam, nos victi confitemur, hos characteres et syllabas ... in sacris scripturis non inveniri. Tu autem vide, qualis sit victoria tua.

in der Schrift enthalten, weil die ganze Schrift Christus in antithetisch zuspitzender Weise verkündet: per contentionem et antithesin[34]. Alles, was ohne den Geist Christi ist, das unterstellt sie dem Satan, der Gottlosigkeit, dem Irrtum, den Finsternissen der Sünde, dem Tod und dem Zorn Gottes. Mithin richten sich alle Stellen der Schrift, die von Christus sprechen, gegen den freien Willen. Mithin bleibt kein Jota und kein Strichlein, das nicht den freien Willen verdammt[35].

„Contentio und antithesis", antithetische Zuspitzung läßt also die Sinnmitte der Schrift, die Christus ist, als Aussage über den unfreien Willen hervortreten. Es geht um Zuspitzung: aber nicht um ihrer selbst willen, sondern um der lebendigen Sinnmitte der Schrift willen.

Weil diese Sinnmitte nicht eine tote Idee, sondern Leben ist — es geht dabei um unser Heil —, gerade deshalb äußert sie sich per contentionem et antithesin. Denn nur so trifft sie den Menschen, daß es für ihn keine Neutralität mehr gibt. So kann er dann eben nicht nach Belieben über dieses Geheimnis schweigen oder reden.

Damit ist direkt das Anliegen der Mäßigung, das Erasmus vertritt, zurückgewiesen. Man muß laut, das heißt akzentuierend und zuspitzend, verkünden, was in der Schrift selbst bezeugt ist.

b) Rechtes Reden über göttliche Geheimnisse: „Entschuldigung" Gottes oder Zuspitzung von Antithesen?

Bei der erasmischen moderatio geht es um den Ausgleich zugespitzter biblischer Aussagen, aber auch um die Harmonisierung antithetischer Glaubenslehren, so um die Frage, wie sich das freie Vorherwissen Gottes zu unserem freien Willen verhält[36], also um ausgesprochen spekulative Fragen.

„Ist das nicht verwegenes Forschen", erklärt nun Luther, „daß ich mich unterstehe, das absolut freie Vorherwissen Gottes mit unserer Freiheit zusammenreimen zu wollen?"[37] Er deklariert also gerade das als verwegene theologische Aufgabenstellung, was Erasmus als Aufgabe be-

---

34 WA 18,782,21f.: Summa, cum scriptura ubique Christum per contentionem et antithesin praedicet.
   „Contentio" kann selbst „antithesis" bedeuten. Außerdem auch die Leidenschaftlichkeit der Rede: Vgl. Thesaurus linguae latinae Bd. 4, Leipzig 1906-1909, 672, 41ff. und 676,68ff. — Thomas von Aquin, S.th. II 2ae q.38 a.1c: Sicut discordia contrarietatem quamdam importat in voluntate, ita contentio contrarietatem quamdam importat in locutione.
35 WA 18,782,21-27.
36 Diatribe (Walter 49,15ff.).
37 WA 18, 718,8-10: An non est scrutari temere, conari, ut liberrima praescientia Dei conveniat cum nostra libertate?

tont: zu versöhnen, was der menschlichen Vernunft als widersprüchlich erscheint, gleichsam Gott zu entschuldigen (excusare) und zu rechtfertigen. Luther läßt keinen Zweifel darüber, daß er hier Erasmus in gleicher Front mit der scholastischen Theologie sieht: „So hat man also geschwitzt und gearbeitet, um die Güte Gottes zu entschuldigen, den Willen des Menschen anzuklagen. Da hat man die Distinktionen von der voluntas dei ordinata und absoluta erfunden, ferner von der necessitas consequentiae und consequentis und vielerlei ähnliche Dinge"[38].

Die genannten Unterscheidungen spielen im Nominalismus eine große Rolle, Erasmus hat sie in seiner Diatribe aufgegriffen[39]. Luther konnte so mit einem Schlage beide treffen. Außerdem hat er der Scholastik den Vorwurf gemacht, daß sie im Anschluß an Aristoteles so weit gehe, Gott „messen und entschuldigen" zu wollen[40]. Hinter dem Versuch, Gottes Güte zu verteidigen (sie gegenüber Einwänden gleichsam zu entschuldigen), erblickt er ein geheimes Aufbegehren gegen die Prädestination, ein gotteslästerliches Fragen: „Wieso klagt man noch? Wer kann (Gottes) Willen widerstehen? Wo ist der seiner Natur nach gütigste Gott? Wieso will er nicht den Tod des Sünders? Schuf er etwa die Menschen, um sich an ihren Qualen zu ergötzen?"[41]

Der Mensch will sich vor Gott nicht demütigen, er will Gott nicht Gott sein lassen: „Selbstverständlich beleidigt das jenen sensus communis (= das allgemein übliche Denken) oder die natürliche Vernunft auf das gröblichste, daß Gott bloß aufgrund seines Willens die Menschen verläßt, verhärtet, verdammt, so als freue er sich über die Sünden und die so großen und ewigen Qualen der Elenden, während er doch als so sehr barmherzig, gütig und so weiter gepriesen wird... Und wer würde nicht angefochten? Ich selbst bin nicht nur einmal angefochten worden bis zur Tiefe und zum Abgrund der Verzweiflung, so daß ich wünschte,

---

[38] WA 18,719,12-15: Ideo sic sudatum et laboratum est pro excusanda bonitate Dei, pro accusanda voluntate hominis, ibi repertae distinctiones de voluntate Dei ordinata et absoluta, de necessitate consequentiae et consequentis et multa similia.

[39] Die Unterscheidung von voluntas dei ordinata und absoluta im Nominalismus ist bekannt. Zur Unterscheidung der necessitas consequentiae und consequentis bei Erasmus vgl. Walter 52,20-53,5. Ebd. Hinweis auf Thomas v. Aquin, S.c.gent. I,67, sol.3.

[40] WA 18,706,22-33: Talem Deum nobis et Aristoteles pingit, qui dormiat... Huc venitur, dum ratione humana Deum metiri et excusare volumus, dum secreta maiestatis non reveremur sed penetramus scrutantes, ut oppressi gloria pro una excusatione mille blasphemias evomamus... hic vides, quid ex Deo faciat iste tropus et glosa Diatribes.

[41] WA 18,718,10-14: Parati, praescientiae Dei derogare, nisi nobis libertatem permiserit, aut si necessitatem intulerit, cum murmurantibus et blasphemantibus dicere: Quid adhuc queritur? Voluntati eius quis resistet? Ubi Deus natura clementissimus? Ubi qui non vult mortem peccatoris? An ideo nos condidit, ut delectaretur cruciatibus hominum?

niemals geschaffen zu sein, bis mir aufging, wie heilsam jene Verzweiflung sei und wie nahe der Gnade"[42]. Wenn die Hl. Schrift die Dinge zugespitzt ausdrückt, muß die Theologie sie so zugespitzt stehen lassen. Luther glaubt, in der „mäßigenden" Harmonisierung des Erasmus wie im spekulativen Ausgleich von Antithesen in der Scholastik den Hochmut der theologi gloriae zu erkennen.

Man vergegenwärtige sich in diesem Zusammenhang einmal die scholastische Darstellungsmethode, etwa wie sie in der Summa theologiae des Thomas von Aquin einen klassischen Ausdruck gefunden hat: „Zuerst (wird) die mit ‚utrum' beginnende Fragestellung formuliert. Dann werden mit ‚videtur quod' Einwände aufgeführt, die sich gegen die bevorstehende Lösung des Autors richten oder zu richten scheinen. Daran reiht sich mit ‚sed contra' ein meistens mit einer Autorität gestütztes Argument, das für gewöhnlich die thomistische Stellungnahme vorbereitet. Im Mittelpunkt steht das Corpus des Artikels, das mit ‚respondeo dicendum' eingeleitet wird und die Lösung enthält. Der Artikel endigt mit der Widerlegung, oft genug im Sinne des Konkordanzverfahrens zu einer für die eigene Position günstigen Auslegung der anfangs gebrachten Einwände. Da marschieren oft zwanzig, dreißig oder mehr Einwände auf, — ein schlechter Scholastiker, der nicht auf jeden Einwand eine Antwort bereit hat"[43]. Diese Art der Darstellung kennzeichnet die Intention des Forschens. Offenbar geht es hier darum, über die in Spannung zueinander stehenden Ansichten der verschiedenen Autoren hinaus zu einer harmonischen Endlösung, welche die verschiedenen Teilwahrheiten verbindet, durchzustoßen. Die Herausstellung von Spannungen liegt dagegen nicht in der Absicht eines solchen Denkens. Gut gehandhabt, wird diese Methode gültige Synthesen zwischen These („pro") und Antithese („contra") herausstellen. Schlecht gehandhabt, führt sie dazu, bestehende Spannungen zu überdecken.

---

[42] WA 18,719,4-12: Scilicet hoc offendit quam maxime sensum illum communem seu rationem naturalem, quod Deus mera voluntate sua homines deserat, induret, damnet, quasi delectetur peccatis et cruciatibus miserorum tantis et aeternis, qui praedicatur tantae misericordiae et bonitatis etc. . . . Et quis non offenderetur? Ego ipse non semel offensus sum usque ad profundum et abyssum desperationis, ut optarem nunquam esse me creatum hominem, antequam scirem, quam salutaris illa esset desperatio et quam gratiae propinqua. — Vgl. K. Schwarzwäller, Theologia crucis. Luthers Lehre von Prädestination nach De servo arbitrio, 1525: FGLP, R. 10 Bd. 39, München 1970, 135f. — Die Forderung, Gott Gott sein zu lassen (Deum esse Deum), erhebt schon Cusanus. Vgl. R. Weier, „Aus Gnade gerechtfertigt", in: (Hrsg.) R. Haubst, Nikolaus von Kues als Promotor der Ökumene: Mitteilungen und Forschungsbeiträge der Cusanus-Gesellschaft, Bd. 9, Mainz 1971, 123.
[43] H. Meyer, Abendländische Weltanschauung, Bd. 3, Paderborn ²1952, 21.

Fragt man, inwieweit Luthers Angriff gegen die harmonisierende Theologie des Erasmus zugleich die ganze scholastische Theologie grundsätzlich als Abweg erweist, so ist die eben genannte Unterscheidung zu betonen. Sein Angriff vermag das Anliegen, echte Synthesen zwischen Antithesen zu suchen, nicht zu erledigen. Es ist und bleibt ein entscheidender Teil des theologischen Erkenntnisbemühens überhaupt. Aber Luther zeigt, wie wichtig es ist, verschleiernde Synthesen zu fürchten und Antithesen zu betonen.

Nicht ohne Vorläufer in der Tradition erklärt er: „Paradoxa haben keine geringe Bedeutung"[44]. Er verwahrt sich gegen den Rat des Erasmus, paradoxen Aussagen aus dem Wege zu gehen. Sie sind für eine gesunde Theologie unentbehrlich[45].

Korollar: „Zuspitzung" als Methode in anderen Schriften Luthers

Luther hat auch in anderen Schriften betont, wie wichtig es sei, paradoxale Spannungen herauszustellen[46] und überhaupt theologische Aussagen zuzuspitzen. In der Römerbriefvorlesung hat er gleich anfangs zu zeigen gesucht, daß es dem Apostel Paulus darum gehe, die Sünde „groß zu machen", magnificare, das heißt ihre ganze Furchtbarkeit und Gewichtigkeit herauszustellen[47]. In seiner Vorlesung zu den Kleinen Propheten

[44] WA 18,634,4: Cum sint non parvi momenti paradoxa. — Luther ist hier der Sache nach mit Meister Eckhart einig, dem sich die Paradoxie „als natürliches Darstellungsmittel (ergibt), während die Scholastik bemüht ist, das Paradoxe begrifflich aufzulösen oder wenigstens abzuschwächen". Vgl. J. Quint, Meister Eckehart, in: (Hrsg.) B. Geyer, Friedrich Ueberwegs Grundriß der Geschichte der Philosophie, Bd. 2, Berlin ²1928, 563.

[45] WA 18,634,1-10: Hoc modo rectius disputantibus in istis paradoxis consulitur, quam tuo consilio, quo per silentium et abstinentiam vis illorum impietati consulere, Quo tamen nihil proficis. Nam si vel credas vel suspiceris esse vera (cum sint non parvi momenti *paradoxa*), quae est mortalium insaturabilis cupido, scrutandarum secretarum rerum, tum maxime, cum maxime occultatas volumus, facies hac monitione tua evulgata, ut multo magis nunc velint omnes scire, an vera sint ea *paradoxa*, scilicet, tua contentione accensi, ut nullus nostrum hactenus tantam ansam praestiterit ea vulgandi, quantum tu hac religiosa et vehementi monitione. Prudentius multo fecisses, si prorsus tacuisses de his *paradoxis* cavendis, si votum tuum ratum voluisses. — WA 18,634,14f.: Alterum *paradoxon*, quicquid fit a nobis, non arbitrio libero, sed mera necessitate fieri, breviter videamus, ne perniciosissimum dici patiamur.

[46] J. Lortz nennt das Paradoxon „Grundform" von Luthers Aussagen. Ders., Die Reformation in Deutschland, Bd. 1, Freiburg ⁴1962, 153f.; ders., Martin Luther. Grundzüge seiner geistigen Struktur, in: Festgabe H. Jedin, Reformata reformanda, Bd. 1, Münster 1965, 230; ders., Luthers Römerbriefvorlesung. Grundanliegen: TThZ 71 (1962) 136f.

[47] WA 56,3,6-11: Summa et intentio Apostoli in ista Epistola est omnem Iustitiam et sapientiam propriam destruere et peccata atque insipientiam, quae non erant…, rursum statuere, augere et magnificare (i. e. facere, vt agnoscantur adhuc stare et multa et magna esse) ac sic demum pro illis vere destruendis Christum et Iustitiam eius nobis necessarios esse.

(1524/25) erklärt er zum Buche Jonas, dieses sei ein Zeugnis des Glaubens. Zu Unrecht hätten die Kirchenväter versucht, Jonas als fehlerlos hinzustellen. Sie hätten damit die wahre Absicht des Buches verdunkelt: „Durch ihre Glossen wollen sie jene große Sünde (des Jonas) abschwächen: wir dagegen wollen sie scharf herausstellen zu unserem Trost"[48].

In der Erklärung des 90. Psalmes 1534/35 (1541) betont er, daß die Bibel auf das schärfste verdeutlicht, wie sehr Gottes Gedanken unserem irdischen Denken zuwiderlaufen. Während man in den scholastischen Bibelkommentaren versuche, die Stellen der Schrift, die unserem irdischen Denken als anstößig erscheinen, einzuebnen, verfahre Moses ganz anders: „Das nämlich betreibt er als Erstes, den Tod und die übrigen Bedrängnisse dieses Lebens soviel er kann auf das schärfste zuzuspitzen. Hierin ist Moses seinem rechtmäßigen Dienst gemäß am allermeisten er selbst (Mosissimus Moses), das heißt der gestrenge Diener des Todes, des Zornes Gottes und der Sünde. Denn großartig verwaltet er hier den Dienst des Gesetzes und malt den Tod mit den schrecklichsten Farben; was der Zorn Gottes sei, durch den wir getötet werden, ja er zeigt, daß wir schon zuvor getötet und von gewaltigen Bedrängnissen erdrückt sind"[49].

W. v. Loewenich hat ein weiteres Beispiel Luther'scher Zuspitzungen herausgearbeitet: die Deutung der Tatsache, daß Christus am Kreuz an unsere Stelle getreten ist. Loewenich zeigt, wie der Reformator in seinem großen Galaterkommentar „an die äußerste Grenze des Möglichen" gegangen ist[50].

J. Lortz weist mit Berufung auf H. Bornkamm darauf hin, daß Luthers Zuspitzungen in sehr vielen Fällen durch ein „polemisches Gegenüber" provoziert seien. In diesen Fällen ist dann immer zu fragen, ob die „äußersten (von Luther gezogenen) Schlußfolgerungen notwendig zu seinen Grundanliegen gehören, oder ob diese recht wohl ohne die outrierten Folgerungen hätten bestehen können"[51]. So berechtigt diese Mahnung zur Vorsicht ist, so bleibt doch bestehen, daß Luther auch im Interesse

---

[48] WA 13,243,23-26: Hic facessant omnes omnium glossae territum eum (sc. Ionam) fuisse impietate regni Assyriorum... quibus glossis peccatum illud magnum extenuare volunt: sed nos exaggeremus in nostri consolationem.

[49] WA 40/III, 486,23-29 (Enarratio Psalmi XC 1534/35 [1541]): Hoc enim primum agit, ut mortem et reliquas huius vitae calamitates, quam potest, maxime exaggeret. In ea re secundum officium suum legale est Mosissimus Moses, hoc est severus minister mortis, irae Dei et peccati. Egregie igitur fungitur officio Legis et pingit mortem horribilissimis coloribus, quod ira Dei sit, qua occidimur, Imo ostendit nos iam ante occisos et ingentibus calamitatibus oppressos.

[50] W. von Loewenich, Christi Stellvertretung, in: Von Augustin zu Luther, Witten 1959, 155.

[51] Lortz, Martin Luther, in: Reformata reformanda, Bd. 1, 238.

seiner ureigenen Anliegen Zuspitzungen für legitim und notwendig hält: nicht nur zur Zurückweisung der Gegner, sondern auch zur Beleuchtung der Wahrheit.

Das negative Pendant zur Forderung, die Wahrheit geschärft auszusprechen, ist die Ablehnung der erasmischen Leisetreterei[52]. Ergänzungen zu den Aussagen in De servo arbitrio bieten in diesem Punkte besonders die Tischgespräche.

Hier sind die Vorwürfe Luthers gegen Erasmus auf wenige reduziert: Erasmus urteilt in theologischen Dingen zu sehr nach dem Maßstab menschlicher Vernunft. Vor allem aber: Erasmus ist doppelzüngig, unentschieden, er bekennt nicht klar, was er eigentlich glaubt. Es ist ihm nicht ernst mit dem, was er sagt[53]. Neben diesen allgemein gehaltenen Vorwürfen treten kritische Bemerkungen zu einzelnen Schriften des Erasmus, wie zu seinem Katechismus[54], zu seiner Übersetzung des Johannesevangeliums[55], zu der „Moria"[56] in den Hintergrund. Luther trifft mit seinen Vorwürfen die von der Forschung sattsam herausgestellten menschlichen Schwächen und das Versagen des Erasmus, aber doch auch dessen nie ermüdendes Bemühen um Ausgleich. Denn die von Luther immer wieder geltend gemachte Amphibolie des Erasmus ist doch oft genug auch Versuch, zwischen den streitenden Parteien einen Mittelweg zu finden. Und das mag Luther nicht.

Jedoch ist bei dieser Abwehr der erasmischen „Amphibolie" eines auffallend. Luther hat in seinen Tischgesprächen zu vielen Gelehrten seiner Zeit und der Vergangenheit Stellung genommen. Er hat das sehr oft getan. In gar keinem Verhältnis zu seinen übrigen Äußerungen steht jedoch die Häufigkeit, mit der er Erasmus nennt. Fast eintönig kehrt der Name des Erasmus in den Tischgesprächen wieder, und fast ebenso eintönig immer wieder dieselbe Reihe von Vorwürfen[57]. Er nennt Erasmus weit häufiger als zum Beispiel Petrus Lombardus, Thomas von Aquin, Hieronymus, ja selbst Augustinus, Paulus oder Johannes.

Das gibt zu denken. Der Gedanke an Erasmus hat also den reifen Luther nicht losgelassen[58]. Ob Luther spürte, daß ihm etwas fehlte, was

---

[52] WA 18,666,29f.: Tu ... multa bona verba perdis, dum super aristas incaedis.
[53] WATi Nr. 131; 430; 484; 797; 811; 817; 838; 1249; 1400; 1597; 2308; 2420; 2741; 3010; 3031; 3284; 3392.
[54] WATi Nr. 838; 3795.
[55] WATi Nr. 2876.
[56] WATi Nr. 3031.
[57] WATi Nr. 523; 818; 820; 822; 837; 1160; 1193; 1400; 1605; 2086; 2551; 3008; 3033; 3202.
[58] Anders urteilt K. Drescher. Er meint, daß Luther im Jahre 1527 „innerlich bereits längst über jedes tiefere Interesse an diesem Gegner hinausgekommen war": ders. in seiner Einleitung zu De servo arbitrio, erschienen 1908 (WA 18,590).

44

Erasmus besaß? Ob es nicht die ausgleichende Art des Erasmus war, die er selbst durch seine Methode des „exaggerare" bewußt beiseite schob?

c) Recht und Notwendigkeit der Affekte beim Betreiben von Theologie

Was Luther methodisch mit exaggeratio, Zuspitzung, meint, läßt sich, wie wir es getan haben, von der Frage der theologischen Geheimnisse und Antithesen her beleuchten. Diese sollen verdeutlicht, nicht „entschuldigt", das heißt in einer falschen Weise geglättet werden. Die Methode der Zuspitzung ist außerdem vom Anthropologischen her zu sehen. Es geht bei der exaggeratio nicht um eine Frage der Darstellungsform, wenigstens nicht in erster und auch noch nicht in zweiter Linie, schon gar nicht um die Frage der litterae meliores[59], sondern um den Ernst der Theologie: um eine Theologie, die von persönlichem Engagement getragen ist, oder — um einen Ausdruck von Luther zu gebrauchen — eine Theologie, die mit Affekt betrieben wird[60]. Soll denn Theologie überhaupt mit Affekt betrieben werden? Das verteidigt Luther folgendermaßen gegen Erasmus: „Die Heiligen selbst haben zuweilen bei Disputationen anders als ‚ich' (nämlich Luther) über den freien Willen geredet. Das entspricht meiner Beobachtung, wie es allen ergeht: solange es ihnen um Worte und Disputationen zu tun ist, verhalten sie sich anders, als wenn es um Affekte und Taten geht. Da reden sie anders, als sie vorher im Affekt gedacht haben, hier denken sie anders im Affekt, als sie vorher geredet haben. Denn man muß sowohl die Guten als die Bösen eher nach ihrem Affekt als nach ihren Worten beurteilen"[61].

Dieser Text bedeutet, daß für ernsthafte theologische Erkenntnis der Affekt unerläßliche Voraussetzung ist: Solange noch nicht im Affekt geredet und geschrieben wird, ist möglich, daß selbst tüchtige Leute ihre eigentliche Meinung verleugnen. Erst im Affekt stößt der Theologe zum Kern der Sache vor.

Dem Zusammenhang zufolge meint Luther mit Affekt etwa das persönliche Engagement, das existentielle Betroffensein. Hier ist auch der

---

59 Erasmus gegenüber bezeichnet sich Luther getrost als Barbaren: WA 18,600,17. — Im Gedanken an die polemische Art seiner Beweisführung nennt K. Schwarzwäller Luther sogar (vielleicht ein wenig maniriert) „Verächter der wissenschaftlichen Theologie unter den Theologen". Ders., Theologia crucis, 84.
60 WA 18,644,15f.: Ex affectu vero potius quam ex sermone metiendi sunt homines.
61 WA 18,644,11-16: Quanquam illi ipsi sancti aliquando inter disputandum aliter de libero arbitrio locuti sunt, sicut video omnibus accidisse, ut alii sint dum verbis aut disputationibus intenti sunt, et alii dum affectibus et operibus, illic dicunt aliter quam affecti fuerunt ante, hic aliter afficiuntur quam dixerunt ante. Ex affectu vero potius quam ex sermone metiendi sunt homines tam pii quam impii.

historische Hintergrund zu bedenken, auf dem Luthers Aussage zu sehen ist. Gerson zum Beispiel und auch Erasmus haben das affektive Moment als Voraussetzung für echten Theologievollzug betont[62]. Erasmus ist überzeugt, daß die Affekte allererst eine christliche Philosophie und Theologie möglich machen: „Die christliche Philosophie . . . hat ihren Ort eher in den Affekten als in den Syllogismen, sie ist eher Leben als Disputation"[63]. Ganz in diesem Sinn sagt Luther, daß ohne Affekte die entscheidenden Aussagen der Theologie nicht durchbrechen, sondern in Disputationen, welche die Wahrheit verkehren, begraben werden.

Erasmus erklärt jedoch andererseits seinen Skeptizismus (und zwar in Verbindung mit grundsätzlichem Gehorsam gegenüber der unverletzlichen Autorität der Hl. Schrift und der kirchlichen Anordnungen) als Gegenposition zu einer leidenschaftlichen Besessenheit von der eigenen Meinung. Wer sich in seine eigene Meinung hineinverbeißt, gleicht einem jungen Burschen, der sein Mädchen gar zu ungestüm liebt und meint, überall, wohin er sich wendet, zu sehen, was er liebt. Es ist, wie wenn einer in der Hitze des Gefechtes alles als Wurfgeschoß benutzt, was ihm zur Hand ist[64].

Erasmus übt damit Kritik an einer bestimmten Art von Affekten: „Wer so ‚affiziert' ist, wie kann der ein ernsthaftes Urteil haben? Oder was sollen solche Disputationen für eine Frucht bringen, außer daß jeder vom anderen bespien davongeht?"[65]

In anderem Zusammenhang spricht er von „privati affectus", durch die Luther sich fehlleiten lasse. Wenn dieser etwa sage, der Mensch sei nicht fähig, irgend etwas Gutes zu tun, sondern nur Böses, so seien das privati affectus. Aussagen, die aus solchen „Affekten" kommen, darf man nicht zum Dogma erklären wollen[66]. Erasmus meint mit den privati affectus offenbar die Haltung des Subjektivismus.

Ganz anders als er interpretiert Justus Jonas Luthers Einstellung zu dem Verhältnis von Affekten und Theologie. Er tut es indirekt in seiner Übersetzung von De servo arbitrio. Sie ist im Jahre 1526 in Wittenberg,

---

[62] Vgl. u. 246; 286.
[63] LB V 141E-F: Christiana Philosophia... Hoc Philosophiae genus in affectibus situm verius, quam in syllogismis, vita est magis quam disputatio.
[64] Diatribe (Walter 3,20-4,9).
[65] Diatribe (Walter 4,9-11): Apud sic affectos, quod obsecro potest esse sincerum iudicium? Aut quis ex huiusmodi disputationibus fructus, nisi ut uterque ab altero consputus discedat?
[66] C. J. de Vogel, Erasmus and Church Dogma, in: Scrinium erasmianum, Bd. 2, 129. — Um den Aufweis, daß die Affektenlehre des Erasmus stoische Momente enthalte, bemüht sich M. Hoffmann, Erkenntnis und Verwirklichung der wahren Theologie nach Erasmus von Rotterdam: BHTh 44, Tübingen 1972, 206ff.

also unter den Augen des Reformators, erschienen[67]. An einer Stelle, an der dieser selbst von der Bedeutung der Affekte für die Theologie spricht, übersetzt Jonas so frei und erweitert zudem den Text, daß man seine Übersetzung als Kommentar auffassen kann.

Jonas übersetzt den Terminus affectus, um den es hier ja geht, mit Anfechtung[68]. „Ex affectu" heißt nach seiner Deutung „aus dem, das einem ernst ist und er im Herzen hat"[69]. Der Ausdruck „ex affectu" betrifft also den theologischen Ernst. Erinnern wir uns nun daran, daß dieser Ernst ein Ernst des Heilsverlangens ist, so bedeutet also ex affectu: aus dem herzlichen Verlangen, unser Heil zu erlangen.

Wenn die Affekte unsere Anfechtungen bezeichnen, so sind (was zunächst von den Affekten ausgesagt ist) die Anfechtungen Voraussetzung dafür, daß einer zu entscheidenden theologischen Erkenntnissen gelangen kann. „Wie wohl ich sehe", übersetzt Jonas, „daß gleich dieselbigen Heiligen viel anders in Schriften und Disputation vom freien Willen geredet haben, denn sie darnach gesinnet gewesen sind, oder erfunden und erfahren haben in den rechten Anfechtungen, wenn's zum Treffen gekommen ist"[70]. In der Tat hat Luther seit seiner reformatorischen Grunderfahrung immer wieder den Anfechtungen entscheidende Bedeutung für die theologische Erkenntnis beigemessen. Die Anfechtung ist die Grundverfassung, aus der und auf der sich theologische Erkenntnis erst erheben kann.

Ergebnis

Fassen wir das Ergebnis unserer Deutung des Werkes De servo arbitrio thesenhaft zusammen.

---

[67] Die Werke Martin Luthers, hrsg. G. Pfizer, Frankfurt 1840, 645ᵃ: Des Uebersetzers, Justus Jonas, Zuschrift an Graf Albrecht, ... Gegeben Wittenberg ... Anno 1526.

[68] WA 18,644,11-15: Quanquam illi ipsi sancti aliquando inter disputandum aliter de libero arbitrio locuti sunt, sicut video omnibus accidisse, ut alii sint, dum verbis aut disputationibus intenti sunt, et alii dum *affectibus* et operibus, illic dicunt aliter quam *affecti* fuerunt ante.

Übersetzung des Jonas, S. 667ᵇ: Wie wohl ich sehe, daß gleich dieselbigen Heiligen viel anders in Schriften und Disputation vom freien Willen geredet haben, denn sie darnach gesinnet gewesen sind, oder erfunden und erfahren haben in den *rechten Anfechtungen*,

wenn's zum Treffen gekommen ist. Ich habe Achtung darauf gehabt, ich merke, daß es mit allen also gegangen ist. Dort in Disputationen oder Schriften vor den Leuten, haben sie aus menschlicher Blödigkeit oder Furcht der Menschen anders geredet und geschrieben, denn sie sonst in *Anfechtungen* gesinnet gewesen sind, und erfunden haben. Hier, wenn sie in *Anfechtungen* kommen, und der freie Wille sich hat mit der That beweisen sollen, sind sie anders gesinnet worden, denn sie dort geredet oder je geschrieben haben.

[69] Ebd.   [70] Ebd.

1. Luther will Gegensätze nicht überdecken, sondern herausstellen.

2. Luther erkennt, daß Humanismus im Sinne verfeinerter Bildung nicht das Entscheidende ist. Er ist getrost Barbar, wenn es um die Hauptsache geht.

3. In Sachen des Glaubens muß unumstößliche Sicherheit bestehen. Diese hat ihren terminus a quo in der aktiven Klarheit der Schrift selbst. Sie bietet das Dunkelste und Geheimnisvollste offen dar, also erst recht die untergeordneten Geheimnisse.

4. Die Bibel hat eine lebendige Sinnmitte. In der Schrift ist enthalten, was von dieser Sinnmitte aus klar ist.

5. Von der lebendigen Mitte der Schrift aus ist die Nützlichkeit oder Nutzlosigkeit der theologischen Probleme zu beurteilen. Von ihr aus ist zu beurteilen, ob ein Geheimnis erforscht oder nur angebetet werden soll. Beides gibt es: daß ein Geheimnis erforscht werden soll, obgleich allzu menschliches Denken findet, man solle es unerforscht lassen (so das Geheimnis des unfreien Willens), und daß ein Geheimnis nur anzubeten ist (obgleich allzu menschliches Denken den Anstoß beseitigen möchte, der in diesem Geheimnis liegen kann, so die Spannung zwischen Zorn und Güte Gottes). Maßgeblich bleibt der offenbarende Gott und sein Wille.

6. Weil die Schrift in sich völlig klar ist, weil Gott ihr diese Klarheit verleiht und durch den Hl. Geist im Herzen der wahren Hörer der Schrift Gewißheit begründet, ist jeder wahre Hörer der Schrift sich selbst Papst genug. Das Wort der Schrift darf nicht durch menschliche Worte überdeckt werden.

Kritisch ist zu sagen, daß Luther die Bedeutung des gemeinsamen Hörens auf die Schrift, das heißt aber die Bedeutung der Tradition für das rechte Hören, in diesem Zusammenhang nicht würdigen kann.

7. Theologie muß mit Affekt betrieben werden. Wie könnte es anders sein, wenn Theologie-betreiben nichts anderes ist, als sich dem lebendigen Wort der Schrift aussetzen, sich von ihm in Anfechtung stürzen lassen und im Worte des Evangeliums Kraft und Trost des Glaubens finden?

4. KAPITEL

BEURTEILUNG DES VERHÄLTNISSES VON PHILOSOPHIE UND THEOLOGIE
STELLUNGNAHME ZUR PS.-DIONYSISCHEN MYSTIK

Luther hatte in der Frage, wie Theologie sich gegenüber den „paradoxa"
des Glaubens zu verhalten habe, mit Erasmus ein einigermaßen leichtes
Spiel, weil dieser im Grunde gar kein spekulativer Denker war[1] und also
die Tiefe des scholastischen Ringens um die innere Harmonie von Glaube
und Vernunft kaum ahnen läßt. Dieser Kampf der Scholastik findet in
zwei Problembereichen Luthers besondere Aufmerksamkeit: in der Frage
nach dem Verhältnis von Philosophie und Theologie und in der Frage
nach dem Wert oder Unwert der ps.-dionysischen Mystik, die ja einen
außerordentlichen Einfluß auf das scholastische Denken ausgeübt
hat.

Wir betrachten erstens, wie Luther das Verhältnis von philosophischem und theologischem Denken bestimmt hat. Wir stützen uns dabei
insbesondere auf Schriften aus den dreißiger Jahren. Seine frühen Äußerungen zu diesem Thema behandeln wir in anderem Zusammenhang[2].
Zweitens wenden wir uns der Frage zu, wie der Reformator die ps.-areo-
pagitische Mystik beurteilt hat. Die einschlägigen Texte für diesen Fra-
gebereich sind relativ früh.

a) Das Verhältnis von Philosophie und Theologie

Mit vollem Bewußtsein der Bedeutsamkeit seiner Aussage stellt Luther in
der Römerbriefvorlesung die Denk- und Sprechweise des Apostels der
„metaphysischen und moralischen" Denkweise gegenüber[3]. Und er ist
überzeugt, daß dieser Gegensatz nicht (wie bei der Unterscheidung
Reuchlins zwischen der hebräischen und lateinischen Sprechweise) nur
ein Unterschied des Denkens sei, sondern darin seinen tiefsten Grund habe, daß Gottes Gedanken den Menschengedanken zuwiderlaufen: „Die
Weise, wie der Apostel redet, und die metaphysische oder moralische
Weise zu reden, sind einander entgegengesetzt. Denn der Apostel spricht,
um auszudrücken und zu verkünden — eher, daß der Mensch weggenommen wird, während die Sünde gleichsam als Relikt bleibt, und daß

---

[1] J. B. Payne, Toward the Hermeneutics of Erasmus, in: Scrinium erasmianum, Bd. 2,
18.
[2] Vgl. u. 148ff.
[3] WA 56,334,3ff.: Patet igitur, Quod Apostolus non metaphysice neque moraliter de
lege loquitur, Sed spiritualiter et theologice . . .

der Mensch von der Sünde weg gereinigt wird als das Gegenteil. Der menschliche Sinn aber sagt im Gegenteil, daß die Sünde weggenommen werde, während der Mensch bleibt, und daß eher der Mensch gereinigt werde. Jedoch ist das Verständnis des Apostels aufs beste sachgemäß[4] und in vollkommener Weise göttlich"[5].

Ohne die in der Zwischenzeit geschehenen Äußerungen Luthers zu berücksichtigen[6], wenden wir uns nun einer besonders markanten Ausführung zu unserem Thema zu. Sie findet sich in der Promotionsdisputation von Palladius und Tilemann aus dem Jahre 1537. Hier stellt Luther die philosophische und theologische Denkweise einander scharf gegenüber. Die verschiedenen von dieser Disputation existierenden Überlieferungen variieren merklich[7], zeigen diesen Punkt aber einhellig.

Luthers Ausführungen entzünden sich an der Frage nach der causa formalis der Rechtfertigung[8]. Er zeigt zunächst, daß die göttliche Barmherzigkeit allein diese causa formalis sei[9]. Sodann aber wendet er sich dem Fragepunkt zu, der uns hier interessiert. Er erklärt, daß der Terminus „formalis", ja daß alle „physischen" (das heißt hier metaphysischen!) Begriffe von ihm nur ungern im Bereich der Theologie angewendet werden[10]. Man solle solche Begriffe geradezu fliehen und die Theologiestudenten vor ihrer Benutzung warnen. Denn wenn der menschliche Verstand sich ihrer oder ähnlicher anderer Begriffe bei dem Geschäft der Theologie bedient, so richtet sich seine Erkenntniseinstellung sofort nach den Gegenständlichkeiten der „Physik" (= Metaphysik), und er benimmt sich dann dieser Denkweise gemäß: er gleitet ab zu verwickelten und gefährlichen Disputationen. Daß der Mensch so leicht von der „Physik" gefangen wird, hat darin seinen Grund, daß

---

[4] „Sachgemäß" — proprius — ist zu verstehen im Gegensatz zu alienus: der Sache fremd, nur in übertragenem Sinn.

[5] WA 56,334,14ff.: Modus loquendi Apostoli et modus metaphysicus seu moralis sunt contrarii. Quia Apostolus loquitur, vt significet / sonet / hominem potius aufferri peccato remanente / velut relicto / et hominem expurgari a peccato: potius quam econtra. Humanus autem sensus econtra peccatum aufferri homine manente et hominem potius purgari loquitur. Sed Apostoli sensus optime proprius et perfecte diuinus est.

[6] z. B. WA 11,284,6-8 (M. Lutheri ad Brismannum epistola 1523); WA 23,64-70,28 (Daß diese Worte Christi „Das ist mein Leib" noch fest stehen 1527); WA 23,15,28ff. (Vorrede zu „Schutzred u. gründliche Erklärung usw. durch J. Menius" 1527; WA 30/II,651,1-12 (Vorwort zu In prophetam Amos Iohannis Brentii expositio 1530); WA 30/III,497-509 (Exemplum theologiae et doctrinae papisticae 1531); WA 40/I, 418,16f. (Galaterkommentar 1535) usw.

[7] Vgl. WA 39/I,201.   [8] WA 39/I,227,26ff.   [9] WA 39/I,228,7-9.

[10] WA 39/I,228,14-16a: Ego hoc vocabulo (formalis), ut et reliquis physicis, in hoc negotio et in tota theologia non libenter utor. — Vgl. ebd. 228,10-12b;229,35f.

diese seiner Vernunft schmeichelt, während die Theologie weit über dem menschlichen Begreifen liegt[11].

Jeder Wissenschaftsbereich, jede „Kunst"[12], hat ihre eigenen Kategorien und Gegenständlichkeiten. Die Juristen haben ihre eigenen, die Ärzte ihre eigenen, ebenso die „Physik". Die Übertragung von einem Bereich in den anderen schafft eine unerträgliche Konfusion. Wenn man „physische" Begriffe in der Theologie verwenden will, so muß man sie zuerst „reinigen", das heißt, man muß das entfernen, was ihren Gebrauch auf den Bereich der „Physik" einschränkt, ja mehr noch, man muß sie erst „mal zum Bade führen", also taufen: mit einem christlichen Gehalt füllen. Das kann leicht mißlingen. Es bleibt stets ein waghalsiges Unterfangen. Die scholastische Theologie besteht geradezu aus solchen Übertragungen[13].

Somit existiert eine scharfe Dialektik zwischen philosophischer und theologischer Wahrheit: „Die Pariser Theologen erklären: ‚Was in der Philosophie wahr ist, ist auch in der Theologie wahr.' Das ist ein törichter Satz"[14] —, denn so werden die Theologie und die „Physik" vermengt. Man muß die Denkweise, die für den Bereich des Irdischen gilt (die „politische Denkweise"), so scharf von der theologischen unterscheiden, daß jeder Vergleich — auch mit Hinblick auf den Begriff der Wahrheit — aufhört: „Es gibt ein doppeltes Forum: ein politisches und ein theologisches. Denn Gott urteilt ganz anders als die Welt"[15].

11 WA 39/I,228,19-229,5ª: Proinde fugio eam (sc. vocem „formalis"), quantum possum, ac fugiendum omnibus theologiae studiosis suadeo. Nam lecta hac voce et aliis similibus in theologia aut negotio theologico, statim animus humanus cogitat de istis, ut sunt posita in physica, atque abripitur et abducitur in perplexas et periculosas disputationes. Nam physica naturaliter blanditur rationi, at theologia longe est supra captum humanum posita.

12 Zur Verwendung des Terminus „ars" im Sinne von Wissenschaft und Logos vgl. z. B. Cusanus, De filiatione dei (H IV 58).

13 WA 39/I,229,6-24ª: Scitis, quod physica semper attulit et affert aliquid mali et incommodi theologiae, propterea, quia una quaeque ars habet suos terminos et sua vocabula, quibus utitur, et ea vocabula valent in suis materiis. Iuristae sua habent, medici sua, physici sua. Haec si transferre ex suo foro et loco in aliud volueris, erit confusio nullo modo ferenda. Nam tandem obscurat omnia. Si tamen vultis uti vocabulis istis, prius quaeso illa bene purgate, füret sie mal zum Bade. Neque tamen unquam sine periculo et magno damno uti poteritis, quia est et manet periculosum. Cum vocabula physica in theologiam translata sunt, facta est inde scholastica quaedam theologia. — Vgl. ebd. 229,20-26ᵇ; 229,35-230,29.

14 WA 39/I,229,27-30ᵇ: Parisienses theologi dicunt: Quod verum est in philosophia, est etiam verum in theologia. est stulta propositio. — Vgl. ebd. 229,27ª-230,2ª; 230,28-31.

15 WA 39/I,230,7-9: Duplex enim est forum, politicum et theologicum. Iam Deus longe aliter iudicat, quam mundus. — Vgl. ebd. 230,2-5ᵇ; 230,31f.
Den Gegensatz zwischen „ethischer" (= philosophischer) und lutherischer Denkweise erläutert an der Formel „simul iustus et peccator" W. Link, Das Ringen Luthers um die Freiheit der Theologie von der Philosophie: FGLP, R. 9 Bd. 3, München ²1954, 86f.

Im folgenden „argumentum" der Disputation wiederholt Luther sodann noch einmal: Alle Begriffe werden zu neuen abgewandelt, wenn man sie von einem Forum auf ein anderes rechtmäßig übertragen will. Coram deo ist die ganze Philosophie und das Tun guter Werke Ekel und Greuel[16].

Das von Luther erwähnte Urteil der Pariser Theologen betrifft offenbar die Frage nach der doppelten Wahrheit[17]. B. Hägglund zeigt mit Recht, daß Luther nicht daran denkt, die Theorie einer doppelten Wahrheit zu vertreten[18]. Ihm geht es vielmehr um die Betonung der grundsätzlichen Unvergleichbarkeit des philosophischen und des theologischen Bereiches: Es geht um die Bestreitung ihrer inneren Zuordnung oder — genauer gesagt — ihrer analogen Geltung. Luthers Ausführungen implizieren eine heftige Absage an die Lehre von der analogia entis.

Man kann fragen, ob Luther in diesem Punkt vom Nominalismus beeinflußt ist. Denn dieser hat durch die scharfe Gegenüberstellung der potentia ordinata und der potentia absoluta Gottes zugleich den Graben zwischen dem philosophisch und dem theologisch Erkennbaren stark betont[19]. Mehr noch untergräbt der Nominalismus die Lehre von der analogia entis durch seine Haltung in der Universalienfrage. Die analogia entis kann ja nur darin begründet sein, daß die Wirklichkeit ein Gemeinsames hat, das eine analoge Verwendung des Seinsbegriffes ermöglicht. Hiermit in unmittelbarem Zusammenhang steht ein Realismus in der Universalienfrage — gleichviel in welcher Form —, und eben das ist das direkte Gegenteil des Nominalismus und Konzeptualismus.

Luther hat die Bedeutung der Frage nach der Realgeltung der Universalien nicht erkannt. In einem Tischgespräch des Jahres 1540 hat er sich drastisch geäußert, als die Rede auf die scholastische Diskussion über die Universalien kam. An seine Tischgenossen gewendet, sagte er: „Ihr seid glücklich daran, weil ihr diesen Dreck nicht lernen mußtet"[20].

Die Abwertung der Frage nach der Realgeltung der Universalien hat Luther aber nicht gehindert, sich in dieser Frage zu entscheiden. Im Jahre zuvor (1539) erklärte er in einem Tischgespräch, als man über den

---

[16] WA 39/I,231,1-4b: Omnia vocabula fiunt nova, quando transferuntur ex philosophia in theologiam. Coram Deo sunt prohibita et mala, quae hic in terris possunt dici bona philosophiae. — Vgl. ebd. 231,1-11a; 231,18-29a; 231,18-27b.

[17] Vgl. u. 56.

[18] B. Hägglund, Theologie und Philosophie bei Luther und in der occamistischen Tradition. Luthers Stellung zur Theorie von der doppelten Wahrheit: Lunds Universitets Årsskrift, N.F.Avd. 1. Bd. 51. Nr. 4, Lund 1955, 87ff.

[19] H. A. Oberman, Spätscholastik und Reformation, Bd. 1, 35; 52.

[20] WATi Nr.5134 (7. bis 24. August 1540: . . . Sed vos estis felices . . ., qui haec stercora non didicistis!

Wert der Dialektik sprach: „Der hauptsächliche Nutzen der Dialektik liegt in der Definition... Zur Definition gehören vor allem die fünf praedicabilia oder universalia. Diese sind nicht real, sondern sind Bilder, die im Verstand gebildet werden, sie sind Akte des Erkennens. Denn der Verstand ist ein Maler, der den Laut der Zunge artikuliert auffaßt. Die universalia werden deshalb nicht definiert, weil sie nicht real sind. Vielmehr wird nur die Art und das Individuum definiert. Denn es existiert nichts als das Einzelne. Wie Boethius sagt: ‚Alles, was existiert, ist dadurch, daß es existiert, ein Einzelnes'"[21].

Luthers Berufung auf Boethius, der das Universalienproblem im Sinne eines gemäßigten aristotelischen Realismus[22] beantwortet hat, kann nicht über seinen eigenen Konzeptualismus hinwegtäuschen. Er verflüchtigt eindeutig das fundamentum in re der Universalien: Universalia, quae non realia, sed imagines in mente conceptae, quae sunt actus intelligendi[23]. Luther ist in der Universalienfrage dem Ockhamismus treu geblieben, wie er ihn bereits im Jahre 1509 in seinen Randbemerkungen zu Augustinus[24] und besonders zu den Sentenzen des Lombarden[25] erkennen läßt.

Die Lehre von der analogia entis setzt wie gesagt den Realismus in der Universalienfrage voraus. Luthers eigene philosophische Stellungnahme — mag sie auch noch so beiläufig vollzogen sein — verriegelt von vornherein den Zugang zu dieser Lehre.

Luther hat also die nominalistischen Reserven gegenüber der Erkenntnis der universalia geteilt[26]. So bedenklich man auf der einen Seite diese

---

21 WATi Nr.4612 (1539): 20. Maii de dialectica fiebat mentio et eius usu. Respondit: Praecipuus fructus dialecticae est definitio... Ad definitionem maxime pertinent quinque praedicabilia aut universalia, quae non realia, sed imagines in mente conceptae, quae sunt actus intelligendi. Nam mens est pictrix, quae concipit articulatim linguae vocem. Ideo universalia non definiuntur, quia non sunt realia; sola species et individuum definiuntur. Nihil enim existit nisi singulare, ut dicit Boetius: Omne, quod existit, eo, quod existit, singulare est.
22 H. Meyer, Abendländische Weltanschauung, Bd.3, 56.
23 WATi Nr.4612.
24 WA 9,21,26f.
25 WA 9,45,9-16. — Vgl. L. Grane, Contra Gabrielem. Luthers Auseinandersetzung mit Gabriel Biel in der Disputatio contra scholasticam Theologiam: Acta theologica Danica, Bd.4, Gyldendal 1962, 10f.
26 Vgl. auch Luthers Bedenken gegen die Methode des Generalisierens. WA 18,673,28-33 (De servo arbitrio 1525): Haec tantum recito, ut Rationi suas sequelas ostendam, quam stulte eas scripturis affingit, tum quam caeca etiam sit, ut non videat, nec in humanis rebus et verbis eas semper locum habere; sed si aliquando ita videat fieri, mox praeceps feratur et generaliter in omnibus Dei et hominum verbis fieri iudicet, faciens ex particulari universalem, more sapientiae suae. — Vgl. H. W. Krumwiede, Glaube und Geschichte in der Theologie Luthers. Zur Entstehung des geschichtlichen Denkens in Deutschland: FKDG 2, Göttingen 1952, 47.

Reserven finden mag, auf der anderen Seite haben sie ihm geholfen, die volle Bedeutung des Individuellen, und zwar näherhin des Individuellen der Geschichte zu erfassen. Wenn man Bornkamm darin recht gibt, daß Luther als Wissenschaftler in erster Linie Exeget des Alten Testamentes gewesen sei[27], so sieht man, welche zentrale Rolle dieses Individuelle in seinem Denken gespielt hat[28]. Das theologische Denken ist nach seiner Überzeugung von diesem Individuellen der Heilsgeschichte her geprägt.

Gelegentlich spricht Luther ganz ausdrücklich aus, was wir heutzutage Geschichtlichkeit des theologischen Wissens nennen: „Wenn die Verhältnisse sich wandeln", sagt er, „so wandeln sich auch die Sprache und ihre Bedeutung." Als Beispiel verweist er auf die scholastische Theologie. Niemand könne mehr den Skotus, Thomas oder ähnliche Autoren verstehen, weil die von ihnen behandelte Sache und die von ihnen gebrauchte Sprache veraltet seien[29]. Es hat eben alles seine ihm von Gott zugemessene Zeit[30].

Einen neuen Höhepunkt erreichen Luthers Aussagen über das Verhältnis von Philosophie und Theologie in der Disputation über Joh 1,14 im Jahre 1539. Er greift darin noch einmal die in der Disputation von Palladius und Tilemann (1537) zurückgewiesene These der Pariser Theologen auf, daß auch in der Theologie wahr sein müsse, was in der Philosophie wahr ist[31]. Wie 1537 betont er die Eigenart der theologischen Denkweise. Für alle Wissenschaftsdisziplinen gelte, daß man Aussagen nicht von einem Kategorienbereich einfach auf einen anderen übertragen dürfe, das gelte a fortiori für das Verhältnis von Philosophie und Theologie[32].

B. Hägglund hat eingehend gezeigt, wie Luther das 1537 Gesagte

[27] H. Bornkamm, Luther und das Alte Testament, Tübingen 1948, III.
[28] Krumwiede, aaO., 47-51.
[29] WA 44,136,5-10 (Genesisvorlesung 1535-45): Cadentibus rebus cadunt etiam vocabula et eorum significata. Sicut Jureconsultorum, Medicorum, Theologorum sermonem nemo intelligeret amissis rebus. Et exemplo esse potest scholastica Theologia. Nemo enim ex auditoribus nostris est, qui intelligit Scotum, Thomam et similes, quia res et usus verborum exolevit. — Vgl. Krumwiede, aaO., 49.
[30] Krumwiede, aaO., 48.
[31] Vgl. o. 51.
[32] WA 39/II,5,13-34 (These 29-39): Cogimur tamen etiam in aliis artibus negare, quod idem sit verum in omnibus. Falsum est enim et error in genere ponderum... Falsum est et error in genere mensurarum... Falsum est et error in genere linearum... Denique aliquid est verum in una parte philosophiae, quod tamen falsum est in alia parte philosophiae... Ita per singula artificia vel potius opera, si transeas, nunquam invenias, idem esse verum in omnibus. 39. Quanto minus potest idem esse verum in philosophia et theologia, quarum distinctio in infinitum maior est, quam artium et operum.

durch eine Auseinandersetzung mit Peter von Ailly ergänzt[33]. Dieser behandelt in seinem Sentenzenkommentar eine Reihe von Paralogismen, die sich auf die Trinitätslehre beziehen[34]. Durch sorgfältige Unterscheidungen, die insbesondere das Problem der Supposition der Begriffe betreffen[35], verfeinert er die philosophischen Regeln der Syllogistik, löst so die Paralogismen auf und zeigt, daß auch die Trinitätslehre nicht in Widerspruch zu dem aristotelischen Axiom steht: Omne verum omni vero consonat, nec aliquod verum alteri vero repugnat[36].

Der Cameracensis will die Harmonie zwischen Wissen und Glauben dartun. Er verteidigt die spekulative Durchdringung der Glaubenslehren. Die ratio hilft, den Glauben gegen Einwände abzusichern[37].

Luther stellt demgegenüber gleich in der ersten der 42 Disputationsthesen die Geltung des genannten aristotelischen Axioms für den Bereich der Theologie in Frage: Etsi tenendum est, quod dicitur: Omne verum vero consonat, tamen idem non est verum in diversis professionibus[38]. Außer den von Pierre d'Ailly übernommenen trinitarischen Paralogismen nennt Luther Schein-Schlüsse, die die Christologie betreffen[39]. Er besteht nachdrücklich auf der formal-logischen Richtigkeit dieser Syllogismen. Er kommt daher zu dem Ergebnis, daß die Dialektik im Bereich der Theologie absolut keine Anwendung finden kann[40]. Hier trifft also nicht zu, was Aristoteles behauptet: daß jede Wahrheit mit jeder anderen harmonieren müsse[41]. Die „maiestas materiae" entzieht sich schlechthin dem Zugriff der ratio[42]. So ergibt sich, daß die theologische Wahr-

---

[33] Hägglund, Theologie und Philosophie bei Luther und in der occamistischen Tradition, 41-54.

[34] AaO., 48ff. [35] AaO., 49.

[36] Sent. I q.5 a.3 f.102A: Positio de trinitate potest sustineri sine formae syllogisticae aut alterius bonae consequentiae negatione. Probatur sic: quia propositio de trinitate est vera. Similiter omnis forma syllogistica aut bona consequentia est propositio vera et necessaria. Sed omne verum potest sustineri absque negatione alicuius veri, quia secundum Aristotelem „omne verum omni vero consonat, nec aliquod verum alteri vero repugnat". — Vgl. Aristoteles, Ethic. Nicom. I 8, 1098b 11; Analyt. prior. I 32,47a 8f. — B. Meller, Studien zur Erkenntnislehre des Peter von Ailly: FreibThSt 67, Freiburg 1954, 219.

[37] Meller, Studien, 220f.

[38] WA 39/II,3,1f.

[39] WA 39/II,4,36-38; 5,3-6 (These 22, 24, 25): Iste syllogismus: Quidquid factum est caro, factum est creatura. Filius Dei est factus caro. Ergo filius Dei est factus creatura, est bonus in philosophia ... Multo minus ista ferenda est: Omnis caro est creatura. Verbum est caro. Ergo verbum est creatura ... Nec ista: Omnis caro est creatura. Verbum non est creatura. Ergo verbum non est caro.

[40] WA 39/II,5,7f. (These 26): In his et similibus syllogismus est forma optima, sed nihil ad materiam.

[41] WA 39/II,4,30f. (These 19): Sed praemissae sunt verae, et conclusio falsa, et verum vero hic prorsus non consonat.

[42] WA 39/II,32f. (These 20): Non quidem vitio formae syllogisticae, sed virtute et maiestate materiae, quae in angustias rationis seu syllogismorum includi non potest.

heit nicht einfachhin mit der philosophischen Wahrheit in Widerspruch steht (es gibt keineswegs eine doppelte Wahrheit[43]), sondern sie ist über sie erhaben. Sie steht *„außerhalb, innerhalb, über, unter, diesseits und jenseits* jeglicher dialektischen (= philosophischen) Wahrheit"[44].

Es läßt sich nicht übersehen, daß Luther hier das Eigenartige der theologischen Aussagen entsprechend dem Verhältnis Gottes zur Schöpfung beschreibt.

Lefèvre hatte in seinem Quincuplex Psalterium geschrieben: „Du, o Herr und Gott, bist überall, du durchwaltest alles, keine Enge schließt dich aus, keine Weite umschließt dich, keine Höhe überragt dich, keine Tiefe liegt unter dir, du bist *außer* allem, *innerhalb* von allem, *über* allem, *unter* allem, du bist höher als alles Hohe und tiefer als alles Tiefe"[45]. Ganz ähnlich führt Luther aus: „So mus (Gott) ... seine creaturn so wol ym aller ynnwendigsten als ym aller auswendigsten machen vnd erhalten. Drumb mus er ia ynn einer iglichen creatur ynn yhrem *allerynnwendigsten, auswendigsten, vmb vnd vmb, durch vnd durch, vnden vnd oben, forn vnd hinden* selbs da sein das nichts gegenwertigeres noch ynnerlicheres sein kan, ynn allen Creaturen, denn Gott selbs mit seiner gewallt"[46]. Ähnliche Gedanken hatte auch schon Augustinus vorgetragen[47].

Hier ist nun Cusanus zu erwähnen, der in der genannten Lehre Faber Stapulensis beeinflußt hat[48]. Seine theologische Erkenntnisauffassung kommt hier der Position Luthers sehr nahe. Auch Nikolaus betont nämlich mit denkbarer Schärfe, daß Gott dem Zugriff der ratio entzogen ist: Was die ratio als gegensätzlich (contradictoria) empfindet, das fällt in

---

[43] Hägglund, Theologie und Philosophie, 94ff.
[44] WA 39/II,4,34f. (These 21): Ut quae sit non quidem contra, sed extra, intra, supra, infra, citra, ultra omnem veritatem dialecticam.
[45] Qu. Psalt., Ps. 118, 6 v 5, fol. 182ʳ: Tu autem, domine deus, ubique es, omnia permeas, nihil angustum te excludit, nihil amplum te concludit, nihil altum te excedit, nil subsidet bassum, extra omnia es, intra omnia, supra omnia, infra omnia. Tu omni alto altius et omni imo profundius. — Qu. Psalt., Ps. 118, 8 h 7, fol.184ʳ: Mirabilis deus in omnibus operibus tuis; nunc intra omnia es ut omnium centrum, nunc extra omnia ut omnium circumferentia: ... principium, medium et finis omnium rerum.
[46] WA 23,134,1-6 (Daß diese Worte Christi „Das ist mein Leib" noch feststehen 1527). — WATi Nr.1936: Es hatt ein philosophus gesagt: Deus est sphaera, cuius centrum est ubique et circumferentia nullibi. Ich wollt, das dj schwermer vnd der adell von Gott souil wusten alls dieser heide. — Vgl. WATi Nr.1742.
[47] De Gen. ad litt. VIII 26 (CSEL 28/I,265): (Deus), cum sit ... interior omni re, quia in ipso sunt omnia, et exterior omni re, quia ipse est super omnia. — De civ. dei I,29 (CSEL 40/I,52): Deus meus ubique praesens, ubique totus, nusquam inclusus.
[48] De beryllo (H XI/I 14,8-11): Et scimus maximum pariter et minimum omnem totalitatem et perfectionem omnium formabilium angelorum, omnium ipsorum intimum centrum pariter et continentem circumferentiam. — Vgl. R. Haubst, Das Bild des Einen und Dreieinen Gottes in der Welt nach Nikolaus von Kues, Trier 1952, 58.

Gott in eins zusammen. Die Gesetze der ratio reichen nicht bis zu ihm hinauf[49]. Es ist dies eine der entscheidenden Lehren, die sich aus dem cusanischen Prinzip der coincidentia oppositorum ergeben. „Das Verstandeswissen wird in seine Schranken verwiesen, es wird für die ... Frage nach dem Urgrund als unzuständig erklärt"[50]. Faber hat dieses Verständnis der coincidentia oppositorum in seinem Römerbriefkommentar dargelegt und akzeptiert[51].

Der Unterschied der Auffassung des Cusanus von der Luthers besteht darin, daß Cusanus trotz seiner tiefgreifenden Unterscheidung zwischen „rationalem" Wissen und dem wahren Wissen von Gott eine spekulative Erhellung von Glaubenswahrheiten für möglich hält. Luther stellt statt dessen der Philosophie radikal und ohne Zuordnung „das Wort Gottes und den Glauben"[52] entgegen. Man soll „auf die Vernunftspekulationen verzichten und sich an Schrift und Glauben halten"[53].

Zusammenfassend ergibt sich, daß Luther im cusanischen Sinn das Verstandeswissen in seine Schranken weist: Ganz so, wie Gott über die Schöpfung erhaben ist, ist er auch über unser „dialektisches" Begreifen erhaben. Diese Begründung Luthers für die Kluft zwischen Glaube und Wissen ist durchaus cusanisch. Sie ist auch im Sinne etwa eines Gregor von Rimini und Peter von Ailly[54].

Man darf sich jedoch nicht täuschen, als sei der Graben zwischen diesen Denkern und Luther hier nicht sehr tief. Während Nikolaus von Kues — um bei ihm als Beispiel zu bleiben — eine Brücke zwischen Glauben und Wissen findet, indem er einerseits die Identität Gottes des Schöpfers und Erlösers und andererseits die Notwendigkeit der Selbstbescheidung in der docta ignorantia betont, hält Luther die Betonung des Grabens zwischen Glaube und Wissen allein für wichtig und möglich.

Das ist für ihn mehr als eine Akzentfrage. Nach seiner Auffassung ist die Vermengung von Philosophie und Theologie nicht nur eine Verfehlung gegen die Eigenart theologischer Logik, sondern letzten Endes ein

---

[49] Weier, Das Thema vom verborgenen Gott, 172.
[50] J. Stallmach, Zusammenfall der Gegensätze. Das Prinzip der Dialektik bei Nikolaus von Kues: Mitteilungen und Forschungsbeiträge der Cusanus-Gesellschaft, Bd. 1, Mainz 1961, 61.
[51] Epp. Pli., Röm 9, can. 85, fol.91ʳ: Et qui sciverit ad coincidentiam ex non coincidentibus et ex contractis ad absolutam notionem surgere ... In hoc tamen inattingibili attactu perfectius cognoscit quacumque contracta intellectione. Et haec ignorantia scientia superior est.
[52] WA 39/II,5,9f.(These 27): Eundum ergo est ad aliam dialecticam et philosophiam in articulis fidei, quae vocatur verbum Dei et fides.
[53] Hägglund, aaO., 54.
[54] Vgl. u. 240.

Fehler in der geistigen, ja geistlichen Haltung, es ist letzten Endes Hochmut und Sünde[55].

Die besprochenen Disputationen zeigen, daß Luther nicht verschmäht, ganz unbefangen über das Verhältnis von philosophischem und theologischem Denken sozusagen objektivierend zu reden, aber ausgesprochen oder unausgesprochen steht dahinter die Unerbittlichkeit der Ablehnung einer wie er glaubt gefährlichen und verderblichen Grundhaltung, jener Grundhaltung, wie er sie in der Leipziger Disputation als Haltung der theologi gloriae gebrandmarkt hatte. Ein solcher Hintergrund fehlt etwa bei Cusanus durchaus.

b) Luther und die ps.-dionysische Mystik

Erich Vogelsang weist auf die Tatsache hin, daß wir von Luther nur verstreute Äußerungen über Mystik oder einzelne Mystiker besitzen[56]. Er sei zuerst mit der romanischen Mystik bekannt geworden und habe sie stets als geistige Einheit empfunden. Deutsche Mystiker habe er erst seit 1516 gelesen und auch ihre Theologie als Einheit betrachtet. Schließlich sei festzustellen, daß Luther den Ps.-Areopagiten seit 1516/17 scharf von der romanischen und deutschen Mystik unterscheidet und am kritischsten beurteilt. „Luther sah also gleichsam drei Stämme der Mystik: zu der areopagitischen fand er ein schroffes Nein, zu der romanischen stets ein Ja und Nein, zu der deutschen ein fast reines Ja"[57].

Die Gründe für die anfängliche Bejahung und bald darauf erfolgende Ablehnung der ps.-dionysischen Mystik sind hier näher zu beleuchten, weil sie mit all dem, was Luther über theologia gloriae sagt, in weiterem Zusammenhang stehen.

In den Dictata bejaht Luther die negative Theologie, durch die Gottes Majestät in anbetendem Schweigen gelobt wird, in der erkannt sei, daß nicht nur jedes Wort, sondern auch jeder Gedanke für sein Lob zu niedrig sei[58]. Mit Recht gebrauche Dionysius häufig das Wort „hyper", um

[55] B. Lohse, Ratio und fides. Eine Untersuchung über die ratio in der Theologie Luthers: FKDG 8, Göttingen 1957, 63ff.
[56] E. Vogelsang, Luther und die Mystik: Luther-Jahrbuch 1937, 32.
[57] AaO., 33.
[58] WA 3,372,8-16: Te decet Hebr. Tibi silentium, laus. Vel tibi silet laus. Quod primo intelligitur secundum illud supra: ‚Nonne deo silebit anima mea?' Quia laus dei non silentium nostri ... Secundo secundum exaticam et negativam theologiam: qua deus inexpressibiliter et pre stupore et admiratione maiestatis eius silendo laudatur, ita ut iam non solum omne verbum minus, sed et omnem cogitatum inferiorem esse laude eius sentiat. — Vgl. *Faber Stapulensis*, Qu. Psalt., Ps.64, Adv. 1. versu, fol.96ᵛ: „Ti-

auszudrücken, wie Gott über jeden Gedanken erhaben sei und man im Geiste der Einfalt in seine Finsternis eindringen müsse. Dionysius lehre, durch Negationen zu Gott aufzusteigen, denn Gott ist verborgen und unbegreiflich. Die theologia affirmativa sei unvollkommen, die theologia negativa sei die beste Theologie. Ja, Luther erklärt in diesem Zusammenhang sogar, der mystische raptus schweigender Ekstase mache einen wahrhaft zum Theologen[59].

Die zeitlich letzte ausdrückliche Zustimmung zur mystischen Theologie des Ps.-Dionysius findet sich in der Hebräerbriefvorlesung (1517)[60].

Gründe gegen die areopagitische Mystik nennt Luther schon in der Römerbriefvorlesung: „Das geht gegen die, welche gemäß der ‚mystischen Theologie‘ in das innere Dunkel Gottes eindringen wollen und dabei das Bild des Leidens Christi aus den Augen verlieren, die das ungeschaffene Wort selbst hören und betrachten wollen, ehe sie gerechtfertigt und die Augen ihres Herzens gereinigt sind durch das fleischgewordene Wort. Dieses hat man zuerst nötig zur Reinheit des Herzens; dann erst, wenn man sie hat, wird man durch das fleischgewordene hinaufgerissen in das ungeschaffene Wort. Aber wer meint von sich, er sei so rein, daß er sich dessen getraut?"[61]

In den Operationes in Psalmos und in De captivitate babylonica, also in den Jahren 1519—20, hat Luther seine Kritik am Ps.-Areopagiten breit entfaltet. Nun ist er überzeugt, daß De caelesti hierarchia bei

bi silentium laus deus in Sion", quod apophaticam negativamque theologiam respicit, cum mens in meditatione immensitatis et incomprehensibilitatis divinae silet, agnoscens quicquam dicendo non posse eum laudare qui omni laude in immensum superior est, multo minus quam possit totam maris undam pugillo concludere... Quem laudandi modum arbitror apud ferventes vitae contemplatricis amatores in fine rediturum ... — *Maimonides,* Dux dubitantium, l.1 c.58, fol. 23ʳ: Multiplicaverunt etiam verba in hoc, quod non est utile... „Te decet hymnus in Sion, tibi silentium laus", id est tacere laus tibi.

[59] WA 3,372,17-26: Sicut affirmativa de deo via est imperfecta, tam intelligendo quam loquendo: ita negativa est perfectissima. Unde in Dionysio frequens verbum est ‚Hyper', quia super omnem cogitatum oportet simpliciter in caliginem intrare, Attamen literam huius psalmi non puto de hac anagogia loqui. Unde nimis temerarii sunt nostri theologi, qui tam audacter de Divinis disputant et asserunt. Nam ut dixi, affirmativa theologia est sicut lac ad vinum respectu negative. Et hec in disputatione et multiloquio tractari non potest, sed in summo mentis ocio et silentio, velut in raptu et extasi. Et hec facit verum theologum... Et qui hanc viderit, videt quam nihil sciat omnis affirmativa theologia.

[60] WA 57,179f. — Vgl. Vogelsang, Luther und die Mystik, 341.

[61] WA 56,299,27-300,6: Hinc etiam tanguntur ii, Qui secundum mysticum theologiam in tenebras interiores nituntur omissis imaginibus passionis Christi, Ipsum Verbum increatum audire et contemplari volentes, Sed nondum prius Iustificati et purgatis oculis cordis per verbum incarnatum. Verbum enim Incarnatum ad puritatem primo cordis est necessarium, qua habita tunc demum per ipsum rapi in verbum increatum per Anagogen. Sed quis tam esse mundus sibi videtur, vt ad hoc audeat aspirare...?

Lichte besehen nichts als Träumereien enthält[62]. De mystica theologia beurteilt er nun sogar als „äußerst gefährlich", denn man könne darin Christus nicht finden, wohl aber sehr leicht verlieren. Dionysius sei mehr Platoniker als Christ. Man solle seinen Glaubenseifer also nicht an ihn verschwenden[63]. „Ich rede aus Erfahrung. Wir sollten lieber auf Paulus hören, um Jesus Christus, und zwar den Gekreuzigten zu lernen"[64].

Es ist dieselbe Argumentation, mit der sich Luther in seinen Resolutionen zur Leipziger Disputation 1519, also kurz zuvor, gegen die ganze Scholastik gewandt hatte: „Was andere in der scholastischen Theologie gelernt haben, mögen sie selbst sehen. Ich weiß (sc. aus Erfahrung) und bekenne, daß ich nichts anderes gelernt habe als Unwissenheit der Sünde, der Gerechtigkeit, der Taufe und des ganzen christlichen Lebens... Kurz, ich habe nur gelernt, was man verlernen sollte, was der Hl. Schrift ganz zuwider ist... Ich habe dort Christus verloren, nun habe ich ihn in Paulus gefunden"[65].

Luther ist also überzeugt, daß sein Verdikt über die scholastische Theologie auch Ps.-Dionysius trifft. Auch er ist kein brauchbarer Führer zu Christus[66].

In den Operationes in Psalmos hebt Luther zunächst hervor, daß in den Kommentaren zu De mystica theologia in der Regel gar nicht recht verstanden sei, was in der Theologie wirklich affirmatio und negatio seien. Vor allem aber werde darin aus einer falschen geistigen Haltung heraus Theologie betrieben — aus einer Haltung, die einer wahren theologia negativa stracks entgegenläuft. Die Verfasser dieser Kommentare haben nie den Tod oder die Hölle geliebt[67], nämlich die Anfechtungen

---

[62] WA 6,562,4-8 (De captivitate Babylonica ecclesiae praeludium 1520):... Dionysio illi, cum ferme nihil in eo sit solidae eruditionis. Nam ea quae in „coelesti hierarchia" de angelis comminiscitur, in quo libro sic sudarunt curiosa et superstitiosa ingenia, qua, rogo, autoritate aut ratione probat? Nonne omnia sunt illius meditata ad prope somniis simillima, si libere legas et iudices?

[63] AaO., 8-11: In „Theologia" vero „mystica", quam sic inflant ignoratissimi quidam Theologistae, etiam pernitiosissimus est, plus platonisans quam Christianisans, ita ut nollem fidelem animum his libris operam dare vel minimam.

[64] AaO., 12-13: Expertus loquor. Paulum potius audiamus, ut Jesum Christum et hunc crucifixum discamus.

[65] WA 2,414,22-28 (Resolutiones Lutherianae etc.): Quid alii in Theologia scholastica didicerint, ipsi viderint. Ego scio et confiteor, me aliud nihil didicisse quam ignorantiam peccati, iustitiae, baptismi et totius christianae vitae... Breviter, non solum nihil didici..., sed non nisi dediscenda didici, omnino contraria divinis literis... Ego Christum amiseram illic, nunc in Paulo reperi.

[66] Zu der Frage der Führer der Studien vgl. u. 293f.

[67] WA 5,163,17-23: Multi multa de Theologia mystica, negativa, propria, symbolica moliuntur et fabulantur, ignorantes, nec quid loquantur, nec de quibus affirment. Neque enim quid affirmatio aut negatio sit, aut quomodo utra fiat, noverunt. Nec possunt commentaria eorum citra periculum legi, quod quales ipsi fuerunt, talia

der Höllenangst und der Prädestinationsverzweiflung. „Die reine Irreführung eines aufgeblähten und sich brüstenden Wissens! Glaube nur niemand, er sei ein mystischer Theologe, wenn er dies (die Kommentare zu Ps.-Dionysius) gelesen, verstanden und gelehrt hat oder vielmehr meint, er habe es verstanden. Durch Leben, nein, durch Sterben und Gericht wird einer Theologe, nicht durch Erkennen, Lesen oder Spekulieren"[68].

Es scheint kein Zweifel möglich, daß Luther hier auf seine persönlichen Erfahrungen von Anfechtung, Verzweiflung, Todesnot und Erfahrung des göttlichen Zorngerichtes anspielt[69]. Bezeichnenderweise sagt er in der fast gleichzeitigen Äußerung zur ps.-dionysischen Mystik in De captivitate babylonica (1520): Expertus loquor[70]. Bei anderer Gelegenheit hat er erklärt, daß die Erfahrung von Anfechtung einen erst zum Theologen mache[71].

Wenn Luther die mystische Theologie als aufgeblähtes Wissen kennzeichnet, so will er sagen, daß sie trotz ihrer zur Schau getragenen Urteilsenthaltung gegenüber Gott (sie ist theologia *negativa*!) im Grunde doch ein Versuch sei, hinaufzuspekulieren zur Majestät Gottes. Wie die scholastische Theologie ist auch sie theologia gloriae: „Christus findest du da nicht... Wir wollen lieber auf Paulus hören, um Jesus Christus, und zwar den Gekreuzigten zu lernen"[72].

Bemerkenswert scheint, daß Luther bei all seiner Kritik an der areopagitischen Mystik eine gewisse Sympathie wo nicht für den Gedanken, so doch für den Terminus der theologia negativa ausdrücken kann: Senserunt autem contraria negativae theologiae, hoc est nec mor-

---

scripserunt, sicut senserunt, ita locuti sunt. Senserunt autem contraria negativae theologiae, hoc est nec mortem nec infernum dilexerunt.

[68] WA 5,163,25-29:... Commentaria Dionysii super Theologiam mysticam, hoc est mera irritabula inflaturae et ostentaturae seipsam scientiae, ne quis se Theologum mysticum credat, si haec legerit, intellexerit, docuerit seu potius intelligere et docere sibi visus fuerit. Vivendo, immo moriendo et damnando fit theologus, non intelligendo, legendo aut speculando.

[69] Vogelsang entnimmt der Stelle, daß die von Ps.-Dionysius beeinflußte Mystik nach Meinung Luthers nichts vom Tod, der Sünde, dem Sterben und Gericht Gottes wisse und die Welt der Sünde und des Todes leugne. Ders., aaO., 36. „Nichts wissen vom Tod und der Sünde" bedeutet sowohl, daß diese Mystiker inhaltlich darüber nicht genug sagen, als daß sie nicht beherzigen, was diese Lehre bedeutet. Historisch überprüfbar ist natürlich am leichtesten die Frage nach dem Inhalt. Luther verallgemeinert hier. Vgl. z. B. den Ernst der cusanischen Erbsündenlehre: R. Haubst, Die Christologie des Nikolaus von Kues, Freiburg 1956, 64ff.

[70] WA 6,562,12.

[71] Vgl. u. 119f.

[72] WA 6,562,11-13: Christum ibi adeo non disces... Paulum potius audiamus, ut Jesum Christum et hunc crucifixum discamus. — Vgl. K. H. zur Mühlen, Nos extra nos. Luthers Theologie zwischen Mystik und Scholastik: BHTh 46, Tübingen 1972, 201ff.

tem nec infernum dilexerunt[73]. Hier erscheint die theologia negativa als Gegenbild zu einer schlechten Theologie, mithin als echte Theologie. Freilich darf die nähere Bestimmung nicht übersehen werden. Wahre theologia negativa, eine solche, die Luther bejaht, wäre dilectio mortis et inferni, also etwa die Mystik der Theologia deutsch[74].

Ergebnis

Es ist keineswegs so, daß die Vernunft überhaupt keine positive Rolle innerhalb der Theologie spielen soll. Es wäre das ja auch absurd. Die Vernunft bringt jedoch der Theologie eine große Gefahr, weil in ihr ein ständiger Wille lebt, den Platz zu verlassen, wo allein sie in der Theologie stehen darf, nämlich unter dem Worte der Schrift. Eigenmächtig und hochmütig versucht sie die Geheimnisse Gottes anzutasten. Sie muß sich durch die Offenbarung in allem: bei jeder Frage und auf jedem Wege, zur Lösung leiten lassen.

B. Die „reformatorische Grunderkenntnis" in ihrer Bedeutung für das Verständnis von Einheit und Fülle der Theologie

Besinnen wir uns zunächst auf den zurückgelegten Weg. Wir haben die Thesen über theologia crucis und gloriae aus dem Jahre 1518 als Einstieg benutzt und sind der weiteren Entwicklung des Verständnisses von Theologie nachgegangen, wie es sich in diesen Thesen spiegelt. Nun setzen wir neu an und versuchen, die Ausgangsbasis zu verbreitern. Wir fragen, inwieweit das „reformatorische Grunderlebnis" Luthers, beziehungsweise seine Grunderkenntnis, ein besonderes Verständnis von Theologie in sich schließt. Wir weichen dabei der Frage aus, wann dieses Erlebnis stattgefunden hat. Nur insoweit fällen wir eine Entscheidung, als wir annehmen, daß etwa seit 1518 dieses Erlebnis mit Sicherheit vorausgesetzt werden kann[1].

---

[73] WA 5,163,22f.
[74] Vgl. u. 219f.
[1] Kroeger, Rechtfertigung und Gesetz: FKDG 20, Göttingen 1968, 241ff. (Literaturangaben für Spätdatierung). Für Frühdatierung z. B. G. Ebeling, Die Anfänge von Luthers Hermeneutik, in: Lutherstudien, Bd.1, Tübingen 1971, 8f.

1. Kapitel

Der Artikel der Rechtfertigung und das Theologieverständnis

Es ist klar, daß Luther seine Rechtfertigungslehre, die seine „reformatorische Entdeckung" darstellt, als den entscheidenden Lehrpunkt seiner Theologie aufgefaßt hat. Das besagt zunächst, daß er seine Rechtfertigungslehre als die entscheidende Lehre im Gegensatz zu der bisherigen kirchlichen Theologie versteht. Es ist die befreiende Erkenntnis, die ihm die Tore zum Paradies geöffnet hat, der Hauptartikel, mit dem die Kirche steht und fällt[2]. Vom wissenschaftstheoretischen Standpunkt aus bedeutet das zunächst, daß die Rechtfertigungslehre die eigentliche Unterscheidungslehre zwischen der bisherigen Theologie und seiner Lehre sei. Luther hat aber die Rechtfertigungslehre keineswegs nur in diesem eingeschränkten Sinne als entscheidend angesehen. Der Sinn der Schrift als ganzer und der eigentliche Sinn der Theologie haben eine einzigartige und wesentliche Bezogenheit auf die Rechtfertigungslehre. Die Art, wie Luther diese Bezogenheit bestimmt, formt sein Theologieverständnis.

Bevor wir nun im einzelnen die Bedeutung der Rechtfertigungslehre für das Theologieverständnis betrachten, müssen wir uns eine Tatsache vergegenwärtigen, die die Aussagen Luthers verkompliziert. Luther spricht nicht monoton von Rechtfertigung, sondern er hebt je nach dem Zusammenhang einen besonderen Aspekt hervor: den rechtfertigenden Glauben[3], die zweierlei Gerechtigkeit (nämlich die menschliche und die von Gott geschenkte Gerechtigkeit)[4], den Gegensatz von Gesetz und Evangelium[5]. Besonders oft nennt er auch Christus allein als Urheber der Rechtfertigung[6].

Wo er die Bezogenheit der Rechtfertigungslehre auf den Grund-Sinn der Schrift oder der Theologie betrachtet, entscheidet nur je die Gelegenheit, welchen der Aspekte er gerade nennt, er empfindet die einzelnen Aspekte als Ausdruck des einen und einzigen Geheimnisses der Rechtfertigung.

---

[2] z. B. WA 40/III,352,3f. (zu Ps.130,4,1532/33). — Vgl. P. Althaus, Die Theologie Martin Luthers, Gütersloh ²1963, 195.
[3] WA 13,242-244; WA 13,372,9-12; WA 30/III,539,10-540,12; WA 38,79,18-27; WA 40/I,33,3-11; WATi Nr.1177; 1681; 1883.
[4] WA 40/I,40,15-19; WA 40/I,43,25-28; WA 40/I,46,19-21; WA 40/I,48,25-33; WA 40/I,49,24-36.
[5] WA 40/III,486,19-29.
[6] WA 13,671,32-37; WA 40/I,33,3-11; WA 56,166,18-167,6; WATi Nr.561; 981; 1353; 1543; 1753; 1868; 2459.

Der Kampf mit den Anfechtungen und das Ringen um den wahren Trost vollzieht sich bei Luther coram biblia. Indem Luther sich dem Worte der Bibel stellt, stürzt sie ihn durch das Wort vom Gesetz und vom Zorn Gottes in verzweiflungsvolle Anfechtung[7]. Da er aber nicht von der Bibel läßt, richtet sie ihn wieder durch das Wort vom Kreuze Christi auf. Die Bibel erweist sich als machtvoll lebendiges Wort. Sie ist so gewaltig durch ihre doppelte Funktion: im Gesetz niederzubeugen und im Evangelium aufzurichten[8]. Luther erlebt also die Bibel im Vollzug einer starken einheitlichen Funktion. Dadurch ist für ihn a priori klar, daß der eigentliche Inhalt der Schrift ein einziger sein müsse.

Wenn die Bibel im Grunde eine einzige Grundfunktion vollzieht, oder präziser gesprochen: eine Grund-Doppelfunktion, wie steht es dann mit den vielen Büchern der Schrift? Stehen sie alle im Dienste der großen Grundintention: in Versuchung zu stürzen und zu trösten?

Matthias Kroeger hat gezeigt, wie Luthers reformatorische Grunderkenntnis zu einer gewissen Vollendung in seinem Kommentar zum Hebräerbrief (1517) gelangt ist[9]. Luther gewinnt die Überzeugung, daß man sich auf das Wort der Schrift so fest verlassen muß wie auf das Wort der Lossprechung im Bußsakrament. Man muß sich geradezu anmaßend darauf stützen können[10]. Der Geist gibt Zeugnis in unserem Herzen — aber nicht ohne das Wort, sondern durch das Wort. Dieses sagt dem Unwürdigen Gnade zu. Das Wort dringt voll lebendiger Kraft auf den Menschen ein. Das Zeugnis des Geistes, von dem Bernhard gesprochen hat, wird aus dem Wort Christi empfangen.

Von hier aus wird dann Luther immer eindringlicher klar, warum das Wort der Schrift ganz wörtlich begriffen werden muß, obgleich die Unterscheidung zwischen buchstäblichem und geistigem Sinn bestehen bleibt: Man muß sich auf das Wort stützen können. Von nun an verwirft er die Lehre vom vierfachen Schriftsinn. Die Schrift ist „wörtlich nach grammatischen Regeln auszulegen und ihr wörtlicher (literaler) Sinn ist in sich schon der geistliche"[11]. „Seither gibt es die Forderung, der Christ müsse feste und gewisse Sprüche haben, an die er sich gegen alle Anfechtung halten kann"[12].

Lebendige Kraft des Wortes, Bedeutung des Schrifttextes, Zuordnung

[7] W. Elert, Morphologie des Luthertums, Bd.1, München ²1958, 15ff u. 31ff.
[8] H. Fagerberg, Die Theologie der lutherischen Bekenntnisschriften von 1529 bis 1537, Göttingen 1965, 77ff. u. 99ff. — P. Althaus, Die Theologie Martin Luthers, 218ff. — G. Heintze, Luthers Predigt von Gesetz und Evangelium: FGLP, R.10 Bd.11, München 1958.
[9] Kroeger, aaO., 166.
[10] AaO., 167.   [11] AaO., 200.   [12] AaO., 202.

von Gesetz und Anfechtung, Evangelium und Glaube, all das ist nun selbstverständliche Voraussetzung: die Schrift stößt durch das Gesetz in Anfechtung, sie tröstet und hilft im Glauben durch das Evangelium. Dieses Doppelte ist das eine lebendige Wirken der Schrift.

Überschauen wir noch einmal das soeben Gesagte, so ergibt sich: Luthers Rechtfertigungslehre ist ein einziger Beweis dafür, wie innig bei ihm Verständnis von Theologie (und zwar besonders des Theologie-Vollzuges) und Theologie selbst miteinander verbunden sind, ja ineinander übergehen. Außerdem tritt zutage, wie intensiv er Theologie als Einheit versteht. Darüber ist nun im folgenden ausführlicher zu handeln.

2. KAPITEL

VERSTÄNDNIS VON EINHEIT UND FÜLLE DER THEOLOGIE ETWA SEIT BEGINN DER ZWANZIGER JAHRE

Wir gehen aus von der Beschreibung des „reformatorischen Grunderlebnisses" oder — wie man früher gewöhnlich sagte — des „Turmerlebnisses", wie Luther sie in der Vorrede zum ersten Band der Gesamtausgabe seiner lateinischen Schriften bietet. Sofort drängen sich gegen diesen Ansatzpunkt alle die Einwände auf, die gegen die historische Zuverlässigkeit dieses luther'schen „Alterszeugnisses" erhoben werden[1].

Aber betrachten wir zunächst den Text, um den es geht. Im Kontext hat Luther von jener befreienden Erkenntnis gesprochen, die ihm die Tore zum Paradiese geöffnet habe, nämlich sein neues Verständnis von Römer 1,17, sein neues Verständnis der Rechtfertigung aus Glaube allein. Dann fährt er fort: „Da bot sich mir sogleich (nach dem neuen Verständnis von Römer 1,17) ein anderes Bild der ganzen Schrift. Ich ging darauf die (einzelnen) Bücher durch, wie ich sie im Gedächtnis hatte, und fand auch in anderen Ausdrücken eine Analogie. So ist ‚Werk Gottes' das, was Gott in uns wirkt, ‚Kraft Gottes' das, wodurch er uns stark macht, ‚Weisheit Gottes' das, wodurch er uns weise macht, ‚Stärke Gottes', ‚Heil Gottes', ‚Ehre Gottes'"[2].

Unlösbar mit dem neuen Verständnis von Römer 1,17 ist also bei Luther die Überzeugung verbunden, daß dieses Verständnis des einen

---

[1] Kroeger, aaO., 16ff.
[2] WA 54,186,10-13: Ibi continuo alia mihi facies totius scripturae apparuit. Discurrebam deinde per scripturas, ut habebat memoria, et colligebam etiam in aliis vocabulis analogiam ut opus Dei, id est, qua nos potentes facit, sapientia Dei, qua nos sapientes facit, fortitudo Dei, salus Dei, gloria Dei.

Pauluswortes für das Verständnis der gesamten Schrift von Bedeutung sei (alia mihi facies totius scripturae apparuit[3]). Damit verbindet sich jedoch die Einsicht, daß diese Überzeugung a posteriori erhärtet werden müsse. Daher ging er in Gedanken sogleich die ganze Bibel durch[4]. Natürlich war mit diesem ersten gedanklichen Durcheilen der Bibel die Aufgabe nicht gelöst, im einzelnen nachzuweisen, wie tatsächlich das „Bild der ganzen Bibel" durch das Verständnis von Römer 1,17 charakterisiert ist. In der Erkenntnis, daß Römer 1,17 das Bild der gesamten Schrift kennzeichnet, ist ein Apriori enthalten.

Luther hat ein solches Apriori für seine Verurteilung des Papsttums offen zugegeben[5]. Dieses von Luther eingestandene Apriori bedeutet offenbar, daß er den betreffenden Erkenntnisansatz intuitiv gewonnen habe. Sicher ist, daß ein solcher speziell für die Beurteilung des Papsttums vorauszusetzender Erkenntnisansatz nicht auf diese Beurteilung eingeschränkt werden kann, sondern auch sonst in Rechnung zu ziehen ist. Wie dargelegt, gilt das jedenfalls für die Frage, welche Bedeutung Römer 1,17 für die Interpretation der ganzen Hl. Schrift hat.

Wenn man dem „Alterszeugnis" Luthers Glauben schenkt, so ergab sich also unmittelbar aus dem Neuverständnis von Römer 1,17 die Aufgabe, a posteriori nachzuweisen, wie die ganze Schrift durch das Verständnis von Römer 1,17 Licht empfängt oder richtiger noch, wie die ganze Hl. Schrift im Grunde das aussagt, was Römer 1,17 ihm verkündete. Somit ist zu fragen, ob Luther sich der Aufgabe, a posteriori die Bedeutung seines Verständnisses von Römer 1,17 für die gesamte Schrift nachzuweisen, tatsächlich unterzogen hat.

Hiermit ist eine Fragestellung gefunden, um die Bedeutung des reformatorischen Grunderlebnisses für Luthers Theologieverständnis noch deutlicher herauszustellen. Bevor wir deren Brauchbarkeit erproben, muß ihre Legitimität sichergestellt werden.

Die Zuverlässigkeit des „Alterszeugnisses" ist sicher keine absolute. Wieso können wir uns also darauf verlassen, daß die darin enthaltene

---

[3] WA 54,186,9f.

[4] WA 54,186,10ff.: Discurrebam deinde per scripturas, ut habebat memoria, et colligebam in aliis vocabulis analogiam.

[5] WA 50,5,26-33 (Vorrede zu R. Barns Vitae Romanorum pontificum 1536): Ego sane in principio non valde gnarus nec peritus historiarum *a priori* (ut dicitur) invasi papatum, hoc est ex scripturis sanctis, nunc mirifice gaudeo alios idem facere *a posteriori*, hoc est ex historiis. Et plane mihi triumphare videor, cum luce apparente historias cum scripturis consentire intelligo. Nam quod Ego S. Paulo et Daniele Magistris didici et docui, Papam esse illum Adversarium Dei et omnium, hoc mihi historiae clamantes re ipsa velut digito monstrant et non genus neque speciem, se ipsum individuum, non vagum (ut vocant) ostendunt.

Aussage über das Verhältnis von reformatorischer Grunderkenntnis und Neuverständnis der ganzen Schrift eine echte Erinnerung ist? Die Antwort kann nur lauten: man kann das hypothetisch annehmen.

a) Der Blick auf das Ganze der Hl. Schrift etwa in den zwanziger Jahren

Der Wert einer Hypothese besteht darin, daß sie der Wahrheitsfindung dient. Sie muß erst verifiziert werden. Eben in diesem Sinne fassen wir die Aussage des „Alterszeugnisses" auf. Wie nun kann näherhin „unsre" Hypothese uns weiterhelfen? Wir werden die Aussagen Luthers aus der Zeit, die sicher das Turmerlebnis im Rücken hat, befragen, ob sie eine Bestätigung bieten, ob also Luther in den zwanziger und dreißiger Jahren die Hl. Schrift (und die ganze Theologie) auf Römer 1,17 hin oder von dorther verstanden hat[6].

Zunächst zu den Aussagen aus den zwanziger Jahren.

Die frühen zwanziger Jahre

Wir setzen mit unserer Betrachtung ein mit den „Scholien zum Buche Genesis" (1519—21). Darin sagt Luther, das erste und zweite Kapitel der Genesis stelle gewissermaßen eine „Summe der ganzen Schrift" dar. Das Wort „Summe" erinnert an die mittelalterlichen und spätmittelalterlichen „Summae", in denen der Verfasser je eine Zusammenschau seines Lehrgebietes liefert[7]. Bei Luther erhärtet der Zusammenhang den Sinn des Wortes summa als Zusammenschau. Moses spreche von der ewigen Inkarnation des Gottessohnes, vom Sterben des alten Menschen und vom Leben des Auferstandenen, das heißt des neuen Menschen[8]. Im glei-

---

[6] Außerdem ist notwendig, mutatis mutandis die „Hypothese" an den frühen Aussagen Luthers (also von 1518) zu überprüfen. Dazu vgl. u. 181f.

[7] z. B. Summa fratris Antonini de Florentia, Straßburg 1496 (Hain 1249); Summa de potestate ecclesiastica fratris Augustini de Ancona, Augsburg 1473 (Hain 960); Summa Angelica de casibus conscientiae per venerabilem fratrem Angelum de Clavasio, Nürnberg 1488 (Hain 5385); Summa de auditione confessionis et de sacramentis magistri Johannis de Aurbach, Augsburg 1469.

[8] WA 9,329,5-14 (Scholia in librum Genesios; Predigten Luthers, gesammelt von Joh. Poliander 1519-21): Praeterea primum et secundum caput Genesios tantae est obscuritatis et profunditatis, ut sancti patres non potuerint se explicare ex mirabili modo loquendi Spiritus sancti, plane dissenciente in ratione creationis... Porro primum hoc caput libri Genesios tocius scripturae *Summam* quandam complectitur, plenum sentenciis vehementissimisque mysteriis. Continet enim tum filii incarnationem aethernam, tum hominis veteris mortificationem, tum resurgentis, idest novi hominis, vitam.

chen Zusammenhang nennt Luther die Bücher des Moses „Fundament und Quelle der ganzen Hl. Schrift"[9].

Luther bezieht sich dem eben Gesagten zufolge hier nur in einer sehr unbestimmten Weise auf das Geheimnis der Rechtfertigung, gar nicht auf die besondere Form seiner Rechtfertigungslehre. Das mag dem folgenden, wo meist der direkte Bezug auf die Lehre von der Rechtfertigung aus dem Glauben an Christus allein vorliegt, vorausgeschickt sein. Es warnt davor, Luthers Aussagen zu pressen. Er behält sich sozusagen immer eine gewisse Spielfreiheit vor.

Deutlich tritt hervor, daß die Frage nach einem Kerninhalt der Schrift lebendig ist. Er fragt nach der „summa", dem „fundamentum", der „Quelle" der ganzen Schrift.

In dem Schriftchen „Das menschen Leren tzu meyden sind etc."[10] (1522) kommt Luther wieder auf die Bedeutung der Bücher Moses für die Erklärung der Hl. Schrift zu sprechen, und zwar diesmal in deutlicher Beschränkung auf das Alte Testament. Die übrigen Bücher fügen der Lehre des Moses keine grundsätzlich neuen Lehrpunkte hinzu. Sie zeigen nur an Beispielen, wie das Wort des Moses „gehalten odder nicht gehalten sey . . . Eß ist aber alles die selbige eynige lere und meynung"[11]. Der Begriff „summa" scheint damit als einheitlicher Sinnkern der Schrift verdeutlicht. Luther konnte mit der Frage nach dem einheitlichen Sinnkern an Gedankengänge Fabers anknüpfen, in denen dieser die Worttheologie des Cusanus für die Beantwortung der Frage, was Hl. Schrift ihrem Wesen nach sei, ausgewertet hat[12].

Im gleichen Zusammenhang fährt Luther fort: „Denn das ist ungetzweyfflet, das die gantze schrifft auff Christum allein ist gericht"[13]. Wenn Luther von Christus spricht, ist er überzeugt, im Bereich des Geheimnisses zu bleiben, auf das Römer 1,17 hinweist. Denn Christus ist unsere Rechtfertigung. Nochmals sei betont, daß er ebenso das Geheimnis der Rechtfertigung meint, wenn er von Christus spricht, als wenn er vom Glauben spricht, oder von der zweifachen Gerechtigkeit — der menschlichen aus Werken und der von Gott gnadenweise mitgeteilten — oder von Gesetz und Evangelium[14]. Zu bemerken ist jedoch, daß er bereits in den Dictata die Überzeugung ausgesprochen hat, daß die

---

[9] WA 9,329,2f: Inter libros sacrae scripturae libri Moysis sunt ceu fundamentum et fons tocius sacrae scripturae.
[10] WA 10/II,72-92.
[11] WA 10/II,73,11-13.
[12] Vgl. u. 297f.
[13] WA 10/II,73,15f.
[14] Vgl. o. 63.

Psalmen wie das ganze Alte Testament auf den kommenden Christus ausgerichtet seien[15].

Von formalem Gesichtspunkt aus ist hervorzuheben, daß Luther hier (1522) die „einige Lehre" der Schrift in ihrem „Gerichtetsein auf", also in ihrer Grundintention begründet sieht. Der Begriff der intentio wird von Luther in den folgenden Jahren ausgiebig benutzt, um die Bezogenheit der einzelnen Teile der Schrift auf die Rechtfertigungslehre zu beweisen. Darüber im folgenden.

In der „Epistel odder Unterricht von den Heiligen"[16] aus dem gleichen Jahre (1522) führt Luther aus, man solle sich nicht mit Unnötigem aufhalten, damit das Nötige nicht gehindert werde. Diese Darlegung, die sich gegen die spätmittelalterliche Heiligenverehrung richtet[17], zeigt, daß Luther von dem Anliegen der Konzentrierung, das sich auch in der Frage nach der „summa" der Schrift ausspricht, bewegt ist.

Luther hat sein Suchen nach der „einigen Lehre" der Schrift in keiner Weise als Beschränkung seines Rechtes empfunden, über eine bunte Vielfalt von Gegenständen zu sprechen. Sein Suchen nach Einheit löscht bei ihm die bunte Mannigfaltigkeit nicht aus. In der Schrift Contra Henricum Regem Angliae (1522) hat er zusammengestellt, über wie vielerlei Themen er schon geschrieben habe. Es sind im wesentlichen die Artikel einer dogmatischen Theologie[18]. Die Aufzählung geschieht in ungezwungen lockerer Reihenfolge. Luther nennt folgende Themen als schriftgemäß: Glaube, Liebe, Hoffnung, Werke, Leidenschaften, Himmel, Hölle, Buße, Abendmahl, Sünden, Gesetz, Tod, Christus, Gott, freier Wille, Gnade, Taufe[19]. Er beschließt seine Aufzählung mit dem — die Ungezwungenheit der Aufzählung unterstreichenden — Vermerk: Et iis similibus.

---

15 Vgl. u. 144.
16 WA 10/II,165-168.
17 WA 10/II,13-15: Es ist auch fur mich komen, lieben bruder, wie unther euch tzanck unnd tzwytracht entsprungen sey auß ettlichen predigeten von unnöttigen sachen, nemlich von der heyligen dienst.
18 WA 10/II,185,12-22 und 186,5-16.
19 WA 10/II,185,12-22: Primum est de iis, quae in sacris literis docentur, nempe

De fide.	De peccatis.
De charitate.	De lege.
De spe.	De morte.
De operibus.	De Christo.
De passionibus.	De deo.
De coelo.	De libero arbitrio.
De inferno.	De gratia.
De poenitentia.	De baptismo.
De coena dominica.	

Et iis similibus.

Folgende Themen sind nach Luther schriftfremd: Papsttum, Doktoren, Fegfeuer, Universitäten, „Bischofsgötzen", Konzilsdekrete, Ablässe, Messe, Mönchsgelübde, Menschensatzungen, neue Sakramente[20]. Die Aufzählung schließt wie die erste mit einem „Undsoweiter"[21].

Die beiden Aufzählungen erwecken den Eindruck, daß Luther die Hauptgegenstände der herkömmlichen (scholastischen) und die Themen seiner eigenen Theologie nennen will. Freilich sind diese Aufzählungen recht beiläufig durch Luther geschehen, denn er zeigt kein ausgeprägtes Interesse für die (wissenschaftstheoretisch relevante) Frage, was der Umfang der Themen von Theologie sei.

Die Tendenz zur Konzentrierung fand kurze Zeit vorher (1521) bereits einen drastischen Ausdruck in Luthers Bemühungen um Reform der Meßzeremonien: „Die radikale Reform der deutschen Messe als Reduktion des Vielerlei menschlichen Handelns auf das ausdrücklich von Christus Befohlene, Einsetzung und Austeilung, stellt in einseitiger, zugespitzter Formgebung der Beschränkung auf das Einfache und Wesentliche das ernste Anliegen der Reformation heraus, der Stiftung Christi und seinem Befehl zur Kommunion als des eigentlichen von Gott gebotenen und geordneten Gottesdienstes gerecht zu werden"[22].

Die Frage nach dem Eigentlichen in den Evangelien wird auch angeschnitten in „Eyn kleyn unterricht, was man ynn den Euangelijs suchen und gewartten soll" (enthalten in der Kirchenpostille 1522)[23].

Bedeutsam ist hier eine Äußerung Luthers im Begleitbrief zu Melanchthons Annotationes in Evangelium Johannis (1523)[24]. Darin führt er zunächst aus, daß ihm am liebsten wäre, wenn die Schrift ohne Kommentare gelesen würde. Hiermit knüpft er an eine Bemerkung Melanchthons selbst an[25]. Einschränkend fügt Luther hinzu, die Kirche

[20] WA 10/II,186,5-11: Alterum genus de iis rebus est, quae sunt extra scripturam, nempe

De Papatu.	De conciliorum decretis.
De doctoribus.	De indulgentiis.
De Purgatorio.	De Missa.
De Academiis.	De Votis monasticis.
De Episcopis idolis.	De traditionibus hominum.
De cultu sanctorum.	De sacramentis novis.

[21] WA 10/II,186,12: Et si qua sunt similia.
[22] Th. Knolle, Luthers Reform der Abendmahlsfeier in ihrer konstitutiven Bedeutung: Schrift und Bekenntnis, Hamburg 1950, 18. — O. Knoch, Gegenwart oder Vergegenwärtigung Christi im Abendmahl, München 1965, 121 (dort Hinweis auf WA 8,435, 2ff. [De abroganda missa privata Martini Lutheri sententia 1521]: Si igitur invenias fideles, qui simplicissimum hunc ritum imitantur ...).
[23] WA 10/I,1,8-18. — WA 12,259,5-19 (Epistel S. Petri gepredigt und ausgelegt. Erste Bearbeitung 1523).
[24] WA 12,56,22-57,6: Mallem et ego nullos esse uspiam commentarios.
[25] Ebd. — Vgl. WA 10/II,310,12f. (Vorwort zu Melanchthons Annotationes 1522): Sola scriptura, inquis, legenda est citra commentaria ...

könne nicht ganz auf Kommentare verzichten, die den Weg in die Schrift anzeigen etwa nach Art der Annotationes Melanchthons[26]. Sodann fährt er fort: „Wer sieht nicht, daß der Hebräerbrief geradezu ein Kommentar ist? Ebenso der Römer- und der Galaterbrief des Paulus. Denn wer wäre so (verständnisvoll) mit den Hl. Schriften umgegangen, wenn nicht Paulus gezeigt hätte, so mit ihnen umzugehen? Solches ‚Zeigen‘ nun nenne ich ‚einen Kommentar geben‘"[27]. Luther hat hier die Auslegung alttestamentlicher Stellen durch Paulus im Auge. Die für Luther wichtigste Stelle, an der Paulus einen alttestamentlichen Vers neutestamentlich auslegt, ist Römer 1,17.

Luther kennzeichnet hier den Römer-, Galater- und Hebräerbrief als Kernschriften der Bibel. Die Weise, wie er solche Kerntexte bestimmt, ist nicht gleichmäßig. Er nennt als Kerntexte der Bibel nämlich erstens die Schriften des Johannes und Paulus, des Moses und David (ganz im allgemeinen)[28], zweitens (enger eingrenzend) den Römer-, Galater- und Hebräerbrief[29] oder nur das Vorwort des Römerbriefes[30]. Als Kern der Bücher des Moses gibt er die beiden ersten Kapitel der Genesis an[31].

Die verschiedene Weise, wie Luther von Kerntexten der Bibel spricht, betrifft außer der dargelegten engeren oder weiteren Begrenzung noch einen weiteren Punkt: Wenn er die Bücher des Moses als summa der Schrift bezeichnet[32], so meint dieser Ausdruck die „einige Lehre", das heißt die Sinneinheit der Schrift. Wenn er jedoch sagt, Paulus habe uns durch seinen Römer-, Galater-, Hebräerbrief gelehrt, wie man kommentieren müsse[33], so bestimmt er diese Briefe als Leitfäden für die Erklärung der Schrift. In beiden Fällen liegt eine Bezogenheit auf den Gesamtinhalt der Schrift vor. Jedoch ist die Art der Bezogenheit verschieden. Das eine Mal geht es um die Konzentration auf die einige Lehre, das andere Mal um die Kommentierung. Luther hebt in beiden Fällen Teile der Schrift besonders hervor, jedoch ist das Motiv nicht dasselbe. Hier zeigt sich, daß Luthers intuitiv gewonnene Erkenntnis, sein neues Verständnis von Römer 1,17 habe Bedeutung für das gesamte

---

[26] WA 12,57,1f.: Sed quo modo Ecclesia carere possit commentariis scripturas saltem indicantibus, non video: quales Philippi sunt.

[27] WA 12,57,2-5: Et quis non videt Epistolam ad Hebraeos esse prope commentarium? Item Pauli ad Romanos et Galatas. Quis enim sic tractaturus erat sacras scripturas, nisi Paulus sic tractandas monstrasset? At hoc monstrare ego appello commentari.

[28] WATi Nr.1097; (Johannes, Paulus, Moses, David); WATi Nr.2823 (Psalterium, Johannes, Paulus); WATi Nr.3273 (Paulus, Johannes, Moses).

[29] WA 12,56,22-57,6.

[30] WATi Nr.561.

[31] WATi Nr.3043 a u. b.

[32] WA 9,329,11.

[33] WA 12,57,2-5.

Bild, das wir uns von der Schrift machen[34], sich in zwei verschiedenen Richtungen auswirkt[35].

Die Vorlesung über die kleinen Propheten (1524-25), die Predigten über das zweite Buch Mose (1524-27) und die Annotationes in Deuteronomium (1525)

Vielleicht am konsequentesten hat Luther sein Anliegen der Konzentrierung des Sinngehaltes der Bibel in der Vorlesung zu den kleinen Propheten (1524-25) verfolgt. Ein Grund hierfür könnte darin liegen, daß die Frage, ob die Bibel einen einheitlichen Sinnkern hat, sich methodisch besonders gut mit Hinblick auf die kleinen Propheten stellen läßt. Denn einerseits ist der Inhalt ihrer Prophezeiungen des geringen Umfanges wegen leicht überschaubar, anderseits ermöglicht ihre relativ große Zahl gewissermaßen einen Induktionsbeweis. Was aber auch die Hintergründe für Luthers Vorgehen sein mögen, die Tatsache besteht[36].

Luther geht bei der Behandlung der einzelnen Propheten regelmäßig von der Frage nach der „Summe" der jeweiligen Prophetie aus. Seine Darlegungen zum Propheten Habakuk z. B. leitet er mit den Worten ein: „Zuerst ist hier nach der Summe dieser Prophetie zu fragen"[37]. Oder zu der Prophetie des Amos schreibt er: „Die Summe und der Skopus der Prophetie des Amos ist folgender"[38]. Oder zu Zacharias: „Die Summe der beiden Kapitel ist folgende"[39].

Zum Propheten Habakuk präzisiert er seine Fragestellung: „Die Absicht des Propheten Habakuk und die Zeit, in der er gewirkt hat. Die kirchlichen Schriftsteller sind sich nicht über die Summe oder den Skopus und die Zeit dieser Prophetie einig"[40]. Aus dieser Bemerkung ergibt sich zunächst, daß Luther außer an der „Summe" der Prophetie noch an den historischen Umständen interessiert ist. Ohne den

---

[34] WA 54,186,9f.
[35] Vgl. H. Fagerberg, Die Theologie der lutherischen Bekenntnisschriften von 1529-1537, 35ff.
[36] G. Krause, Studien zu Luthers Auslegung der Kleinen Propheten: BHTh 33, Tübingen 1962, 257.
[37] WA 13,396,2: Primum quaeritur de summa huius prophetiae.
[38] WA 13,159,11: Summa ergo et scopus prophetiae Amos est ... — WA 13,171,5: Summa et occasio huius capitis sive sequentis concionis haec est.
[39] WA 13,610,36f.: Summa autem amborum capitum haec est. — Vgl. WA 13,208,12f.; WA 13,676,2.
[40] WA 13,424,1-4: Concilium prophetae Abacuc et quo tempore prophetarit ... Non convenit inter scriptores ecclesiasticos de summa seu scopo et tempore huius prophetiae.

historischen Sinn kann der geistige Sinn nicht erfaßt werden. Beachtung verdient ferner, daß an der genannten Stelle die termini summa, intentio und scopus als austauschbar erscheinen. Darin liegt eine Profilierung des Verständnisses von „summa".

Als einheitliche Absicht (intentio) der Propheten beschreibt Luther, auf Christus und sein Reich hinzuweisen. So heißt es zu Sophonias: „Am deutlichsten von den kleinen Propheten weissagt er vom Reiche Christi und handelt davon wirklich ausgiebig in klaren und reichlichen Worten. Sein Skopus also ist wie bei allen Propheten, daß das Reich Juda durch die Chaldäer zerstört werden müsse..., daß jedoch ein Funke von Juda wiedererweckt und erhalten werde um Christi und seines herrlichen Reiches willen"[41]. „Die Aussage (sententia) sämtlicher Propheten ist eine einzige. Das ist der eine Skopus, daß sie auf den zukünftigen Christus und auf das zukünftige Reich Christi schauen. Dahin weisen alle ihre Weissagungen. Man darf ihnen keinen anderen Bezug geben. Obgleich sie vielerlei Geschichte, sei es von Gegenwärtigem oder Zukünftigem, einstreuen, bezieht sich doch alles darauf, das zukünftige Reich Christi anzusagen. Wann auch immer die Propheten Unglück oder Glück verheißen haben, so wollten sie also, daß man auf das Reich Christi schaut"[42].

Die Erkenntnis des Skopus ist also wichtiger als das historische Verständnis des Textes: „Wir dürfen aus diesem Propheten (Zacharias) keine bloße Geschichte machen. Wir erinnern uns daher sorgsam daran, daß hier alles geschrieben ist, damit auch wir die heilsame und nützliche Lehre von Christus erhalten, und damit wir mit den Juden aus den gänzlich unsichtbaren Dingen Hoffnung und aus der Verkündigung geradezu unmöglicher Dinge Trost schöpfen"[43].

Die Verkündigung des zukünftigen Christus erweist sich damit als Trost und Hoffnung für uns. Das Wort des hl. Paulus: Omnia quae

---

[41] WA 13,480,2-7 (Praelectiones in prophetas minores; Zephanja b c.I 1524f.): Clarissime autem inter minores prophetas de regno Christi prophetat idque agit satis copiose dilucidisque et copiosis verbis. Scopus autem eius est sicut prophetarum omnium destruendum esse regnum Iudae per Chaldaeos,... et tamen resuscitandum esse et servandam aliquam scintillam Iudae propter Christum et Christi regnum gloriosissimum. — Vgl. zu Michäas WA 13,299,9-11; zu Nahum WA 13,372,9-15; WA 13,68,4-8; WA 13,88,1-7; WA 13,671,32-37.

[42] WA 13,88,1-7: Omnium prophetarum una est sententia, ut spectent in futurum Christum aliis omnibus utuntur ad id, ut nos omnia trahimus ad futurum iudicium. si pestilentia venit, futurum iudicium, si beneficiis venit deus, mox venit gloria.

[43] WA 13,671,32-37: Sic caussis dicendi intellectis puto et reliqua facilius, quae in hoc propheta nobis exhibentur intelligi posse. Caeterum ne ex hoc propheta solam faciamus historiam, meminerimus diligenter omnia hic scripta esse, ut nos quoque doctrinam de Christo, ut cum Iudaeis ex rebus nihil minus apparentibus spem, et ex rerum fere impossibilium denuntiatione consolationem accipiamus.

scripta sunt in doctrinam nostram scripta sunt[44], gilt auch mit Hinblick auf die Schriften der Propheten[45]. „. . . die Lehre wird uns sowohl heilsam sein, als wir auch dann erst hoffen können, daß uns daraus Nutzen zufließt, wenn wir spüren, daß seine Prophetie unseretwegen geschrieben ist"[46].

In einer für seine eigene Art bezeichnenden Weise stellt Luther das „propter nos" bei der Erklärung des Propheten Jonas heraus. Dieses Buch, so führt er aus, ist ein Zeugnis des Glaubens. Es dient zu unserem Trost. Zu Unrecht haben die Kirchenväter versucht, Jonas von persönlicher Schuld reinzuwaschen. Sie haben damit die wahre Absicht des Buches nur verdunkelt. Und diese besteht darin, den Glauben in seiner Kraft herauszustellen[47]. „Durch ihre Glossen wollen sie jene große Sünde (des Jonas) abschwächen. Wir aber wollen sie zu unserem Trost (in ihrer ganzen Schwere) herausstellen"[48].

Luther geht es hier darum, den Glauben als „intentio prophetae", als „scopus prophetiae" zu erweisen. Dies gelingt ihm, indem er die Größe der Sünde des Jonas herausstellt, ja sie gleichsam noch „verschärft", zuspitzt („wir aber wollen sie zu unserem Troste herausstellen")[49]. Diese „Verschärfung" hilft Luther, das Ziel seiner Auslegung zu erreichen. Er erklärt zunächst die Weissagung vom zukünftigen Christus als die „Summe" der Propheten. Damit verbindet sich die Herausstellung des „propter nos": „. . . damit auch wir die heilsame und nützliche Lehre von Christus erhalten . . ."[50]. Luther sieht also die Lehre der Propheten vom Glauben und das „propter nos" als Einheit: Das Buch Jonas lehrt den Glauben; dieser soll zu unserem Trost herausgestellt werden. Zum Propheten Nahum bemerkt er, die Einheit der Weissagung vom zukünftigen Christus und der Lehre des Glaubens betonend: „In summa bezweckt hier der Prophet, das von der furchtbaren Verwüstung noch übriggebliebene Juda im Glauben gegen Gott zu halten. Er will die Herzen ganz stark machen, daß dieses Reich im Wort und Dienst Gottes verharrt, daß die Verheißungen Gottes sich erfüllen und nicht aufhören, sondern dauern bis zur Ankunft Christi, der aus Juda geboren werden soll, wie die Propheten verkünden. So enthält er nichts anderes als die

---

[44] Röm 15,4.   [45] WA 13,672,4-9.
[46] WA 13,672,22-25: . . . doctrina nobis tum salutaris fuerit, tum primum ex eo utilitatem sperabimus ad nos perventuram, si propter nos eius prophetiam scriptam esse senserimus.   [47] WA 13,242-244.
[48] WA 13,243,23-26: Hic facessant omnes omnium glossae territum eum (sc. Jonam) fuisse impietate regni Assyriorum . . . quibus glossis peccatum illud magnum extenuare volunt, sed nos exaggeremus in nostri consolationem.   [49] Ebd.
[50] WA 13,671,34f.: . . . ut nos quoque salutarem et utilem suscipiamus doctrinam de Christo.

Lehre des Glaubens. Denn er lehrt uns auf Gott vertrauen, und zwar dann am meisten, wenn wir an allem menschlichen Schutz, allen menschlichen Kräften und Ratschlägen verzweifeln"[51].

Fassen wir das Bisherige zusammen: Luther fragt nach dem einen Sinnkern der Prophetenschriften. Er nennt ihn mit Vorliebe summa, aber auch scopus[52]. In der inhaltlichen Bestimmung dieses Sinnkerns heben sich folgende Punkte heraus: Die Propheten sprechen vom zukünftigen Christus. Dies ist zugleich die doctrina fidei. Sie sprechen propter nos.

Außer als summa bezeichnet Luther den Sinnkern der Propheten auch als deren Absicht (intentio). Vom Blickpunkt der Absicht her bestimmt er zum Beispiel den Sinnkern der Prophetie des Zacharias: „Ich glaube, daß aus den voranstehenden Propheten, insbesondere aus der Erklärung des Aggaeus, deutlich genug wird, was Zacharias will und wohin er zielt ... Um dies Eine bemühten sich alle Propheten, durch viele Predigten die verzagenden Herzen der Juden aufzurichten, was bei ihnen verlassen und verwüstet war, aufzubauen, die Vertriebenen zu trösten und ihnen neue Hoffnung zu schenken"[53]. Dadurch, daß Luther die Absicht (intentio) als das beschreibt, was der Prophet *will*, zeigt er, daß summa und intentio nicht ganz in äquivalentem Sinne den Sinnkern der Prophetenbücher bezeichnen. Von summa zu intentio verschiebt sich die Bedeutung des Sinnkernes vom geistigen Gehalt hin zu einer Betonung von Wille und Affekt.

In der Erklärung zu Aggaeus kann er daher bemerken: „Man muß nicht so sehr auf die Sache als auf den Affekt schauen. In allen Dingen soll man den göttlichen Willen betrachten. Wenn Gott das allerkleinste Werk vorschreiben würde, so wäre dieses Werk in seinen Augen nicht kleiner als das größte, weil durch den göttlichen Willen allen Dingen ihr Gewicht zufällt. Der menschliche Verstand schaut auf die Größe und Zahl der Werke, er schaut nicht auf das Wort. Umgekehrt der Glaube:

---

[51] WA 13,372,9-15: Proinde hoc agit in summa hic propheta, ut Iudam superstitem adhuc a vastitate maxima in fide erga deum retinent, ut omnino confirmet corda mansurum hoc regnum in verbo et cultu dei, complendas esse promissiones divinas et non cessaturum sed duraturum usque ad adventum Christi ex Iuda nascituri, sicut habent prophetiae. Sicque in eo nihil aliud est quam doctrina fidei. Docet enim nos deo fidere et tum maxime, cum ab omni humano praesidio, humanis viribus et consiliis desperamus.

[52] Andere Bezeichnungen für den Skopus sind caput, principium, argumentum, hypostasis, materia, thema, consilium, affectus, cohaerentia textus. — Vgl. G. Ebeling, Evangelische Evangelienauslegung. Eine Untersuchung zu Luthers Hermeneutik, München 1942, 411, Anm.263 (ebd. weitere Bezeichnungen).

[53] WA 13,670,2ff.: Satis ex praecedentibus prophetis intelligi puto, praecipue ex Aggei interpretatione, quid velit et quorsum ierit Zacharias ... ad hoc unum incubuerunt omnes prophetae, ut multis concionibus labefacta Iudaeorum corda erigerent et deserta in illis aedificarent, deiectos consolarentur et in spem ponerent ...

Gottes Sache ist es, etwas als groß oder klein zu bestimmen. Unsere Sache ist es, in beiden Arten von Werken auf die Wahrheit Gottes und sein Wort zu schauen"[54]. An der angeführten Stelle ist zu beachten, daß Luther zuerst erklärt, man müsse bei allen Dingen den göttlichen Willen bedenken, und (am Schlusse) man müsse auf die Wahrheit Gottes und sein Wort schauen. „Auf das Wort schauen" heißt also, auf den Willen schauen. Demgemäß kann Luther den Sinnkern der Prophetien (ihre summa und einzige sententia) mit der Absicht (intentio) der Propheten verschmelzen.

In den folgenden Jahren wiederholt Luther die Aussagen über den Sinnkern der Schrift, die er in der Vorlesung über die kleinen Propheten gemacht hatte. So erklärt er in den Predigten über das zweite Buch Moses (1524-27), das erste Buch Moses enthalte die „Hauptartikel" des christlichen Glaubens[55]. In der deutschen Auslegung des Propheten Jonas (1526) zeigt er diesen wieder als „Beispiel des Glaubens"[56]. In den Annotationes zum Buche Deuteronomium (1525) nennt er Moses „Quelle und Vater aller Propheten und heiligen Bücher". Sich Moses im Studium der Hl. Schrift zuwenden, heißt, den Fluß zu seiner Quelle zurückverfolgen[57]. Noch in der Vorrede zu seiner Bibelausgabe 1545, also gegen Ende seines Wirkens, wiederholt er diese Aussage[58].

[54] WA 13,511,10-16: Ideo non tam res quam *affectus* spectandus est. In omnibus rebus semper videndus est *divina voluntas*. Si praeciperet deus minimum opus, non minus est tale opus in oculis eius quam maximum, quia voluntate divina est pondus adiectum omnibus rebus. Ratio humana spectat magnitudinem et multitudinem operum, non verbum spectat. Contra fides: eiusdem dei est praecipere magna et parva. Nostrum est in utroque genere operum spectare veritatem dei et verbum. — Vgl. WA 13,532,9-18.

[55] WA 16,1,14-32; 2,6-24: Wir haben bis anher das Erste Buch Mosi ausgelegt und gehört von mancherley schönen tröstlichen sprüchen, darinnen die Heubtartickel unsers Christlichen Glaubens begriffen sind. Auch sind uns daneben fürgehalten worden allerley herrliche Exempel und Vorbilde eines Gottseligen und Christlichen lebens an den Altvetern und Patriarchen. Und haben aus demselbigen Buche auch gelernet, wie Gott der Allmechtige Schöpffer Himels, Erden und aller Creaturen sey, den wir allein ehren, lieben, fürchten und uber alles im vertrawen sollen ...

[56] WA 19,186,10-15: Darumb ich diesen heyligen propheten Jona fur mich genomen auszulegen, als der sich zu disen sachen fast wol reymet und eyn trefflichs, sonderlichs, tröstlichs exempel des glaubens und eyn gros mechtigs wunderzeychen gottlicher guete aller welt fur tragt. Denn wer solt Gott nicht von hertzen trawen ..., wenn er dis exempel bedenckt.

[57] WA 14,499,16-22 (Deuteronomium Mosi cum annotationibus 1525): Certum est enim, ut quemadmodum mundi sapientes dicunt Homerum esse patrem omnium poetarum, fontem, imo oceanum omnis eruditionis et eloquentiae, sic noster Moses fons et pater est omnium prophetarum et librorum sacrorum, id est sapientiae et eloquentiae coelestis ... venit in mentem, ut hoc tentarem, si forte et Mose restitui possit et rivulos ad fontem revocarem ...

[58] WABi 8,29,13-32 (Vorrede zur Bibel 1545): WAS sind aber nu die ander Bücher der Propheten vnd der Geschichten? Antwort, nichts anders, denn was Mose ist,

De servo arbitrio (1525)

Etwa in die Zeit der soeben besprochenen Vorlesungen fällt die Abfassung von De servo arbitrio. Es wurde bereits gezeigt, wie Luther in dieser Schrift auf die Mitte der christlichen Wahrheit und eben darin auf die Sinnmitte der Schrift zuzugehen versucht. Diese Aussagen über die Sinnmitte der Schrift erhalten eine indirekte Ergänzung durch Luthers Kritik an den hermeneutischen Prinzipien des Erasmus, soweit er sie jedenfalls in seiner Diatribe über den freien Willen markiert. Deshalb ist hier noch einmal von De servo arbitrio zu handeln.

Luther behauptet, Erasmus habe in seiner „Diatribe" über den freien Willen die benutzten Bibelsprüche aus ihrem Zusammenhang herausgerissen. Er habe nach der Methode all derer gehandelt, die Bibelworte als „tropi" benutzen; das heißt in diesem Zusammenhang: als ihrem eigentlichen Sinn entfremdete Sprüche („verdrehte Sprüche" übersetzt J. Jonas[59]). „Sie zwacken ein Wort heraus, verdrehen es durch uneigentliche Anwendung und kreuzigen es nach ihrem Sinn. Sie achten nicht auf die Umstände, noch auf das Folgende oder Vorhergehende oder auf die Absicht und das Anliegen des Verfassers." So habe die Diatribe das Moses-Wort von der induratio Pharaonis behandelt[60]. Hier liege der Grund, warum die Schrift viele Jahrhunderte hindurch selbst bei den anerkanntesten Gelehrten als dunkel erschienen sei. Diese Methode lenkt von der Sache, um die es geht, ab und zieht die Aufmerksamkeit in falsche Richtung. Dieser Methode kann nur verfallen, wen die Sache nicht innerlich berührt[61]. Es geht also um die Frage, was jeweils die wahre und

---

Denn sie treiben alle sampt Moses ampt ... Denn freilich Mose ein Brunn ist aller weisheit vnd verstands, dar aus gequollen ist alles, was alle Propheten gewust und gesagt haben ... Wenn du wilt wol vnd sicher deuten, So nim Christum fur dich, Denn das ist der Man, dem alles vnd gantz vnd gar gilt.

[59] Justus Jonas, Dr. Martin Luther's Antwort an Erasmus von Rotterdam, daß der freie Wille Nichts sey, 1526 (in: Die Werke Martin Luther's, hrsg. G. Pfizer, Frankfurt/M 1840, 707b).

[60] WA 18,713,1-10: His puto satis confutatam esse tropologiam Diatriben cum suo tropo, tamen ad ipsum textum veniamus, visuri, quam conveniat inter ipsam et tropum. Mos est enim omnium, qui tropis eludunt argumenta, ut textu ipso fortiter contempto hoc solum laborent, ut excerptum vocabulum aliquod tropis torqueant ac suo sensu crucifigent, nullo respectu habito vel circumstantiarum vel sequentium et praecedentium vel intentionis aut caussae authoris. Sic Diatribe hoc loco, nihil morata, quid agat Moses aut quorsum tendat eius oratio, voculam hanc: Ego indurabo (qua offenditur) e textu rapit fingitque pro libidine, interim nihil cogitans, quomodo sit rursus inserenda et coaptanda, ut quadret corpori textus. — Vgl. Ex 4,21; 7,3.

[61] WA 18,715,7-10: Istis et similibus ludibriis verborum nihil facit, quam quod tempus redimat et caussam interim nobis ex oculis rapiat alioque trahat. Tam stupidos et socordes nos aestimat vel tam parum affici caussae, quam ipsa afficitur.

zentrale Meinung des Hagiographen sei, es geht um die „einfältige Meinung" des Propheten, um den Textzusammenhang[62]. Die Meinung und Summa einer Textstelle kann klar sein, ohne daß man die einzelnen Worte sich zu deuten vermag[63].

Hier ist an das zu erinnern, was Luther über summa und scopus der Schrift und über intentio prophetae in anderen Zusammenhängen sagt. Es wurde gezeigt, wie Luther die summa scripturae als die Sinnmitte der Schrift, ihren wahren geistigen Kern versteht. Alles, was die Schrift sagt, weist auf diese Sinnmitte hin und erhält von ihr aus Licht. Auf diese Gedanken bezieht sich hier Luther. Erasmus und die scholastischen Theologen unterlassen es, ihre Bibelsprüche nach der in ihnen lebendigen Intention zu befragen, sie schauen nicht auf die Sinnmitte der Schrift.

Wenn Luther dem Erasmus vorwirft, er reiße einzelne Bibelstellen aus ihrem Zusammenhang, um sie als Beweisstellen zu gebrauchen, statt nach der wahren Meinung des biblischen Autors zu fragen, so tut er ihm damit nicht völlig unrecht. Erasmus selbst erklärt, sein Verfahren in der Diatribe zusammenfassend: „Bis jetzt haben wir aus der Hl. Schrift die Stellen zusammengetragen, die den freien Willen beweisen und umgekehrt auch jene, die ihn ganz zu widerlegen scheinen"[64]. In der Ratio von 1518 hat sich dagegen der Rotterdamer sehr wohl dazu bekannt, daß man nach dem Kontext fragen müsse[65]. Und er betont, daß dunkle Stellen der Schrift zwar nicht durch eine concordia scripturarum[66], immerhin aber im Blick auf das Gesamt der christlichen Lehre, des Lebens Christi und einer „naturalis aequitas" zu interpretieren seien[67]. Dort tadelt

---

[62] WA, 18,748,26f.: Interim vero prorsus secura et nihil cogitans de ipso textu, de sequentibus et praecedentibus, unde petenda est intelligentia. — Übersetzung des J. Jonas (in: Die Werke Martin Luther's, hrsg. G. Pfizer, 728b): Dieweil siehet sie aber nicht auf den Text, was die *einfältige Meinung* sey ... — Vgl. WA 18,744,24-28: Ut autem Prophetae sensum et intentum consideraret, quid opus erat tantae authoritatis viro? ... Nos autem docemus ex ipsa serie.

[63] WA 18,777,8f.: Sed esto, non intelligamus verba singulatim, tamen ipsa rei summa clarissima est.

[64] Walter, 77,3-5: Hactenus ex divinis libris loca contulimus, quae statuunt liberum arbitrium, et ex adverso, quae videntur in totum tollere.

[65] Holborn, 196,29-32: Accedet hinc quoque lucis nonnihil ad intelligendum scripturae sensum, si perpendamus non modo quid dicatur, verum etiam a quo dicatur, cui dicatur, quibus verbis dicatur, quo tempore, qua occasione, quid praecedat, quid consequatur. — Ecclesiastes l. III. (1535) (LB V 1010D-E). — Vgl. Payne, Toward the Hermeneutics: Scrinium erasmianum II, 27.

[66] So Faber Stapulensis. — Vgl. Weier, Das Thema vom verborgenen Gott, 154.

[67] Ratio (Holborn 286,1-4): In his quoque servanda regula, ut sensus, quem ex obscuris verbis elicimus, respondeat ad orbem illum doctrinae christianae, respondeat ad illius vitam, denique respondeat ad aequitatem naturalem. — Vgl. Payne, aaO., 28.

Erasmus selbst jene Theologen, die Schriftstellen aus ihrem Zusammenhang herausreißen[68].

Luther betont auch nicht ohne Grund gegen Erasmus, daß die „einfältige" Meinung[69] des „Propheten" entscheidend sei. Denn trotz aller Wertschätzung des grammatischen Sinnes hat Erasmus immer eine Sympathie für Origenes und seine allegorische Auslegungsmethode gehabt und behalten[70]. Äußerlich gesehen unterscheidet Erasmus wie Luther zwischen buchstäblichem und geistigem Sinn der Schrift. Erasmus aber bestimmt den geistigen Sinn nicht ohne Anschluß an Origenes[71]. In schroffem Gegensatz zu Luther hält er daher für möglich, daß es mehrere verschiedene legitime, nämlich allegorische Auslegungen ein und derselben Schriftstelle geben könne[72]. Wie aber würde, so hebt Luther hervor, die Schrift noch Gewißheit begründen, wenn ihre Auslegung zu verschiedenen Resultaten führen könnte? Die Schrift in mehrfachem Sinne auslegen, das heißt gleichsam das ungeteilte Kleid Christi zerstückeln, es heißt den Weg zu echtem Schriftverständnis verbauen[73].

b) Der Glaube als Sinnmitte der Schrift und Kern der Theologie nach dem Vorwort zur zweiten Vorlesung über den Galaterbrief (1535)

Die Entfaltung dessen, was Luther bei seiner „reformatorischen Entdeckung" intuitiv erfaßt hatte: die Bedeutung des neuen Verständnisses von Römer 1,17 für die Auslegung der gesamten Bibel, erreicht in dem Vorwort zur zweiten Galaterbriefvorlesung (1535)[74] einen Höhepunkt. Hier ist glanzvoll dargelegt, daß das Geheimnis der Rechtfertigung Sinnkern der Schrift und zugleich Kernpunkt der Theologie sei.

Luther preist hier den Artikel des Glaubens an Christus in feierlich gehobener Sprache als Mittelpunkt und befruchtenden Quellgrund seines gesamten theologischen Denkens: „In meinem Herzen regiert dieser eine

---

[68] Holborn, 286,6-11: Hoc loco subindicandus est error eorum, qui e sacris voluminibus, in quibus pro temporum, rerum ac personarum varietate diversa narrantur, tantum eas particulas decerpunt, quae ad ipsorum faciunt affectus ... Audi sermonem divinum, sed totum audi.

[69] z. B. WA 14,97,27f. (Predigten über das erste Buch Mose, 1523/24): WA 14,98,14-16; WA 14,499,30-32.

[70] G. Chantraine, SJ, weist die Differenziertheit der erasmischen Ausführungen über allegorischen Sinn und allegorische Methode nach. Ders., „Mystère" et „Philosophie du Christ" selon Érasme. Étude de la lettre à P. Volz et de la „Ratio verae theologiae" (1518): Bibliothèque de la Faculté de Philosophie et Lettres de Namur, Fasc. 49, Namur-Gembloux 1971, 316-362.

[71] Payne, aaO., 25.

[72] Payne, aaO., 45.

[73] WA 5,644,24-645,15 (Operationes in Psalmos 1519-21).

[74] Von Luther für die Drucklegung (1535) verfaßt.

und einzige Artikel: der Glaube an Christus. Aus ihm, durch ihn und in ihn fließt und widerfließt bei Tag und bei Nacht all mein theologisches Denken. Und trotzdem erfahre ich, von einer Weisheit so großer Höhe, Weite und Tiefe nur gewisse schwache und armselige Anfänge und gleichsam Bruchstücke begriffen zu haben"[75].

In diesem Zitat benutzt Luther zwei theologisch abgrundtiefe Stellen der Paulusbriefe, um die Erkenntnis des „einen und einzigen Artikels", das heißt des Artikels vom Glauben an Christus, zu verdeutlichen: Römer 11,36[76] und Eph 3,18f. An der Tatsache der Benutzung dieser Bibelstellen kann kein Zweifel sein, wie eine Gegenüberstellung mit der Aussage Luthers vor Augen führt:

WA 40/1,33
... Fides Christi, *ex quo, per quem et in quem* omnes meae ... fluunt et refluunt theologicae cogitationes

Röm 11,36:
Quoniam *ex ipso, et per ipsum, et in ipso* sunt omnia

WA 40/1,33
... nec tamen *comprehendisse* ... *de tantae altitudinis, latitudinis, profunditatis sapientia*

Eph 3,18f.:
Ut possitis *comprehendere* cum omnibus sanctis, quae sit *latitudo, et longitudo, et sublimitas, et profundum:* scire etiam supereminentem scientiae charitatem Christi, ut impleamini in omnem plenitudinem Dei

An der Stelle aus dem Römerbrief, auf die Luther anspielt, spricht Paulus von der unerforschlichen Weisheit Gottes. Es ist die Doxologie, die das Festevangelium des Dreifaltigkeitssonntages bildet. Die Stelle aus dem Epheserbrief betrifft das Mysterium Gottes, wie es uns in dem unermeßlichen Reichtum des Heilswerkes Christi kundgeworden ist. Paulus spricht hier mit autoritativer, feierlicher Würde[77]. Eben diese Würde läßt Luther auf seine eigene Aussage überstrahlen.

[75] WA 40/I,33,3-11: Vix ipse credo, tam verbosum fuisse me, ... Nam in corde meo iste unus regnat articulus, scilicet Fides Christi, ex quo, per quem et in quem omnes meae diu noctuque fluunt et refluunt theologicae cogitationes, nec tamen comprehendisse me experior de tantae altitudinis, latitudinis, profunditatis sapientia nisi infirmas et pauperes quasdam primitias et veluti fragmenta.

[76] Vgl. hierzu schon in den Dictata (1513-15) WA 3,361, 40-362,2; WA 4,4,15-17.

[77] L. Cerfaux, Le Christ dans la théologie de saint Paul: Lectio divina, Bd. 6, Paris 1951, 311f.

Luther setzt also den Artikel des Glaubens in eine so enge Beziehung zum Mysterium des göttlichen Heilsratschlusses, daß er (bis in den Wortlaut hinein) parallel zu diesem aussagbar ist, und das bedeutet, daß er sozusagen der von uns Menschen faßbare Abglanz dieses Ratschlusses sein muß und diesen selbst stets intendiert. Wenn nun der Artikel des Glaubens die „Summe" der Schrift ist, so ergibt sich, daß eben diese Summe der Schrift Abglanz des göttlichen Ratschlusses ist, um dessen Verständnis wir uns immer wieder als neu Anfangende bemühen müssen. Notwendigerweise als Anfangende, weil der göttliche Ratschluß selbst immer unergründlich tief bleibt.

In derselben Vorlesung, nicht lange nach der besprochenen Stelle, erörtert Luther den Hauptgegenstand des Galaterbriefes: „Vor allem ist zu sprechen von dem Gegenstand, das heißt, wovon Paulus in diesem Briefe handelt. Folgendes ist der Gegenstand: Paulus will die Lehre vom Glauben, von der Gnade, von der Vergebung der Sünden und der christlichen Gerechtigkeit festigen, damit unsere Erkenntnis vollkommen sei und wir zwischen der christlichen Gerechtigkeit und allen anderen Arten von Gerechtigkeit unterscheiden können"[78].

Wie es dem Thema des Briefes an die Galater entspricht und wie Luther bereits 1518 diesen Brief verstanden hatte[79], lenkt er das Thema der Rechtfertigung jetzt von dem Gesichtspunkt des Glaubens hinüber zur Frage nach der Gerechtigkeit. Er unterscheidet zwischen menschlicher Gerechtigkeit und Gerechtigkeit aus Gnade. Höchste Kunst und Weisheit des Christen ist es, die Gerechtigkeit aus Werken (die „aktive Gerechtigkeit") nicht zu kennen, außerhalb des Volkes Gottes dagegen gilt als höchste Weisheit, das Gesetz, die Werke und die aktive Gerechtigkeit zu kennen und zu beachten[80].

Luther erklärt, daß die Unterscheidung zwischen aktiver und passiver Gerechtigkeit Kernpunkt seiner Theologie sei: „Ohne diese Unterscheidung können wir unsere Theologie nicht aufrechterhalten, sondern werden sofort zu Juristen und Zeremonienmeistern. Christus ist verdunkelt, nie-

---

[78] WA 40/I,40,15-19: Primum omnium dicendum est de argumento, hoc est, de qua re agat Paulus in hac Epistola. Est autem hoc argumentum: Paulus vult stabilire doctrinam illam fidei, Gratiae, Remissionis peccatorum seu Iustitiae Christianae, ut habeamus perfectam cognitionem et differentiam inter iustitiam Christianam et omnes alias Iustitias. — Vgl. aaO., Zeile 1: 1. tractandum subiectum vel argumentum i. e. de qua re ipse agat.

[79] z. B. WA 57,68,11ff.

[80] WA 40/I,43,25-28: Summa igitur ars et sapientia Christianorum est nescire legem, ignorare opera et totam iustitiam activam, sicut extra populum Dei summa sapientia est, nosse et inspicere legem, opera et activam iustitiam.

mand kann getröstet werden. Lerne also gut, was es mit diesen beiden Gerechtigkeiten auf sich hat"[81].

Die Unterscheidung der beiden Gerechtigkeiten erscheint Luther geradezu als kurze Formel für seine ganze Theologie: „Das ist unsere Theologie, daß wir genau zwischen diesen beiden Arten von Gerechtigkeit, der aktiven und der passiven, unterscheiden lehren, damit nicht die Sitten und der Glaube vermengt werden, ferner Werke und Gnade, Politik und Religion. Gewiß sind beide Arten notwendig, aber man muß sie in ihren Grenzen lassen"[82].

Die Unterscheidung zwischen beiden Arten von Gerechtigkeit ist folgenschwer, sie trennt zwei Welten voneinander: „Wir haben gleichsam zwei Welten festgestellt; die eine ist die himmlische, die andere die irdische. Ihnen ordnen wir diese beiden verschiedenen und voneinander auf das allerweiteste entfernten Gerechtigkeiten zu"[83].

Kurz darauf erklärt Luther noch einmal, daß die Unterscheidung der beiden Arten von Gerechtigkeit eine Umschreibung der Rechtfertigungslehre und damit Kernpunkt christlicher Lehre sei: „Paulus bemüht sich in diesem Briefe, uns in der vollkommenen Erkenntnis dieser so überaus erhabenen christlichen Gerechtigkeit zu unterweisen, zu bestärken und zu halten. Denn ohne den Artikel der Rechtfertigung ist die ganze christliche Lehre mitverloren. Und wer auch immer in der Welt (die christliche Gerechtigkeit) nicht festhält, ist Jude, Türke, Papist oder Sektierer. Denn zwischen diesen beiden Arten von Gerechtigkeit: der aktiven des Gesetzes und der passiven Christi, gibt es kein Mittleres"[84].

Die wahre Theologie besteht in der Unterscheidung der beiden Arten von Gerechtigkeit — freilich nicht in einer rein begrifflichen, spekulativen Unterscheidung. Schwer ist es, in Versuchungen, Verzweiflung, in

---

[81] WA 40/I,45,9-11: Sine ista distinctione non poterimus servare nostram theologiam vel statim fiemus Iuristae vel ceremoniales; Christus obscuratus, nemo potest consolari. Ideo bene disce istas 2 iusticias.

[82] WA 40/I,45,24-27: Haec est nostra theologia qua docemus accurate distinguere has duas iustitias, activam et passivam, ne confundantur mores et fides, opera et gratia, politia et religio. Est autem utraque necessaria, sed quaelibet intra suos fines contineri debet.

[83] WA 40/I,46,19-21: Nos vero quasi duos mundos constituimus, unum coelestem, alterum terrenum. In illos collocamus has duas iustitias disiunctas et inter se maxime distantes.

[84] WA 40/I,48,25-33: Agit itaque Paulus in hac epistola, ut nos diligenter instituat, confortet et retineat in cognitione perfecta huius excellentissimae et Christianae iustitiae, Siquidem amisso articulo iustificationis amissa est simul tota doctrina Christiana. Et quotquot sunt in mundo qui eam non tenent, sunt vel Iudaei, vel Turcae, vel Papistae, vel Sectarii, quia inter has duas iustitias, activam legis et passivam Christi, non est medium. Qui ergo aberraverit a iustitia Christiana, hunc oportet in activam relabi, hoc est, oportet eum amisso Christo ruere in fiduciam operum.

den Nöten und Bedrängnissen des Lebens festzuhalten, daß Christus unsere Gerechtigkeit ist. Aber erst solches Festhalten ist die wahrhaft theologische Unterscheidung, um die es geht[85].

c) Das theologische Subjekt nach der Erklärung des 51. Psalmes aus den Jahren 1532 und 1538 und den Tischgesprächen

Gerhard Ebeling weist in seiner Einführung in Luthers Denken[86] auf einen Text aus dessen Enarratio Psalmi LI. hin, wo Luther in ganz außerordentlicher Deutlichkeit sein Theologieverständnis erläutert. Vom Standpunkt der theologischen Entwicklung aus reiht sich die Stellungnahme Luthers seinen oben besprochenen Äußerungen aus den zwanziger Jahren und in der zweiten Galaterbriefvorlesung an.

Die in Frage stehende Passage findet sich näherhin in der Erklärung von Vers zwei des 51. Psalmes. Sie liegt vor in der handschriftlichen Fassung aus dem Jahre 1532[87] und in einer für den Druck abgeänderten Form aus dem Jahre 1538[88].

Wir betrachten zunächst den Text der handschriftlichen Fassung.

Einleitend spricht Luther von der Eigenart theologischen Denkens und vom Formalobjekt theologischer Anthropologie. Seine Auskunft lautet — zur Eigenart theologischen Denkens: Es besteht nicht im Disputieren, sondern im Fühlen[89]; zur Frage nach dem Formalobjekt theologischer Anthropologie: Die Theologie fragt nicht, ob der Mensch groß oder klein sei, sondern sie zeigt, daß der Mensch Sünder ist[90]. Das „Fühlen" theologischer Erkenntnis besteht eben darin, daß der Mensch über seine Sündhaftigkeit bestürzt wird, ja darüber in Verzweiflung gerät[91]. Der Erkenntnis der Sünde setzt sodann Gott selbst die Erkenntnis von Gnade und Gerechtigkeit entgegen[92].

---

[85] WA 40/I,49,29-33.
[86] Ebeling, Luther, 239f. — Ebeling übergeht den ersten Teil von Luthers Ausführungen. Er setzt mit seiner Erklärung bei WA 40/II,327,11 ein.
[87] WA 40/II,326,10-16; 327,1-12; 328,1-14; 329,1f.
[88] WA 40/II,326,34-37; 327,13-37; 328,15-35.
[89] WA 40/II,326,10f.: Es gilt nicht disputirn. „Agnosco" significat proprie :„fülen".
[90] WA 40/II,326,13-15: „Cognoscere" est se cognoscere peccatorem. Iurista non disputat de homine, Theologia etiam non disputat de homine, an magnus, parvus habeat corpus, sed erudit eum, ut sciat, quis sit ipse, cognoscere se peccatorem.
[91] WA 40/II,326,15-327,2: . . . cognoscere se peccatorem et cognoscere peccatum, ut non kunen entlauffen. Hoc facit desperationem, quando sentio rationem, voluntatem, verba, opera nihil valere coram deo, et redigor in nihilum; non est vnter halden, quoad iustitiam, sic desperat peccator.
[92] WA 40/II,327,2f.: Ibi ultra hanc cognitionem peccati opponit deus cognitionem gratiae et iusticiae.

Aus diesen Feststellungen folgt bereits Wesentliches. Erkenntnis der Sünde und Erkenntnis von Gnade und Gerechtigkeit erscheinen als die beiden Grundthemen echter Theologie. Als Ausgangspunkt echter Theologie ergibt sich nicht (wie zum Beispiel in der Summa theologiae des hl. Thomas) die Betrachtung Gottes, sondern die Betrachtung der Sündhaftigkeit des Menschen. Wenn Theologie dann auf Gott zu sprechen kommt, so meint sie ihn nicht in seiner verborgenen Majestät, sondern wie er sich uns im Wirken seiner Gnade, beim Werke der Rechtfertigung kundtut: „Wir disputieren nicht über Gott, sondern über den Menschen, insofern er Sünder und schuldig, dem Tod und der Sünde unterworfen ist — nicht über Gott, wie er in seiner Majestät thront, sondern über die Gerechtigkeit Gottes oder den rechtfertigenden Gott"[93].

Ebeling hat das soeben genannte Problem der Reihenfolge der theologischen Grundthemen genauer untersucht[94]. Er zeigt, daß die Erkenntnis des Menschen der Erkenntnis Gottes im Sinne einer Sachordnung von Luther vorausgestellt wird[95]. Für diesen gehe es weniger um eine Frage des ordo recte docendi, als vielmehr um eine Frage des ordo rei selbst. Zu bedenken sei vor allem, daß die Erkenntnis des Menschen bei Luther gemeint ist als cognitio hominis coram deo. Die Erkenntnis des Menschen ist ja Erkenntnis der Sündigkeit des Menschen und insofern „von Gott her eröffnete Erkenntnis". Sie ist selbst opus dei[96].

Luther verdeutlicht seine Grundaussagen durch zwei Begriffspaare, die für Verständnis von Theologie immer wesentliche Bedeutung haben: „göttliche Weisheit" (sapientia divina) — „theologische Erkenntnis im eigentlichen Sinne" (cognitio proprie theologica) einerseits und „Thema" (argumentum) — „Subjekt" der Theologie anderseits.

Theologische Erkenntnis im eigentlichen Sinne (oder göttliche Weisheit) ist dem Gesagten zufolge die Erkenntnis Gottes und des Menschen, und zwar insofern Gott uns rechtfertigt und insofern der Mensch Sünder ist[97]. Subjekt (Grundthema) der Theologie ist der Mensch, inso-

---

[93] WA 40/II,327,8-10: Non disputamus de deo, sed de homine peccatore vel reo, morti et peccato subiecto — non sedente in maiestate, sed iusticia dei vel iustificante deo.

[94] G. Ebeling, Cognitio Dei et hominis, in: Festgabe H. Rückert, Geist und Geschichte der Reformation (= Arbeiten zur Kirchengeschichte, Bd. 38), Berlin 1966, 312-316.

[95] WA 39/I,347,1-6 (1. Thesenreihe gegen die Antinomer 1537): Ordo rei est, quod mors et peccatum est in natura ante vitam et iustitiam. Non enim iusti aut vivi sumus, peccato aut morti tradendi, sed peccatores iam, et mortui per Adam, iustificandi et vivificandi per Christum. Quare prior docendus est Adam (id est, peccatum et mors), qui forma est futuri Christi postea docendi.   [96] Ebeling, aaO., 313ff.

[97] WA 40/II,327,11f.; 328,1: Cognitio dei et hominis est *sapientia divina et proprie theologica,* Et ita cognitio dei et hominis, ut referatur tandem ad deum iustificantem et hominem peccatorem.

fern er schuldig und verloren ist, Gott, insofern er rechtfertigt und Erlöser ist[98].

Luther grenzt sodann den Gegenstand der Theologie näher ab. Gegenstand der Theologie ist nicht der materielle Besitz des Menschen, die Gesundheit seines Leibes oder seine politischen Verhältnisse, also all das, wo der Mensch als Herr erscheint. Wo sein dominium ist, da liegt der Bereich der Medizin und des Rechtes[99]. Wo er sich aber in seiner Schwäche zeigt, dem Teufel unterworfen und in Sünde gefallen, „da ghet Theologia an"[100]. So bezieht sich Theologie auf das „andere Leben", nämlich auf Sünde und Erlösung. Diese soll der Theologe erkennen, fühlen und erfahren. Das diesseitige Leben aber soll er den Juristen und den Eheleuten überlassen[101].

Mit den soeben dargelegten Äußerungen des Jahres 1532 vergleichen wir die abgeänderte Druckfassung des Jahres 1538.

Ausführlicher als in der Fassung von 1532 erläutert Luther zunächst, daß theologische Erkenntnis ein Fühlen sei: „Diese Erkenntnis von Sünde ist nicht Spekulation oder ein beliebiges Denken, das sich der Mensch zurechtmacht, sondern wirkliches Fühlen, wirkliche Erfahrung und schwerster Kampf des Herzens"[102].

Auch die weiteren Darlegungen sind eine Erweiterung des bereits 1532 Gesagten. Pointierter arbeitet Luther das theologische Formalobjekt der Anthropologie heraus. Der theologischen Betrachtung des Men-

---

[98] WA 40/II,328,1-3: Ut proprie sit *subiectum Theologiae* homo reus et perditus et deus iustificans vel salvator. quicquid extra istud *argumentum vel subiectum* quaeritur, hoc plane est error vel vanitas in Theologia.

[99] WA 40/II,4-11: Non expectamus in sacris literis possessiones, sanitates corporum vel politicarum rerum, quae omnia tradita sunt in manus nostras et creata. Sed ubi Adam factus dominus, possessor rerum Et Medicus et Iurista . . . „Dominamini" etc. „subiicite eam" etc., das ghet ad hanc vitam. Huc pertinet generatio et proles, sed theologia . . .

[100] WA 40/II,328,6-8: Lapsus suasu diaboli in peccatum et mortem, da ghet Theologia an et revocat hominem e lapsu et potestate diaboli etc.

[101] WA 40/II,328,8-14; 329,1f.: Ideo Theologia non pertinet ad hanc vitam, sed est alterius vitae, quam habet Adam . . . theologia agit de deo salvante et homine sic lapso etc. Ergo necessarium est, hominem cognoscere se et sentire experientia, quod talis sit, i. e. perditus, reus in peccatis simpliciter. Et non solum hoc debet, quod sit sub potestate diaboli et reus eternae mortis, sed quod etiam deus sit redemptor suus. Qui sic agnoscunt peccata, etc.; qui non sic, Istos religamus ad Iuristas, ad parentes etc.

[102] WA 40/II,326,34-37; 327,13-16: Porro haec cognitio peccati non est speculatio aliqua seu cogitatio, quam animus sibi fingit, sed est verus sensus, vera experientia et gravissimum certamen cordis, sicut testatur, cum dicit: „Iniquitatem meam cognosco", hoc est, sentio, experior. Id enim Hebraica vox proprie significat, non significat, sicut Papa docuit, colligere se, quid feceris, quid obmiseris, sed sentire et experiri intolerabile onus irae Dei. Et cognitio peccati est ipse sensus peccati, Et homo peccator est, qui conscientia premitur et anxius haeret, nesciens quo se vertat.

schen als Sünder stellt er jetzt vor allem die philosophische gegenüber, die den Menschen als animal rationale ins Auge faßt, die juristische, die von ihm als dem Herrn seiner Güter, und die medizinische, die von ihm als Krankem spricht[103]. Das Sündersein des Menschen bezeichnet er jetzt näherhin als Substanz des Menschen[104]. Sicher meint Luther mit „Substanz" den Kern des Menschen[105].

Schärfer als 1532 hebt Luther ferner hervor, daß die Erkenntnis der Sünde durch eine Erkenntnis der Gnade ihre komplementäre Ergänzung finden müsse. Und er betont, daß auch diese Erkenntnis der Gnade gefühlt werden, „nicht spekulativ, sondern ganz praktisch" sein müsse[106].

Es gibt also zwei theologische Grunderkenntnisse: die theologische Erkenntnis des Menschen, die ihn nicht wie die Juristen als Herrn seiner Güter oder wie die Ärzte als Kranken, sondern als Sünder betrachtet[107]; ferner die theologische Erkenntnis von Gott — im Gegensatz zu einer untheologischen Erkenntnis von Gott, wie er sie bereits 1518 in der Heidelberger Disputation als theologiae gloriae verurteilt hatte[108], nämlich eine Erkenntnis von Gott, die ihn in seiner Majestät erreichen will[109].

Wie 1532 bestimmt Luther auch das Subjekt der Theologie: der Mensch, der sich der Sünde schuldig gemacht hat, und Gott, der uns rechtfertigt und von der Sünde erlöst. Diese Bestimmung erfährt nun eine wichtige Ergänzung, indem Luther das Subjekt der Theologie mit der „Absicht" der Schrift in engste Verbindung bringt[110]. Es sei daran erinnert, daß er in seiner Vorlesung über die kleinen Propheten (1524-

---

[103] WA 40/II,327,17.21: Non igitur agimus hic cognitione hominis Philosophica, quae definit hominem esse animal rationale etc. Physica haec sunt et non Theologica. Sic Iureconsultus loquitur de homine possessore et domino suarum rerum, Medicus loquitur de homine sano et aegro, Theologus autem disputat de homine PECCATORE.

[104] WA 40/II,327,21f.: Haec hominis substantia est in Theologia et hoc a Theologo agitur, ut hanc suam naturam peccatis corruptam homo sentiat.

[105] WA 42,47,8f. — Ebeling setzt den Substanzbegriff in Beziehung zur Existenz des Menschen. Ders., Luther, 93; ders., Die Anfänge von Luthers Hermeneutik, in: Lutherstudien, Bd. 1, Tübingen 1971, 24f. — M. Kroeger legt dar, daß Luther seit 1519 unter dem Einfluß Melanchthons substantia im Sinne von essentia verstehe. Ders., Rechtfertigung und Gesetz, 187. Ebd. Hinweis auf die Problematik des Begriffs in anderen Zusammenhängen.

[106] WA 40/II,327,26-30: Tunc debet sequi altera pars cognitionis, quae quoque non speculativa, sed tota practica et sensitiva esse debet, ut homo discat et audiat, quid sit gratia, quid iustificatio...

[107] WA 40/II,328,15-17: Item ne quis cogitet de homine suarum rerum domino, sicut Iureconsultus, aut de homine aegro, sicut Medicus, sed de homine peccante.

[108] WA 1,354,17ff.: Theologus gloriae dicit malum bonum et bonum malum, Theologus crucis dicit id quod res est.

[109] WA 40/II, 327,37; 328,1: De cognitione Dei etiam Theologica, Ne quis de Maiestate cogitet, quid fecerit Deus et quam potens sit.

[110] 1532 hatte Luther die Hl. Schrift in diesem Zusammenhange nur ganz beiläufig erwähnt: WA 40/II,328,4.

25) immer wieder nach der summa scripturae, ihrer intentio und ihrem scopus gefragt hatte[111]. Nun, wo doch eigentlich vom Subjekt der Theologie die Rede sein soll, spricht er wieder von dem „scopus sacrarum litterarum" und fragt, „wohin die ganze Schrift zielt": „Was auch immer außerhalb dieses Subjektes in der Theologie gesucht wird, oder worüber man sonst disputiert, das ist Irrtum und Gift. Denn dahin zielt die ganze Schrift, uns die Güte Gottes zu empfehlen, die durch seinen Sohn bewirkt, unsere in Sünde und Verdammnis gefallene Natur der Gerechtigkeit und dem Leben wiederzuschenken ... Hier geht es um das zukünftige und ewige Leben, um Gott, der den Menschen rechtfertigt, erlöst, belebt, und um den Menschen selbst, der weg von der Gerechtigkeit und dem Leben in die Sünde und den ewigen Tod gestürzt ist. Wer diesen Skopus beim Lesen der Schrift im Auge behält, wird mit Nutzen in ihr lesen"[112]. Subjekt der Theologie und Skopus der Schrift sind also identisch.

Zusammenfassend stellt Luther heraus, daß solche theologische Erkenntnis zur Selbsterkenntnis notwendig sei[113], und er erklärt diese Erkenntnis im Sinne des Vorangegangenen: „ ... daß der Mensch sich erkenne, das heißt, daß er wisse, fühle und erfahre, daß er der Sünde schuldig und dem Tode verfallen, ferner auch, daß er im Gegensatz hierzu wisse und erfahre, daß Gott Gerechtsprecher und Erlöser eines solchen Menschen sei, der sich so erkennt"[114]. Hier charakterisiert Luther theologische Erkenntnis offenbar als Existenzerhellung (ut homo se cognoscat) und als existentielles Betroffensein (ut sciat, sentiat et experiatur).

Sonst hat Luther seine Aussagen über Theologie nicht so akzentuiert auf das Existentielle hin zusammengefaßt. Das zeigt ein Vergleich mit seinen Aussagen über das Subjekt der Theologie in seinen Tischgesprächen.

---

111 Vgl. o. 72ff.
112 WA 40/II,328,18-29: Quicquid extra hoc subiectum in Theologia quaeritur aut disputatur, est error et venenum. Nam huc omnis Scriptura spectat, ut Dei benignitatem nobis commendet, qui hoc agit per filium suum, ut naturam in peccatum et damnationem prolapsam iusticiae et vitae restituat ... agitur hic de futura et aeterna vita, de Deo iustificante, reparante ad vivificante et de homine a iusticia et vita prolapso in peccatum et aeternam mortem. Qui hunc scopum sequitur in lectione sacrarum literarum, ille dum fructu sacra leget.
113 WA 40/II,328,30: Ergo necessaria haec Theologica cognitio est, ut homo se cognoscat.
114 WA 40/II,328,30-33: Ut homo se cognoscat, hoc est, ut sciat, sentiat et experiatur, quod sit reus peccati et addictus morti, Deinde etiam, ut contrarium sciat et experiatur, quod Deus sit iustificator et redemptor talis hominis, qui sic se cognoscit.

Luther hat sich in seinen Tischgesprächen dazu bekannt, daß das Rechtfertigungsgeheimnis Subjekt der Theologie sei. Selbstbewußt erklärt er, daß die ganze theologische Wissenschaft vor ihm das Subjekt der Theologie falsch bestimmt habe. Ihm sei nun durch das erste Kapitel des Römerbriefes die Lösung aufgegangen: Christus est subiectum theologiae[115]. Ähnlich sagt er an einer anderen Stelle, das prooemium ad Romanos nenne das Subjekt der Theologie, nämlich Christus, der die Sünden vergibt[116]. In diesem Sinne bezeichnet er sogar Römer 1 selbst als das Subjekt der Theologie[117].

Nahe an diese Bestimmungen führt auch die Erklärung Luthers heran, daß der Artikel der Rechtfertigung der entscheidende Artikel sei[118]. Denn das Subjekt der Theologie bestimmt ja deren Grundthema[119]. Der eine Artikel und die eine Regel der Theologie ist der Glaube[120]. Die „Summe" der Theologie besteht darin, Christus zu erkennen[121]. Das höchste Studium der Theologie ist, Christus zu erkennen suchen[122]. Höchste Leistung der Theologie: Christum posse agnoscere[123]. Die entscheidende Erkenntnis ist das Verständnis des Satzes: Iustus ex fide vivit[124]. Wir sollen Gott nur in Christus suchen[125]. Christus allein soll unser Lehrmeister sein[126]. In ihm sind alle Schätze der Weisheit verborgen[127]. Wer ihn kennt, ist Meister der Schrift[128]. Steigernd fragt Luther, wer der beste Mediziner, der beste Jurist, der beste Theologe (summus theologus) sei. Seine Antwort lautet für die Theologie: der größte Sünder (summus peccator)[129]. Hiermit ist gemeint: wer sich existentiell zutiefst als Sünder weiß.

Abschließend sei unterstrichen, welche Variationsbreite Luthers Bestimmungen des Subjektes der Theologie haben. Subjekt der Theologie ist das Geheimnis der Rechtfertigung, ist Römer 1, Subjekt der Theolo-

---

[115] WATi Nr. 1868.
[116] WATi Nr. 561. — Im Gefolge von Cassiodor haben Christus als Subjekt der Theologie bezeichnet Robert von Melun und Robert Grosseteste. Albert d. Gr. und Bonaventura, die das Theologiesubjekt auf verschiedene Weise bestimmen, nennen unter gewisser Rücksicht auch Christus als Subjekt der Theologie. — Vgl. H. Meyer, Die Wissenschaftslehre des Thomas von Aquin: PhJ 48 (1935) 20f.; J. Finkenzeller, Offenbarung und Theologie nach der Lehre des Johannes Duns Skotus: BGPhThMA, Bd. 38 H. 5, Münster 1961, 144ff.
[117] WATi Nr. 561.
[118] WATi Nr. 1177.
[119] Vgl. o. 84.
[120] WATi Nr. 1583.
[121] WATi Nr. 1353.
[122] WATi Nr. 981.
[123] WATi Nr. 2459.
[124] WATi Nr. 1681. — Vgl. Röm 1,17.
[125] WATi Nr. 1543.
[126] WATi Nr. 231; 1830.
[127] WATi Nr. 2654.
[128] WATi Nr. 1246.
[129] WATi Nr. 1779; 1865; 2028.

gie ist der Mensch als Sünder und der rechtfertigende Gott. Subjekt der Theologie ist ferner Jesus Christus, und zwar insofern er unser Erlöser ist, aber auch Jesus Christus unter dem dreifachen Aspekt als Gottessohn, als Mensch und als Erlöser[130], schließlich ist Subjekt der Theologie nicht Christus allein, sondern der Glaube an den Vater und den Sohn und den Hl. Geist[131]. Trotzdem bleibt seine Blickrichtung immer dieselbe. Immer bleibt der göttliche Heilsratschluß Horizont und Mitte seines Denkens.

Die beiden soeben dargelegten Partien über das Theologieverständnis: aus der zweiten Galatervorlesung 1535 und aus der Psalmenerklärung 1532 (1538) lohnen einen Vergleich. Nicht nur, weil sie in etwa zeitlich zusammengehören, sondern wegen der verschiedenen Art, in der sie das reformatorische Grundverständnis von Theologie zum Ausdruck bringen.

In der Galatervorlesung tritt das Lebendige des theologischen Vollzuges als das alles beherrschende Moment hervor: Luther wird bei Tage und bei Nacht von der einen und einzigen Wirklichkeit gefangengehalten, dem Glauben an Jesus Christus. In der Psalmenerklärung zeigt sich demgegenüber, daß Theologie eben doch auch inhaltliche Festlegung verlangt. Ja, es läßt sich sogar der traditionelle Ausdruck subiectum theologiae verwenden, um diese inhaltliche Bestimmung zu vollziehen. Hier geht es um die Einheit und Sinnmitte der Theologie. Das Theologieverständnis Luthers hat diese beiden Dimensionen. Sie sind unterscheidbar, bilden für ihn aber eine ganz selbstverständliche Einheit.

Ergebnis

Im vorliegenden Abschnitt unserer Untersuchung sind wir von der Frage ausgegangen, ob sich für die Jahre, die sicher später als das „Turmerlebnis" sind, die Virulenz dessen nachweisen läßt, was er in seinem Alters-

---

[130] WA 50,266,32-268,30 (Die drei Symbola oder Bekenntnis des Glaubens Christi 1538): ICh hab erfarn und gemerckt jnn allen geschichten der gantzen Christenheit, das alle die jenigen, so den *heubtartickel von Jhesu Christo* recht gehabt und gehalten haben, sind fein und sicher jnn rechtem Christlichen glauben blieben... Widerumb hab ich auch gemerckt, das aller jrthum, abgötterey, ketzerey, ergernis, misbrauch und bosheit jnn der Kirchen daher komen sind ursprünglich, das dieser Artickel oder stuck des glaubens von Jhesu Christo veracht oder verlorn worden ist ... Etliche haben angegriffen seine *Gottheit* ... Etliche haben seine *menscheit* angegriffen ... Und was haben wir, die letzten grössesten heiligen jm Bapstum, angericht? Bekennet haben wir, das er Gott und mensch sey. Aber, das er unser *Heiland*, als fur uns gestorben und erstanden etc., das haben wir mit aller macht verleugnet... [131] WATi Nr. 3383.

zeugnis als Wirkung dieses Erlebnisses ausgeagt hat: die ganze Hl. Schrift sei ihm in einem anderen Licht erschienen und er sei die einzelnen Bücher geistig durchgegangen, ob sich in ihnen bestätige, was ihm so erlebnistief aufgegangen war. Hat also Luther in den zwanziger und dreißiger Jahren nach einem einheitlichen Sinnkern der Schrift gefragt, und zwar einem Sinnkern, der irgendwie eine Einheit bildet mit dem Verständnis der Rechtfertigung aus Glauben? Das ist dem Dargelegten zufolge zu bejahen. Näherhin ergibt sich, daß Luther die einheitliche Sinnmitte der Schrift zugleich als die Sinnmitte der Theologie, das heißt als das Subjekt der Theologie, versteht. Ferner tritt hervor, daß er die Einheit der Theologie zugleich als die Einheit ihres Vollzuges (nicht nur ihres Inhaltes) begreift.

Die Frage, die hier noch zu stellen ist, betrifft das Verhältnis dieses Ergebnisses zu dem, was der Artikel der Rechtfertigung für das Theologieverständnis bedeutet: daß, wie dargelegt, die Hl. Schrift zwar als das *eine* lebendige Wort Gottes den Menschen trifft, aber doch in einer zweifachen Weise. Sie stürzt den Menschen durch das Wort des Gesetzes in Anfechtung, sie richtet ihn auf und tröstet ihn durch das Wort des Evangeliums. Die Antwort muß lauten: Alles, was Luther über die Einheit der Schrift und der Theologie, über ihr Subjekt, ihren Skopus und so weiter sagt, ist gesagt vom Boden seiner Rechtfertigungslehre aus. Die Überzeugung von der lebendigen Doppelfunktion der Schrift: den Menschen niederzubeugen im Gesetz und aufzurichten im Evangelium, verleiht den Aussagen über die Sinnmitte von Schrift und Theologie ihre eigentliche Intensität.

Wir hatten im vorliegenden Abschnitt einen Teil von Luthers Alterszeugnis über sein Turmerlebnis hypothetisch als historisch zuverlässig vorausgesetzt. Ist die Hypothese nun verifiziert? Sie ist jedenfalls nicht als falsch erwiesen. Zur Verifizierung fehlt noch der Blick auf die frühen Äußerungen Luthers zum Thema. Darüber später[132].

C. Theologieverständnis und Theologiereform
Stellung zu Humanismus, Geschichte, theologischer Tradition

Ziemlich genau in der Zeit, bei der wir zuallererst eingesetzt haben, nämlich zur Zeit der Heidelberger Disputation, also im Jahre 1518, wurde die junge Universität Wittenberg, die bis dahin noch stark von

---

[132] Vgl. u. 178ff.

scholastischem Lehrbetrieb geprägt war, durch einschneidende Reformen in humanistischem Geiste umgestaltet. Luther hat an diesen Reformen erheblichen Anteil. Seine Bemühungen betreffen natürlich vor allem die Theologie. Es ist klar, daß eine grundlegende Reform theologischer Studien von einer Konzeption getragen sein muß, nämlich von einer ausgeprägten Form von Theologieverständnis. Nimmt man beide Tatsachen zusammen: daß die Reform der Universität in humanistischem Geiste geschah und daß Luther sich bemühte, seine Konzeption von Theologie in diese Reformen einzubringen, so ist von vornherein zu erwarten, daß die Frage nach dem Verhältnis von Luthers Theologieverständnis und dem Humanismus hier eine Klärung erhalten könnte.

I. Studienreformen. Das Humanismusproblem

Es geht im folgenden nicht darum, die Geschichte der Wittenberger Universitätsreformen oder auch nur die Geschichte der Bemühungen Luthers um diese Reformen nachzuzeichnen, sondern darum, daß Luther in eben diesem Bemühen sich immer wieder über Theologie als solche, das heißt aber über sein Verständnis von Theologie, geäußert hat.

Nur die wichtigsten Punkte der Entwicklung seien genannt. „Organisatorisch" wurden die Reformen eingeleitet durch zwei Visitationen der Universität, die der Kurfürst angeordnet hatte, nämlich im Frühjahr 1516 und im September 1517[1]. Im Winter 1517/18 wurde dann die Reformarbeit Spalatin in die Hand gelegt, was soviel wie humanistische Reform und Einfluß Luthers bedeutete[2].

Einen ersten Sieg errang die humanistische Richtung im März 1518. Dieser bestand vor allem in folgenden Bestimmungen: Einführung von Lektüren für Latein und Griechisch, möglichst auch Hebräisch, für Plinius und Quintilian, Zurückdrängung scholastischer Vorlesungen[3]. „Auf diesen Beschlüssen ... beruht die Berufung Melanchthons nach Wittenberg"[4].

Die Entwicklung ging in der eingeleiteten Richtung besonders im Jahre 1518 weiter[5]. Im Mai 1519 war man so weit, daß von scholasti-

---

1 W. Maurer, Der junge Melanchthon zwischen Humanismus und Reformation, Bd. 2, Göttingen 1969, 16.
2 I. Höss, Georg Spalatin 1484-1545. Ein Leben in der Zeit des Humanismus und der Reformation, Weimar 1956, 107.
3 Maurer, aaO., 16; K. Bauer, Die Wittenberger Universitätstheologie und die Anfänge der Deutschen Reformation, Tübingen 1928, 109; W. Friedensburg, Geschichte der Universität Wittenberg, Halle 1917, 100ff.
4 Maurer, aaO., 17. 5 Höss, aaO., 107ff.

schen Lehrstoffen nur noch die Sentenzen des Lombarden übrigblieben[6]. Weitere Reformen ziehen sich bis in die Zeit, in der Luther auf der Wartburg war[7]. Nach 1522 geriet die theologische Fakultät in Wittenberg in eine schwere Krise, auf deren Betrachtung wir verzichten[8]. Erwähnt seien nur noch die Bemühungen Melanchthons um Gestaltung der Universität im reformatorischen Geist[9].

1. Kapitel

Luthers Bemühungen um theologische Studienreformen an der Universität Wittenberg um das Jahr 1518

Bevor wir die Äußerungen Luthers zur Reform des theologischen Studiums aus den Jahren 1518/19 betrachten, stellen wir die Frage, ob Luther schon vor Beginn der eigentlichen Universitätsreformen konkrete Versuche zur Reform des theologischen Studiums unternommen hat. Hier ist zunächst einmal zu verweisen auf seine Thesen zur Promotion Franz Günthers zum biblischen Baccalaureus am 4. September 1517 contra scholasticam theologiam[10]. Luther versuchte damals schon, auch außerhalb Wittenbergs einen „Durchbruch durch die Front der Scholastik" zu erzielen, und zwar durch Versendung von Exemplaren dieser Thesen. Der erhoffte Erfolg ließ freilich noch auf sich warten[11]. Aus dem gleichen Jahre sind uns zwei Briefe an Lang in Erfurt erhalten, in denen Luther mit großer Heftigkeit gegen Aristoteles zu Felde zieht. Er läßt keinen Zweifel, daß er mit Aristoteles insbesondere die scholastischen Theologen meint[12].

---

[6] Bauer, aaO., 110. — Die Verbrennungsaktion Luthers vor dem Elstertor in Wittenberg am 10. Dezember 1520 ließ keinen Zweifel, wie weit er letztlich gehen wollte.
[7] Bauer, aaO.
[8] Nach 1522 geriet die theologische Fakultät der Universität Wittenberg in eine tiefe Krise. — Vgl. K. Aland, die theologische Fakultät Wittenberg und ihre Stellung im Gesamtzusammenhang der Leucorea während des 16. Jahrhunderts, in: (Hrsg.) L. Stern, 450 Jahre Martin-Luther-Universität Halle-Wittenberg, Bd. 1, Halle 1952, 176.
[9] Maurer, aaO., 159ff.; 428ff.   [10] WA 1,224-228.   [11] Aland, aaO., 166.
[12] Am 8. Februar 1517 schickte Luther an Lang einen Brief mit Bitte um Weitergabe an Trutfetter. Nur der Begleitbrief ist erhalten (= WABr Nr. 262). Sein Inhalt ist sehr deutlich. Ähnlich unmißverständlich ist der Brief vom 18. Mai 1517 an Lang (= WABr Nr. 99). — Vgl. Aland, aaO., 165.
In den von Melanchthon verfaßten Statuten der Wittenberger Theologischen Fakultät aus dem Jahre 1533 findet sich ein kurzer Abschnitt über die Aufgaben des sententiarius. Der Grad des sententiarius bedeute, daß die summa doctrinae erlernt sei. Der Sententiar solle zukünftig nicht mehr „den Lombarden" vortragen, sondern einige Psalmen oder einige Abschnitte aus den prophetischen Büchern der Schrift erklären. Hier liegt die vollständige Umfunktionierung des Amtes des Sentenzenmeisters offen

Doch nun zu den Äußerungen, die unmittelbar in Beziehung stehen zu den Reformen der Jahre 1518/19.

In einem Brief an Spalatin vom 22. Februar 1518 berichtet Luther von Diskussionen, die er mit großem Eifer über die Frage geführt habe, ob die Philosophie für die Theologie (und er präzisiert:) ob sie für die Erkenntnis der Hl. Schrift nützlich sei[13]. Die Dialektik habe keinen Nutzen für die Theologie. Er beruft sich auf Reuchlin, der mit ihm einer Meinung sei[14]. Vor allem sei zu bedenken, daß die Theologie die Begriffe in einem ganz anderen Sinne gebrauche als die Philosophie[15]. An einzelnen Beispielen zeigt er mit Nachdruck, daß die Theologie ihre eigenen Kategorien hat[16]. Die aristotelische Philosophie verbaue den Zugang zu einer echten Schriftinterpretation[17].

Am 11. März 1518 übersandte Luther seinem Freunde den Bericht von einer Konferenz, die in der Wohnung Karlstadts abgehalten worden sei. Dieser Bericht ist nicht erhalten, wohl aber das Begleitschreiben Luthers. Darin heißt es: „Wenn das Studium so verordnet werden kann, wird das beim unsterblichen Gott zu unserem Ruhme, wie zu dem des Fürsten und der Studien gereichen und die wahre Veranlassung zur Reform aller Universitäten werden, so daß das barbarische Wesen schneller ausgetrieben wird und die Bildung sich aufs höchste vermehrt und anwächst"[18].

---

zutage. — Vgl. Statuten für die theologische Fakultät, Art. VII (W. Friedensburg. Urkundenbuch der Universität Wittenberg, Bd. 1, 1502-1611: Geschichtsquellen der Provinz Sachsen und des Freistaates Anhalt, N.R. 3, Magdeburg 1926, Nr. 171, S. 156): Percepta ... summa doctrinae ex Paulo nunc legat sententiarius de Judicio decani et senioris in facultate theologica aliquos psalmos seu aliquid ex prophetis.

[13] WABr Nr. 61,9-13: Caeterum Quaeris, Quatenus utilem Dialecticen arbiter (!) Theologo. Ego sane non video, Quomodo non sit noxia potius Dialectice vero Theologo ... Sed in sacris literis ... foris relinquendus universus syllogismus.

[14] AaO., 12-15: Sed in sacris literis ... foris relinquendus universus syllogismus ... Quod et Iohannes Reuchlin in secundo libro Cabalae suae satis affirmat. — Vgl. *I. Reuchlin*, De arte cabalistica libri tres, Hagenau 1517.

[15] WABr Nr. 61, 25-28: Quomodo, inquam, prodest Dialectica, cum, postquam accessero ad Theologiam, id vocabuli, quod in Dialectica sic significabat, cogar reiicere et aliam eius significationem accipere?

[16] WABr Nr. 61,28-39: Atque, ut non agerem verbis, Exempla subieci, videlicet: Corpus in Arbore purphyriana significat rem constantem materia et forma. At tale Corpus non potest homini contingere, Cum in scriptura Corpus nostrum solam materiam significet ... Et breviter: totum illud Commentum Arboris purphyriane dixi et adhuc dico minus quam Anile figmentum aut somnium egrotantium ... Deinde et praedicamenta ad nonnulla alia philosophiae tum Theologiae convelli.

[17] WABr Nr. 61,41-43: Sed sunt illi homines Aristoteli et purphyrio Captivi, Nec Quid, sed quia dicunt advertunt. Inde fit, ut nec unius Capituli scripturae possint intelligentiam capere, multo minus tradere.

[18] WABr Nr. 63,10-13: Si ita posset institui studium, Deum immortalem, quanta esset haec gloria nostri et Principis et studii, ac vera occasio omnium universitatum reformandarum, quin et citius universae barbariae eliminandae omnique eruditioni cumulatissime augmentandae. (Übers. zit. n. Höss, aaO., 107f.)

Mit dem Hinweis auf das „barbarische Wesen" der bisherigen Studien nimmt Luther ein Urteil der Humanisten auf[19]. Luther also im Bündnis mit dem Humanismus[20]!

Ein Brief vom 9. Mai 1518, den der Reformator an seinen Lehrer Jodocus Trutfetter sendet, spricht von der Entschlossenheit, die Reformen im theologischen Bereich bis ans Ende zu führen. Für unsere Untersuchung ist dieser Brief von besonderer Brisanz, weil er nur vierzehn Tage nach der Heidelberger Disputation verfaßt ist und somit als Interpretation zu den Thesen über die theologi crucis und gloriae gelten kann[21]. Die entscheidende Stelle des Briefes ist die folgende: „Ich glaube einfachhin, daß die Kirche unmöglich reformiert werden kann (es geht also nicht nur um Reform der Universität!), wenn nicht die canones (der kirchlichen Gesetzgebung), die Dekretalen, die scholastische Theologie, Philosophie, Logik, wie sie jetzt vorliegen, bis auf den Grund ausgerottet und andere Studien eingerichtet werden. Und ich gehe in dieser Auffassung so weit, daß ich täglich den Herrn bitte, dies möge jetzt geschehen, daß wiederum ganz reines Schrift- und Väterstudium aufleben"[22]. Im selben Zusammenhang äußert sich Luther über das Verhältnis von Tradition und Schrift: die Bibel muß gehört, die Väter sollen beurteilt werden[23].

Bringt man die Aussagen dieses Briefes, wie es aus dem genannten Grunde geschehen muß, in Beziehung zu den Thesen der Heidelberger Disputation, so ergibt sich, daß die theologi gloriae sich mit canones, Dekretalen, scholastischer Theologie, Philosophie und Logik befassen. Theologia crucis dagegen ist „ganz reines Schrift- und Väterstudium" (Bibliae et Ss. Patrum purissima studia).

Bemerkenswert ist, daß hier als Aufgabe ernsthafter Theologie nicht nur das Bibel-, sondern auch das Väterstudium genannt wird. Das entspricht den Anliegen der humanistischen Theologen. Wenn auch die Haupttriebkraft für den humanistischen Trend der Universitätsreform

---

[19] Vgl. die Antibarbari des Erasmus. Ferner Faber Stapulensis, Libri Logicorum, Paris 1503, fol. 1v: Stilum ita temperavi, ut nullus de intelligentia ... diffidere debeat, nisi forte qui in *barbarorum* castra deiectus adhuc misera sub captivitate languet infirmus.

[20] Maurer, Der junge Melanchthon, Bd. 2, 26.

[21] K. Bauer hat den entscheidenden Passus des Briefes seinem Werk über die Wittenberger Universitätstheologie als Vorspruch gegeben (a.a.O., Titelblatt u. S. 2).

[22] WABr Nr. 74,33-38: Atque ut me etiam resolvam, ego simpliciter credo, quod impossibile sit ecclesiam reformari, nisi funditus canones, decretales, scholastica theologia, philosophia, logica, ut nunc habentur, eradicentur et alia studia instituantur; atque in ea sententia adeo procedo, ut cotidie Dominum rogo, quatenus id statim fiat, ut rursum Bibliae et S. Patrum purissima studia revocentur.

[23] WABr Nr. 74,72-74: Ex te primo omnium didici, solis canonicis libris deberi fidem, caeteris omnibus iudicium, ut B. Augustinus imo Paulus et Iohannes praecipiunt.

Spalatin war, so zeigt sich hier doch, daß Luther im Jahre 1518 noch glaubte, im Rahmen des Humanismus seine eigenen Ziele zur Geltung bringen zu können[24]. Wichtig ist zu sehen, daß sich Luther durch seine Offenheit gegenüber dem Humanismus die Bedeutsamkeit der Geschichte (Väterstudium, Quellenstudium) weiter erschließt[25].

In einem Brief vom 2. September an Spalatin regt Luther an, den Prüfungsstoff für die „Baccalaureandi" und „Magistrandi" entsprechend den neuen Studienzielen und Vorlesungen neu festzulegen. Konkret richtet sich seine Anregung besonders gegen die Pflichtvorlesung in aristotelischer Ethik[26]. Betrachtet man die Sache vom Standpunkt seiner theologischen Grundanliegen, so spürt man die Sorge, die Zeit des Studiums auf die Hauptsachen der Theologie zu verwenden[27].

Schließlich verdient ein weiterer Brief an Spalatin Erwähnung. Er wurde etwa eine Woche später (am 9. September) abgefaßt. Darin schreibt Luther, daß der Rektor der Universität mit ihm der Auffassung sei, die scholastischen Vorlesungen sollten weiter eingeschränkt werden, zu einem günstigeren Zeitpunkt könnten sie ganz verschwinden, um dann einer „reinen Philosophie und Theologie" Platz zu machen, die wie alles übrige Wissen aus den Quellen zu schöpfen seien[28]. Wie in dem genannten Briefe vom 9. Mai taucht hier das Motto von der Reinheit der Theologie auf. Sie ist hier nicht als Reinheit von menschlichen Zusätzen beschrieben, sondern als Reinheit im methodologischen Sinne einer sauberen Erhebung aus den Quellen. Auch das steckt also in der Forderung der pura doctrina!

Am 15. Mai 1519 schreibt Luther, offenbar anspielend auf die Universitätsreform und näherhin auf die Reform der Theologie in Wittenberg: seit drei Jahren werde seine Lehre geprüft und durchdiskutiert.

---

[24] Maurer, aaO., 23; 27.
[25] Bauer führt Luthers Interesse an der Geschichte zu einseitig auf Melanchthon zurück. — Vgl. ders., aaO., 80.
[26] WABr Nr. 90 (Luther an Spalatin) 21-31: Orta est apud bonos adolescentes nostros quaestio . . . Ea autem est, Quod, cum nunc Dei gratia optime lectiones vigeant Et ipsi mire in sacras literas syncaeramque Theologiam ardeant, durum eis videtur propter lectiones alias, quas pro gradibus complere coguntur, postponere optimas aut saltem nimis gravari utrisque. Petunt igitur, si fieri possit, ut ethica lectio (cum sit plane ad Theologiam lupus ad agnum) permitteretur libera, Scilicet quibuscunque libere audienda, salvo non minus promotionis beneficio. Alia etiam quaestio vertitur, Quis modus futurus sit Examinandorum Baccalaureandorum et Magistrandorum secundum novas Lectiones. — Vgl. Bauer, aaO., 109.
[27] Vgl. u. 137ff.
[28] WABr Nr. 117,1-13: Convenit inter dominum Rectorem et me . . ., ut non modo Physica Thomistica caderet . . . verum ut rueret quoque logica Thomistica . . . Nam Scotisticam philosophiam et logicam cum textuali physica et logica sufficere putamus, donec Scotisticae sectae . . . cadat professio, si quo modo tandem . . . pura philosophia et Theologia omnesque Matheses in fontibus suis hauriantur.

Mit größtem Eifer und größter Sorgfalt sei man vorgegangen[29]. Luther hat also sein Verständnis von „Lehre", und das heißt in diesem Zusammenhang sein Verständnis von Theologie, in der Diskussion mit seinen Kollegen (im „Dialog" würde man vielleicht heute sagen) zu erproben gesucht.

2. KAPITEL

EINZELNE WEITERE STUDIENREFORMPLÄNE LUTHERS

a) Ein Studienprogramm Luthers in der Schrift
„An den christlichen Adel deutscher Nation" (1520)

In seiner Schrift „An den christlichen Adel deutscher Nation" entwirft Luther einen ausführlichen Reformvorschlag für die Universitäten: „Die universiteten dorfften auch wol eyner gutten starken reformation. Ich musz es sagenn, es vordriesz wen es wil"[1].

Einleitend wendet er sich der Frage des Aristotelesstudiums zu. Sein Rat ist, die Bücher „Phisicorum, Metaphysice, De Anima, Ethicorum" beiseite zu schieben[2]. Ausführlicher nimmt er gegen De anima und die Moralwerke des Stagiriten Stellung[3]. Positiv beurteilt er seine Logik, Rhetorik und Poetik. Sie seien ebenso wie Ciceros Rhetorik geeignet, junge Leute im Reden und Predigen zu unterweisen. Wie auch bei anderer Gelegenheit[4] betont er, daß man den Text der Aristotelesschriften selbst, nicht so sehr die Kommentare darüber studieren solle, und er fügt an, man solle auch die Sprachen (Lateinisch, Griechisch, Hebräisch), ferner Mathematik und Geschichte lehren[5].

---

[29] WABr Nr. 174,21-24 (Luther an den Minoritenkonvent zu Jüterbog. Wittenberg, 15. Mai 1519): Mea doctrina tribus annis in Universitate nostra assidue est agitata, discussa et iudicata, disputando, legendo, docendo, praedicando, scribendo, cum acutissimis et diligentissimis viris, necdum inventa reproba.
[1] WA 6,457,28f. (An den christl. Adel deutscher Nation von des christl. Standes Besserung 1520).
[2] WA 6,457,35-37.
[3] WA 6,458,2-18.
[4] Maurer, Der junge Melanchthon, Bd. 2, 17.
[5] WA 6,458,26-35: Das mocht ich gerne leyden, das Aristoteles bucher von der Logica, Rhetorica, Poetica behalten, odder sie in ein andere kurtz form bracht nutzlich geleszen wurden, junge leut zuuben, wol reden und predigen, aber die Comment und secten musten abethan, unnd gleich wie Ciceronis Rhetorica on comment und secten, szo auch Aristoteles logica einformig, on solch grosz comment geleszen werden ... Daneben het man nu die sprachen latinisch, kriechisch und hebreisch, die mathematice disciplinen, historien, wilchs ich befilh vorstendigern, und sich selb wol geben wurd, szo man mit ernst nach einer reformation trachtet.

Sodann geht er zu einer summarischen Beurteilung der einzelnen Fakultäten über. Die Medizin will er übergehen[6]. Für die Reform der juristischen und theologischen Fakultät dagegen hält er sich für kompetent[7]. Bezüglich des geistlichen Rechtes erklärt er, am besten sei, wenn es „von dem ersten buchstaben bisz an den letzten wurd zugrund auszgetilget, sonderlich die Decretalen"[8]. Das Studium des geistlichen Rechtes sei nur ein Hemmschuh für das Eindringen in die Hl. Schrift[9]. Das weltliche Recht sei überaus reformbedürftig[10].

Den Theologen wirft Luther vor, daß sie die Sentenzen des Lombardus zu wichtig nehmen. Er behauptet keineswegs, die Sentenzen seien unbrauchbar, er tadelt nur, welche Rolle man ihnen zuweist. Jetzt sei es dahin gekommen, daß man bloß die Anfänger im theologischen Studium mit der Bibel vertraut mache. Nach dem Bakkalaureat sei es aus mit der Schrift, dann regiere nur noch der Sentenzenmeister. Man solle umgekehrt verfahren: „Ich meynet, die sententie solten der anfang sein der jungen Theologen, und die Biblia den doctoribus bleyben, szo ists umbkeret"[11]. Man gestatte, daß Leute in der Bibel unterweisen, die nicht Priester sind, aber den Sentenzenunterricht müsse ein Priester geben. Das zeige, wie die Bibel hintangesetzt wird. Die Verderbnis sei so groß, daß das Evangelium „in schulen unnd gerichtenn wol mussig unter der banck ym stawb ligt"[12].

Der Feststellung, wie bei den Theologen der Bibelunterricht geringgeschätzt werde, stellt Luther mit großer Schärfe gegenüber, wie hoch er die Würde eines Doktors der Hl. Schrift einschätzt. Der Hl. Geist allein könne einen zum Doktor der Schrift machen: „Doctores der kunst, der Ertzney, der Rechten, der Sententias mugen der bapst, Keyser und Universiteten machen, aber sey nur gewisz, eynen Doctorn der heyligenn schrifft wirt dir niemandt machenn, denn allein der heylig geyst vom hymel"[13]. Er unterstreicht seine These durch Bezugnahme auf Joh 6,45: „Sie mussen alle von got selber geleret sein"[14]. Luther versteht das Amt des theologischen Doktors im strikten Sinne charismatisch. Nur Gott kann „Doctores theologiae" geben[15]: „Nu fragt der heylig geyst nit nach rodt, brawn parrethen, odder was des prangen ist, auch nit, ob einer jung odder alt, ley odder pfaff, munch odder weltlich, Junpfraw odder ehlich sey, Ja ehr redt vortzeiten durch ein Eselyn widder den Propheten, der drauf reyt. Wolt got, wir weren sein wirdig, das uns solch docto-

---

[6] WA 6,459,1.
[8] WA 6,459,3f.
[10] WA 6,459,30.
[12] WA 6,460,19f.
[14] WA 6,460,32.

[7] WA 6,459,1f.
[9] WA 6,459,5ff.
[11] WA 6,460,7-9.
[13] WA 6,460,28-31.
[15] WA 6,460,28.

res geben wurden, sie weren ja leyen odder priester, ehlich odder junpfrawen! wie wol man nu den heyligen geyst zwingen wil in den bapst, bischoff und doctores, szo doch kein zeychen noch schein ist, das er bey yhnen sei"[16]. Diese Äußerungen Luthers zeigen den theologischen Hintergrund seines persönlichen Berufungs- und Sendungsbewußtseins. Interessant ist, wie sich hier seine Gedanken mit den Ansichten des Nikolaus von Clémanges treffen[17].

Als nächsten Punkt schneidet Luther die Frage an, welche Bedeutung Bücherstudium für die Theologie hat. Was er sagt, ist eine Erweiterung der Forderung, schlicht Bibel zu lesen und immer wieder zu lesen, ohne ängstliche Rücksicht auf Kommentare: „Die Theologische bucher must man auch wenigern und erlesen die besten, dan viel bucher machen nit geleret, vil leszen auch nit, szondern gut ding unnd offt leszen, wie wenig sein ist, das macht geleret in der schrifft und frum datzu"[18]. Hier wird deutlich, welche Arbeitsmethode Luther selbst befolgt hat[19].

In der Forderung, die Bücher zu „wenigern" und die besten für das Studium auszuwählen, kündigt sich indirekt Luthers Interesse für die Einrichtung von Bibliotheken an. In seiner Schrift „An die Ratherren aller Städte deutsches Lands" (1524) hat er einen Plan für die Neueinrichtung von Bibliotheken entworfen. Darüber im nächsten Paragraphen.

Zum Studium der Väterliteratur bemerkt er, daß es nützlich sei, sofern es den Zugang zur Schrift öffne. Man dürfe aber nicht dabei stehenbleiben, wie es häufig geschehe. Es gehe um die Schrift selbst[20].

Die weiteren Ausführungen Luthers betreffen die Frage, wie die Bibel allen Ständen, auch schon dem „armen jungenn hauffen"[21] erschlossen werden könne.

Ergebnis

Folgende Punkte des dargelegten Studienprogramms beleuchten Luthers Theologieverständnis:

[16] WA 6,460,33-40.
[17] Vgl. u. 258f.
[18] WA 6,461,1-4.
[19] O. Scheel, Martin Luther, Vom Katholizismus zur Reformation, Bd. 2, Tübingen 3/41930, 218: Der Grundsatz des späteren Reformators, nicht in allerhand Literatur sich zu verzetteln, sondern nur wenige Bücher, diese aber gründlich zu studieren, wird dem jungen theologischen Lehrer, der Schulwissen vorzutragen und auch in Wittenberg die Beschränkung auf Schulliteratur beobachtet hatte, nicht fremd gewesen sein.
[20] WA 6,461,4-10.
[21] WA 6,461,24.

1. Luther stellt erneut jene im Grunde humanistischen Anliegen heraus, die er im Zusammenhang mit der Wittenberger Universitätsreform 1518/19 bejaht hatte: Betonung des Sprachstudiums, der Mathematik, der Geschichte, der Kirchenväter. Im Sinne des Humanismus fordert er, man solle Aristoteles selbst, nicht die scholastischen Kommentare dazu studieren. Unter den aristotelischen Schriften, deren Studium man beibehalten solle, nennt er die Logik, Rhetorik, Poetik. Hier spürt man wohl den Einfluß Melanchthons[22]. Von jetzt an ist überhaupt immer dort, wo das Verhältnis Luthers zum Humanismus in Frage steht, auch an Melanchthon zu denken. Besonders gilt das für die Frage nach Luthers Stellung zum Väterstudium und zur Geschichte.

2. Es geht aber nicht um Humanismus, sondern um die Hl. Schrift[23]. Für ihr Studium muß man Zeit gewinnen. Man soll die Zahl der zu lesenden Bücher verringern und die guten Bücher oft lesen. Wer könnte zweifeln, daß Luther mit den guten Büchern vor allem die Hl. Schrift meint? Deshalb kann er auch die Bemerkung hinzufügen: „das macht gelehrt *in der Schrift* und fromm dazu."

3. Beachtung verdient, wie Luther das Amt des Doctor bibliae theologisch deutet. Es gründet in göttlicher Berufung. Echte Theologie ist gewirkt vom Hl. Geist.

b) Luthers Bibliothekspläne

Zur Beleuchtung von Luthers Vorstellungen einer guten Bibliothek ist aufschlußreich, wie in Wittenberg selbst eine neue Bibliothek aufgebaut wurde, die den Anschauungen der jungen Universität entsprach. Ausführlich wird diese Entwicklung von I. Höss beschrieben[24]. Der Besprechung von Luthers Bibliotheksplänen sollen daher die Ergebnisse von Höss vorausgestellt werden.

Etwa Mitte Oktober 1512 gründete der Kurfürst die Bibliothek, für die er Räume in seinem Schloß und Mittel zur Anschaffung von Büchern bereitstellte. Zum Leiter der Bibliothek bestimmte er Georg Spalatin[25].

[22] 1519 glaubt Melanchthon sich in der Rhetorik, die er lehrt, im Einklang mit Aristoteles (vgl. Maurer, aaO., Bd. 1, 196). Er betrachtet die Dialektik (= Logik) als Grundlage der Rhetorik (aaO., Bd. 1, 199ff.).
[23] Humanismus und Biblizismus sind freilich keine Gegensätze. Zu Erasmus vgl. Maurer, aaO., Bd. 2, 105. — Zu Faber Stapulensis vgl. Weier, Das Thema vom verborgenen Gott, 45; J. Dagens, Humanisme et Évangélisme chez Lefèvre d'Étaples: Courants religieux et Humanisme à la fin du XVe et au début du XVIe siècle, Strasbourg 9-11 Mai 1957, Paris 1959, 121-134. — Allgemein: M. Greschat, Renaissance und Reformation: EvTh 29 (1969) 653.
[24] Höss, Georg Spalatin, 66ff.
[25] AaO., 66.

Walter Friedensburg hat überprüft, welche Werke bis Ostern 1513 für die neugegründete Bibliothek angeschafft wurden. Es findet sich darunter kein Werk des Aristoteles. Von scholastischen Werken sind ganz wenige erworben; eine Bibel mit der Glossa ordinaria; zahlreiche Ausgaben von Kirchenvätern; eine große Anzahl von Werken der Autoren des klassischen Altertums (darunter auch schon mehrere in griechischer Sprache) sowie von Schriftstellern der ersten christlichen Jahrhunderte; Grammatiken, Wörterbücher; Werke der Humanisten; außerdem juristische, historische, astronomische, medizinische Werke[26].

Die humanistische Orientierung der Bibliothek springt in die Augen[27]. Interessant ist, daß der Leiter der Bibliothek, Spalatin, besonderen Wert darauf legte, die Werke des Erasmus zu beschaffen. In seinem ersten Brief an Erasmus vom 19. Oktober 1516 erklärt er, daß in der kurfürstlichen Bibliothek zu Wittenberg seine sämtlichen Schriften vorhanden seien. Bemerkenswert ist in diesem Zusammenhang auch, daß Spalatin im Jahre 1520 mehrere Schriften des Erasmus übersetzt hat[28].

Unter dem Handschriftenmaterial, das Spalatin für die Bibliothek zu besorgen wußte, nehmen Werke von mittelalterlichen Geschichtsschreibern einen besonderen Platz ein. Spalatin hat sie in eigenen historiographischen Arbeiten ausgewertet[29].

Da Luther und Spalatin in Freundschaft miteinander verbunden waren, ist sicher, daß Spalatin Luthers eigenes historisches Interesse gefördert hat. Vielleicht hat er es sogar angeregt[30].

Spalatin hat die Wittenberger Bibliothek bis zu seinem Tode geleitet.

Die Erfindung der Buchdruckerkunst lenkte die Aufmerksamkeit der Gelehrten auf die vorhandenen handschriftlichen Bibliotheksbestände. Nun galt es ja, für den Druck das Beste aus dem Vorhandenen auszusuchen, nicht nur neue Werke zu verfassen. Die Edition der großen Meister der Vergangenheit wurde als Aufgabe erkannt. Mit dieser durch die Erfindung des Buchdrucks gleichsam von selbst sich ergebenden Aufgabe verband sich die Einsicht, daß es von großer Bedeutung für den Erfolg des wissenschaftlichen Unterrichts sein müsse, den Weg zu den großen Meistern zu bahnen. Sie sollten Führer der Studien sein[31]. Hinzu kamen Anregungen, die sich aus den häufigen Klagen über den spätscholasti-

---

[26] Friedensburg, Geschichte der Universität Wittenberg, 153f.
[27] Höss, aaO., 67. [28] AaO., 442.
[29] AaO., 443f. [30] AaO., 209.
[31] Weier, Das Thema vom verborgenen Gott, 22.

schen Studienbetrieb einerseits und aus den neuen wissenschaftlichen Zielsetzungen des Humanismus anderseits ergaben.

Luther hat diese in seiner Zeit — und besonders auch in Wittenberg — lebendigen Anregungen aufgegriffen und einen Plan für den Aufbau neuer Bibliotheken entworfen. Dieser bildet ein Kernstück seines Schriftchens „An die Ratherren aller Städte deutsches Lands" aus dem Jahre 1524[32].

Luther hebt zunächst hervor, welche große Bedeutung er den Bibliotheken für die Studienausbildung beimißt. Die Stifte und Klöster hätten zwar Bibliotheken aufgebaut, dabei aber die rechte Auswahl der Bücher vernachlässigt. Daraus sei großer Schaden entstanden. An Stelle von „rechtschaffenen" Büchern habe man die „tollen unnützen schedlichen Müniche bücher Catholicon, Florista, Graecista, Labyrinthus, Dormi secure und der gleychen esels mist" angeschafft[33]. Bei den von ihm genannten Werken handelt es sich um ein lateinisches Wörterbuch (Catholicon), ein lateinisches Gedicht über die Syntax (Florista), ein grammatisch-lexikalisches Sammelwerk in Versen (Graecista), ein Gedicht De miseriis rectorum scholarum (Labyrinthus) und um eine Sammlung von Predigten über die Perikopen des Kirchenjahres und der Heiligenfeste (Dormi secure)[34]. Als Wirkung dieser Art von Büchern erklärt Luther, „das damit die Lateinische sprache zu boden ist gangen und nyrgent keyn geschickte schule noch lare noch weyse zu studirn ist uber blieben"[35].

Luther gibt damit zwei Arten von Büchern an, die er für besonders verwerflich hält: die mittelalterlichen Hilfsmittel zur Erlernung der lateinischen Sprache (Catholicon, Florista, Graecista) und die Predigtliteratur im Stile des „Dormi secure"[36]. Die Kritik an lateinischen Schulbüchern betrifft nicht unmittelbar die Theologie, sondern eher die Knabenschulen. Jedoch meint Luther hier die Theologie mit. Er will nämlich sagen, daß die Ausbildung der Geistlichen von Grund auf unsinnig angepackt werde: „Ists nicht eyn elender jamer bisher gewesen, das eyn kna-

---

32 WA 15,50-53. — Vgl. Höss, aaO., 69; 408-414.
33 WA 15,50,9-11.
34 WA 15,50, Anm. 1.
35 WA 15,50,11-13.
36 Zu Dormi secure vgl. R. Cruel, Geschichte der deutschen Predigt im Mittelalter, Detmold 1879 (Nachdr. Darmstadt 1966), 478-480. — Der Labyrinthus handelt über die Nöte von Schulleitern (De miseriis rectorum scholarum). Er hat keine typische Bedeutung für eine besondere Büchergattung. Luther nennt in der Schrift „An die Ratherren" noch ein zweites Mal die hier von ihm abgelehnten Bücher. Dabei läßt er bezeichnenderweise den Labyrinthus weg: „das man sich widderumb mit eytel Catholicon, Florista, Mondernisten und des verdampten Münichen und Sophisten mists tragen und martern müsse" (WA 15,52,34-53,2).

be hat müssen zwentzig jar oder lenger studiren, alleyn das er so viel lateinisch hat gelernt, das er mocht pfaff werden und meß lesen? Und wilchem es dahyn komen ist, der ist selig gewest. Selig ist die Muter gewest, die eyn sollch kind getragen hat. Und ist doch eyn armer ungelerter mensch seyn leben lang blieben, der widder zu glucken noch zu eyer legen getücht hatt"[37]. An diesem Elend trage die Tatsache Schuld, daß nur unnütze Bücher vorhanden gewesen seien. „Das ist der lohn der undanckbarkeyt, das man nicht hat fleys an librareyen gewendet, sondern hat lassen die gutten bücher vergehen und die unnützen behalten"[38].

Obgleich hier ein pastorales Anliegen Luthers spürbar wird, nämlich die Sorge um theologische Tiefe auch der einfachen Priester, so ist doch eher ein humanistisches Interesse führend. Denn kurz danach empfiehlt er, zur Erlernung der Grammatik die Bücher der „Poeten und Oratores" anzuschaffen, „nicht angesehen ob sie Heyden odder Christen weren, Kriechisch odder Lateinisch"[39].

Auf die zweite Art der von ihm abgelehnten Bücher (die scholastische Predigtliteratur) kommt Luther noch einmal zu sprechen, wo er unter mehr wissenschaftlicher Rücksicht (nicht mit Hinblick auf Knabenschulen) von unnützen Büchern spricht: „. . . das nicht nott sey, aller Juristen comment, aller Theologen Sententiarum und aller Philosophen Questiones und aller Müniche Sermones zu samlen. Ja ich wolt solchen mist gantz ausstossen und mit rechtschaffenen büchern meyne librarey versorgen"[40].

In der letztgenannten Aufzählung sind folgende Gruppen unnützer Bücher angeführt: 1. die juristischen Kommentare, 2. die Sentenzenkommentare[41], 3. die philosophische scholastische Literatur („aller Philosophen Questiones"), 4. die mittelalterliche Predigtliteratur („Müniche Sermones"), und zwar ohne irgendwelche klare Abgrenzung. Etwa die Predigtkunst des hl. Bernhard hat Luther in anderem Zusammenhang anerkannt[42]. Punkt zwei und drei (theologisch- und philosophisch-scholastische Literatur) gehören offenbar zusammen. Wenn Philosophie und Theologie einzeln erwähnt werden, so wohl nur, um die Ablehnung alles Scholastischen zu unterstreichen.

Warum Luther die mittelalterliche Predigtliteratur ablehnt, hat er in anderem Zusammenhang gesagt: sie sei nicht an der Bibel orientiert. Ob-

[37] WA 15,51,8-13. [38] WA 15,51,20f.
[39] WA 15,52,5f. [40] WA 15,51,25-28.
[41] F. Stegmüller, Repertorium commentariorum in sententias Petri Lombardi, 2 Bde.; Würzburg 1947; V. Doucet, OFM, Commentaires sur les Sentences. Supplément au répertoire de M. Fréderic Stegmueller: AFrH 47 (1954) 88-170; 400-427.
[42] WATi Nr. 872.

gleich später hierüber noch ausführlicher zu sprechen sein wird, sei dies hier schon erwähnt. Den Christen zu Erfurt schreibt Luther: „Yhr habt bey euch viel jar eine hohe schule gehabt, darynn ich auch etlich jar gestanden bin. Aber das wil ich wol schweren, das alle die zeit uber nicht eine rechte Christliche lektion oder predigt von yrgent einem geschehen ist, der yhr itzt alle winckel voll habt. O wie selig het ich mich dazu mal gedaucht, wenn ich ein Euangelion, ja ein Pselmlin hette mügen ein mal hören, da yhr itzt die gantze schrifft klar zu hören habt"[43].

Als Kern der Kritik an den Stifts- und Klosterbibliotheken ist dementsprechend eine Stelle aufzufassen, an der Luther auch eigens Aristoteles erwähnt. Er schreibt dort, man habe den Ernst der Aufgabe nicht erkannt, vielmehr es so fahren lassen, „als gienge es uns nicht an"[44]. Zur Strafe für diese Pflichtvergessenheit habe Gott die Hl. Schrift und die guten Bücher genommen und die Gelehrten an Aristoteles und die unzähligen schädlichen Bücher preisgegeben, „die uns nur weytter von der Byblien fureten"[45]. Es geht also um jene Bücher, die zur Bibel führen.

Luther rollt sodann seine Vorschläge von einer neuen Seite her auf. Er nennt eine Gliederung für den Aufbau einer guten Bibliothek: Erstens Textausgaben der Hl. Schrift, und zwar sowohl in der Ursprache als in ihren Übersetzungen[46]. Zweitens die besten und ältesten Kommentare: griechische, hebräische und lateinische. Hier betont Luther, wie sehr die Qualität und nicht die Quantität der Bücher für die Güte der Bibliothek entscheidend sei[47]. Drittens „die Poeten und Oratores, nicht angesehen ob sie Heyden odder Christen weren, Kriechisch odder Lateinisch"[48]. Wie bereits erwähnt, wirkt sich hier Luthers humanistisches Interesse aus. Seine Hochachtung gegenüber dem Humanismus hatte er kurz vorher beredt zum Ausdruck gebracht[49]. Viertens die Bücher von den freien Künsten und von allen anderen Künsten[50]. Fünftens juristische und medizinische Bücher. Hier sei bei den Kommentaren besonders auf gute

---

43 WA 23,15,28-33 (Vorrede zu „Schutzred u. gründliche Erklärung usw. durch J. Menius" 1527).
44 WA 15,50,22.
45 WA 15,50,22-25.
46 WA 15,52,1-3.
47 WA 15,51,23-25: Aber meyn rad ist nicht, das man on unterschied allerley bücher zu hauff raffe und nicht mehr gedencke denn nur auff die menge und hauffen bücher. Ich wollt die wal drunder haben.
48 WA 15,52,5f.
49 WA 15,50,13-18: Und wie wyr erfaren und gesehen haben, das mit so viel mühe und erbeit man die sprachen und kunst dennoch gar unvolkomen aus ettlichen brocken und stucken alter bücher aus dem staub und würmern widder erfür bracht hatt und noch teglich dran sucht und erbeyt, gleych wie man ynn eyner zustoereten stad ynn der asschen nach den schetzen und kleynoten grebt.
50 WA 15,52,7f.

Auswahl zu achten[51]. Sechstens nachdrücklich und ausführlich spricht Luther sodann von der historischen Literatur: „Mit den fürnemsten aber sollten seyn die Chronicken und Historien, waserley sprachen man haben künde. Denn die selben wunder nütz sind, der wellt lauff zu erkennen und zu regiren, ja auch Gottis wunder und werck zu sehen"[52]. Man solle jetzt auch anfangen, Darlegungen über die deutsche Geschichte eifrig zu sammeln. Man würde uns Deutsche in der Welt mehr achten, wenn aufgeschrieben und gesammelt wäre, was an Gutem in deutschen Landen geschehen ist. Die Griechen, Römer und Hebräer haben viel genauer und eifriger aufgeschrieben, was sich bei ihnen zugetragen, und daher weiß es auch alle Welt[53].

Dem Gesagten zufolge schlägt Luther die „Chronicken und Historien" als eigenen, und zwar besonders wichtigen Teil einer „rechtschaffenen" Bibliothek vor. Damit ist implizit ausgesprochen, daß Luther die Bedenken, die von der aristotelisch beeinflußten Scholastik gegen den Wissenschaftscharakter der Geschichte erhoben worden sind, in keiner Weise teilt.

Aristoteles hatte ja den Wissenschaftscharakter der Geschichte mit dem Hinweis bestritten, daß die Geschichte es mit Einzelnem zu tun habe, während es der Wissenschaft um das Allgemeine gehe. Sie geht von allgemeinen Prinzipien aus und sucht das Allgemeine zu erkennen[54]. Die Scholastik hat unter dem Einfluß des aristotelischen Wissenschaftsideals das Geschichtliche an der Offenbarung, insbesondere die Geschichte des Alten Testaments immer nur auf Umwegen in die Theologie einzubeziehen vermocht[55]. Aristoteles hat viel dazu beigetragen, daß die scholastische Theologie weithin Konklusionstheologie ist, das heißt Theologie, die von Prinzipien ausgehend (den articuli fidei) zu weiteren Konklusionen vorzustoßen sucht[56].

Das neue Wissenschaftsideal des Humanismus impliziert nicht die Bedenken des Aristoteles gegenüber der Wissenschaftlichkeit der Geschichte.

Wichtig ist vor allem, wie Luther positiv die Bedeutung der Geschichte für die Theologie erfaßt: die Chroniken und Geschichten sind „wunder nütz ... Gottis wunder und werck zu sehen"[57]. Bedenkt man, daß in

[51] WA 15,52,8-10.
[52] WA 15,52,11-14.
[53] WA 15,52,14-24.
[54] H. Meyer, Die Wissenschaftslehre des Thomas von Aquin: PhJ 47 (1934) 189.
[55] AaO., 192.
[56] G. Söhngen, Art. Konklusionstheologie, in LThK²; J. Beumer, SJ, Theologie als Glaubensverständnis, Würzburg 1953, 90f.; ders., Konklusionstheologie?, ZkTh 63 (1939), 360-365.
[57] WA 15,52,12-14.

Luthers Theologieverständnis die recht verstandene „Nützlichkeit" ein Merkmal echter Theologie darstellt[58], so ergibt sich, daß er mit Nachdruck die Geschichte als legitimen Gegenstand der Theologie betrachtet.

Trotz der akademischen Bedenken hat das Mittelalter viel geschichtliches Interesse gezeigt. Das offenbaren die zahlreichen mittelalterlichen Annalen und Chroniken[59]. Unter den Frühdrucken finden sich herrliche Weltchroniken[60]. Darin wird die Biblische Geschichte von Anfang bis zum Ausklang des Neuen Testamentes erzählt, verwoben je mit der allgemeinen Zeitgeschichte. Es folgt die Kirchengeschichte in Verbindung mit der Weltgeschichte bis zur Gegenwart des Verfassers. Unbekümmert wird profane Geschichte und Heilsgeschichte miteinander verschmolzen und durch die allgemeine Einteilung in sechs Weltzeiten unter ein theologisches Schema gestellt[61].

Luthers Bemerkungen, die in einem Atemzuge die theologische und profane Bedeutung der Chroniken hervorheben[62], stimmen also mit deren Eigenart zusammen. Man spürt seine Begeisterung über diese schon allein vom bibliophilen Standpunkte aus großartigen Werke.

Zusammenfassend ist zu sagen, daß Luthers Plan für die Einrichtung neuer Bibliotheken in mancher Hinsicht seine wissenschaftstheoretischen und pädagogischen Vorstellungen spiegelt. An uneingeschränkt erster Stelle steht der Text der Bibel und alles, was seinem schlichten Verständnis dient. Das mittelalterliche Erkenntnisbemühen in Theologie und Philosophie erscheint als völliger Irrweg. Der Humanismus wird bejaht, und zwar besonders für die Erziehung in den Sprachen. Mit Nachdruck wird die Geschichte in ihre Rechte eingesetzt.

Aufs Ganze gesehen, hat Luther nicht eigentlich das Bewußtsein, etwas grundstürzend Neues zu sagen, als vielmehr, die Ernte eines langen Sommers einzubringen: „Weyl uns denn itzt Gott so gnediglich beratten hat mit

---

[58] Vgl. o. 48.

[59] Einen Eindruck von dem Reichtum mittelalterlicher Geschichtsschreibung vermittelt das Verzeichnis der Chroniken in: A. Potthast, Wegweiser durch die Geschichtswerke des europäischen Mittelalters bis 1500, Bd. 1., Berlin ²1896 (Nachdr. Graz 1957), 223-318.

[60] z. B. S. Schreyer — S. Kamermaister, Liber Cronicarum, s. l. 1493 (wunderbar bebilderter, sehr mächtiger Folioband). — Epithoma Historiarum ac Chronicarum, dictum „Rudimentum noviciorum", Lübeck 1475, in-f°: Erster Lübecker Druck! Prächtig kolorierte Holzschnitte. Diese befinden sich auch in der auszugsweisen Übersetzung des Werkes ins Deutsche. Es stammt wahrscheinlich von einem Franziskaner: vgl. Potthast, Bd. 2, 986.

[61] Die Parallelsetzung des Geschichtsablaufes mit dem Schöpfungshexaemeron geht auf den Barnabasbrief zurück und ist von Augustin in großem Stile entfaltet worden. — Vgl. Meyer, Die Wissenschaftslehre: PhJ, Bd. 47 (1934) 190f.

[62] WA 15,52,12-14: Denn die selben wunder nütz sind, der wellt lauff zu erkennen und zu regiren, Ja auch Gottis wunder und werck zu sehen.

aller fülle beyde der kunst, gelerter leutte und bücher, so ists zeyt, das wyr erndten und eyn schneytten das beste, das wyr künden, und schetze samlen, damit wyr ettwas behallten auff das zukünfftige von diesen gülden jaren und nicht dise reyche erndte verseumen"[63].

Wie ein Nachhall seines großen Planes für die Einrichtung neuer Bibliotheken ist es, wenn Luther in der Vorrede zum ersten Band der Wittenberger Ausgabe seiner deutschen Schriften (1539) schreibt, es sei ein großes Übel, daß man in den Bibliotheken außer der Hl. Schrift so viele Bücher aufgehäuft habe. Etliche Werke der Väter und Konzilsdekrete hätte man als Zeugen und Historien sammeln sollen, aber: Est modus in rebus. Bei seiner Bibelübersetzung sei es ihm darum gegangen, zum Lesen der Schrift zu führen: „Es solt des schreibens weniger und des studirens und lesens in der Schrift mehr werden"[64]. Immer soll man die Hl. Schrift selber studieren. Mit den anderen Büchern verfahre man wie mit des „Babstes drecket und drecketal und der Sophisten bücher"[65].

Ergebnis

Wenn noch einmal zurückschauend die Hauptpunkte dessen genannt werden sollen, was Luthers Studienreformpläne über sein Theologieverständnis aussagen, so ergibt sich: Luthers Theologieverständnis erscheint als betont fortschrittlich. Er unterstreicht stark das der Theologie Eigentümliche, das, was sie von der Philosophie trennt.

Das Amt des doctor bibliae erhält bei ihm — man möchte sagen — eine charismatische Deutung.

Luthers Pläne für die Neueinrichtung von Bibliotheken zeigen, welche Bedeutung er dem Text der Bibel zumißt. Seine Bedeutung geht allem anderen vor.

Stark angetan ist Luther von der humanistischen Begeisterung für das Sprachenstudium und von der Geschichte. Die Scholastik mitsamt der scholastischen Predigtliteratur und dem Kirchenrecht lehnt er schroff ab.

Vergleicht man Luthers Einstellung zum Humanismus und insbesondere auch zum Studium der Geschichte, wie sie sich in seinen Reformbemühungen des Jahres 1518/19 spiegelt, mit dem, was er zwei Jahre später in seiner Schrift „An den christlichen Adel deutscher Nation" zu dem gleichen Thema sagt und was in seinen Vorschlägen für den Neu-

---

[63] WA 15,52,25-29.   [64] WA 50,657,20f.   [65] WA 50,657,2ff.

aufbau von Bibliotheken 1524 in seiner Schrift „An die Ratherren aller Städte deutsches Lands" zum Ausdruck kommt, so ist keinerlei Bruch zu erkennen: das Interesse für humanistisch orientiertes Sprachstudium und für die Geschichte bleiben lebendig. Die Betonung des Geschichtsstudiums ist vielleicht sogar gesteigert.

Zu beachten ist, daß Luther diese Position noch ein Jahr vor De servo arbitrio vertritt. Wenn man (mit Recht) betont, daß Luther in De servo arbitrio den Humanismus des Erasmus angreift, so darf das also nicht ohne Differenzierung verstanden werden. Es ist zu fragen, wie weit Luthers Stellungnahme zum Humanismus eine gewisse Dialektik behält.

Man kann ferner fragen, wie hoch bei seinen Empfehlungen des Sprachunterrichtes und des Studiums der Quellen und schließlich (1524) der Chroniken der Einfluß Spalatins und Melanchthons zu veranschlagen ist[66]. Soweit ein solcher Einfluß besteht, verkompliziert sich Luthers Haltung gegenüber dem Humanismus noch weiter. Das gilt insbesondere für den Einfluß, den Melanchthon auf ihn ausgeübt hat. Denn dessen Stellungnahme zum Humanismus ist ja bei aller grundsätzlichen Bejahung voll theologischer Problematik. Wilhelm Maurer hat gerade diesen Punkt schon für die Loci communes von 1521 herausgestellt. Einerseits ist Melanchthon stark von Erasmus abhängig — bis in die Formeln hinein, die er gebraucht. Aber anderseits fragt sich, ob es vielleicht nur Formeln sind, die er übernimmt. Im entscheidenden Anliegen habe Melanchthon, so legt Maurer dar, sich bereits von Erasmus gelöst und das reformatorische Anliegen gegenüber dem erasmischen Humanismus zur Geltung gebracht. Zu bedenken ist ferner das intensive Ringen Melanchthons mit den theologischen Problemen, die Geschichte und Tradition für den reformatorischen Standpunkt mit sich bringen[67].

---

[66] P. Meinhold vertritt die Auffassung, daß Melanchthon eine völlige Trennung von Reformation und Humanismus verhindert habe. Ders., Luther heute, Berlin-Hamburg 1967, 107. Im Hinblick auf die Rechtfertigungsproblematik betont Meinhold den Gegensatz zwischen Humanismus und Luther. AaO., 23. Daß Melanchthon gegenüber dem Humanismus, und zwar näherhin gegenüber Erasmus die Neuheit des reformatorischen Ansatzes zur Geltung gebracht habe, unterstreicht W. Maurer, Melanchthons Anteil am Streit zwischen Luther und Erasmus: ARG 49 (1958) 107.
[67] P. Fraenkel, Testimonia patrum. The function of the patristic argument in the theology of Philip Melanchthon: Travaux d'Humanisme et Renaissance, Bd. 46, Genf 1961. — K. Haendler, Wort und Glaube bei Melanchthon. Eine Untersuchung über die Voraussetzungen und Grundlagen des melanchthonischen Kirchenbegriffes: Quellen und Forschungen zur Reformationsgeschichte, Bd. 37, Gütersloh 1968, 83ff. — Maurer, Der junge Melanchthon, Bd. 1, 6f.

II. Die Stellung zu Geschichte und theologischer Tradition

Mit der Humanismus-Frage hängt eng die Frage nach Luthers Verhältnis zu Tradition und Geschichte zusammen. Näherhin handelt es sich hier um zwei Problemkreise. Zunächst die Frage nach dem Verhältnis Luthers zur Tradition. Sie betrifft vor allem die Frage, inwieweit er trotz seiner Forderung des sola scriptura Tradition noch gelten läßt. Wir haben ja gesehen, daß er durchaus Väterstudium fordern kann. Mit der Frage nach Luthers Verhältnis zur Geschichte ist demgegenüber gemeint, inwieweit er das Ganze der Offenbarung unter geschichtlicher Perspektive, also heilsgeschichtlich betrachtet hat. Zur Beantwortung würde vielleicht genügen, auf seine Vorliebe zum Alten Testament hinzuweisen. Jedoch gibt es von ihm eine so interessante Zusammenfassung seiner Auffassung, daß sie nicht übergangen werden soll.

1. Kapitel

Luthers Stellung zur theologischen Tradition

Mit der Ablehnung der kirchlichen Lehrautorität und aller menschlichen „Zusätze" zum Evangelium ist die Kritik an der theologischen Tradition gegeben. Im Begleitbrief zu der Schrift des Jonas gegen Johannes Faber (1523) schreibt er: „Der ganze Faber ist nichts als ,Väter, Väter, Väter, Konzilien, Konzilien, Konzilien'"[1]. Das heißt: bei Faber hat die Berufung auf die Väter und die Konzilien das Eigentliche überwuchert. In den Annotationes zum Deuteronomium (1525) spricht er den Wunsch aus, daß das Wort Gottes unter Zurückweisung der menschlichen Traditionen und Meinungen aufgenommen werde[2].

Zwei Jahre später (1527) geht er so weit, die Konzils- und Theologiegeschichte als Geschichte eines einzigen Abirrens vom Evangelium zu schildern. Wenn man nicht so sehr auf die Schärfe des Ausdrucks, sondern auf den Inhalt des Gesagten achtet, ist hier ein Tiefpunkt in Luthers Bewertungen der Tradition erreicht. Es sei daher etwas ausführlicher auf diesen Passus eingegangen. Es handelt sich um die einführenden

---

[1] WA 12,85,21-23: Totus enim Faber nihil est nisi Patres, Patres, Patres, Concilia, Concilia, Concilia, quae fabula iam dudum mihi surdo etiam a nostris Lipsensibus Theologistis, imo asinis deruditur.

[2] WA 14,497,20-24: Sic existimamus si forte dominus dare dignetur, ut ... dei verbum reiectis tradtitionibus et opinionibus humanis susciperent, colerent et proveherent.

Darlegungen zu der Schrift „Daß diese Wort Christi ‚das ist mein leib'
noch fest stehen"[3].

a) Darlegung, wieso die Konzilsgeschichte und
die ganze Theologiegeschichte eine einzige Geschichte des Abirrens
vom Evangelium seien (1527)

Daß die ganze Theologiegeschichte ein einziges Abirren vom Evangeli-
um ist, kann nur der Teufel bewirkt haben. Daher beginnt Luther seine
Ausführungen mit einer Beschreibung der großen Macht der teuflischen
Künste[4]. Sodann setzt die eigentliche Darlegung ein. Zu den Zeiten der
Apostel ist das Evangelium noch lauter und rein verkündet worden. Die
Hl. Schrift war „Kaiserin" unter den Christen. Da hat sich nun der
Teufel heimlich in die Schrift geschlichen und viele Ketzereien ins Leben
gerufen. Jede Sekte hat die Schrift für sich in Anspruch genommen und
nach ihrem Sinn verdreht. Dadurch ist das wahre Ziel des Teufels er-
reicht worden: daß man an der Schrift irre wurde und ihr nicht mehr
vertraute[5].

Nachdem nun die Schrift den Christen keinen Halt mehr bot, ver-
suchten sie, die Zwistigkeiten, die unter ihnen entstanden, durch Konzilien zu beheben. Dadurch kamen zu der Schrift äußerliche Gebote und
Ordnungen hinzu. All das war zwar gut gemeint, hatte aber verderbliche Konsequenzen. Man begann nämlich, die Suffizienz der Schrift zu
bestreiten und Konzilien und Väterauslegungen für unentbehrlich zu
halten. Schließlich wurde daraus das Papsttum, in dem Menschengebote
und Willkür alles verdunkeln[6].

---

[3] WA 23,64-70,28.
[4] WA 23,64,6-14.
[5] WA 23,65,16-67,4: Im anfang des Euangelii, da Gotts wort durch die Apostel lauter
und rein gepredigt ward und noch kein menschen gebot, sondern eitel heilige schrifft
furgestellet wurden, war es anzusehen, als solt es nymer mehr not haben, weil die
heiligen schrifft unter den Christen die keiserynn were ... Und weil ein igliche rotte
die schrifft fur sich zog und auff yhren synn deutet, ward das draus, das die
schrifft anfieng nichts mehr zu gelten ... Also kund der teufel den Christen yhre
waffen, wehre und burck (das ist die schrifft) ablauffen, das sie nicht alleine matt
und untüchtig widder yhn ward, sondern auch widder die Christen selbst streitten
muste, und sie bey den Christen so verdechtig macht, als were sie eitel gifft, widder
selche sie sich weren solten ... — (Vgl. WA 23,64,15-66,4).
[6] WA 23,67,3-16: Sage mir, Ist das nicht ein kunst stücklin des teufels gewesen? Als
nu die schrifft also ein zu rissen netz war worden, das sich niemand damit lies halten, sondern ein iglicher boret yhm ein loch, wo yhm seine schnausse hin stund, und
fur seinem synn nach, deutet und drehet sie, wie es yhm gefiel, wusten die Christen
der sachen nicht anders zuthun denn viel Concilia zu machen, Darynn sie neben der
schrifft viel eusserlicher gebot und ordnung machten, den hauffen bey einander zu
erhalten widder solche zertrennunge. Aus dem furnemen . . . flos her, das man

Wie freute sich der Teufel über die falsche Einheit, die durch solches Menschenwerk entstanden war! Denn nun war ja die Schrift zu Boden geschlagen. „Es dienet mir wol", läßt Luther den Teufel sagen, „das sie nicht sich zancken ynn der schrifft, vnd des worts müssig gehen, Sondern derselbigen stuck halben zu friden stehen vnd gleuben was Concilia vnd veter sagen"[7]. Statt des guten und rechtschaffenen Kampfes um das rechte Verständnis der Schrift entfacht der Teufel den Streit zwischen Papst und Kaiser und Königen, Bischöfen und Fürsten und Herren, zwischen Gelehrten und Gelehrten, Geistlichen und Geistlichen: „Ist besser, sie zancken vmb ehre, königreiche, furstenthum, gut wollust vnd leibs nottdurfft, wilchs sie verstehen, Bleiben dennoch wol frume eintrechtige Christen ynn der veter glosen glauben, das ist, ym losen glauben"[8].

Luther betont dem Gesagten zufolge, daß die kirchlichen Lehrentscheidungen und die theologische Tradition die Bibel überdeckt und übermalt haben und daß das Augenmerk von den wesentlichen Fragen und den fruchtbaren Spannungen abgelenkt worden ist: „Also ist der anschlag den vetern geraten, da sie gedachten, die schrifft on zwang vnd zwitracht zu haben, sind sie damit vrsache worden, das man gantz vnd gar von der schrifft komen ist, auff lauter menschen thand . . . Da muste wol auffhoren zwitracht vnd hadder ynn der schrifft, wilchs ist ein gottlicher hadder, das ist, da gott mit dem teufel haddert, wi S Paulus sagt Ephe 6. Wir haben nicht mit fleysch vnd blut zu kempffen. sondern mit der geistlichen bosheit ynn der lufft etc. Aber dafür ist eingerissen menschliche zwytracht"[9]. An Stelle des echten Glaubens, führt Luther weiter aus, ist falsche Eintracht, nämlich blinder Gehorsam gegenüber den Aussprüchen der Väter und des Papstes getreten[10]. Die Schrift habe unter der Bank gelegen und der Teufel habe alle durch das Stroh und Heu menschlicher Gebote gefangengehalten. „(Nun aber haben wir) uns frei gemacht und (sind) dem Teufel entlaufen." Aber er wird nicht Ruhe geben und immer neu Uneinigkeit stiften, um uns wieder von der Bibel abzubringen[11]. —

spricht, Die schrifft were nicht gnug, man müste der Concilia und veter gebot und auslegung auch haben... bis das zu letzt das Bapstum draus ist worden, darynn nichts gillt denn menschen gebot und glosen ... — Vgl. WA 23,66,3-16.

7 WA 23,66,22-25 (vgl. WA 23,67,22-25).
8 WA 23,66,31-33 (vgl. WA 23,67,31-33).
9 WA 23,66,24-68,4 (vgl. WA 23,67,24-69,4).
10 WA 23,68,5-8 (vgl. WA 23,69,5-8):... blieben eintrechtige blindheit vnd vnuerstand der schrifft mit verlust des rechten Christlichen glaubens das ist, einmutiger gehorsam der veter glosen vnd des heiligen stuls zu Rom.
11 WA 23,68,10-70,16 (vgl. WA 23,69,10-71,16): Nu itzt, zu vnsern zeiten, da wir sahen das die schrifft vnter der banck lag, vnd der teufel durch eitel stro und hew menschlicher gebot vns gefangen hielt vnd narret, haben wir der sachen auch durch

Das alles ist aber nur die eine Seite. Auf der anderen Seite steht zunächst einmal die Hochschätzung der Geschichte als solcher. Diese nimmt mit den Jahren bei Luther in keiner Weise ab. 1538 schreibt er, daß zu echter Geschichtsschreibung ein Mann gehört, „der ein Lewen hertz habe"[12]. Hinzu kommt die eigentlich theologische Bedeutung, die Luther der geschichtlichen Perspektive beimißt. Die Historien beschreiben „nichts anders denn Gottes werck das ist gnad und zorn"[13]. Vorbild der Geschichtsschreibung sind die geschichtlichen Bücher der Bibel selbst[14]. Luther ist dem heilsgeschichtlichen Aspekt der Offenbarung schon deshalb immer wieder nachgegangen, weil er seine Vorlesungen zumeist über Bücher des Alten Testamentes gehalten hat.

b) Ein christologisches Schema der Theologiegeschichte (1538)

In diesem Zusammenhang ist Luthers Schrift über „Die drei Symbola oder Bekenntnis des Glaubens Christi"[15] aus dem Jahre 1538 aufschlußreich. Darin deutet er die kirchliche Lehrentwicklung überraschend positiv und integriert seine eigene Theologie in diese Entwicklung hinein.

Er berichtet einleitend, daß er „alle geschichten der gantzen Christenheit" daraufhin befragt habe, woran es lag, daß die einen „fein und sicher jm rechten glauben blieben"[16], und woher anderseits „aller jrthum, ketzerey, abgotterey, ergernis, misbrauch und bosheit jnn der Kirchen"[17] ursprünglich gekommen sei. Seine Antwort lautet, daß in jedem Falle einzig entscheidend die Stellungnahme zum „heubtartickel von Jhesu Christo" gewesen sei[18].

gotts gnaden wollen radten, vnd fur war mit grosser sawrer erbeyt, die schrifft wid-der erfur bracht, vnd menschen gebotten vrlaub gegeben, vns frey gemacht vnd dem teuffel entlauffen... Er (der Teufel) wird dein nicht feylen, Zwytracht vnd rotten wird er ynn der schrifft also anrichten, das du nicht wissen wirst, wo schrifft, glaube, Christus vnd du selbst bleibest. — Zur Kritik der kirchlichen Lehrentwicklung bei Melanchthon vgl. Fraenkel, Testimonia patrum, 66; 72 u. ö.

[12] WA 50,385,1. [13] WA 50,385,15f.
[14] H. Bornkamm, Luther und das Alte Testament, Tübingen 1948, 217.
[15] WA 50,267-269,19.
[16] WA 50,266,32-36: Ich hab erfaren und gemerckt jnn allen geschichten der gantzen Christenheit, das alle die jenigen, so den heubtartickel von Jhesu Christo recht gehabt und gehalten haben, sind fein und sicher jnn rechtem Christlichem glauben blieben, Und ob sie sonst daneben geirret oder gesundigt haben, sind sie doch zu letzt erhalten.
[17] WA 50,267,14-17: Widerumb hab ich auch gemerckt, das aller jrthum, ketzerey, abgötterey, ergernis, misbrauch und bosheit jnn der Kirchen daher komen sind ursprünglich, das dieser Artickel oder stück des glaubens von Jhesu Christo veracht oder verlorn worden ist.
[18] WA 50,267,17-20: Und wenn mans bey dem liecht und recht ansihet, so fechten alle ketzerey wider den lieben Artickel von Jhesu Christo, wie Simeon von jm sagt, Das er sey „gesetzt zum fall und auffersten vieler jnn Israel und zum ziel, dem widersprochen wird". — Vgl. Lk 2,34.

Die Einzelausführungen zeigen noch deutlicher, was sich schon in diesem Ansatz ankündigt, daß Luther hier versucht hat, die christliche Lehrentwicklung auf die Entfaltung des „Artikels von Jesus Christus" zurückzuführen.

Wie Luther in seinen exegetischen Arbeiten immer wieder erklärt hat, daß Christus der Mittelpunkt der gesamten Schrift sei, so sucht er nun zu zeigen, daß der Artikel von Jesus Christus Mittelpunkt der ganzen Theologiegeschichte ist: „Denn wer hierinn recht und fest stehet, das Jhesus Christus rechter Gott und mensch ist, für uns gestorben und aufferstanden, dem fallen alle andern artikel zu und stehen jm fest bey"[19].

Luther hat von seiner theologischen Position aus nachdrücklich betont, daß wir nur in Christus den Weg zu Gott finden können[20]. Diese Auffassung sucht er nun durch den Gang der Theologiegeschichte: durch die Schicksale, die dem rechten Glauben widerfahren sind, und durch den Weg der Irrlehren zu erhärten: „Denn also ists beschlossen (spricht S. Paulus), das jnn Jhesu Christo hat wonen sollen leibhafftig oder personlich die gantze vollige Gotheit, Also, das, wer nicht jnn Christo Gott findet oder kriegt, der soll ausser Christo nimmermehr und nirgent mehr Gott haben noch finden, wenn er gleich uber den himel, unter die helle, ausser der welt füre, denn hie wil ich wonen, (spricht Gott) jnn dieser menschheit, von Maria der Jungfrawen geboren etc."[21]. Mit seinen Darlegungen erfüllt Luther ein Programm, das er zwei Jahre zuvor in der Vorrede zu R. Barns Vitae Romanorum pontificum formuliert hatte. Er betont darin, daß die Darstellung der Skandalgeschichten der Päpste seine eigene Auffassung bestätige. Denn die Geschichte erweise gewissermaßen a posteriori, was er selbst aus der Schrift a priori gefunden habe, daß nämlich der Papst der Widersacher Gottes und aller Menschen sei. Er, Luther, dürfe triumphieren, weil die Ergebnisse der geschichtlichen Darlegung mit seiner Schrifterkenntnis übereinstimmten. Die Geschichte zeige ganz konkret und im einzelnen, daß er im Recht sei[22].

Der Skopus der Hl. Schrift ist der entscheidende Punkt auch für die geschichtliche Entwicklung. Luther konzentriert die Deutung der Theolo-

[19] WA 50,266,36-38.   [20] Weier, Das Thema vom verborgenen Gott, 189ff.
[21] WA 50,267,5-10.
[22] WA 50,5,26-33 (Vorrede zu R. Barns, Vitae Romanorum pontificum 1536): Ego sane in principio non valde gnarus nec peritus historiarum a priori (ut dicitur) invasi papatum, hoc est ex scripturis sanctis, nunc mirifice gaudeo alios idem facere a posteriori, hoc est ex historiis. Et plane mihi triumphare videor, cum luce apparente historias cum scripturis consentire intelligo. Nam quod Ego S. Paulo et Daniele Magistris didici et docui, Papam esse illum Adversarium Dei et omnium, hoc mihi historiae clamantes re ipsa velut digito monstrant et non genus neque speciem, sed ipsum individuum, non vagum (ut vocant) ostendunt.

giegeschichte, ja mehr noch, er reduziert sie auf den Artikel von Christus hin als auf ihren Kern- und Angelpunkt. Näherhin entfaltet er ein Schema von drei Phasen des Kampfes um den Artikel von Jesus Christus. Die erste Gruppe der Ketzer hat die Gottheit Christi auf mancherlei Weise angegriffen[23]. Die zweite Gruppe leugnete die Menschheit Christi[24]. Und nun ist in der Gegenwart eine dritte Gruppe aufgetreten, die das Erlösungswerk Christi angreift[25].

Zusammenfassend ist zu sagen, daß Luther in skizzenhafter Linienführung die kirchliche Lehrentwicklung auf einen Punkt als auf ihren „Ursprung" zurückgeführt hat. Dieser „Ursprung" wird als das spannungsgeladene und dynamische Zentrum beschrieben, in dem die wahren Entscheidungen wurzeln: die Stellungnahme zum Artikel von Jesus Christus. Hier entscheidet sich Irrtum, Entartung oder Glaube. Hier liegt die Sinnmitte der Kirchengeschichte.

Luthers christologisches Periodisierungsschema der Kirchengeschichte stellt eine theologisch vertiefte Weiterführung von Periodisierungsversuchen dar, die er schon früh unternommen hat. So periodisiert er in den Dictata die Geschichte nach den vier Jahreszeiten[26]. Oder er unterscheidet die Zeit der Martyrer und die Zeit der Lehrer[27]. In seinem Alter hat er das insbesondere auf Augustinus zurückverweisende und von den mittelalterlichen Chronisten ausgebaute Schema von sechs Perioden der Menschheitsgeschichte[28] aufgegriffen und daraus das baldige Herannahen des Jüngsten Tages geschlossen[29].

[23] WA 50,267,28f.: Etliche haben angegriffen seine Gottheit und solchs mancherley weise getrieben.
[24] WA 50,268,4f.: Etliche haben seine menscheit angegriffen und seltzam gnug das spiel getrieben.
[25] WA 50,268,21-30: Und was haben wir, die letzten grössesten heiligen jm Bapstum, angericht? Bekennet haben wir, das er Gott und mensch sey. Aber, das er unser Heiland, als für uns gestorben und erstanden etc., das haben wir mit aller macht verleugnet und verfolgt, horen auch noch nicht auff. Etliche haben geleret, Er sey allein für die erbsünde gestorben, für die andern müssen wir selbs genug thun, Etliche aber, wenn wir nach der Tauffe sündigen, so sey Christus uns aber mal nicht mehr nütze. Da haben sich erfunden der heiligen anbeten, walfart, fegfeur, Messen, klöster und des unzifers unendlich und unzelich, damit wir Christum selbs haben versunen wollen, als were er nicht unser vorsprecher, sondern unser Richter fur Gott.
[26] WA 55/II,1,22,17-23,2: Etenim hiems est tempus legis et synagoge. Ver autem, amenissimum tempus anni, est primitiue Ecclesie tempus... Estas autem est plenitudo et profectus Ecclesie... Autumnus iam restat et nunc instat.
[27] WA 3,402,36ff.: Licet Martyres moriantur, surgunt tamen ex inde Doctores, qui hoc defendunt verbis, pro quo illi passi sunt operibus... Et sunt isti duo ordines mox invicem se in Ecclesia secuti.
[28] H. Meyer, Abendländische Weltanschauung, Bd. 3, 146f.
[29] WA 53,23,5-8 (Supputatio annorum mundi 1541, 1545): Sane Chronicon Charionis Philippicum primum est et optimum exemplum supputationis, in quo pulcherrime to-

Intensiver noch als Luther hat sich Melanchthon mit der Frage theologisch qualifizierter Geschichtsperioden befaßt[30]. Dieses Problem stieß im 16. Jahrhundert auf ein weitreichendes Interesse[31].

Wenn wir abschließend und rückschauend die kraß abwertenden Aussagen Luthers über Konzils- und Theologiegeschichte in der Schrift „Daß diese Worte Christi etc." (1527) mit seinen diesbezüglichen Aussagen in der Schrift „Die drei Symbola etc." (1538) vergleichen, zeigt sich die Spannung zwischen beiden Aussagegruppen als sehr hart. Man kann fragen, inwieweit der Grund für diese Spannung in einem Umschwung von Luthers Haltung gegenüber der Tradition zu suchen sei. Denn je weiter die Reformation fortschritt, um so mehr mußte sie sich gegenüber der Vergangenheit ausweisen[32]. Das allein reicht aber als Erklärung nicht aus. Man muß wohl eher sagen, daß Luthers Wertung der Tradition und Geschichte dialektisch ist. Die theologische Durchdringung und Abwägung der damit verbundenen Antithesen und Probleme, so darf man vielleicht sagen, hat er weitgehend Melanchthon überlassen, der gerade auf diesem Problemfelde intensiv gearbeitet hat[33].

2. KAPITEL

EINE HEILSGESCHICHTLICHE EINFÜHRUNG IN DIE THEOLOGIE: DAS „ABCDARIUM" DER THEOLOGIE (ZWISCHEN 1515 UND 1520?)

Wenn Luther das Traditionsproblem behandelt, so beschäftigt er sich eo ipso mit Geschichte. Freilich ist das eine einseitige Betrachtungsweise. Aber die Intensität, mit der er die Tradition abwertet, macht ihm keineswegs unmöglich, „Geschichte" als wissenschaftliche und theologische Aufgabe zu würdigen[1].

Die folgende Darlegung soll zeigen, wie Luther in der Lage war, geradezu ein heilsgeschichtliches Konzept von Theologie zu entwerfen.

tus annorum cursus in sex millenarios distributus est, id quod et ego secutus sum. — WA 53,171a,1-4 (Supputatio): Hoc anno (1540) numerus annorum mundi precise est 5500. Quare sperandus est finis mundus. — Eine „Konjektur" über den Zeitpunkt des Jüngsten Tages hat auch Nikolaus von Kues versucht: Coniectura de ultimis diebus (H IV,123-140). Gerade dieses Schriftchen des Cusanus fand gegen Ende des 17. Jahrhunderts besondere Beachtung. Damals wurde es ins Deutsche übertragen: Schrifftgegründete Gedanken Von den letzten Zeiten der Welt und Untergange derselbigen Nürnberg 1684 (vorh. München, Staatsbibliothek).

[30] Fraenzel, Testimonia patrum, 71ff.
[31] AaO., 113. Ebd. weitere Literatur.
[32] P. Meinold, Geschichte der kirchl. Historiographie, Bd. 1, Freiburg-München 1967, 227ff.
[33] Fraenkel, aaO., 52ff.
[1] Vgl. o. 104f.

Er selbst nennt die Ausführungen, denen wir uns nun zuwenden, ABCdarium theologiae und fundamentum pro rudibus, also etwa „ABC der Theologie" und „Einführung für Laien"[2]. Es handelt sich dabei um einen Text, der als Teil einer Predigtsammlung überliefert ist[3]. E. Vogelsang hat nachgewiesen, daß es sich dabei entweder um die Fortsetzung einer Predigt handelt, die nicht genau zu datieren ist, oder um eine Kollegeröffnung nach den Sommerferien 1520[4]. Soweit die Predigten der genannten Sammlung überhaupt mit Sicherheit zu datieren sind, entstammen sie der Zeit zwischen 1515 und 1520[5].

Gleich zu Beginn erklärt Luther als seine Absicht, über Gnade, freien Willen und Werke zu sprechen. Eben das soll das fundamentum theologiae sein[6]. Was Melanchthon etwas später als „loci" bezeichnet, ist hier der Sache nach vorgebildet[7]. Es gehört zu echter Theologie, nach den wahren Hauptstücken zu fragen und sie zu bezeichnen: nach jenen Hauptstücken, die auf die Hauptfragen des Menschen vor Gott bezogen sind.

Luther behandelt die von ihm genannten Grundthemen, indem er Heilsgeschichte erzählt. Er beginnt mit der Darlegung von der Erschaffung des Menschen und vom Sündenfall[8]. Dann zeigt er, wie die Sünde sich in

---

[2] WA 4,650,17: ABCdarium theologiae faciam et fundamentum pro rudibus locabo.
[3] Die von Stephan Roth aus Predigten und Vorlesungen Luthers gesammelten Stücke. — Vgl. E. Vogelsang, Zur Datierung der frühesten Lutherpredigten: ZKG 50 (1931) 124ff.   [4] Vogelsang, aaO., 134f.
[5] AaO., 141-144. — Folgende inneren Gründe scheinen — gegen Vogelsang — die Entscheidung für ein frühes der möglichen Daten nahezulegen. Luther verwirft die Vorschriften des kanonischen Rechtes noch nicht grundsätzlich, sondern er bekennt sich nach einer kritischen Darlegung in eingeschränktem Sinne dazu: Sed tamen non reiicio, quae ordinavit ius canonicum, ut horae canonicae cantentur et coenobia ordinentur. Aber es sall nit schließen, ut id sit solum opus Dei (WA 4,652,40-653,1). Da Luther noch zu einem Zeitpunkte, als er seine Grundpositionen schon bezogen hatte, positive Erklärungen über die kirchliche Autorität abgegeben hat (vgl. R. Bäumer, Der junge Luther und der Papst: Cath 23 [1969] 406; 413), ist das freilich kein sicheres Argument. Aber es kommen weitere inhaltliche Hinweise hinzu. Unter den vitia des Menschen nennt Luther an erster Stelle die luxuria. Das ist doch wohl eher als frühe Aussage verständlich (WA 4,651,3). Ferner ist darauf hinzuweisen, daß Luther den Beginn der Bekehrung des Menschen als Anfang der Liebe und Überwindung der luxuria schildert (WA 4,653,3f.). M. Kroeger hat gezeigt, daß der frühe Luther dort noch stark die Liebe betont, wo er seit 1517 nur von Glaube spricht (ders., Rechtfertigung und Gesetz, 186).
Wenn freilich K. Bauer recht haben sollte, daß die Wittenberger Theologen erst von Melanchthon die Bedeutung der Geschichte gelernt haben, so spräche das für die Vermutung Vogelsangs. Vgl. Bauer, Die Wittenberger Universitätstheologie, 80. Vielleicht aber wird sich (nämlich im Falle einer legitimen Frühdatierung) das ABCdarium theologiae als Argument gegen die These Bauers durch seine ausgeprägte heilsgeschichtliche Perspektive erweisen.
[6] WA 4,650,17-19: ABCdarium theologiae faciam ..., ut intelligant quid velim, de gratia, libero arbitrio, nostris operibus nihilitate quicquam referam.
[7] Maurer, Der junge Melanchthon, Bd. 2, 232ff. — Fraenkel, Testimonia patrum, 45.
[8] WA 4,650,22ff.

der Welt ausbreitete, und zwar nicht nur im biblischen Bereich, sondern auch „in Rom und andernorts und zu anderer Zeit"[9]. Schließlich, so fährt er fort, wurde die Welt zum Teufelsreich. Gott aber setzte immer wieder an, den Menschen zu bessern. Zuerst gab er die Gesetze[10]. Aber es wurde alles nur ärger. So zum Beispiel in Städten, die man mit guten Gesetzen und Verfassungen ausgestattet hatte[11]. Alles nutzte nichts. Man muß daher gänzlich verzweifeln. Das Gesetz und die Vernunft führen uns dorthin, wohin *wir* wollen. Wir können aber so nicht zu Gott kommen[12]. Da hat sich Gott mitten unter die begeben, die voll Leidenschaft und Bosheit sind. Nun fordert er die Menschen auf, zum Kreuz zu schauen, ihn zu lieben und sich fest an ihn zu halten[13]. So werden alle Menschenlehren zunichte[14]. So ist Christus für uns das Tor zum Leben. Er ist es durch das Wort der Verkündigung[15].

Christus hat nicht für sich, sondern für uns gelitten[16]. Wenn ich also an Christus hange, so werden sein Gehorsam, seine Leiden, seine Gerechtigkeit durch den Glauben zu meinen „Werken"[17]. Unser eigener Wille dagegen ist Knecht des Teufels, unsere eigenen Werke sind nichts[18]. Was also ist gott-wohlgefälliges Tun? Das geistliche Recht behauptet, nur das Beten und Singen in der Kirche[19]. In Wirklichkeit kann all mein Tun Gottesdienst sein. So lehrte Christus in seinem Leben und in seinem Tode[20].

Dieses „ABCdarium theologiae" beleuchtet Luthers Theologieverständnis in verschiedener Hinsicht. Zunächst ergibt sich, daß er zwischen Theologie und Verkündigung an das gläubige Volk keine Grenzlinie zieht. Theologie, Unterricht in der christlichen Lehre und Predigt bilden nach seiner Auffassung eine nahtlose Einheit. Bezeichnenderweise kann man vermuten, daß das „ABCdarium" Teil einer Predigt ist.

Zu fragen bleibt jedoch näherhin, ob die Darlegung eines ABC's der Theologie sozusagen abgeschwächte, popularisierte Theologie ist, oder ob, nach Auffassung Luthers, wesentlich zur Theologie eine immer neu zu vollziehende Besinnung auf ihr ABC gehört. Theologia crucis bedeutet, daß der Theologe selbst nicht Macht, Ehre, Glanz suche, sondern im Kreuz, besonders im Kreuz der Anfechtung seinen Platz gefunden hat. Gehört zur Ablehnung solches „Glanzes" auch, daß der Theologe sich

---

[9] WA 4,651,1ff. [10] WA 4,651,21f.
[11] WA 4,651,26ff. [12] WA 4,651,31ff.
[13] WA 4,651,33ff. [14] WA 4,652,2.
[15] WA 4,652,4f. [16] WA 4,652,17f.
[17] WA 4,652,18f. [18] WA 4,652,21f.
[19] WA 4,652,25ff. [20] WA 4,652,34f.; 653,1ff.

immer wieder auf die Verkündigung an einfache Menschen besinne? Diese Fragen werden uns im folgenden noch beschäftigen müssen[21].

Es ist zu spüren, daß Luther die Hauptpunkte seiner Theologie umschreiben will. Dies ist das eine. Hinzu kommt ein anderes. Er zählt nicht nur Hauptstücke auf. Er entwirft vielmehr auch ein Bild der heilsgeschichtlichen Situation des Menschen. Dabei erzählt er Geschichte. Er erzählt biblische Geschichte und zugleich Weltgeschichte. Da ist nicht nur von Adam und Christus, Sintflut, Sodom und Gomorrha die Rede, sondern auch von Rom und den Verfassungen und Gesetzen der Städte. Hier ist nicht nur abstrakt der Zusammenhang zwischen theologischem und geschichtlichem Denken erkannt, sondern Theologie wird geschichtlich denkend betrieben.

Schließlich verdient Erwähnung, wie bei all dem der Gesichtspunkt des „pro nobis" lebendig ist: die Heilsgeschichte offenbart, wie Gott für uns ist und was uns zu tun bleibt.

D. Theologie und „Praxis"

Im Verlauf unserer bisherigen Untersuchung sind wir immer nachdrücklicher darauf gestoßen worden, wie Luther Theologie nie an der „Praxis", das heißt der konkreten Wirklichkeit vorbei, versteht. Besonders deutlich trat das hervor durch die Betrachtung seiner Reformbemühungen an der Universität Wittenberg. Seine theologische Position drängt ihn ganz unmittelbar, um konkrete Reformen zu kämpfen: zunächst einmal um Reformen des Studiums, sodann (davon haben wir nicht ausdrücklich gehandelt) um Reformen in der Kirche. Im folgenden soll jedoch Praxis in einem engeren Sinne verstanden werden: als die „Praxis" der Seelsorge und in Verbindung damit sozusagen als terminus technicus, mit dem Luther den Charakter seiner Theologie umschreibt. Solche Praxisbezogenheit trat in dem ABCdarium der Theologie hervor. Zweifellos ist die Frage nach dem praktischen Charakter der Theologie so wichtig, daß wir sie nun noch thematisch behandeln müssen.

[21] Vgl. u. 122ff.

1. Kapitel

DER PRAKTISCHE CHARAKTER DER THEOLOGIE ALS SOLCHER

a) Theologia est practica

Daß die Theologie praktisch sein müsse, bedeutet für Luther, daß die Theologie wesenhaft auf die Seelsorge hin ausgerichtet sei. In seinen Operationes in Psalmos (1519-21) hat er leidenschaftlich dargelegt, daß die Theologie nicht dazu da sei, sich mit Spekulationen oder juristischen Vorschriften abzugeben. Sie müsse vielmehr dem Heile der Seelen dienen. Es geht um die ernste und echte Theologie Christi, nicht um Menschenmeinungen und -fragen[1]. „Sehen wir noch nicht", fragt er entrüstet, „was wahre Theologen sind? Schämen soll man sich endlich über die (scholastischen) Theologen und Juristen, vor allem über jene, denen die Hl. Schrift geradezu eine Posse ist. Mit zahllos aufgehäuften Glossen stellen sie sich in abscheulicher Weise in eine Reihe mit jenen, die möchten, daß alles, was sie sagen, für Gottes Wort angesehen wird. Wie der hl. Hieronymus beklagt: Als habe Christus zu Petrus gesagt: ‚Befiehl' oder ‚ordne an' oder ‚doziere' und nicht vielmehr: ‚Weide meine Schafe', das heißt, ‚gib das, womit sie geweidet werden'. Sie werden aber nur durch das Wort Gottes geweidet, nicht durch menschliche Meinungen und Überlieferungen"[2].

In den Tischreden hat Luther wiederholt die Seelsorge als die eigentliche Aufgabe der Theologie deklariert. Wie sich die Ärzte um die Kranken kümmern müssen, so die Theologen um die Sünder[3]. Den praktischen Charakter der Theologie betont Luther besonders in Gegenüberstellung zur Spekulation[4], aber auch zur Kontemplation. So erklärt er von den Kirchenvätern, sie hätten zu viel Kontemplation geübt und sich zu wenig um die „practica" gekümmert, das heißt um die Verwaltung des Hirtenamtes, das in der Sorge um die Armen und Kranken besteht[5]. Die seelsorgerische Aufgabe der Theologie begründet ihre Würde. Die anderen Fakultäten dienen dem Leib, die Theologie gibt Leben und Heil[6].

---

[1] WA 5,20-22: Syncera Christi Theologia triumphat, opinionibus et questionibus hominum prope nihil neque opinantibus quaerentibus.

[2] WA 5,21,40-22,6: Quid? an nondum videmus, qui sint veri Theologi? pudeat tandem Theologos et Iuristas, eos maxime, quibus sacrae literae pene ridiculum sunt, et qui consarcinatis infinitis glossis pestilenter palpant iis, qui quicquid dixerint, verbum dei videri velint, sicut et divus Hieronymus conqueritur, quasi Christus ad Petrum dixerit: Iube, aut praecipe, aut doce, ac non potius ‚pasce oves meas', hoc est illud trade, quo pascuntur, pascuntur autem solo verbo dei, non opinionibus aut traditionibus hominum. — Vgl. Joh 21,16.   [3] WATi Nr. 1865; 2970a.

[4] WATi Nr. 2444; 153.   [5] WATi Nr. 2167.   [6] WATi Nr. 3324.

Die entscheidende Ausrichtung erhält die Aussage, daß die Theologie praktischen Charakter hat, durch die Überzeugung, daß das Volk Gottes durch das Wort Gottes geweidet wird: „„Weide meine Schafe', das heißt, gib das, wodurch sie geweidet werden. Sie werden aber nur durch das Wort Gottes geweidet, nicht durch menschliche Meinungen und Überlieferungen"[7].

Den Dienst am Wort erklärt Luther als seine wahre Sendung: „Mich hält im Dienste des Wortes nur der Gehorsam unter einen fremden, ja wahrhaftig unter den göttlichen Willen. Meinem eigenen Willen nach habe ich immer zurückgeschreckt und mich niemals bis auf diese Stunde daranbegeben"[8].

Es zeigt sich hier, wie tief das pastorale Anliegen bei Luther verankert ist und wie tief es ihn in seinem Kampf gegen die Scholastik und für die Bibel bewegt. Melanchthon hat mit Schärfe formuliert, worum es bei dem Kampfe mit der Scholastik geht: „Wenn ich mich nicht täusche, so hat es in der Kirche kein gegenwärtigeres und kein verbreiteteres Übel gegeben als eben dies, daß wir die Evangelien nahezu preisgegeben und Sophistereien gelernt haben. Mit Überlieferungen, ‚casus-Formeln' und ‚Summen', wie man es nennt, mußten wir uns so sehr abgeben, daß nicht einmal den Greisen Ruhe für die Lehre Christi geblieben ist"[9].

b) Practica theologiae

In einem Tischgespräch erläutert Luther, was es heiße, daß die Theologie nicht spekulativ, sondern praktisch sei. Es bedeute dies, daß die Theologie auf Erfahrung aufruhe und „etwas ins Werk bringen" müsse[10]. Der praktische Charakter der Theologie bedeutet also zweierlei: erstens Aufruhen auf Erfahrung, zweitens „etwas ins Werk bringen". Das zweite Moment betrifft die seelsorgerische Funktion der Theologie. Durch das Wort Gottes soll die Theologie die Gläubigen weiden. Was aber besagt das Aufruhen der Theologie auf Erfahrung? Es bedeutet, daß eine be-

---

[7] WA 5,22,5f.: „Pasce oves meas", hoc est illud trade, quo pascuntur, pascuntur autem solo verbo dei, non opinionibus aut traditionibus hominum.

[8] WA 5,20,10-13: Neque enim me in officio verbi retinet, nisi alienae, immo divinae voluntatis obedientia, mea voluntate, sicut semper abhorrui, ita nunquam in hanc usque horam accessi.

[9] WA 5,24,10-13 (Theologiae studiosis Philippus Melanchthon S. 1519): Etenim, nisi me fallit animus, nullum fuit in ecclesia neque praesentius neque vulgarius malum quam hoc ipsum, quod prope desertis Euangelicis literis sophisticas didicimus, in traditionibus, formulis casuum et summis, ut vocant, tantisper versati, ut ne senibus quidem ocium ad Christi doctrinam fuerit.

[10] WATi Nr. 1340.

stimmte Art von Erfahrung das Praktische an der Theologie wesentlich mitkonstituiert, ja diese Praxis selbst ist. In diesem Sinne erklärt Luther wiederholt, man müsse practicam theologiae erfahren[11].

Luther meint mit der Erfahrung, die für eine echte Theologie wesentlich und unerläßlich sei, nichts anderes als die Anfechtungen. Ihnen spricht er eine wesentliche Bedeutung für den Vollzug von Theologie zu[12]. Eben so ist gemeint, wenn er in den Tischgesprächen erklärt: practicam theologiae muß man erfahren[13]. Ein echter Theologe wird man nicht ohne Anfechtung[14]. Im selben Sinne sagt er einmal, der größte Theologe sei der größte Sünder[15]. Das heißt nämlich: der größte Theologe ist der am meisten angefochtene Mensch.

c) Die Verkündigung von Gesetz und Evangelium

Eine der verschiedenen Formulierungen, die Luther dem Kern seines theologischen Denkens verleiht, heißt, daß Gott den Menschen durch das Gesetz in Anfechtung und Verzweiflung stürzt, ihn sodann aber durch das Evangelium tröstet und im Glauben aufrichtet[16]. Es ist die Funktion des Gesetzes, den Menschen zu demütigen, die Funktion des Evangeliums dagegen, ihn im Glauben froh zu machen. Die Dialektik von Gesetz und Evangelium gründet im göttlichen Heilshandeln.

Aus der wesenhaften Zuordnung von Gesetz und Evangelium ergibt sich für Luther die pastorale Konsequenz, daß die Verkündigung des Gesetzes am Anfang stehen müsse und daß die Frohbotschaft von Jesus dieser Verkündigung erst folgen könne. In der Pastoral wird die Nacheinander-Behandlung von Gesetz und Evangelium zu einem „methodischen Ratschlag"[17]. Im Vergleich mit Luther interessiert sich Melanchthon bei seiner Behandlung des Verhältnisses von Gesetz und Evangelium mehr für dieses Methodische[18]. Bei Luther tritt es gegenüber der theologischen Grundkonzeption zurück. Das gilt auch für seine Katechismen, in denen zunächst die Zehn Gebote und erst dann als Botschaft des Glaubens das Glaubensbekenntnis behandelt wird.

Die Zehn Gebote vor dem Glaubensbekenntnis zu behandeln, war an

11 WATi Nr. 1119; 1306; 2368.
12 WATi Nr. 352.   13 WATi Nr. 1119.
14 WATi Nr. 352.   15 WATi Nr. 1779.
16 Vgl. o. 63f.
17 G. Heintze, Luthers Predigt von Gesetz und Evangelium: FGLP R. 10 Bd. 11, München 1958, 97f.
18 A. Sperl, Melanchthon zwischen Humanismus und Reformation: FGLP R. 10 Bd. 15, München 1959, 135.

sich nichts grundsätzlich Neues. So erörtert Johannes Herolt in seinem Werke De eruditione christifidelium[19] zunächst die Zehn Gebote und erst danach das Glaubensbekenntnis[20]. Jedoch ist in diesem und in anderen Büchern des Spätmittelalters[21] der Behandlung der Zehn Gebote nicht die Funktion zugemessen, die Luther ihr gibt: den Menschen in Anfechtung zu stürzen, damit er im Glauben den einen und einzigen Trost empfange[22].

Ergebnis

Luther betrachtet die Theologie wegen ihrer seelsorglichen Aufgabe als praktische Wissenschaft. Er ist überzeugt, daß die seelsorgliche Aufgabe Endzweck aller Theologie sei. Die Theologie vermag unmittelbar der Seelsorge zu dienen, weil die Gläubigen durch das Wort Gottes „geweidet" werden.

Die Theologie ist außerdem eine praktische Wissenschaft, weil theologische Erfahrung, „practica theologiae", den Theologen erst zum

---

[19] Johannes Herolt, Liber discipuli de eruditione christifidelium, Straßburg 1490; Köln 1496. — Vgl. R. Padberg, Erasmus als Katechet: Untersuchungen zur Theologie der Seelsorge, Bd. 9, Freiburg 1956, 28; 32.

[20] Zwischen die Behandlung der Zehn Gebote und dem Glaubensbekenntnis ist eine Abhandlung über Sünde und Bußsakrament und eine weitere über das Vaterunser eingeschoben. Das Werk schließt mit einer Darlegung der Sakramente und der sieben Gaben des Hl. Geistes.

[21] z. B. Arnold von Geilhoven, Gnotosolitos sive speculum conscientiae, Brüssel 1476, l. 1: Rubrica 2. de X praeceptis. Rubrica 5. de symbolo fidei.

[22] WA 7,204,13-205,1 (Eine kurze Form der Zehn Gebote etc. 1520): Drey dingk seyn nott eynem menschen zu wissen, das er selig werden muge: Das erst, das er wisse, was er thun und lassen soll. Zum andern, wen er nu sicht, das er es nit thun noch lassen kan auß seynen krefften, das er wisse, wo erß nehmen und suchen unnd finden soll, damit er dasselb thun und lassen muge. Zum drittenn, dsa er wisse, wie er es suchen und holen soll. Gleych als eynem krancken ist zum ersten nott, das er wisse, was seyn krankeyt ist, was er mag oder nit mag thun oder lassen. Darnach ist nott, daß er wisse, wo die ertzney sey, die yhm helffe dartzu, das zu thun und lassen mug, was eyn gsunder mensch. Zum dritten muß er seyn begeren, das suchen und holen oder bringen lassen. Alßo leren die gepot den menschen seyn kranckheit erkennen, das er siht und empfindet, was er thun und nit thun, lassen und nit lassen kan, und erkennet sich eynen sunder und bößen menschen. Darnach helt yhm der glaub fur und leret yhn, wo er die ertzney, die gnaden, finden sol, die yhm helff frum werden, das er die gepott halte, Und tzeygt yhm gott und seyne barmhertzickeyt, in Christo ertzeygt und angepotten. Zum dritten leret yhn das vatter unßer, wie er die selben begeren, holen und zu sich bringen soll. — Vgl. J. M. Reu, D. Martin Luthers Kleiner Katechismus. Die Geschichte seiner Entstehung, seiner Verbreitung und seines Gebrauchs. Eine Festgabe zu seinem vierhundertjährigen Jubiläum, München 1929, 7. — Man muß sich freilich hüten, das Nacheinander von Gesetz und Evangelium zu verabsolutieren. Denn erst durch das Evangelium kommt die Funktion des Gesetzes selbst zu ihrem Ziel. Erst das Evangelium verleiht dem Gesetz seine überführende Kraft. — Vgl. K. Schwarzwäller, Theologia crucis. Luthers Lehre von Prädestination nach De servo arbitrio, 1525: FGLP R. 10 Bd. 39, München 1970, 68.

Theologen macht. Die Betonung dieser practica theologiae ruht auf Luthers Erlebnis und Deutung geistiger Anfechtungen auf.

2. Kapitel

Die Hauptstücke in der Theologie und das „allerwenigste Wissen"

Luthers Theologieverständnis ist getragen von dem unerbittlichen Willen einer Konzentrierung des theologischen Bemühens auf den Kern der christlichen Botschaft. Dieser Wille wirkt sich in pastoraler Hinsicht als Wille zur Einfachheit aus. Luther hat hierfür die Formulierung gefunden, daß es um das „allerwenigste Wissen" gehe. Er hat von hier aus einen Zugang zu seiner Arbeit am Katechismus erhalten.

a) Besprechung eines Textes aus der Schrift „Von den Konziliis und Kirchen" (1539)

Den Einstieg in die Problematik möge ein Text aus der Schrift „Von den Konziliis und Kirchen" (1539) bieten. Er sei zunächst im Zusammenhang wiedergegeben:

„Erstlich, das wir tag und nacht an dem Glauben so viel zu thun haben mit lesen, dencken, schreiben, leren, vermanen, trösten, beide uns selbs und andere, das furwar uns nicht zeit noch raum gelassen wird, auch zu dencken, ob Concilia oder Veter je gewest sind, schweige das wir uns mit den hohen stücken von platten, kaseln, langen röcken etc. und jrer hohen heiligkeit solten bekümern . . . Des gleichen haben wir armen Christen auch mit den geboten Gottes zu thun so viel, das wir ander hoher werck . . . nicht können gewarten[1] . . . So bitten wir doch umb frist und zeit, bis das wir die gebot Gottes und die geringen Kinderwerck ausgericht haben, so wollen wir auch gern uns mit an jre hohe geistliche, Ritterliche, Menliche werck legen, denn was ists nützlicher, das ein Kind solt gezwungen werden, einem starcken Man gleich zu lauffen und zu wircken? . . . Christus uns mus gengeln"[2].

In diesem Text kommt mit besonderer Deutlichkeit zum Ausdruck, daß Luther die wichtigsten Artikel der Theologie zugleich als „geringes" Wissen charakterisiert. Offenbar geht es um die Hauptartikel seiner

[1] Vgl. WATi Nr. 1002.
[2] WA 50,517,5-519,12.

Theologie: „Erstlich, das wir tag und nacht an dem Glauben so viel zu thun haben ... Des gleichen haben wir armen Christen auch mit den geboten Gottes zu thun so viel ..." Diese Hauptstücke werden den „hohen Stücken" entgegengesetzt, von denen seine Gegner handeln: „Schweige das wir uns mit den hohen stücken von platten, kaseln, langen röcken etc. und jrer hohen heiligkeit solten bekümern ..." Diesen „hohen Stücken" der Gegner steht das „geringe Kinderwerk" gegenüber, von dem Luther selbst handeln will. Freilich ist es Spott, wenn er von den „hohen Stücken" seiner Gegner spricht. Aber seine Forderung, sich mit den „geringen Stücken" abzugeben, ist mehr als spottende Umkehr des wahren Sachverhaltes. Luther ist tatsächlich überzeugt, daß die Hauptstücke der Theologie trotz ihrer Tiefe zugleich das „allerwenigste Wissen" seien. So bemerkt er einmal in den Tischgesprächen: Wer angefochten ist, verbindet sich nicht mit denen, die das Höchste erspekulieren wollen, sondern mit der Kirche, die über Glaube und Gnade nachdenkt. Er sucht Trost und wahre Belehrung[3].

In dem Bemühen um das „allerwenigste Wissen" und der damit verschmolzenen Frage nach dem Zentralpunkt der Theologie erweist sich die Wirksamkeit verschiedener Motive. Ein erstes Motiv trat schon zutage in der Gegenüberstellung des „geringen Wissens" mit den „hohen Stücken" seiner Gegner: Der Gegensatz zu allem, was mit der kirchlichen Hierarchie und mit der „hohen" Spekulation der Scholastik in Zusammenhang steht. Außerdem ist hier der Einfluß der devotio moderna auf Luther in Rechnung zu stellen. Die devotio moderna hatte bereits vor dem Wissen der scholastischen Theologen gewarnt, weil es nur aufblähe. Positiv setzt sie der Schultheologie das Ideal der simplicitas entgegen: „O selige simplicitas, die die schwierigen Wege der Quästionen verläßt und schlicht und fest den Weg der Gebote Gottes wandelt! Viele haben die Frömmigkeit verloren, weil sie zu Hohes erforschen wollten"[4].

Luther selbst bezieht sich mit seiner Forderung, „hohes" Wissen zu meiden, auf die Schrift[5].

Interessant ist in unserem Zusammenhang, daß Augustinus sich bereits mit dem Vorwurfe auseinandergesetzt hat, daß spekulatives Fragen ein Streben nach zu hohem Wissen sei und daher geradezu die Hölle als Strafe verdiene. Er verweigert dieser Einrede gegen die Spekulation sei-

---

[3] WATi Nr. 2353.
[4] Thomas v. Kempen (?), De imitatione Christi, l. 4 c. 18 (Opera omnia, Bd. 2, 136f.): Beata simplicitas, quae difficiles quaestionum relinquit vias et plane firma pergit semita mandatorum Dei. Multi devotionem perdiderunt, dum altiora scrutari voluerunt. Vgl. u. 273.
[5] WA 4,137,37: Ut Apostolus Ro. 12. „Non alta sapientes". — Vgl. Röm 12,16.

ne Zustimmung und verteidigt die Rechtmäßigkeit und Ernsthaftigkeit „hoher" Spekulation[6].

b) Die Bedeutung des Katechismus

Daß die Hauptstücke der Theologie zugleich „allerwenigstes Wissen" seien, bestimmt Luthers Einstellung zum Katechismus. In einem Tischgespräch, dessen Nachschrift den bezeichnenden Titel „optimum consilium" trägt, rät er, man solle einfach im Worte Gottes, besonders im Katechismus verbleiben. Er enthalte eine genaue „Methode"[7] der ganzen Religion: Dekalog, Vaterunser und Symbolum. Der Katechismus enthalte die Hauptartikel[8]. In einem anderen Gespräch erklärt er vom Katechismus: Perfectissima est doctrina. Zu Unrecht schämen sich die akademischen Lehrer dieser „geringen Lehre"[9]. Ähnlich äußert er in einer Predigt: „Catechismus i. e. ein unterweisung oder Christlicher unterricht, das yhe alle Christen zum allerwenigsten wissen sollen"[10]. Luthers Frage nach dem Zentralpunkt der Theologie, ihrem Skopus, verschmilzt hier mit dem pastoraltheologisch bedeutsamen Bemühen um das „allerwenigste Wissen".

Wenn Luther sagt, der Katechismus enthalte das, was alle Christen „zum allerwenigsten wissen sollen", so will er sagen, er enthalte die Hauptstücke der Theologie, auf deren Wissen wir Christen in keinem Falle verzichten können, die uns also besonders notwendig sind. Dieses „allerwenigste Wissen" ist also das notwendigste Wissen. Die Hauptstücke sind zugleich die notwendigen Stücke. Es sind die „Notsachen"[11].

Luther hat sich um das „geringe Wissen" immer wieder bemüht. In den diesbezüglichen Zeugnissen fließen die oben genannten beiden Momente: einfältiges Erfassen der Schrift und Sich-Konzentrieren auf die allernotwendigsten Artikel zusammen:

---

[6] Augustinus, Confessiones, l. 11 c. 12 (CSEL 33, 290): Ecce respondeo dicenti: „quid faciebat deus, antequam faceret caelum et terram?" respondeo non illud, quod quidem respondisse perhibetur ioculariter eludens quaestionis uiolentiam: „alta", inquit, „scrutantibus gehennas parabat". aliud est uidere, aliud ridere. Haec non respondeo. libentius enim responderim: „nescio, quod nescio" quam illud, unde irridetur qui alta interrogauit et laudatur qui falsa respondit.
[7] „Methodus" im Sinne von „summa". — Vgl. Melanchthon in den Loci theologici von 1535/41 (CR 21,253).
[8] WATi Nr. 3883.   [9] WATi Nr. 2002; vgl. WATi Nr. 2554.
[10] WA 30/I, 27,28-30 (Katechismuspredigten 2. Reihe 1528).
[11] WA 30/II, 79,11-14 (Vorrede zu Venatorius' Ein kurz Unterricht den sterbenden Menschen furzuhalten): Und ist sein auch wol werd, Denn es ein nützlich buchlin ist, das nicht mit narren werck odder unnützen geschwetz umbgehet, wie itzt leider der unnützen schedlichen bücher und schreiber die welt vol ist, sondern von der rechten notsachen und heubtstücke handelt.

„Und wundert mich seer, wie man doch kan mir zu messen, das ich das gesetze oder zehen gebot solte verwerffen, So doch alda vorhanden so viel, und nicht einerley, meiner auslegung der zehen geboten, die man auch teglich predigt und ubet jnn unseren Kirchen, ich schweige der Confession und Apologia und andere unsern bücher, dazu auch zweyerley weise gesungen werden, uber das auch gemalet, gedruckt, geschnitzt, auch von den kindern frue, mittags, abends gesprochen, das ich keiner weise mehr weis, darin sie nicht geubet würden, on das wir sie (leider) mit der that und leben nicht uben noch malen, wie wir schuldig sind. Und ich selber, wie alt und gelert ich bin, teglich, wie ein kind, die selben von wort zu wort spreche. Das, wenn ja jemands hette aus meinen schrifften etwas anders verstanden, und doch sehe und grieffe, das ich den Catechismum so hefftig triebe ...“[12]

c) Pastorale Deutung des Mottos „semper incipere"

Aus den zuletzt angeführten Stellen ergibt sich, daß Luther keineswegs nur die Aufgeblasenheit der akademisch-scholastischen Theologie geißeln will, wenn er betont, das „geringe Wissen" sei wichtig. Es ist für ihn ein positives und offenbar sehr ernst gemeintes Anliegen, immer wieder neu „Alphabetarius", immer wieder neu „Kind" zu werden. Die Forderung des semper incipere, die er bereits in seiner ersten Psalmenvorlesung (1513-15) nachdrücklich erhoben hatte, erhält hier eine sehr konkrete, sozusagen handfeste Anwendung. Das semper incipere war von Luther in der ersten Psalmenvorlesung theologisch in dem Sinne gemeint gewesen, daß wir auf jeder Stufe theologischer Erkenntnis, auf der wir vom Buchstaben zum Geist durchgedrungen sind, je neu mit dem geistigen Verständnis ringen müssen, da sonst der „Geist" wieder zum Buchstaben wird. Wir müssen von Stufe zu Stufe weiterstreben[13].

Der reife Luther faßt das semper incipere noch schlichter auf: wir müssen immer wieder zum Kind werden, bei dem ganz Einfachen immer

---

[12] WA 50,470,18-29 (Wider die Antinomer 1539). — Vgl. WA 53,216,5-19 (Vorrede zu Johann Spangenberg, Postilla deutsch etc. 1543): Solchs hielt ich vor zeiten, da ich ein Doctor der heiligen schrifft mich must nennen lassen, für ein schlechte red, die ich seer wol verstünde, Aber nu ich (Gott lob) wiedrumb ein armer Schüler worden bin jnn der heiligen Schrifft und je lenger je weniger kan, hebe ich an, solche wort wünderlich anzusehen ... — WA 54,3,9-27 (Vorrede zu Wenzeslaus Link, der erste Teil des Alten Testaments 1543): Das ist auch warlich war, dann ich als ein geringer Christ habs auch ein wenig versucht, und wenn ichs hoch bracht hab, binn ich gwar worden, das ich kaum ein Alphabetarius darinnen gewesen bin ... Des bücher schreibens ist zuvil, wer kan sy all lesen? Ist recht und wol geredt, soll aber verstanden werden von meinen und meines gleichen unzeyttigen büchern ...
[13] Vgl. u. 163ff.

wieder neu einsetzen, armer Schüler werden wie der einfachste Gläubige. Nun sind wissenschaftliche Theologie und volkstümliche Seelsorge wirklich zur Einheit verschmolzen: „Das sage ich aber für mich: Ich bin ein Doctor und prediger, ia so gelert und erfarn als die alle sein mügen, die solche vermessenheit und sicherheit haben: Noch thue ich wie ein kind, das man den Catechismon leret, und lese und spreche auch von wort zu wort das Vater unser, zehen gepot, glaube, Psalmen etc. Und mus noch teglich dazu lesen und studieren, Und kan dennoch nicht bestehen wie ich gerne wolte, Und mus ein kind und schüler des Catechismus bleiben und bleibs auch gern"[14].

An dieser Stelle zeigt sich nun, daß das schlichte Sich-Üben in den einfachen Wahrheiten noch einen wichtigen Nebensinn hat: es ist zugleich Gebet. Denn was soll anders heißen, daß er „morgens und wann er zeit hat" das Vaterunser und die Psalmen lese und spreche? In einem Zuge mit dem Vaterunser und den Psalmen nennt Luther die Zehn Gebote und das Glaubensbekenntnis (den „Glauben"). Wie ein „Alphabetarius" bei diesen Hauptstücken einsetzen, bedeutet also, sie *betend* lesen, sprechen und überdenken. Hier scheint ein Nachhall der devoten Frömmigkeit vorzuliegen. Der devotio moderna geht es um einfältiges, schlichtes Beten und Betrachten. So betont auch Luther, daß es darum geht, einfältig wie ein Kind über die Grundwahrheiten des Glaubens nachzudenken und sich betend mit ihnen zu beschäftigen. Luther geht jedoch in einem entscheidenden Punkte über die Ansätze der devotio moderna hinaus: An die Stelle einer reservierten Haltung gegenüber der Theologie[15] tritt bei ihm eine volle Bejahung der Theologie, und zwar so, daß der Geist der schlichten Einfalt als wesentlich für echte Theologie und als wesentlich für die Erfüllung ihrer wahren Aufgabe, dem Wirken für das Heil der Menschen, erscheint.

Wie die devotio moderna betont Luther die simplicitas und das Gebet — aber nicht abseits von der Theologie, sondern gleichsam als Herd und Mitte echten theologischen Bemühens und als Grundansatz für die Erfüllung der „praktischen", das heißt seelsorgerischen Aufgabe der Theologie.

---

[14] WA 30/I,126,15-21 (Deudsch Catechismus. Der Große Katechismus. Neue Vorrede 1530).
[15] Vgl. u. 275f.

3. Kapitel

LUTHERS BEMÜHEN UM ERNEUERUNG DER PREDIGT

Im pastoral bedeutsamen Teil von Luthers Lebenswerk nehmen seine Predigten einen hervorragenden Platz ein. Sie sind zu einem großen Teil durch Nachschriften erhalten, besonders seit dem Jahre 1522 durch die Arbeit Georg Rörers[1]. G. Ebeling hat durch tabellarische Zusammenstellung von Luthers Predigten gezeigt, daß ihre Zahl 2000 fast erreicht[2]. Dabei sind die verlorengegangenen Predigten nicht mitgezählt (so z. B. nicht die 67 Predigten des verlorengegangenen Bandes von Rörerschen Nachschriften[3]). Ebeling hat auch „die typischen Formen der Predigt Luthers" erarbeitet. Er meint damit Eigenarten der Einleitung, der Durchführung, des Schlusses, „Exhortationes"[4].

Ein weites Feld der Forschung ist die Quellenanalyse von Luthers Predigten. Ebeling hat sie für Homilien über Mt 2,1-12 aus den Jahren 1517, 1520, 1521, 1522, 1524, 1526 etc. durchgeführt[5]. Entsprechend hat er Luthers Auslegung von Lk 10,30-35 in die Auslegungstradition eingebettet[6].

Im Rahmen unserer Untersuchung sollen einige grundsätzliche Äußerungen Luthers über die Predigt auf dem Hintergrund der spätmittelalterlichen Predigtsituation beleuchtet werden.

a) Luthers Wertung und Wesensbestimmung der Predigt

Nikolaus von Clémanges hat erklärt, daß der rechte Theologe Prediger ist[7]. In diesem Sinne versteht der Theologe Luther sich als Prediger[8]. Und wie er sich gesandt fühlt, die Lehre zu erneuern, so fühlt er sich auch gesandt als Prediger.

Luther ist überzeugt, daß eine geheimnisvoll enge Verbundenheit zwischen Christus und seinen Predigern besteht. Christus selbst, nicht irgendein Mensch, soll über den Prediger „regieren". So ist der Prediger wahrhaft Zeuge Christi. Er soll mit großem Freimut auftreten, den

---

[1] Ebeling, Evangelische Evangelienauslegung, München 1942, 18.
[2] AaO., Tabelle I gegenüber S. 456.
[3] AaO., 457.
[4] AaO., 464-474.
[5] AaO., 475ff.
[6] AaO., 496ff.
[7] Vgl. u. 259.
[8] WA 30/I,126,14 (Deudsch Catechismus. Der Große Katechismus 1530): Das sage ich aber für mich: Ich bin auch ein Doctor und prediger. — Vgl. H. J. Grimm, The Human Element in Luther's Sermons: ARG 49 (1958) 55.

Christen dienen und falsche Lehren abwehren[9]. Welch ein Verderben, wenn man unnütze Dinge predigt, die nur den Ohren schmeicheln! Gott möge alle „glatte Predigt" und alle Predigt von „hohen Dingen" ausrotten[10]. Es geht eben um das „allerwenigste Wissen", denn der Kern christlicher Botschaft ist durchaus einfach.

Von der Kanzel muß man den Text des Evangeliums und der Episteln „lauter und rein" verkünden, das heißt ohne das Beiwerk menschlicher Weisheit. Wir sollen nicht Heiligenverehrung, Bruderschaften und Wallfahrten, sondern Jesus Christus predigen[11].

Bisher habe man in der Predigt das Wort der Schrift vollkommen vernachlässigt[12]. Wo man die Bibel benutzte, sei es nur geschehen, um die eigene Meinung mit schönen Schriftzitaten zu behängen. Um den wahren Sinn der Schrift habe man sich jedoch nicht gekümmert[13].

[9] WA 23,14,7-14 (Vorrede zu „Schutzred und gründliche Erklärung usw. durch J. Menius" 1527): Nu bin ich nicht gesynnet, Gott sol mich auch dafür behüten, das ich mich uber ander prediger gewalt unterwinde richter odder regirer zu sein, das ich nicht auch ein Bapstum anfange, sondern wil sie Christo befelhen, wilcher alleine regieren sol uber seine prediger ynn der Christenheit. Das bin ich aber schuldig und wils auch gerne thun, das ich aus der liebe pflicht, eim iglichen zu dienst und dem Christen zu nutz, zeugnis gebe seiner lere, wo sie recht ist und fur den falschen leren warne und auch widder sie zeuge, so viel mir Gott verleihet, wie ich denn bisher gethan habe. — WA 56,175,20ff. (Scholien zu Röm 1,20): Regula Moralis. Ex quo etiam docet predicatores Euangelii primum et principaliter arguere debere maiores et capita in populis, non quidem suis verbis ex morbido et perturbato animo effictis, Sed verbis euangelii, sc. ostendendo, quomodo et vbi contra euangelium agant et viuant, Sed horum operariorum nunc parua pars est.
[10] WA 10/II,410,5-8 (Betbüchlein 1522): Das macht, man prediget unnütze ding. Sie predigen widder yhr gewissen, was man nur gerne höret. 3. Gott wolte außrotten alle glate prediget Und alles was von hohen dingen leret.
[11] WA 50,109,2-19 (Vorrede zu Antonius Corvinus' Epistelauslegung 1537): Ich dancke Gott dem Vater durch Jhesum Christum unsern Herrn, Es gehe mir, wie es wil, das ich doch so viel erlebt habe, das man auff der Cantzel jetzt mus zum wenigsten den Text des Euangelij und Epistel lauter und rein predigen, damit gar unzeliche abgötterey, so durchs Bapstum jnn die Kirchen eingetrieben, teglich jhe mehr und mehr ausgetrieben werden ... Dann es lautet (Gott lob) auch bey den Papisten selbs nicht mehr auff der Cantzel, Wie Sanct Barbara helffe zum Sacrament, Sanct Christoffel wider den gehenden tod, Sanct George im krieg, Sanct Erasmus im kasten, Und der gleichen heiligen dienst, Bruderschafften, Walfarten etc. Und die dem Luther spinne feind sind, können solches selbs nicht mehr hören, jdermann wil dennoch nu Christum hören. — Vgl. WA 50,124,15-21.
[12] WA 23,15,28ff. (Vorrede zu „Schutzred und gründliche Erklärung usw. durch J. Menius" 1527): Yhr habt bey euch viel jar eine hohe schule gehabt, darynn ich auch etlich jar gestanden bin. Aber das wil ich wol schweren, das alle die zeit uber nicht eine rechte Christliche lektion oder predigt von yrgent einem geschehen ist, der yhr itzt alle winckel voll habt. O wie selig het ich mich dazu mal gedaucht, wenn ich ein Euangelion, ja ein Pselmlin hette mügen ein mal hören, da yhr itzt die gantze schrifft klar zu hören habt ...
[13] WA 30/III,497,11 (Exemplum theologiae et doctrinae papisticae 1531): In quo (sc. der Predigt des Dominikanerprovinzials Hermann Rab: vgl. WA 30/III,494f.) videre licet Papisticae Theologiae insigne exemplum. — (Kritik dieses „insigne exemplum" aaO., 497-509). AaO., 509,19f.: Totam scripturam transeunter et obiter legunt. —

So soll man also menschliche Traditionen beiseite schieben, damit das reine Wort Gottes herrschen kann[14]. Diese Herrschaft des „heiligen Gotteswortes" ist ein Haupterkennungszeichen der wahren Kirche Christi[15]. Er, Luther, habe das Evangelium „unter der Bank hervorgezogen" und auch seine Gegner selbst „beide, sprache und predigt" gelehrt[16].

Noch einmal sei daran erinnert, mit welcher Kühnheit Luther die christliche Predigt und Lehre mit dem Worte Gottes in eins setzt, obgleich er vor falschen Propheten warnt[17]: „Wolt Gott, wir kondten uns einmal dahin gewehnen und unser hertzen darauff richten, das man des predigers wort ansehe als gottes wortt, und das ehr ein gelarter konig sej. Den do ist kein Engel noch hundert tausend Engel, sondern die gottliche Maiestet selbst, di do prediget ... Dan fleisch und bluth verhinderts, welches nur den pfarherr und bruder ansihet und die Stim des vaters heret und kan sich niht erschwingen, das einer sagte: das ich hore das wortt, do hore ich einen donnerschlag und sehe die gantze welt voll blitzes"[18].

Im Sinne Luthers geschieht echte christliche Lehre und Predigt aus mächtigem Sendungsbewußtsein. Es geht nicht um die eigene Person, sondern um die Lehre, „welche sol schreyen und schmeissen"[19].

Das Wort der Predigt hat geradezu sakramentalen Charakter[20].

509,29f.: Scriptura illis quovis loco quodlibet valet ad omnia, quae volunt. — 507,3f.: Hunc sensum stupidi isti et stertentes lectores Pauli e suo cerebro afferunt in Paulum ...

[14] WA 14,497,20-24 (Deuteronomium Mosi cum annotationibus 1525): Sic existimamus si forte dominus dare dignetur, ut ... dei verbum reiectis traditionibus et opinionibus humanis susciperent, colerent et proveherent. — Vgl. WA 23,64,15-19.

[15] WA 50,628,29ff. (Von den Konziliis und Kirchen 1539): Erstlich ist dies Christlich heilig Volck dabey zu erkennen, wo es hat das heilige Gotteswort, wiewol dasselb ungleich zugehet, wie S. Paulus sagt, Etlich habens gantz rein, Etliche nicht gantz rein. — Confessio Augustana VII,1 (De ecclesia): Est autem ecclesia congregatio sanctorum, in qua evangelium pure docetur et recte administrantur sacramenta (zit.n. Die Bekenntnisschriften der Evangelisch-lutherischen Kirche, Göttingen ⁴1959, 61). — Vgl. H. Küng, Die Kirche, Freiburg 1967, 317f.

[16] WA 38,114,2ff. (Verantwortung des aufgelegten aufruhr 1533): Denn Hertzog George ... weis ... wol, das wir von Christo, von den Sacramenten ... etc. recht lehren ... Sie haben auch aus unser lere gelernt beide, sprache und predigt, der sie zuvor keines gekund. Noch mus dis alles heissen Luthers Euangelion unter der banck erfur gezogen ... So sol man das Euangelion recht auf die banck stossen, erger denn es je zuvor geschehen ist ...   [17] Vgl. o. 30.

[18] WA 47,227,27-228,5 (Auslegung des 3. und 4. Kap. Johannis 1538-1540).

[19] WA 23,27,14f. (Auf des Königs zu England Lästerschrift Titel Martin Luthers Antwort 1527): Denn das gehet nicht an meine person, welche sol schweigen und leiden, sondern meine lere, welche sol schreyen und schmeissen. — WA 30/III,477,10-13 (Vorrede zu Ägidius Faber, der Psalm Miserere, deutsch ausgelegt 1531): ... So ist hoch non nöten, das wir auch nicht schlaffen und sicher seyen odder stille schweigen, Sondern auch jmer mehr und mehr anhalten und das Euangelion vleissig und redlich treiben. — Vgl. Meinhold, Luther heute, 36.

[20] A. Niebergall, Die Geschichte der christlichen Predigt: Leiturgia, Bd. 2, Kassel 1955, 260. — D. Löfgren, Die Theologie der Schöpfung bei Luther: FKDG 10, 169ff.

Deshalb ist die Verkündigung des Wortes Gottes ein entscheidendes Stück des Gottesdienstes[21].

In dem Werke „Luther und die Messe"[22] betont H. B. Meyer, daß der Reformator den Inhalt der Predigt auf die Rechtfertigungslehre konzentriere[23]. Luthers Konzentrierung der Theologie hat also unmittelbare und entscheidende Konsequenzen für die Predigt. Allerdings ist diese Konzentrierung vom praktisch-kerygmatischen Standpunkt aus günstiger zu beurteilen, als Meyer es tut[24]. Die scholastische Weise des Predigens[25], verbunden mit Zugeständnissen an Launen des Publikums[26], gab vielen spätmittelalterlichen Predigten — trotz und in aller formalen Ordnung — etwas Zerfahrenes und Zerstreutes. Solcher Richtungslosigkeit gegenüber verleiht Luther der Verkündigung eine „konzentrierte", nämlich theologisch begründete Zielrichtung.

Seine Art zu predigen ist eine klare Absage gegen Überbetonung des Formalen. Er setzt sich über formale homiletische Schul-Regeln hinweg[27]. Er weiß, wie man mit dem Volke reden muß[28]. Zuweilen gibt er auch selber Ratschläge für den Prediger[29]. Zum Beispiel die folgenden: Man soll einfach predigen[30], rechtzeitig aufhören[31], die Ungebildeten berücksichtigen[32]. Wer mit Nutzen predigen will, muß auf die Hauptsache achten[33].

Luther ist nach seinen eigenen Worten wie ein „Waldrechter"[34] in das Gestrüpp der spätmittelalterlichen Verkündigung gefahren. So verführerisch es sein mag, ihm in diesem Punkt einfach recht zu geben — ein genaueres Zusehen ist gerade hier vonnöten.

---

[21] Niebergall, aaO., 268.
[22] H. B. Meyer, Luther und die Messe: Konfessionskundliche und kontroverstheologische Studien, Bd. 11, Paderborn 1965.
[23] Luther trage mit der Konzentration auf die Rechtfertigungslehre „bewußt oder unbewußt von vornherein ein lehrhaft-dogmatisches und, weil er ja ständig in der Reaktion gegen die ‚papistische Werkerei' lebt und denkt, sogar ein polemisch-kontroverstheologisches Element in die Verkündigung hinein" (aaO., 105). Meyer weist auf die Derbheit dieser Polemik hin (aaO., 95).
[24] Luthers „Konzentrierung" „entliturgisiere" die Predigt, und zwar erstens wegen ihres „polemisch-kontroverstheologischen Elementes" und zweitens weil er die „Fülle des traditionellen vierfachen Schriftsinnes ablehne" (aaO., 105).
[25] Vgl. u. 283.
[26] z. B. durch Einstreuung profaner oder absonderlicher Geschichten und Geschichtchen.
[27] Grimm, The Human Element in Luther's Sermons, 52f.
[28] AaO., 56.
[29] WATi Nr. 2580; 2606b; 2619b.
[30] WATi Nr. 3421.
[31] WATi Nr. 3422.
[32] WATi Nr. 3579.
[33] WATi Nr. 3032b.
[34] WA 30/III,68,12ff.

b) Bemerkungen zum kerygmatischen Rang der Predigt am Vorabend der Reformation

Luthers Urteil über den kerygmatischen Rang der Predigt seiner Zeit ist vernichtend. Dieses Urteil hat als Aussage eines Zeitgenossen Quellenwert — aber doch nur in sehr beschränktem Maße, da Luther heftigste Gegenpartei ist. Deshalb wird durch Luthers Urteil die Aufgabe einer Erforschung der spätmittelalterlichen Predigt mehr unterstrichen als der Lösung entgegengeführt.

Die sich — allerdings recht stockend — mehrende Zahl von Einzeluntersuchungen[35] hat bereits klargemacht, daß die kerygmatische Situation des Spätmittelalters sehr differenziert ist[36], daß also so globale Urteile, wie Luther sie abgegeben hat, zum mindesten als historische Zensuren nicht haltbar sind.

Vielleicht wird man auch in der Beurteilung dessen, was in ganz speziellem Sinne als scholastische Dekadenz erschien, ein wenig zurückhaltender sein müssen: die Vorliebe für äußerliche, nichtssagende und dabei durch Divisionen und Subdivisionen verkomplizierte Gliederungen[37], die Befrachtung mit untheologischen Stoffen[38].

[35] Wenigstens für die ältere Literatur bietet eine ausführliche Bibliografie B. v. Mehr, De historiae praedicationis pervestigatione: CollFr 12 (1942) 6-40 (Praedicatio posterioris Medii Aevi 25-32).

[36] W. Ernst, Spätmittelalterliche Heiligenpredigten. Eine Untersuchung der Sermones de Sanctis bei Gabriel Biel, in: Festgabe E. Kleineidam, Sapienter ordinare (= Erfurter Theol. Studien, Bd. 24), Leipzig 1969, 259. — W. Jetter, Drei Neujahrs-Sermone Gabriel Biels als Beispiel spätmittelalterlicher Lehrpredigt, in: Festgabe H. Rückert, Geist und Geschichte der Reformation (= Arbeiten zur Kirchengeschichte, Bd. 38), Berlin 1966, 86f. — J. Gförer, Die deutsche Kanzel im Mittelalter: ThQ 120 (1939) 322.
Welch ungeheuer weitschichtiges Material hier noch auf wissenschaftliche Durchdringung wartet, beweist (direkt und indirekt) J. B. Schneyer, Wegweiser zu lateinischen Predigtreihen des Mittelalters: (Hrsg.) Bayerische Akad. d. Wissenschaften, Veröffentlichungen der Kommission für die Herausgabe ungedruckter Texte aus der mittelalterlichen Geisteswelt, Bd. 1, München 1965; ders., Repertorium der lateinischen Sermones des Mittelalters für die Zeit von 1150-1350: BGPhThMA 43, H. 1-4.

[37] Als Beispiel einer „scholastischen" Gliederung gebe ich umrißhaft den Aufbau einer Predigt des Pelbartus Ladislai von Temesvár († 1504) wieder. Er gilt als maßvoll. Seine Sermones de tempore, denen der hier wiedergegebene Predigtaufriß entnommen ist, haben immerhin vierzehn Auflagen erlebt (vgl. J. B. Schneyer, Art. Pelbartus Ladislai v. Temesvár: LThK²). Sie waren also beliebt und können insofern in echtem Sinne „Beispiel" sein.
Im folgenden ist zitiert nach Pomerium sermonum de tempore hiemalium aestivalium fratris Pelbarti de Themeswar, Hagenau 1511, fol. a₂ra-vb:
Dominica prima adventus. Sermo primus communis et devotus. ... Idcirco de hoc adventu tria mysteria notemus pro sermone. Primum dictur diversitatis.
Secundum dicitur celebritatis.
Tertium dicitur exemplaritatis.
Circa primum, ut noverimus, quot et quam pluribus modis Christus veniat, advertendum est, quod in sacra scriptura invenimus, quod Christus dominus quadruplici-

J. B. Schneyer macht geltend, daß die scholastischen Prediger in der Regel Universitätsprediger waren und daß ihr intellektuelles Gedankenspiel dem Geschmack der Hörer — freilich gar zu bereitwillig und weitgehend — entgegenkam. Man müsse bedenken, daß die meisten überlieferten Predigten nur als Vorlagen gedacht waren, die in Wirklichkeit vielleicht lebensnaher gehalten wurden, als es der Text vermuten lasse. Schließlich dürfe man nicht vergessen, daß es auch glaubenstiefe Prediger in beachtlicher Zahl gab, die mit Klarheit die Sünden der Zeit brandmarkten und ihre Hörer zum Vertrauen auf Christi Erlösungsmacht ermutigten[39].

Die Differenziertheit der Situation bedeutet zweierlei: Sie bedeutet vorab, daß es im Spätmittelalter sehr verschiedene Arten zu predigen gab. Schon A. Linsenmayer[40] und R. Cruel[41] haben nachdrücklich darauf hingewiesen. Die durch außergewöhnliche Quellenkenntnis fundierte „Geschichte der katholischen Predigt" von Schneyer führt die Kenntnis der verschiedenen Predigtarten weiter[42].

Differenziertheit bedeutet zweitens, daß nun zu fragen ist, welche Predigtweisen und welche Predigtsammlungen am beliebtesten, das heißt am weitesten verbreitet waren[43]. Erst wenn man weiß, welche Bedeu-

ter venit ad nos in hoc mundo. Primo quia venit in carnem. Secundo quia venit in mentem. Tertio quia venit ad hominis mortem. Quarto quia veniet ad iudicium dando sententiam finalem... Circa secundum mysterium... Ad quod respondetur quod potissime quattuor rationibus, quas tradunt doctores... Prima ratio accipitur ex parte ipsius dei, secunda ex parte matris et conceptionis Christi, tertia ex parte patrum veteris testamenti, quarta ex parte nostri, hoc est populi christiani...
Circa tertium mysterium... Et pro hoc notandum, quod ecclesia docet nos exemplariter in quattuor praecipuis, quae solet facere pro his diebus.
Primo in lugubri celebratione.
Secundo in ieiunii institutione.
Tertio in nuptiarum prohibitione.
Quarto in beatae Mariae veneratione.

[38] Cruel, Geschichte der deutschen Predigt im Mittelalter, 456ff. — Positiver urteilt J. B. Schneyer in seiner „Geschichte der katholischen Predigt", Freiburg 1969, 182ff.

[39] Schneyer, Geschichte, 186f. — Um abgewogenes Urteil bemüht sich auch G. Ritter, Die Heidelberger Universität. Ein Stück deutscher Geschichte, Bd. 1, Heidelberg 1936, 415.

[40] A. Linsenmayer, Geschichte der Predigt in Deutschland von Karl dem Großen bis zum Ausgange des vierzehnten Jahrhunderts, München 1886. Vf. spricht von Predigern der mystischen Schule (440ff.), von der gelehrt-scholastischen Predigtweise (448ff.) und von der populären Predigtweise (467ff.).

[41] Cruel unterscheidet Fastenpredigten (aaO., 556ff.), Passionsreden (547ff.), seltenere Predigtarten (603ff.). Außerdem macht er auf den Unterschied zwischen lateinisch herausgegebenen Sammlungen (493ff.) und Predigten in deutscher Sprache (519ff.) aufmerksam.

[42] Schneyer unterscheidet Universitätspredigten (130ff.), Volkspredigten (154ff.), ferner Kurialpredigten, Konzils- und Synodalpredigten, Predigten der Mystiker, Predigten der Laien (171ff.), usw.

[43] F. Landmann hat aufgrund alter Bücherlisten statistisch ermittelt, welche Predigtsammlungen während des 15. Jahrhunderts im Bistum Konstanz wahrscheinlich am

tung die einzelnen Predigtarten hatten und mehr noch, welche Predigtsammlungen am meisten benutzt wurden, wird man ein Gesamturteil
über den kerygmatischen Rang der Predigten am Vorabend der Reformation zuverlässig erarbeiten können.

Abschließend sei ein Hinweis auf das Predigtwerk des Nikolaus von
Kues erlaubt. Was zunächst die Nähe zu Luther anbetrifft, ist zu bedenken, daß der von Luther doch recht geschätzte Faber Stapulensis in seine
Edition der Werke des Cusanus ausführliche Exzerpte aus diesen Predigten aufgenommen hat[44]. Die inzwischen in Gang gekommene theologische Durchdringung dieser Predigten[45] und schon die ersten Faszikel
ihrer kritischen Edition[46] beweisen, daß hier von Dekadenz nichts zu
spüren ist, daß wir vielmehr vor einer reichen Frucht christlicher Verkündigung stehen. Auch das gehört zur spätmittelalterlichen Predigtsituation!

Zusammenfassung

Fassen wir thesenhaft zusammen, wie das Theologieverständnis Luthers
sich etwa seit dem Jahre 1518 darstellt.

Echte Theologie ist notwendigerweise Kreuzestheologie. Das heißt
näherhin, daß der Theologe auf das Kreuz Christi schaut und nicht am
Kreuz vorbei den Vater erkennen will. Jeder Versuch, aus der
Schöpfung spekulativ die Macht und Herrlichkeit Gottes zu erkennen,
muß fehlschlagen.

häufigsten benutzt wurden. Er nennt die folgenden acht Verfasser solcher Sammlun-
gen: 1. Jordanus von Quedlinburg, 2. Soccus, 3. Nikolaus von Dinkelsbühl, 4. Jaco-
bus de Voragine, 5. Simon von Cremona, 6. Peregrinus, 7. Discipulus (= Johannes
Herolt), 8. Albert d. Gr. (= Ps.-Albert): Ders., Predigten und Predigtwerke in den
Händen der Weltgeistlichkeit des 15. Jahrhunderts nach alten Bücherlisten des
Bistums Konstanz: Kirche und Kanzel, Jg. 6 und 7, Paderborn 1923 und 1924, hier
Jg. 7 (1924), 210-214. — Es wäre eine große Hilfe für die Erforschung der spätmittelalterlichen Verkündigungssituation, wenn die Arbeit Landmanns für andere Diö-
zesen mutatis mutandis fortgesetzt würde.
F. R. Goff weist nach, daß die Postille des Wilhelm von Paris allein im 15. Jahrhundert über hundertmal gedruckt worden sei. Das bedeute, daß mehr als 40 000
Exemplare dieser Postille in Umlauf kamen. Sie sei einer der frühesten „best seller":
ders., The Postilla of Guillermus Parisiensis: Gutenberg-Jahrbuch, Jg. 34, Mainz
1959, 73.
Solche statistischen Untersuchungen sind die Voraussetzung für zukünftige Einzel-
interpretationen, die in echter Weise idealtypischen Charakter besitzen.
[44] Nikolaus von Kues, Opera, Vol. II, Paris 1514, fol. 7r-190r.
[45] Vgl. besonders R. Haubst, Das Bild des Einen und Dreieinen Gottes in der Welt
nach Nikolaus von Kues: Trierer Theologische Studien, Bd. 4, Trier 1952; ders., Die
Christologie des Nikolaus von Kues, Freiburg 1956. Beide Werke stützen sich auf
ausgiebiges Studium der Predigten des Cusanus.
[46] Nikolaus von Kues, Sermones I (1430-1441), Fasc. 1 und 2 (H XVI/1).

Eine Aussage über Theologie ist nicht möglich, ohne über den Theologen zu sprechen. Der echte Theologe nimmt teil an der Demut und Pein des Kreuzes. Er findet den Weg zum Kreuz durch Anfechtungen. Die spekulativen Theologen wollen selber „Herrlichkeit", nämlich die Herrlichkeit ihrer eigenen Werke.

Jeder echte Theologe hat die lebendige Macht der Schrift erfahren: die Macht des Wortes, das in Anfechtung stürzt, und die Macht des Wortes, das Trost und Zuversicht gibt. An dieses Wort muß er sich mit unbedingter Zuversicht halten. In diesem Wort ist der Hl. Geist am Wirken. „Menschliche Zusätze" sind dagegen wie der Teufel selber zu meiden. Menschliche Zusätze sind die „traditiones hominum", und zwar insbesondere die päpstlichen Anordnungen.

Die Hl. Schrift redet in all ihren Teilen dieselbe Sprache. Sie bildet eine Einheit, die in Anfechtung und trostvollem Glauben erfahren wird.

Der echte Theologe ist zugleich Prediger. Er verkündigt in aller Einfachheit. Er erklärt das ABC der Theologie.

Theologie hat es mit unserer Heilssituation zu tun. Sie weiß von dem „pro nobis" der Tat Christi.

Sie öffnet zugleich den Blick für die Geschichte.

ZWEITER TEIL

ANSÄTZE UND FRÜHFORMEN DES LUTHER'SCHEN THEOLOGIEVERSTÄNDNISSES

Etwa ab 1518 erwies sich in unserer Untersuchung als möglich, die Entwicklung von Luthers Theologieverständnis einigermaßen systematisierend darzustellen. Eine entsprechende Möglichkeit besteht für die frühesten Ansätze dieses Theologieverständnisses nicht in demselben Maße. Da ist alles zu sehr in Bewegung: auftauchend, wieder abschwellend. Da ist so vieles im Werden, daß keine Ordnung als die einzig angemessene zu erkennen ist.

Zwei Materialbereiche heben sich einigermaßen voneinander ab: zunächst die allerfrühesten Äußerungen über Theologie, nämlich in Luthers Bemerkungen zu den Sentenzen des Lombarden und in einem Brief aus dem Jahre 1509, ferner die Dictata super Psalterium, seine erste biblische Vorlesung. In der Römerbriefvorlesung ist demgegenüber schon eine erste Klärung erreicht. Die Dictata ermöglichen eine reiche Ausbeute, wenn man nach Ansätzen im Denken Luthers fragt.

A. Äußerungen über Theologie in der Vorlesung zu den Sentenzen des Petrus Lombardus (1509/10) und in ihrem engeren und weiteren Umkreis

1. ÄUSSERUNGEN ÜBER THEOLOGIE IN DER SENTENZENVORLESUNG SELBST: ABLEHNUNG SCHOLASTISCHER GEISTESHALTUNG UND FRAGE NACH DER WAHREN THEOLOGIE

Die Ablehnung der theologia gloriae (1518) wächst sich in der weiteren Entwicklung aus zur Ablehnung hierarchischer Lehrautorität überhaupt. All das ist nach Meinung Luthers Menschenwerk, das der Gnade gegenüber verschlossen ist.

Mit der theologia gloriae meint er konkret die „scholastische" Theologie. Schon im Jahre vor der Leipziger Disputation hat er sie global angegriffen in der Disputatio contra scholasticam theologiam[1]. Ja, von Anfang seiner Vorlesungstätigkeit an läßt er keinen Zweifel, daß er in der „Scholastik" den Feind wahrer Theologie sieht. Das trifft sogar für seine früheste Vorlesung zu, die er über das Grundlehrbuch der scholastischen Theologie gehalten hat: über die Sentenzen des Lombarden. Mit geradezu schrankenloser Verachtung spricht er darin von der scholastischen Philosophie. Zwar ist er damals (1509/10) noch nicht so weit, die ganze Philosophie zu verdammen[2], wohl aber die in vielerlei Schulrichtungen zerstrittene scholastische Philosophie[3].

Er verteidigt den Lombarden. Aber weshalb? Weil er gegenüber der Philosophie weise Zurückhaltung übe und sich an den „nie genug gelobten Augustinus" halte[4]. Die nominalistischen Theologen, die er als die „Unsrigen" bezeichnet, nennt er „eher subtil als bedeutend"[5].

Schon drängen sich ihm Gedanken auf, die dann 1518 sein Bild der theologia gloriae bestimmen werden. Da spricht er von solchen, die nur den Schein von Weisheit haben. Sie lassen sich achten und ehren. Ihre Weisheit aber besteht nur in der superstitio, das heißt in ihrer „Überfrömmigkeit", in einer törichten, leeren, überflüssigen und falschen Religion[6]. Schon hier verbindet Luther den abwegigen Inhalt der Lehre mit der falschen Geisteshaltung, die solche Lehre hervorbringe.

Wenn Luther hier von Philosophie spricht, so meint er die Philosophie, wie sie in die Theologie eingedrungen ist. So weist er in der Auseinandersetzung um die Frage nach einem Habitus der Liebe darauf hin, die Idee des Habitus stamme von Aristoteles, dem ranzigen Philosophen[7]. Oder kurz darauf, wo es um die Bestimmung der ewigen Glückseligkeit durch Duns Skotus geht, diese Hefe der Philosophie sei eine wahre Gotteslästerung[8].

---

[1] WA 1,224-228. — L. Grane, Contra Gabrielem. Luthers Auseinandersetzung mit Gabriel Biel in der Disputatio contra Scholasticam Theologiam 1517: Acta Theologica Danica, Bd. 4, Gyldendal 1962.
[2] WA 9,29,1-3: Quamquam non penitus refutandam predam philosophiae ad Sacra theologiae accomodam duxerim.
[3] WA 9,29,12: Quis tandem erit opinionum et pugnacissimarum sectarum finis?
[4] WA 9,29,3-7: In hoc vehementer placet Magistri sententiarum Prudens continentia et puritas intemerata, quod in omnibus ita innititur ecclesiae luminibus, maxime illustrissimo jubari et nunquam satis laudato Augustino, ut tanquam suspecta habere videatur quaecunque a philosophis sunt anxie explorata.
[5] WA 9,29,25f.: Nostri subtiles magis quam illustres.
[6] WA 9,30,23-29: Habentes rationem sapientiae i. e. ipsam sapientiam in superstitione i. e. stulta et vana observatione vel superflua religione . . . Habentes rationem sapientiae i. e. teutonice achtung, estimationem, reputationem.
[7] WA 9,43,4f.   [8] WA 9,43,42f.

Es tritt deutlich hervor, daß Luther die scholastische Theologie schon jetzt nicht nur persönlich als Ballast empfindet, sondern bereits grundsätzlich über ihre negative Wirkung nachdenkt. Jedoch darf man nicht übersehen, daß Luther eben auch persönlich diesen Ballast empfindet. An diesem Punkt ist nun etwas zu verweilen. Luther sucht den Ballast loszuwerden, um frei zu werden, für „integre", zuverlässige und „reine" Autoren — „rein" von den labyrinthischen Gedankengängen „unserer" Theologen, und frei zu werden für das Wort Gottes an Stelle der Menschenworte[9].

Bevor wir näher untersuchen, was dieses Frei-Werden für das Wort Gottes als theologisches Motto bedeutet, sei doch auch erwogen, daß Luther hier das Studium integrer, zuverlässiger und reiner Autoren verlangt. Was ist das anderes, als was um dieselbe Zeit etwa Faber Stapulensis immer wieder gefordert hat? Weg mit dem scholastischen Ballast und zurück zu den wahren Quellen![10] Es entspricht der Forderung, die Luther selbst zum Beispiel auch im Jahre 1518 erhoben hat: außer Bibelstudium Väterstudium. Weg mit den scholastischen Aristoteles-Kommentaren und hin zum Text des Stagiriten selbst![11]

Daraus ergibt sich, daß Luther wenigstens ein gewisses humanistisches und geschichtliches Interesse schon in der Zeit seiner ersten schriftlichen Äußerungen gezeigt hat. — Und nun zum zweiten Punkt: es geht darum, frei zu werden für Gottes Wort.

2. „OCIUM AD CHRISTI DOCTRINAM"

Luthers Empörung gegen den „Ballast" der Scholastik wird gespeist von dem Wunsche, Raum und Zeit zu schaffen für die Vertiefung in die Hl. Schrift. Das klingt schon in der Sentenzenvorlesung deutlich genug an. Es handelt sich hier um einen Impuls, der geradezu als ein Uransatz im Denken Luthers erscheint.

Die prägnante Formulierung dieses Denkansatzes, die auch diesem Abschnitt als Überschrift vorangestellt ist, stammt von Melanchthon. Dieser erklärt, es gehe darum, Muße für die Lehre Christi zu finden, ocium ad Christi doctrinam. „Wenn ich mich nicht täusche", schreibt er nämlich 1519 in seiner Vorrede zum ersten (Teil-)Druck von Luthers Operationes in Psalmos, „gab es in der Kirche kein gegenwärtigeres und kein verbreiteteres Übel als dieses, daß wir unter fast völliger Hintan-

---

[9] WA 9,29,20: Dilige ergo integros et fideles purosque authores.
[10] Vgl. u. 293f.   [11] Vgl. o. 93ff.

setzung der Bibel Sophistereien gelernt haben, daß wir uns mit Traditionen, sogenannten Formulae casuum und Summae so sehr abmühen mußten, daß uns bis ins Greisenalter hinein keine Muße für die Lehre Christi blieb"[12]. Natürlich ist hier doctrina Christi auf die Hl. Schrift hin zu verstehen.

Luther selbst hat bei verschiedensten Gelegenheiten und immer mit der gleichen Inbrunst betont, daß wir Zeit zur Vertiefung in die Hl. Schrift finden müssen. Deshalb müsse das scholastische Studium beiseite geschoben werden. So heißt es zum Beispiel in den Resolutiones Luthers zur Leipziger Disputation: „Was andere in der scholastischen Theologie gelernt haben, mögen sie selber beurteilen. Ich weiß und bekenne, daß ich nichts anderes gelernt habe als Unkenntnis von Sünde, Gerechtigkeit, Taufe und des gesamten christlichen Lebens... Ich hatte dort Christus verloren und habe ihn nun in Paulus gefunden"[13]. Deutlicher noch betont Luther die Notwendigkeit schlichter Bibellesung in seinem Vorwort zu Melanchthons Vorlesungen über den Römerbrief und die Korintherbriefe (1522): „Du sagst, man solle die Schrift allein ohne Kommentare lesen. Mit Recht sagst du das im Gedanken an Hieronymus, Origenes, Thomas und andere von ihrer Art. Denn sie haben Kommentare geschrieben, in denen sie ihre eigenen Gedanken als die des Paulus oder Christi vortragen. Deine Annotationes soll niemand Kommentar nennen, sondern nur einen Fingerzeig zur Erkenntnis Christi. Das kann man von keinem der bisherigen Kommentare sagen"[14].

Die Forderung schlichter Bibelstellung ist von Luther so weit getrieben, daß er erklärt, am liebsten hätte er, wenn es überhaupt keine Kom-

---

[12] WA 5,24,10-13: Etenim, nisi me fallit animus, nullum fuit in ecclesia neque praesentius neque vulgarius malum quam hoc ipsum, quod prope desertis Euangelicis literis sophisticas didicimus, in traditionibus, formulis casuum et summis, ut vocant, tantisper versati, ut ne senibus quidem ocium ad Christi doctrinam fuerit. — Denselben Gedanken drückt K. A. Meißinger etwa folgendermaßen aus: Das Studium der differenzierten Spätscholastik nahm die Kraft eines Mannes derart in Anspruch, daß er selbst bei gutem Willen einfach nicht mehr die Zeit für ausgiebige Bibellesung finden konnte. Ders., Der katholische Luther, München 1952, 109.

[13] WA 2,414,22-28 (Resolutiones Lutherianae super propositionibus suis Lipsiae disputatis 1519): Quid alii in Theologia scholastica didicerint, ipsi viderint. Ego scio et confiteor, me aliud nihil didicisse quam ignorantiam peccati, iustitiae, baptismi et totius christianae vitae... Breviter, non solum nihil didici (quod ferendum erat), sed non nisi dediscenda didici, omnino contraria divinis literis. Miror autem, si alii foelicius didicerint. Qui si aliqui sint, candide gratulor. Ego Christum amiseram illic, nunc in Paulo reperi.

[14] WA 10/II,310,12-17: Sola scriptura, inquis, legenda est citra commentaria. Recte de Hieronymo et Origine et Thoma hisque similibus dicis. Commentaria enim scripserunt, in quibus sua potius quam Paulina aut Christiana tradiderunt. Tuas annotationes nemo commentarium appellet sed indicem dumtaxat legendae scripturae et cognoscendi Christi, id quod nullus hactenus praestitit commentariorum, qui saltem extet.

mentare gäbe, wenn statt ihrer überall die lebendige Stimme der reinen Schrift regieren würde[15]. Von hier aus ist nur noch ein kleiner Schritt zu der Feststellung, daß die Schrift sich selbst Kommentar ist: „Wer sieht nicht, daß der Hebräerbrief geradezu ein Kommentar ist? Ebenso die Briefe des Paulus an die Römer und Galater. Denn wer wäre so mit der Hl. Schrift umgegangen, wenn nicht Paulus gezeigt hätte, so mit ihr umzugehen? Solches Zeigen nun nenne ich Kommentieren"[16]. Eines der Motive, die hinter Luthers Formel „scriptura sacra sui ipsius interpres" stehen, ist also seine Forderung schlichter Bibellesung.

Wie eng Luthers Forderung schlichter Bibellesung mit wichtigen seiner theologischen Positionen verknüpft ist, zeigt eine Äußerung in den Annotationes in aliquot capita Matthaei aus dem Jahre 1538. Dort schildert er das Elend nutzlosen Bücherschreibens. Durch die Menge der Bücher werde die Bibel selbst in den Hintergrund gedrängt und ihr Licht unter den Scheffel gestellt. Das bedeutet zunächst einfach, daß die Bibel nicht genügend gelesen wird. Sodann geht Luther tiefer. Das Verhältnis von Tradition und Schrift werde verkehrt, die Kraft der Schrift übersehen: Es ist ein Übel, das seit den Zeiten der Apostel die Kirche bedrängt. An Stelle der Bibel werden „doctores", „patres", Konzilien, Dekrete und Sophistereien hochgeschätzt. Der Wust menschlicher Traditionen verdeckt das Licht der Bibel. Für sich allein betrachtet ist die Bibel hell und klar. Sie leuchtet heller als die Sonne selbst[17]. Luther nennt hier

---

[15] WA 12,56,22-57,1 (Begleitbrief zu Melanchthons Annotationes in Evangelium Johannis 1523): Mallem et ego nullos esse uspiam commentarios, solis et puris regnantibus ubique scripturis, viva voce tractatis.

[16] WA 12,57,1-6: Sed quo modo Ecclesia carere possit commentarii scripturas saltem indicantibus, non video: quales Philippi sunt. Et quis non videt Epistolam ad Hebraeos esse prope commentarium? Item Pauli ad Romanos et Galatas. Quis enim sic tractaturus erat sacras scripturas, nisi Paulus sic tractandas monstrasset? At hoc monstrare ego appello commentari.

[17] WA 38,447,26-448,9 (Annotationes in aliquot capita Matthaei 1538): Ego enim superfluum porro et inutilem me iudico ad edendum plura in Bibliis sacris, quae iam sunt de sub modio Papatus extracta, et super candelabrum elevata, ut per sese luceant clarius quam sol iste, omnibus ingredientibus domum Christi. Et si recte pensemus, plus est iam valde multo librorum quam lectorum. Et plus etiamnum scribentium fere quam discentium, ut periculum sit, ne, dum nullus est libros faciendi finis (ut Salomo querulatur), brevi tempore multitudo non optimorum librorum obruat paucitatem optimorum. Et rursus tandem ipsa quoque Biblia obscurata redigatur sub modium aliquod infelicius quam prius. Ita videmus post Apostolos accidisse, qui Biblia in lucem produxerant, sed posteritas, auctis in immensum libris, eo tandem deduxit rem, ut pro Bibliis Doctores, Patres, Concilia, postremo Decreta, Sophistas et infinitas hominum feces docere et discere cogeretur Ecclesia. ... Haec causa est, quae meos libros non cupiam ultra hoc seculum, cui servierunt, extare, Deus dabit aliis seculis suos operarios, sicuti fecit semper. Quare unusquisque nostrum videat, ut ita scribamus, legamus, doceamus, discamus, ne relictis Bibliis denuo nobis acervemus Patres, Doctores, Concilia, Decreta, Articulos, Decretales et colluviem humanarum traditionum et opinionum. Faciant nos non aliena, sed propria pericula cautos.

das theologische Fundament seiner Formel „scriptura sacra sui ipsius interpres"[18]: Die Schrift bedarf keiner Kommentare, weil sie das Licht göttlicher Klarheit ausströmt[19].

Immer wieder mahnt Luther, sich an den Text der Schrift selbst zu halten, ihn sich einzuprägen, ein „textualis" zu werden[20]. Er warnt nicht nur vor den Büchern anderer. Auch seine eigenen Bücher soll man nicht zu wichtig nehmen. Zeitweise hat er sich gegen eine Gesamtausgabe seiner Schriften gewehrt[21]. Die Tatsache, daß er schließlich doch die Sammelausgabe seiner lateinischen Werke gebilligt und mit einem Vorwort versehen hat, erweckt jedoch den Eindruck, daß Luther hier — wenigstens oberflächlich betrachtet — in ein Dilemma hineingeraten sei. Dieser Eindruck wird durch die Tatsache seiner eigenen Tätigkeit als Professor bestärkt, die ja in fortgesetztem Kommentieren der Schrift bestand; ferner auch dadurch, daß er selbst Bibelkommentare gründlich studiert hat. Allein seine Glossen zum Quincuplex Psalterium des Faber Stapulensis füllen in der Weimarer Ausgabe seiner Werke sechzig Seiten[22]. In Wahrheit ist das genannte „Dilemma" als Spannung für sein Theologieverständnis fruchtbar geworden[23].

Luther hat mit großem Selbstbewußtsein behauptet, daß er die Bibel unter der Bank hervorgezogen[24] und ihr Studium gewaltig belebt habe: „Erstlich hab ich die Papisten ynn die bücher geiagt, und sonderlich ann die schrifft, und den Heiden Aristotelem und die Summisten sampt den Sophisten mit yhrem Sententiarum vom platz getrieben, das sie widder auff der Cantzel noch ynn schulen so regiern und leren"[25]. Wenn auch vor Luther schon sozusagen eine Bibelbewegung bestanden hat[26], so ist doch an seiner Aussage wahr, daß er mit einzigartiger Macht das Studium der Bibel gefördert hat.

Die soeben besprochenen Texte entstammen nicht der Frühzeit Luthers. Seine sehr frühen Aussagen über das Verhältnis von Men-

---

[18] WA 7,97,23; 10/III,238,10.
[19] P. Althaus, Die Theologie Martin Luthers, Gütersloh ²1963, 76; F. Beisser, Claritas scripturae bei Martin Luther: FKDG 18, 158ff.
[20] WATi Nr. 1871; WABr Nr. 58 (Febr. 1518): Turpe est Iuristam loqui sine textu. At multo turpius est Theologum loqui sine textu. — WA 31/II,592,15-20. WATi Nr. 4512.
[21] WATi Nr. 4691: Nam potius est videre propriis quam aliis oculis. Ideo optarem omnes meos libros sepultos propter exemplum malum, dan es wil sonst ein jeder mir nach folgen et volunt per hoc fieri gloriosi. — Vgl. WATi Nr. 3493; 4025; 5170; WA 38,447,26-448,9.
[22] WA 4,466-526.
[23] Vgl. o. 122ff.
[24] z. B. WA 30/II,300,4-6.
[25] WA 25,530ff. (Vorrede zu „Von Priesterehe des würdigen Herrn Licentiaten Stephan Klingebiel"). [26] Vgl. u. 245, 257, 262, 269, 272, 286, 293f.

schenwort und Gotteswort, von Philosophie und Theologie, sowie seine Bemühungen, die Theologie von allem nur hinderlichen Ballast zu befreien, zeigen aber, daß Luther ausdrückt, was nicht nur sachlich, sondern auch historisch ein Grundansatz seines Denkens ist. Dieser Grundansatz ist bis in sein Alter festgehalten. Und gerade dies ist das Bemerkenswerte, wie stark sich trotz aller Entfaltung die Lebendigkeit des ersten Ansatzes durchhält.

3. „Der Kern der Nuss"

Mit den Aussagen Luthers über Theologie in seinen Vorlesungsnotizen zu den Sentenzen des Lombarden sind wir fast zu seinen frühesten Bemerkungen über Theologie gelangt. Ergänzend muß hier aber noch ein Brief bedacht werden, den er etwa ein halbes Jahr vor Beginn seiner Vorlesung über die Sentenzen geschrieben hat (am 17. März 1509). Etwa acht Tage vor der Niederschrift dieses Briefes war er biblischer Bakkalar geworden. Im zu Ende gehenden Wintersemester hatte er über die Nikomachische Ethik des Aristoteles eine Vorlesung halten müssen[27].

In dem genannten Brief legt nun Luther seine Einstellung gegenüber der Theologie dar: „Wenn dich interessiert, in welcher Lage ich mich befinde —", schreibt er, „es geht mir, Gott sei Dank, gut. Allerdings ist das Studium hart, besonders das der Philosophie. Von Anfang an hätte ich sie am liebsten mit der Theologie vertauscht. Freilich meine ich eine Theologie, die den Kern der Nuß, das Mark des Weizens und das Mark der Knochen erforscht. Aber Gott ist Gott. Der Mensch täuscht sich oft, ja immer in seinem Urteil"[28].

Gerhard Ebeling hat sich um die Interpretation dieser Stelle bemüht. Er hebt hervor, daß Luther für die Theologie und gegen die Philosophie nicht im Sinne einer Studienwahl optiere — dies sei mit dem Ordensauftrage zum Theologiestudium entschieden worden —, „sondern im Sinne einer Entscheidung in bezug auf die Art, Theologie zu treiben"[29]. Es gehe um die Unterscheidung zweier Arten von Theologie, nämlich

---

[27] H. Boehmer, Der junge Luther, Leipzig [4]1951, 54.
[28] WABr Nr.5,40-45 (Luther an Joh. Braun, Wittenberg, 17. März 1509): Quod si statum meum nosse desideres, bene habeo Dei gratia, nisi quod violentum est studium, maxime philosophiae, quam ego ab initio libentissime mutarim theologia, ea inquam theologia, quae nucleum nucis et medullam tritici et medullam ossium scrutatur. Sed Deus est Deus, homo saepe, imo semper fallitur in suo iudicio. Hic est Deus noster.
[29] G. Ebeling, Luther. Einführung in sein Denken, Tübingen 1964, 80.

„einer rechten sachgemäßen Theologie, die nicht an der Oberfläche bleibt, sich nicht mit leeren Schalen zufrieden gibt, sondern zum Entscheidenden vordringt, wo, weil der innerste Kern der Sache erfaßt, auch das eigene Herz getroffen wird"[30]. Luther dringe auf „eine wirklich theologische Theologie" im Gegensatz zu einer „pseudotheologischen Theologie"[31]. Er habe hier schon anklingen lassen, was in der Römerbriefvorlesung klar ausgesprochen ist, daß die Abgrenzung der Theologie von der Philosophie von entscheidender Bedeutung für die Herausstellung dessen sei, was im echten Sinne theologisch ist[32].

Sicher ist Ebeling darin recht zu geben, daß er in der Aussage Luthers die Unterscheidung zwischen zwei Arten von Theologie begründet sieht: einer Art, die sich auf ihr Ureigenstes (den „Kern der Nuß, das Mark des Weizens und das Mark der Knochen") konzentriert, und einer Art, die es nicht tut. Das heißt, Luther unterscheidet zwischen wahrer, eigentlicher Theologie (Ebeling nennt sie „theologische Theologie") und zwischen uneigentlicher Theologie. Und er drängt von der Philosophie weg, um zu diesem Ureigenen der Theologie zu gelangen. Hinzuzufügen ist, daß Luther in diesem Zusammenhange in auffallender Weise auf die Majestät Gottes hinweist[33]. Die markante Formulierung vom Kern der Nuß, um den es gehe, ist freilich nicht so originell, wie man zunächst vielleicht meinen möchte[34]. Bestreiten läßt sich aber nicht, daß Luther hier ein Motto gefunden hat, dem er sein Leben hindurch treu geblieben ist.

Zusammenfassung. — Luther betont schon 1509, daß es ihm um das Eigentliche der Theologie gehe, um den „Kern der Nuß". Er grenzt echte Theologie von einer durch Philosophie überwucherten Theologie ab und in Verbindung damit echtes Theologie-*Betreiben* von einem Spekulieren, in dem Hochmut und Streitsucht regieren. Hierin zeigen sich zwei Grundimpulse: die Ausrichtung auf ein Wesentliches (und dieses We-

---

[30] Ebd.   [31] AaO., 81f.   [32] AaO., 82.

[33] WABr Nr.5,44f.: Sed Deus est Deus, homo saepe, imo semper fallitur in suo iudicio. Hic est Deus noster.

[34] Erasmus hat in seinem Enchiridion militis christiani vom Jahre 1503 im Anschluß an Hieronymus erklärt, es gehe bei Gebet und Lektüre der Psalmen darum, die Schale zu zerbrechen und den Kern herauszuholen. Die Psalmen nur als Lippengebet zu sprechen, ruiniert das monastische Leben. Es ist tötender Buchstabendienst. Holborn 34,22-24: Magis sapiet, magis pascet unius versiculi meditatio, si rupta siliqua medullam erueris, quam universum psalterium ad litteram tantum decantatum. — Vgl. Hieronymus, ep. 58,9 (PL 22,585): Totum quod legimus in divinis Libris, nitet quidem, et fulget etiam in cortice, sed dulcius in medulla est. Qui edere vult nucleum, franget nucem. — Vgl. J. B. Payne, Toward the Hermeneutics of Erasmus, in: Scrinium Erasmianum II, 25. — Vgl. auch WA 55/I, 6,32-34 (Dictata, Praefatio). Ebd. Hinweise auf Ludolf von Sachsen, Expositio in Psalterium, Praefatio, und Johannes von Turrecremata, Expositio super Psalterium, Praefatio.

sentliche hat es mit der Hl. Schrift zu tun) und die Tendenz zur Scheidung von echt und unecht, also die Tendenz zu einem polarisierenden
Denken.

B. Die Dictata super Psalterium (1513 - 15) als Grundlage für die weitere Entwicklung

Nun wenden wir uns den Dictata super Psalterium zu, der ersten biblischen Vorlesung und zugleich dem ersten sehr umfangreichen literarischen
Zeugnis Luthers. Es ist längst erkannt und betont, daß die Dictata einen
mächtigen Gärungsprozeß spiegeln, in dem Luther wichtige Positionen
seines theologischen Denkens grundlegt oder vorbereitet. In der Gärung
vollzieht sich schon Kristallisierung. Wir fragen im folgenden, inwieweit
in diesem Prozeß sich Verständnis von Theologie bildet oder spiegelt,
inwieweit vielleicht auch die in den frühesten Zeugnissen deutlich ge-
wordenen Tendenzen weiterwirken[1].

1. KAPITEL

DER LITTERALSINN DER SCHRIFT ALS SENSUS SECUNDUM CARNEM

a) Litteralsinn bei den „Juden" und bei den „religiosi"
am Beginn der Psalmenvorlesung

Betrachten wir nun, wie Luther mit der Erklärung der ersten Psalmen
einsetzt. Da spielt sofort[2] die Unterscheidung zwischen buchstäblichem
und geistigem Verständnis eine wichtige Rolle. Was aber ist buchstäblich
und was geistig? Buchstäblich ist das Verständnis der Schrift, wie es die
„Juden" haben[3].

---

[1] Die in den Dictata erkennbaren Ansätze sind im folgenden systematisierend zusammengefaßt. Die Kapiteleinteilung richtet sich nach diesen Ansätzen. Im Anschluß an
ihre Darlegung sind Durchblicke versucht durch Entwicklungen, die in gedanklicher
Nähe zu den Ansätzen stehen oder ihre Ergänzung bilden.

[2] Im folgenden ist angenommen, daß Luther die Psalmen in groben Zügen der Reihe
nach erklärt hat. Im einzelnen trifft das keineswegs immer zu. „Die Probleme der
inneren Chronologie der ersten Psalmenvorlesung liegen ungemein schwierig" (G.
Ebeling, Luthers Psalterdruck 1513, in: Lutherstudien, Bd. 1, Tübingen 1971,70). Die
Chronologie ist nicht Grundlage unserer Argumentation, sondern nur zusätzliche Erhellung.

[3] WA 55/I,8,3-5 (Praefatio): Quidam nimis multos psalmos exponunt. non prophetice.
sed hystorice. Secuti quosdam Rabim hebraeos falsigraphos et figulos Iudaicarum
vanitatum. — Ähnlich schreibt Luther in dem ersten erhaltenen Summarium (zu Ps.

Das überrascht nicht, wenn man bedenkt, daß Luther den Psalmen-kommentar des Faber Stapulensis als Hilfsmittel für seine eigene Erklä-rung benutzte. Dieser greift bereits in der Praefatio seines Werkes die Exegese der „Juden" an: sie fragen nur nach dem buchstäblichen Sinn, der tötet[4]. Faber und Luther meinen mit den „Juden" Gelehrte vom Schlage eines Nikolaus von Lyra, der sich in seiner Exegese besonders um das Verständnis des sensus litteralis historicus bemüht hat[5]. In anderen Zusammenhängen hat Luther wiederholt den Lyrensis namentlich ge-nannt und dabei seine judaisierende Exegese angegriffen[6].

Luther weist das Suchen nach dem buchstäblichen Sinn im Sinne der „Juden" schroff zurück. Er erblickt darin unerleuchtete alttestament-liche Haltung. Der sensus litteralis entspricht dem, was Paulus nennen würde secundum carnem[7]. Die buchstäbliche Erklärung weiß noch nichts von Christus. Dieser aber muß der Quellgrund des Verständnisses der Psalmen sein[8], denn das Alte Testament muß vom Neuen Testamente her verstanden werden[9]. Der Buchstabe tötet[10]. Demgegenüber geht es um den geistigen Sinn.

Ein zweiter Gedanke verbindet sich (schon in der Erklärung des ersten Psalmes) mit diesem Ansatz. Es geht darum, daß wir das Gesetz Gottes in uns eindringen lassen, nicht darum, daß unser Wille das Gesetz Gottes nach Eigenem verbiegt[11], oder, wie Luther im Laufe seiner Vorle-

4): Increpatio Ivdeorum literam vanam sine spiritu quaerentium (= WA 55/I,16,5f.). Nach Ebeling gehören die Summarien zur „frühesten uns erreichbaren Auslegungsstufe" (ders., Luthers Psalterdruck, 89).
4 Faber Stapulensis, Qu. Psalt., Praefatio, fol.a^r: Alia littera surgit, quae (ut inquit apostolus) occidit, et qui spiritui adversatur, quam et Judaei nunc sequuntur. — Vgl. WA 55/II,17ff. — Weier, Das Thema vom verborgenen Gott, 153.
In Wirklichkeit unterschied Nikolaus von Lyra bei der Schriftauslegung zwischen dem sensus litteralis und dem sensus mysticus. Er hat auch die christologische Deu-tung der Psalmen nicht völlig abgelehnt. Zudem hat Luther de facto Lyras exegeti-sche Arbeit keineswegs ignoriert. — Vgl. Ebeling, Luthers Psalterdruck, 120-124.
5 G. Ebeling, Die Anfänge von Luthers Hermeneutik, in: Lutherstudien, Bd. 1, 13.
6 K. A. Meißinger, Luthers Exegese in der Frühzeit, Leipzig 1911, 86; Ebeling, aaO., 55.
7 WA 55/I,2,1-3 (Rückseite des Titelblattes): „Spiritu psallere" Est spirituali deuotione et affectu psallere, quod dicitur contra eos, qui carne tantum psallunt. — Vgl. WA 55/II,66,10 (Gl. zu Ps. 4): Carnalem et literalem; WA 3,131,8f.32.
8 WA 55/II,63,4-11: Scriptura ... primo fontali sensu de ipso (Christo) loquitur. Deinde eundem sensum deriuat in riuulos (i.e. particulares expositiones) participatiue de sanctis loquens eadem verba ... Et hoc modo omnes quatuor sensus Scripturae in vnum confluunt amplissimum flumen.
9 WA 55/I,6,26f.: Si vetus testamentum per humanum sensum potest exponi sine nouo testamento, dicam Quod nouum testamentum gratis datum sit.
10 WA 55/I,90,24: „Labia dolosa" sunt verba ad literam tantum, que occidunt.
11 WA 55/II,9,9-15: „Qui enim spiritu Dei aguntur ..." Hi autem sunt, quorum „voluntas in lege Domini" ... Sunt autem quidam etiam nunc hodie, Qui os huius prophete distorquere et linguam eius inuertere nituntur. Qui suis inflatis sensibus et distortis operibus Volunt, quod lex Domini sit in voluntate eorum, et non „voluntas eorum in lege Domini".

sung sagen wird, wir müssen unseren Geist in den Gehorsam des Wortes Gottes nehmen lassen[12].

Eben das tun die „Juden" nicht, das heißt jene, die Gesetzesgerechtigkeit aufrichten wollen: ihre eigene Gerechtigkeit[13]. Schon hier betont Luther, daß man sich selbst verurteilen muß[14]. Damit spricht er aus, was den Grundansatz der ersten Stufe seiner Rechtfertigungslehre darstellt. Wenn wir uns selbst anklagen, so entsprechen wir damit dem Urteil Gottes, also kann Gott nicht gegen uns sein[15]. Und in der Erklärung zu Psalm 2 spricht er von einem Stab, der den „unfehlbar" zum Heile geleitet, der sich darauf stützt: das heilige Evangelium[16].

So ergibt sich, daß mit dem litteralen Verständnis der Schrift nicht nur eine Weise der Auslegung, sondern eine geistige Grundhaltung gemeint ist: eben jene, die Paulus als Buchstabendienst beschreibt.

Luther nimmt diesen Ansätzen sofort alle Lebensferne. Der Buchstabendienst ist nicht etwas, das irgendwann einmal geschehen ist oder irgendwo geschieht, nein, unter den Christen gibt es diesen Buchstabendienst, ja sogar gerade unter den „religiosi", also den Ordensleuten. Satzungen, Traditionen, Menschenlehren versuchen sie in die Schrift hineinzutragen. Luther faßt ins Auge, daß die Entartung von Theologie und religiösem Leben, auf die er bereits 1509 hingewiesen hat, unter das paulinische Verdikt über den Judaismus fallen. Er beginnt, die Situation der Theologie und des religiösen Lebens am paulinischen Begriff des Gesetzes zu messen[17].

---

[12] WA 4,314,35: Inclina, id est humilia, quia captivari oportet intellectum — Vgl. 2 Kor 10,5.

[13] WA 55/II,29,9-25: Statuentes suam Iustitiam. — WA 55/II,69,25-70,6.

[14] WA 55/II,33,16-19: Sed sicut „Iustus est in principio accusator sui", Ita Impius est in principio defensor sui. Ita Iudei Impietatem suam non accusant, Sed defendunt. Ideo impossibile est eos resurgere stante ista defensione. — WA 55/II,34,5f. — WA 55/II,36,13-22.

[15] Kroeger, Rechtfertigung und Gesetz, 41f. Das Motiv der Selbstverurteilung um der Gerechtsprechung Gottes willen findet sich auch bei Augustinus und Bernhard von Clairvaux. — Augustinus, In Ioann. tractatus 12,13 (PL 35,1491): Qui confitetur peccata sua, et accusat peccata sua, jam cum Deo facit. Accusat Deus peccata tua: si et tu accusas, conjungeris Deo. — Zu Bernhard vgl. WA 4,198,19-22: Unde b. Bernardus sermone de adventu istum versum aliis verbis sic exprimit: „O felix anima, que in conspectu De seipsam semper iudicat et accusat. Si enim nos ipsos iudicaremus, non utique a Deo Iudicaremur". Hec ille. — Vgl. Bernhard, In adventu Domini, sermo 3 (PL 183,47?).

[16] WA 55/II,37,19. 38,13f.: Virga ferrea Sanctum est Euangelium . . . Sed fida est et ferrea, vt omnis, qui ei innititur, infallibiliter dirigatur ad salutem.

[17] WA 55/II,9,12-22 (Schol. zu Ps.1): Sunt autem quidam etiam nunc hodie, Qui os huius prophete distorquere et linguam eius inuertere nituntur. Qui suis inflatis sensibus et distortis operibus Volunt, quod lex Domini sit in voluntate eorum, et non „voluntas eorum in lege Domini". Hoc enim et Iudei . . . voluerunt, dum quod ipsis placet, quod ipsi definiunt, quod ipsi statuunt, volunt Deo esse acceptum. Ac sic potius ipsi Deo ponunt legem, quasi sit obligatus, quod ipsi voluerint et elegerint, ac-

Friedrich Gogarten glaubt, es sei eine Grundaufgabe jeder Theologie, das „Gesetz", unter dem die je gegenwärtige Welt steht, mit der Offenbarung zu konfrontieren. Luther habe das Gesetz seiner Welt in den mittelalterlichen Traditionen erkannt[18]. Ob Luthers These stimmt, ist hier nicht zu entscheiden. Tatsache ist, daß er schon am Anfang seiner Dictata so die mittelalterliche Welt anschaut.

Man kann meines Erachtens nicht ernst genug nehmen, was das bedeutet. Luther denkt nicht nur in abstracto über das Wesen von Judaismus, von Buchstabendienst und ähnlichem nach, sondern er bezieht all das auf konkrete historische Gegebenheiten: zum Beispiel auf die „religiosi". Eben hier dürfte der theologische Ansatz für die spätere Verteufelung des Mittelalters und des Papsttums zum ersten Male deutlich formuliert sein. All das fällt in der Sicht Luthers unter das Verdikt über die „Judaizantes". Sie treiben Buchstabendienst im Gegensatz zu geistigem Dienst.

Damit sind wir zu einem ersten Ergebnis mit Bezug auf die Dictata gelangt. Dieses Ergebnis ruft in Erinnerung, daß Luther schon in seinen Bemerkungen zu den Sentenzen des Lombarden polarisierend echte Theologie von einer durch Philosophie überwucherten Theologie zu unterscheiden beginnt.

Bevor wir die Dictata nach weiteren Grundansätzen befragen, soll das Gesagte etwas erweitert werden. Wir betrachten zunächst noch, wie Luther schon in einer frühen Predigt sehr scharf zwischen menschlichen Zusätzen und Wort Gottes unterscheidet: eine Weiterführung der genannten Polarisierung.

---

ceptare, quam recipiunt ab eo legem, vt faciant, que ipse elegit et vult. Tales inquam nunc precipue religiosi multi sunt, Qui sibi reseruauerunt Iudicium super mandato prelati sui. — WA 55/II,13,22-14,26 (Schol. zu Ps. 1): Sic omnes, qui suam vanam opinionem auctoritate probant Scripture Iudaizantes Iudaica perfidia ... Sunt tandem, qui „meditantur" quidem et habent „voluntatem in lege", sed non „Domini". Hii sunt Iuriste, qui in „doctrinis hominum" variis et „traditionibus seniorum" „voluntatem habent et meditantur die ac nocte" ... Quid enim sunt „doctrine hominum" nisi leges ciuiles et humane? „Traditiones" autem „Seniorum" sunt decreta pontificum ... In hiis ergo legibus intime versantur nunc homines et habent infinitam pugnarum, verborum, glosarum, sine omni fructu nisi lucri tantum et honoris.

[18] Fr. Gogarten, Der Mensch zwischen Gott und Welt, Stuttgart 41967, 89; ders., Die Verkündigung Jesu Christi. Grundlagen und Aufgaben, Tübingen 21965, 277ff.

b) Verhältnis der menschlichen „Zusätze" zum Worte Gottes
nach einer frühen Predigt

Wir gehen aus von einer Predigt, die in der Weimarana auf das Jahr 1512 datiert wird, möglicherweise aber erst aus dem Jahre 1516 stammt, in jedem Falle aber eine frühe Auffassung Luthers wiedergibt[19].

Die ganze christliche Lehre, so erklärt Luther, entspricht dem Johannesprolog[20]. Wer seinen Wortlaut nicht kennt, ist Barbar[21]. Was in der „Gegenwart" vor allem not tut, und was Luther mit flammenden und glühenden Worten den Herzen einprägen will, ist dies: daß die Priester überfließen vom Worte der Wahrheit, nicht vom Worte des Fleisches[22]. Die ganze Welt ist angefüllt von vielerlei Schmutz der Lehren, von Gesetzen und Menschenmeinungen[23]. Der tiefste Grund für den allgemeinen Sittenverfall liegt in der Vernachlässigung des Gotteswortes. Dieselben, die dem Worte der Wahrheit dienen müßten, lehren Fabeln und menschliche Erfindungen[24]. Viel schlimmer als alle Leidenschaft des Fleisches ist die Vernachlässigung oder Verfälschung der Verkündigung des Wortes der Wahrheit[25]. Nur der ist Priester und Hirte, der ein Engel des Herrn der Heerscharen ist, das heißt ein Bote Gottes: wer dienend hilft, daß das Wort der Wahrheit in den Herzen der Menschen geboren wird[26]. Die Priester sollen also die Fabeln zurückschneiden und sich um das reine Evangelium und seine Deutung bemühen. Sie sollen alle nur menschlichen Lehren beiseite lassen oder sie doch höchstens mit Zurückhaltung vortragen[27]. Das ist der Angelpunkt, die summa einer recht-

---

[19] Sermon geschrieben von Luther für den Propst von Leitzkau Georg Mascov (WA 1,8-17). — Auf die Bedeutung der Predigt für die Darstellung von Luthers Lehrdenken weist nachdrücklich hin Steck, Lehre und Kirche bei Luther, 15.

[20] WA 1,15,21.

[21] WA 1,10,18f.: Cum autem ita habeat omnis doctrina, ut iis, qui literas et voces eius ignorant, barbarus sit qui loquitur.

[22] WA 1,12,11-15: Maxima et prima omnium cura est — atque utinam flammantibus atque ardentibus verbis id possem in corda vestra pertonare ... —, ut sacerdotes primo omni verbo veritatis abundent.

[23] WA 1,12,15-18: Scatet totus orbis, imo inundat hodie multis et variis doctrinarum sordibus: tot legibus, tot opinionibus hominum, tot denique superstitionibus passim populus obruitur magis quam docetur.

[24] WA 1,12,24-29: Hi potius admirandi sunt, tam ... sui officii oblitos, ut, qui verbo veritatis huic nativitati servire debuerant, aliis intenti ... penitus illud omittant: maior vero pars fabulas (ut dixi) docet et humana commenta.

[25] WA 1,12,30-13,3.   [26] WA 1,13,15-17.

[27] WA 1,13,25-33: Etiamsi in hac venerabili Synodo multa statueritis, ... et huc manum non apposueritis, ut sacerdotibus populi doctoribus mandetur, quatenus recisis fabulis, quae auctorem non habent, puro euangelio sanctisque euangeliorum interpretibus incumbant, ... denique et doctrinas quascumque humanas omittant aut parce cum exposita diversitate earum admisceant ... ego liberrime pronuncio, cetera omnia nil esse.

mäßigen Reform der Kirche und der Kern der ganzen Frömmigkeit[28]. Fest steht der Satz, daß die Kirche nur durch das Wort Gottes geboren wird und in ihm ihr Bestehen gesichert ist[29]. Man darf also kein anderes Wort suchen, abhandeln oder annehmen[30]. Alles, was aus Menschenwort kommt, ist Sünde[31].

Zwei Momente treten hier hervor: die Überzeugung von der lebenspendenden Kraft der vox evangelii und die scharfe Ablehnung menschlicher Zusätze, die diese Stimme des Evangeliums verdunkeln könnten.

2. KAPITEL

DER GEGENSATZ BIBLISCHER UND SCHOLASTISCHER BEGRIFFLICHKEIT NACH DEN DICTATA UND DER RÖMERBRIEFVORLESUNG (1515/16)

Wenn Luther eine rein litterale Exegese als Judaismus apostrophiert und wenn er zugleich die „religiosi" seiner Zeit unter das Verdikt des bloßen Gesetzesdienstes stellt, so geht es offenbar nicht in erster Linie um die Herausstellung hermeneutischer Prinzipien. Es geht vielmehr um die Gegenüberstellung von Grundeinstellungen — zugleich geht es aber doch auch um Hermeneutik. Es tritt nämlich mit aller Schärfe hervor, daß man sich um etwas anderes als ein bloß litterales Verständnis der Schrift bemühen müsse. Dieses Zugleich zweier Anliegen wird noch deutlicher bei Luthers Versuch, die biblische und die scholastische Denkweise als Gegensatz zu erweisen. Es geht um Auslegung der Schrift, nämlich um das rechte Verständnis biblischer Begrifflichkeit. Es geht aber auch um Verdeutlichung des Gegensatzes zwischen wahrhaft theologischem (nämlich biblischem) und scholastischem Denken. Darüber im folgenden.

a) Das Ringen um Verständnis biblischer Grundbegriffe in den Dictata

Schon in den Scholien zu Psalm 1 beklagt Luther das Vorgehen jener, die den Sinn der Schrift ihrer eigenen Auffassung anzugleichen suchen, statt ihr Denken nach der Schrift auszurichten. „Sie verdrehen die

---

[28] WA 1,13,34f.: Hic rerum cardo est, hic legitimae reformationis summa, hic totius pietatis substantia.
[29] WA 1,13,38f.: Stat fixa sententia, ecclesiam non nasci nec subsistere in natura sua, nisi verbo Dei.
[30] WA 1,13,40.
[31] WA 1,14,4f.: Omne, quod natum est ex homine hominisque verbo, peccat et peccatum est.

Schrift nach ihrem Sinn, und nachdem ihr eigenes Denken festgelegt ist, zwingen sie die Schrift, sich dahinein zu begeben und damit zu harmonieren, während es doch umgekehrt sein müßte. So ist also das Gesetz des Herrn in ihrem Denken und nicht ihr Denken im Gesetz des Herrn"[1]. „Daraus folgt", erklärt er zu Psalm 4, „daß sie die Worte der Schrift für sich in Anspruch nehmen, um sie so betrügerischerweise für ihre lügenhafte Ansicht geltend zu machen. Und eben das: lügenhaft das Patrocinium der Schrift in Anspruch nehmen, heißt ,die Lüge suchen'. So taten und tun auch die Juden. So taten die Häretiker. So tun jetzt die Söhne der Zwietracht. Denn jedermann verdreht die Schrift nach seinem Sinn und sucht (darin) Rechtsvorschriften und Gesetze, die nach seinem Geschmacke sind"[2].

Wogegen Luther kämpft, sind die Judaizantes. Aber es geht nicht nur um diesen Kampf. Es geht auch darum, die eigene Forderung selbst zu erfüllen, nämlich das eigene Denken in den Gehorsam unter die Schrift zu begeben. Nicht zuletzt versucht das Luther, indem er immer wieder nach dem genuinen Sinn bedeutsamer biblischer Begriffe fragt. Die Forderung, das eigene Denken aufzugeben und sich nach der Schrift auszurichten, drängt ihn dazu. So fragt er nach der Bedeutung von aequitas und iustitia, voluntas, substantia, coram deo, terra, ira und so weiter[3]. Die scholastische Begrifflichkeit helfe nicht, in den Text einzudringen. Zu Psalm 1,2 (Sed in lege domini voluntas eius) bemerkt er beispielsweise: „,Wille' ist hier nicht im Sinne der Scholastik zu verstehen, sondern als freudige und spontane Geneigtheit (vgl. im Wörterbuch ,hhapetz'[4]) und als willensmäßiges Wohlgefallen — nicht, insofern dieses vom Verstand oder dem Akt des Willens zu unterscheiden ist, sondern überhaupt

---

1 WA 55/II,13,13-20: Sunt autem et hic quidam peruersi (sicut in prima versiculi parte), Qui similiter inuertunt et peruertunt hanc vocem spiritussancti. Quorum non est meditatio in lege Domini, Sed potius econtra lex Domini (quod horrendum est!) est in eorum meditatione. hii sunt, Qui Scripturam ad suum sensum torquent et sua propria statuta meditatione cogunt Scripturam in eam intrare et concordare, cum debuerit fieri ediuerso. Sic ergo lex Domini in meditatione eorum et non meditatio in lege Domini.

2 WA 55/II,69,6-11: Et ex hinc sequitur, qui sibi applicant verba Scripture, et eam quoque mendaciter allegent pro suo mendaci sensu. Et hoc est „querere mendacium", scil. patrocinium Scripture mendaciter. Sic fecerunt et faciunt Iudei. Sic fecerunt heretici. Sic faciunt nunc dissensionum filii, vbi quilibet pro suo sensu Scripturam torquet et iura et leges querunt sonantes pro se.

3 WA 55/II,108,15-109,13 (Aequitas und iustitia); WA 55/II,35,3-9 (voluntas); WA 3,419,25-420,13 (substantia); WA 3,479,7-9 (In conspectu dei, coram deo, apud deum, ante deum); WA 4,4,4-5,26 (terra); WA 4,6,10-36 (ira).

4 J. Reuchlin, De rudimentis Hebraicis, Pforzheim 1506, s. חָפֵץ: Placuit, voluptatem, voluntatem, complacentiam, dilectionem habuit ... Inde nomen voluntas, beneplacitum, Ps. 1,2: „Sed in lege domini voluntas eius".

als Wollung sämtlicher Kräfte, so daß alle Kräfte, alle Glieder ‚im Gesetz des Herrn‛ sind und freudig. Dieses voluntarium unterscheidet sich von ‚nichtwillig‛, wenn es auch primär in seiner Potenz, nämlich dem Willen, wirklich ist"[5].

In diesem Zusammenhang verdient Luthers Beziehung zu Johannes Reuchlin Erwähnung. Luther hat ihn zur Vorbereitung seiner Dictata beachtlich stark herangezogen. Er verweist an einer Reihe von Stellen ausdrücklich auf ihn[6]. Durch die von H. Rückert besorgte kritische Ausgabe wird jetzt vollends der Einfluß Reuchlins auf die Dictata herausgestellt, obgleich erst wenige Lieferungen vorliegen[7]. Reuchlin hat ein hebräisches Lexikon verfaßt[8], eine hebräische Sprachlehre[9] und sich überhaupt mit der Eigenart des Hebräischen stark auseinandergesetzt[10]. Luther hat diese Werke Reuchlins schon früh gekannt[11].

Bei Reuchlin nun lernte er, daß die Denkweise des Hebräischen anders ist als die des Lateinischen. Luther selbst macht diesen Unterschied an einer grammatisch-formalen Ausführung Reuchlins über das „verbum transitivum tertii" deutlich. Zu Psalm 2,10 (Reges intelligite) bemerkt er: „‚Intelligite‛ ist hier ein verbum transitivum tertii, so wie wenn ich sage: ‚Ego scriptifico vos glosam psalmi‛, das heißt: ‚ich bringe euch dazu, eine Glosse zu schreiben‛ (ego facio vos scribere). Entsprechend heißt ‚scriptificamini a me glosam‛: ‚Ihr werdet zu Schreibern einer Glosse‛ (fite scribentes glosam). So heißt hier ‚intelligite‛: ‚Ihr werdet durch Christus einsichtig‛, oder ‚ihr werdet durch Christus zur Einsicht gebracht‛ — nämlich mit Bezug auf das, was folgt: ‚Dienet dem Herrn‛. Und das bedeutet: ‚Siehe, Christus kommt, um euch zu lehren und um euch einsichtig zu machen für die Furcht Gottes‛"[12]. Wie in der

---

[5] WA 55/II,35,3-9: „Voluntas" hic non vt in Scolis accipitur, Sed pro libentia spontaneaque promptitudine (Vide in vocabulario hhapetz) et voluntario beneplacito, non provt distinguitur contra intellectum vel actum voluntatis, Sed omnino pro voluntate omnium virium, ita quod omnes vires, omnia membra volenter sint „in lege Domini" et libenter, Scil. vt distinguitur contra Inuoluntarium, licet hoc voluntarium vere sit primo in ipsa potentia, scil. voluntate.

[6] WA 55/II,76,21ff.; WA 3,174; WA 3,278,38; WA 3,563,28; WA 3,573,20f.; WA 3,605,15; WA 3,632,19.

[7] WA 55/II,41,1ff.; 42,3f.; 42,6ff.; 43,6; 46,6f.; 47,17f.; 47,22f.; 48,21ff.; 49,1ff.; 49,11ff.; 49,13ff.; 50,10f.; 52,13; 79,16f.; 90,27ff.; 97,10; 99,6f.; 104,2ff.; 107,25f.; 117,12ff.; 117,17f.; 121,6; usw.

[8] Vocabularius breviloquus, Basel 1486.

[9] De rudimentis Hebraicis, Pforzheim 1506.   [10] De arte cabalistica, Hagenau 1517.

[11] Zu Vocabularius breviloquus vgl. z. B. WA 55/II,79,16f.; zu De rudimentis Hebraicis vgl. z. B. WA 55/II,99,6f.; zu De arte cabalistica vgl. WABr. Nr. 61,14f.; zu Septem Psalmi poenitentiales Hebraici cum grammatica translatione Latina, Tübingen 1512 vgl. z. B. WA 55/II,90,27ff.

[12] WA 55/II,41,1-7: „Intelligite" autem hic est verbum transitiuum tercii, vt si dicam: Ego Scriptifico vos glosam psalmi, i.e. ego facio vos scribere glosam. Sic nunc Scrip-

kritischen Ausgabe vermerkt ist, nimmt Luther hier Bezug auf De rudimentis hebraicis von Reuchlin[13].

Luther benutzt noch an einer zweiten Stelle seines ersten Psalterkollegs die erwähnte Ausführung Reuchlins. Dort nennt er ihn ausdrücklich als Gewährsmann für seine Ansicht: „(Der Psalmist) ermahnt: ‚Wisset‘, das heißt: ‚Seid ihnen (den Frommen) ähnlich, damit ihr wisset und zu solchen werdet, die den Herrn kennen‘. Denn so bezeichnet nach Reuchlin das hebräische Wort den actus tertius. So heißt ‚zürnet‘: ‚Machet euch zu solchen, die zornig werden‘ oder ‚nehmet eine Ermahnung an, die an euch ergeht, um euch zum Zorn aufzureizen‘. So bedeutet ‚wisset‘: ‚Laßt an euch geschehen, daß ihr zu Wissenden werdet‘. Denn diese Sprechweise läßt sich im Lateinischen nicht so leicht vollziehen wie im Hebräischen“[14].

Sodann verweist er auf die Stelle aus Psalm 2, bei deren Kommentierung er sich bereits auf Reuchlin bezogen hatte, und erläutert von neuem, wie er diese Stelle versteht: „So bedeutet in Psalm 2 ‚Et nunc, reges, intelligite‘ nicht: ‚Setzet einen Akt des Erkennens‘, oder ‚bringet ihn hervor‘, sondern es bedeutet in passivischem Sinne: ‚Laßt euch einsichtig machen‘. Das heißt: ‚Es gibt einen, der euch belehren und euch Einsicht geben will. Widersteht ihm nicht, sondern nehmet an und laßt euch so bilden und belehren und euch Einsicht mitteilen‘. So, glaube ich, wird hier vor allem das Wort ‚scitote‘ in dem Sinne angewendet: ‚Werdet zu Wissenden und laßt euch zu Wissenden machen‘, oder ‚nehmet an, daß man euch zu Wissenden mache‘“[15].

tificamini a me glosam, i.e. fite scribentes glosam. Ita hic „intelligite“, i.e. fiatis Christo intelligentes, seu Intellectificamini a Christo scil. illud, quod sequitur: *Seruite Domino*, q. d. Ecce Christus venit vos docere et intellectificare timorem Domini.

[13] De rudimentis Hebraicis, lib. 3, de verbo (585f.): Duo status verborum: absolutus et transitivus. Absolutus ut „sto“, „sedeo“. Transitivus dividitur in tria. Primo enim invenitur verbum quod de sui natura esset transitivum sed oratione nostra stare cogitur ... Secundo datur aliquod verbum, quod transfert actionem suam in alterum tantum et ibi sistit ... Tertio se offert quandoque verbum quod non solum transit in alterum, verum etiam illud alterum cogit operationem suam ultra transferre in tertium, ut si dicerem: Scriptifico te literas ... Ecce quomodo facio scribere transiret in te, et tamen in te non quiesceret sed ultra transiret in aliquod tertium, scil. in literas scribendas; et hoc vocatur transitivum tertii. — Vgl. aaO., 595. — S. Raeder, Das Hebräische bei Luther untersucht bis zum Ende der ersten Psalmenvorlesung: BHTh 31, Tübingen 1961, 30-36.

[14] WA 55/II,76,20-26: Hortatur: „Scitote“, i.e. Estote similes illis, vt sciatis vel fiatis scientes Dominum. Sic enim verbum hebraicum sepe actum tercium significat secundum Reuchlin. Sic „Irascimini“, i.e. facite vos iratos fieri, vel recipite exhortationem, que fit vobis, vt prouocemini ad iram. Sic „Scitote“, i.e. patiamini vos fieri Scientes. Non enim potest iste modus loquendi tam facile in latino exprimi sicut in hebreo.

[15] WA 55/II,76,26-32: Sic Psal. 2: „Et nunc, reges, intelligite.“ Hic non significat, i.e. actum intelligendi facite vel elicite, Sed sic passiue, i.e. intellectificamini, q. d. Est qui

Luther unterscheidet zwischen einem lateinischen und einem hebräischen „modus loquendi"[16]. Seine Erklärung zeigt, daß es dabei um mehr als um eine Weise der Wort- und Satzbildung geht, nämlich um echte Verständnisfragen und damit um die Denkweise. Wichtig ist nun, daß er den lateinischen modus loquendi als Denken in scholastischer Begrifflichkeit schildert. Denn er fährt an eben der Stelle, wo er den lateinischen und den hebräischen modus loquendi einander gegenüberstellt, fort: „So (das heißt dem Gesagten zufolge) heißt in Psalm 2 ‚Et nunc, reges, intelligite' nicht: ‚Setzet einen Akt des Erkennens und bringt ihn hervor' (actum intelligendi facite vel elicite)"[17]. Das „actum elicere" ist ein terminus technicus scholastischer Psychologie. So unterscheidet zum Beispiel Thomas von Aquin zwischen den actus imperati und den actus eliciti des Willens[18]. Luthers Ausdrucksweise entspricht auch der Terminologie Gabriel Biels[19].

Bedenkt man weiterhin, daß die hebräische Sprechweise nichts anderes als die biblische Sprechweise ist, so zeigt sich, wie Reuchlins grammatikalisch gemeinte Unterscheidung zwischen der hebräischen und der lateinischen Sprechweise im Munde Luthers zu einer Unterscheidung der biblischen und der scholastischen Denkweise wird. —

Erwähnung verdient in diesem Zusammenhange, daß Luther nicht allein durch Reuchlin auf das Eigentümliche der biblischen Denkweise aufmerksam gemacht worden ist. Zu nennen ist hier besonders Augustinus[20]. Außerdem ist Luthers eigenes scharfes Sprachempfinden in Rechnung zu ziehen.

b) Der Gegensatz von philosophischer und theologischer Begrifflichkeit in der Römerbriefvorlesung

In der *Römerbriefvorlesung* unterscheidet Luther noch nachdrücklicher zwischen theologischer und philosophischer Bedeutung der Begriffe. Deutlicher noch als in der ersten Psalmenvorlesung ist er sich der entscheidenden Gewichtigkeit dieser Unterscheidung bewußt geworden.

vult vos docere et intellectum vobis dare, vos ne repugnate, Sed suscipite et patiamini vos ita formari et doceri et vobis intellectum tribui. Sic credo hic poni hoc verbum precipue „Scitote", i.e. Scientificamini vel sinite vos fieri scientes, vel sustinete, vt faciat vos Scientes.

[16] WA 55/II,76,24-26: ... Non enim potest iste modus loquendi tam facile in latino exprimi sicut in hebreo. —

[17] WA 55/II,76,26f.   [18] S.th.I.II. q.1 a.1 ad 2.

[19] Sent.l.II dist.VII q.unica a.1 concl.2: Licet voluntas non potest se *facere* sine omni *actu:* potest tamen se suspendere ab omni actu qui est in potestate sua et *elicere alium (sc. actum).* — aaO., a.2 concl.3: *Actu a se elicito* voluntas non cogitur.

[20] WA 55/II,42, Anm. zu Z. 1f.: Vgl. Augustinus zu Ps. 40,12. Ferner Paulus v. Burgos zu Ps. 40,12, Nikolaus von Lyra zu Ps. 138,1.

Klar unterscheidet er zwischen Gerechtigkeit im Sinne des Apostels Paulus und im Sinne des Aristoteles[21]. Er zeigt, daß philosophische Kategorien theologische Wirklichkeiten nicht klären, sondern verfälschen. So betrachten beispielsweise die scholastischen Theologen die Erbsünde als qualitas, während sie doch in Wahrheit den ganzen Menschen ergreife. Die Konkupiszenz sei selbst Sünde, sie sei nicht Beraubung einer qualitas[22].

So sei auch verhängnisvollerweise der Terminus „formatum" in die Theologie eingeführt worden: „Völlig dunkel und unverständlich behaupten die scholastischen doctores, es habe eine gesetzmäßige Tat nur Geltung, wenn sie durch die Liebe ,formiert' sei. Jenes verdammte Wort ,formatum' zwingt zu der Vorstellung, als sei die Seele gleichsam dieselbe vor und nach (ihrer Erfüllung mit) der Liebe und wirke in actu gleichsam durch Hinzutreten der Form, wo sie doch selbst gänzlich sterben und eine andere werden muß, bevor sie die Liebe in sich aufnimmt und wirken kann"[23].

Entsprechendes sei zu sagen von der Unterscheidung zwischen einem Werk secundum substantiam facti und secundum intentionem legislatoris[24].

Die im Banne der Metaphysik stehenden Theologen interpretieren auch das Verhältnis von Geist und Fleisch falsch. Sie verstehen darunter zwei in sich abgeschlossene (metaphysische) Wirklichkeiten, während doch nach biblischem Sprachgebrauch das Fleisch die Schwäche und die Verwundung des ganzen Menschen bedeutet, den die Gnade in seinem Verstand und Geist erst zu heilen begonnen hat. Bei der Unterscheidung von Geist und Fleisch geht es um den einen Menschen, der ganz und gar schwach ist, aber zugleich begonnen hat, erneuert zu werden[25]. Die „Scolastici" haben das göttliche Sprechen in eine menschliche Form gezwängt[26].

---

[21] WA 56,172,8-11: Et dicitur ad differentiam Iustitie hominum, que ex operibus fit. Sicut Aristoteles 3. Ethicorum manifeste determinat, secundum quem Iustitia sequitur et fit ex actibus. Sed secundum Deum precedit opera et opera fiunt ex ipsa.

[22] WA 56,312f.

[23] WA 56,337,16-22: Hoc est, Quod Scolastici doctores obscurissime planeque non intelligibiliter dicunt Nullum actum precepti nisi formatum charitate valere Maledictum vocabulum illud „formatum", quod cogit intelligere animam esse velut eandem post et ante charitatem ac velut accedente forma in actu operari, cum sit necesse ipsam totam mortificari et aliam fieri, antequam charitatem induat et operetur.

[24] WA 56,337,22-23: Item et distinctio de opere secundum substantiam facti et secundum intentionem legislatoris.

[25] WA 56,351,22-352,20; 354,22-26.

[26] WA 56,354,20-22: Scolastici, dum subtilius vel facilius de ea re loqui presumpserint, Scrupulosius et obscurius locuti sunt in humanam formam diuinam transferentes.

„Exspectatio creaturae" (Röm 8,19). — Luther benutzt das Wort vom Harren der Schöpfung aus dem Römerbrief zu einer grundsätzlichen Abrechnung mit der scholastischen Philosophie. Er zeigt, wie die Verschiedenheit des philosophisch-metaphysischen und des theologischen Erkenntniszieles eine absolute Verschiedenheit der philosophischen und der theologischen Kategorien bedingt: „Die Philosophen richten ihr Augenmerk auf das Gegenwärtige der Dinge, so daß sie nur spekulativ nach ihren Washeiten und den Qualitäten fragen. Der Apostel dagegen ruft uns weg von der Betrachtung der gegenwärtigen Dinge, von ihrer Wesenheit und ihren Akzidentien, und lenkt uns auf das hin, was an ihnen zukünftig ist"[27]. Deutlich ist hier das eschatologische Moment als das theologisch maßgebliche herausgestellt. Luther erklärt, daß sich der eschatologische Gesichtspunkt mit Hilfe der aristotelisch-scholastischen Begriffssprache überhaupt nicht tangieren lasse. Termini wie essentia, operatio, actio, passio, praedicamentum, quidditas dienen in nichts, um das Harren der Kreatur zu verdeutlichen: das, worauf die Schöpfung harrt, worauf sie zielt, was sie sucht[28].

Die Metaphysik ist schuld, daß wir unsere kostbare Zeit mit überflüssigen Dingen vertun und das wahrhaft Heilsame vernachlässigen[29]. Daher sehe er (Luther) seine gottgewollte Sendung darin, gegen die Philosophie „zu bellen"[30] und zur Schrift zu führen. Die unnützen Studien sollen aufhören, damit wir Jesus Christus lernen, und zwar den Gekreuzigten[31]. Hier macht sich Luthers Grundansatz geltend, Raum zu schaffen für die „doctrina Christi".

Sodann zeigt er noch ausführlicher, inwiefern das theologische Denken vom Eschatologischen her seine Prägung empfängt. Die Theologie

---

[27] WA 56,371,3-6: Philosophi oculum ita in presentiam rerum immergunt, vt solum quidditates et qualitates earum speculentur, Apostolus autem oculos nostros reuocat ab intuitu rerum praesentium, ab essentia et accidentibus earum, et dirigit in eas, secundum quod futurae sunt. — Zu dieser Stelle findet sich eine deutliche Parallele bei Bernhard von Clairvaux. Vgl. u. 229.

[28] WA 56,371,7-12: Non enim dicit „Essentia" Vel „operatio" creaturae seu „actio" et „passio" et „motus", Sed nouo et miro vocabulo et theologico dicit „Expectatio Creaturae", Vt eoipso, cum animus audit Creaturam expectare, non ipsam creaturam amplius, Sed quid creatura expectet, intendat et quaerat. Sed heu, quam profunde et noxie haeremus in predicamentis et quidditatibus, quod stultis opinionibus in metaphysica Innoluimur!

[29] WA 56,381,12-16: Quando sapiemus et videbimus, quod tam preciosum tempus tam vanis studiis perdimus et meliora negligimus? Semper agimus, vt sit verum in nobis, quod Seneca ait: „Necessaria ignoramus, quia superflua didicimus, Immo Salutaria ignoramus, quia damnabilia didicimus".

[30] WA 56,371,17f.: Ego quidem Credo me debere Domino hoc obsequium latrandi contra philosophiam et suadendi ad Sacram Scripturam. — Vgl. Is 56,10.

[31] WA 56,371,26f.: Tempus est enim, vt aliis studiis mancipemur et Ihesum Christum discamus, „et hunc crucifixum". — Vgl. 1 Kor 2,2.

muß die Schöpfung betrachten „in ihrem Harren und Seufzen, in ihren Geburtswehen, das heißt mit Abscheu vor dem, was sie ist (nämlich durch ihre sündige Vergangenheit!), verlangend nach dem, was zukünftig, was noch nicht ist"[32]. Die Theologie soll also die Dinge in ihrer Spannung zwischen Vergangenheit und Zukunft sehen — wir würden heute sagen: in ihrer Geschichtlichkeit. Der eschatologisch-geschichtliche Gesichtspunkt ist der theologische Blickwinkel, unter dem die Geschöpfe zu betrachten sind[33].

Von hier aus entpuppt sich die Metaphysik, die „Wissenschaft von der Washeit der Dinge, von den Akzidentien und Differenzen" rasch als Torheit[34]. „Schau, wir halten die Wissenschaft von den Wesenheiten, den ‚operationes' und ‚passiones' für wertvoll, die Dinge selbst dagegen haben Ekel und seufzen über ihr Wesen, ihre operationes und passiones! Wir freuen und brüsten uns mit dem Wissen dessen, was über sich selbst trauert und sich mißfällt"[35]. Die Philosophen gleichen in ihrer Torheit einem Manne, der einem Zeltmacher bei der Arbeit zuschaut, sein Material und seine Arbeit bewundert, aber sich nicht darum kümmert, was hergestellt werden soll. Der Theologe achtet demgegenüber auf das Ziel. Er bedenkt die zukünftige Herrlichkeit der Schöpfung[36].

Luther faßt seine Darlegungen schließlich in dem Urteil zusammen, daß ein Tor ist, wer die Wesenheiten und operationes der Dinge mehr erforscht als ihr Seufzen und Harren. Denn erst in diesem offenbart sich ihre Geschöpflichkeit[37].

Ergebnis

Bereits in den Dictata hebt Luther den Unterschied zwischen der philosophischen und der theologischen Bedeutung der Begriffe hervor. In der Römerbriefvorlesung vertieft er diese Unterscheidung. Klar hebt er

---

[32] WA 56,371,28-31: Igitur optimi philosophie, optimi rerum speculatores fueritis, Si ex Apostolo didiceritis Creaturam intueri expectantem, gementem, parturientem i.e. fastidientem id, quod est, et cupientem id, quod futura nondum est. — Ähnlich schon in den Dictata: WA 3,419,25-420,13; 4,188,7-13.

[33] Ebeling, Luther, 97.

[34] WA 56,371,31f.: Tunc enim cito vilescet Scientia quidditatis rerum et accidentium ac differentiarum.

[35] WA 56,372,7-10: Ecce nos Scientiam de essentiis et operationibus et passionibus rerum pretiose estimamus, et res ipse essentias suas et operationes et passiones fastidiunt et gemunt! Nos de scientia illius gaudemus et gloriamur, Quod de seipso tristatur et sibiipsi displicet!

[36] WA 56,371,32-372,5.

[37] WA 56,372,22-25: Concludamus itaque, Quod Qui Creaturarum essentias et operationes potius scrutatur quam suspiria et expectationes earum, sine dubio stultus et caecus est. Nesciens etiam Creaturas esse creaturas.

das philosophische und theologische Erkenntnisziel voneinander ab und stellt gegenüber der metaphysischen Begrifflichkeit das Eigentümliche des eschatologisch-geschichtlichen Denkens heraus.

In anderem Zusammenhang formuliert Luther, thesenmäßig zusammenfassend: „Es ist klar, daß jeder Sophist von der genannten Art seine Zeit vergeblich an Aristoteles verschwendet und durch einen so großen (Einsatz) eine so große Unwissenheit eingehandelt hat. Wenn jemand die Terminologie der Logik und Philosophie in die Theologie einmengt, so kann nicht ausbleiben, daß er ein schreckliches Chaos von Irrtümern schafft"[38].

3. KAPITEL

DAS VERHÄLTNIS VON THEOLOGIE UND HERMENEUTIK

Das Ringen Luthers um die Kunst der Auslegung in den Dictata betrifft die Frage nach seinem Theologieverständnis in einem sehr strengen Sinn. Wenn dieses Ringen so stark von theologischem Wollen geprägt ist, daß sich vielleicht sagen läßt, es werde darin der „Grund zu seiner reformatorischen Theologie gelegt"[1], ist dann Auslegung der Schrift völlig identisch mit Vollzug der Theologie? Zum mindesten muß man den Zusammenhang zwischen Auslegung und theologischer Arbeit betonen[2]. Die Dictata vermitteln sogar den Eindruck, als betrachte Luther theologische Arbeit und Auslegung der Schrift als ein und dasselbe. Bezeichnend ist eine Äußerung Luthers, in der er den Vollzug von Auslegung (die Unterscheidung von Geist und Buchstabe nennt er es in diesem Zusammenhange) und die Existenz des Theologen in engste Verbindung miteinander bringt: „In der Hl. Schrift ist das Köstlichste, den Geist vom Buchstaben zu unterscheiden, denn das macht einen wahrhaft zum Theologen"[3]. Offenbar will Luther hier davon sprechen,

---

[38] WA 6,29,17-20 (Conclusiones quindecim tractantes, An libri philosophorum sint utiles aut inutiles etc.): 7. Et omnem eiusmodi sophistam patet frustra tempus in Arist. perdidisse et tanto tantam inscitiam emisse. 8. Si quis terminos logice et philosophie in theologiam ducat, necesse est, ut horrendum cahos errorum condat.

[1] Ebeling, Die Anfänge von Luthers Hermeneutik, 6.

[2] WA 55/I,4,25f.: Item in Scripturis sanctis optimum est Spiritum a litera discernere, hoc enim facit vero theologum.

[3] WA 55/I,6,30-34: Alii autem circueunt et quasi dedita opera fugiant Christum, ita differunt accedere cum textu ad eum. Ego autem quandocunque habeo aliquem textum Nuceum, cuius cortex mihi durus est, allido eum mox ad petram et inuenio nucleum suauissimum.

Zusammen mit der christologischen Bedeutung der Psalmen betont Luther ihren tropologischen Sinn, der das Schriftwort auf das eigene Leben bezieht. — Vgl. K.

was einen wahrhaft zum Ausleger der Schrift mache — aber er sagt: „... das macht einen wahrhaft zum Theologen". Ausleger der Schrift und Theologe scheinen also auswechselbare Begriffe zu sein.

a) Die Kraft der Unterscheidung von Geist und Buchstabe.
Geistiges Verständnis der Schrift
als erleuchteter Glaube und als Ausdruck von Berufung

Zugleich zum Theologen und zum Ausleger der Schrift macht die Fähigkeit der Unterscheidung von Geist und Buchstabe. Die Kraft dieser Unterscheidung liegt nach der negativen Seite darin, bloßes Buchstabenverständnis als tötend zu erkennen und — so muß man hinzufügen — auch zu erkennen, wo denn solches Buchstabenverständnis de facto vorliegt, nämlich zum Beispiel bei den „Juden" und bei den „religiosi". Eben darin erweist sich die Unterscheidung nicht als rein abstrakt, sondern als konkrete Kraft zu einer Scheidung, die vollzogen werden muß. Was nun bedeutet die Kraft zur Unterscheidung von Geist und Buchstabe nach der positiven Seite? Was ist geistiges Verständnis der Schrift in jenem vollen Sinn, daß es einen als wahren Theologen ausweist?

Das wird von Augustinus her deutlich. Dieser ist überzeugt, daß bei wirklichem Verstehen der Hl. Schrift Gott selbst das Verständnis schenkt. Das äußere Ohr hört den Sprachklang des Wortes Gottes, das innere Ohr lauscht dem verbum aeternum. Das intus audire, das von Luther in den Dictata überaus oft betont wird, ist Eingehen auf die Erleuchtung von Gott. „Die Worte sind nur ein äußerer Anlaß für das von Gott kommende Verstehen"[4].

Luther hat mit der augustinischen Tradition des Mittelalters das Moment der Erleuchtung durch Gott nachdrücklich betont. Er tut es schon in den Dictata[5]. In der Praefatio zu deren Scholien nennt er die Stelle 2 Reg 23,1ff., an der David erklärt, der Geist des Herrn habe durch ihn gesprochen, einen textus theologicissimus[6], also einen Text mit

Holl, Luthers Bedeutung für den Fortschritt der Auslegungskunst, in: Gesammelte Aufsätze zur Kirchengeschichte, Bd. 1, Tübingen ⁶1932, 546; H. Bornkamm, Luther und das Alte Testament, Tübingen 1948, 75.
[4] R. Lorenz, Die Wissenschaftslehre Augustins: ZKG 67 (1955/56) 236.
[5] WA 4,89,34-36: Qui tribuit omnibus auditum et visum, i.e. omnes qui audiunt et vident, ex ipso habent, ut „Illuminat omnem hominem venientem etc." (i.e. nullus nisi ex ipso illuminatur). Item „Qui vult omnes homines salvos fieri" (i.e. nullus salvatur nisi nisi bona voluntate). — Vgl. Weier, Das Thema vom verborgenen Gott, 145.
[6] WA 55/II,26,17-25: Ad nostrum propositum id tantummodo audiamus, quod de seipso libro 2. Reg. penultimo ait: ... (Es folgt Zitat 2 Sam 23,1ff.) Delectat me plurimum sermonem exercere in isto textu pulcherrimo et, vt sic dicam theologicissimo.

ganz großer theologischer Dichte. Wenn die Aussage über die Geisterfülltheit Davids theologisch so hoch bewertet wird, dann ist sie offenbar nicht nur als Aussage über ein historisches Einzelfaktum verstanden, sondern in einem beispielhaften Sinn. Nicht nur David, nicht nur der Verfasser der Hl. Schrift ist von Gott erleuchtet, sondern auch wir werden „innerlich" von Gott belehrt[7]. Gott erleuchtet uns unmittelbar[8]. Er tut es durch das internum verbum[9]. So hören wir die Schrift gleichsam von Gott selbst[10]. Das Wort Gottes ist lebendig[11]. Echtes Glaubensverständnis stammt von oben[12].

Aus der Unmittelbarkeit der Erleuchtung ergibt sich für den zukünftigen Reformator eine wichtige Konsequenz: Jeder hat auf seine Weise ein rechtes Verständnis der Schrift, nämlich so, wie Gott es ihm in seiner besonderen Berufung zuteilt[13]. Das ist nicht im Sinne eines eigensinnigen Subjektivismus gemeint — Luther polemisiert gerade in den Dictata immer wieder gegen jene, die ihre eigenen Gedanken in die Schrift hineintragen —, sondern in dem Sinne, daß ein erleuchteter Theologe entsprechend seinem persönlichen Charisma auch eine individuell geprägte Theologie legitim entfalten kann und soll. Luther ist überzeugt, daß es wirkliche Theologie überhaupt nur aus Berufung gibt[14].

Es ist nicht nur legitim, auf individuelle Weise Theologie zu betreiben, sondern der Theologe ist im Glaubensgehorsam dazu verpflichtet. Nur so wirkt er sein Heil, wird er gerechtfertigt: „Was meine eigene Rechtfertigung ist: Predigt, Wort, Rede, Urteilen, ist es für einen anderen vielleicht nicht, oder sie ereignet sich wenigstens nicht aufgrund derselben Gabe, weil er sie eben nicht hat. Zum Beispiel ist für mich Lehren und getreulich Beten Rechtfertigung ... Für einen Bauern ist es das jedoch nicht. Für ihn ist Hören und getreulich Arbeiten Heil und Gerechtigkeit"[15]. —

[7] WA 4,289,31f.: Nec Christum nec verbum eius ullus unquam intelligit nisi de celo illuminatus. — WA 3,143,20-34.
[8] WA 3,152,29f.: ... illuminationem et consolationem, quod facit utique verbo suo immediate et spiritu.
[9] WA 3,281,3f.
[10] WA 3,342,26-33.
[11] WA 3,342,19f.; WA 3,247,13-349,14.
[12] WA 3,474,14-16: Fides enim, que est non sensitiva nec ex sensitiva procedens cognitio, sed deorsum solum intellectualis.
[13] WA 3,518,20: Unusquisque in sensu suo abundet. — WA 4,311,24-26: Unicuique secundum suum donum datur exercitatio et administratio gratie sibi concesse, que multiformis est.
[14] WA 4,311,24-26.
[15] WA 4,311,31-312,2: Quod mihi est iustificatio, sermo, verbum, eloquium, iudicia, alteri forte non est, vel saltem non super eodem dono est, quia non habet scilicet. Exempli gratia mihi docere et orare fideliter est iustificatio ... Rustico autem non est: cui audire et laborare fideliter est salus et iustitia.

Noch in anderer Weise bietet Luther die Unterscheidung von Geist und Buchstabe einen Denkansatz. So dort, wo er nicht ihren Gegensatz, sondern ihre Zuordnung betont. In den zwanziger Jahren hat er diese gegenüber den Schwärmern herausgestellt[16]. In den dreißiger Jahren hat er ähnlich gegenüber einer übertriebenen philologischen Exegese (der „jüdischen" Exegese) den Vorrang des verbum vor der vox und die gleichzeitige Zuordnung betont[17]. Schon in den Dictata findet sich dieser Akzent. Am deutlichsten ist wohl die positive Zuordnung von Buchstabe und Geist dort ausgesprochen, wo er den Buchstaben zu der Menschheit Christi und den Geist zur Gottheit Christi in Beziehung setzt[18].

Ferner ist zu erwähnen, daß Luther das (im Grunde neuplatonische) Schema von unum und multum aufgreift, um zu zeigen, daß es bei der Erklärung der Schrift um den einen und ganzen Sinn geht[19]. Das unum bezieht er auf das Geistige[20]. Ähnlich (und unverhältnismäßig weit öfter) benutzt er die augustinische Unterscheidung von intus und foris audire parallel zur Unterscheidung von littera und spiritus[21].

[16] WA 18,136,9-18 (Wider die himmlischen Propheten, von den Bildern u. Sakrament 1525): „So nu Gott seyn heyliges Euangelion hat auslassen gehen, handelt er mit uns auff zweyerley weyse. Eyn mal eusserlich, das ander mal ynnerlich. Eusserlich handelt er mit uns durchs mündlich wort des Euangelij und durch leypliche zeychen, alls do ist Tauffe und Sacrament. Ynnerlich handelt er mit uns durch den heyligen geyst und glauben sampt andern gaben. Aber das alles, der massen und der ordenung, das die eusserlichen stucke sollen und müssen vorgehen. Und die ynnerlichen hernach und durch die eusserlichen komen, also das ers beschlossen hat, keinem menschen die ynnerlichen stuck zu geben on durch die eusserlichen stucke. Denn er wil niemant den geyst noch glauben geben on das eusserlich wort und zeychen, so er dazu eyngesetzt hat." — Vgl. F. Beisser, Claritas scripturae bei Martin Luther: FKDG 18, Göttingen 1966, 33ff.; P. Meinhold, Luthers Sprachphilosophie, Berlin 1958, 22ff.; Weier, aaO., 96f.

[17] WA 54,30,1-6 (Von den letzten Worten Davids 1543): Widerumb die Juden, weil sie diesen Christum nicht annemen, können sie nicht wissen, noch verstehen, was Moses, die Propheten und Psalmen sagen, was rechter glaube ist, was die zehen gebot wollen, was die Exempel und Historien leren und geben, sondern die schrifft mus jnen sein (nach Isaias 29. weissagung) wie ein brieff, dem der nicht lesen kan. Welcher sihet die buchstaben seer wol, weis aber nicht was sie geben. — Vgl. Is 29,11f. — Die Auseinandersetzung mit den Schwärmern dauert bis in die Spätzeit Luthers an. Vgl. WA 50,245,1-7 (Die Schmalkaldischen Artikel 1537-38): Jnn diesen stücken, so das mündlich eusserlich wort betreffen, ist fest darauff zu bleiben, das Gott niemand seinen Geist oder gnade gibt on durch oder mit dem vorgehend eusserlichem wort, Damit wir uns bewaren fur den Enthusiasten, das ist geistern so sich rhümen, on und vor dem wort den geist zu haben. — WA 50,246,20-29.

[18] Weier, aaO., 186f.

[19] WA 3,356,35-38: Omnia verba dei sunt unum, simplex, idem, verum. quia ad unum omnia tendunt, quantumvis multa sint. Et omnia verba, que in unum tendunt, unum verbum sunt. Et omnia, que ad diversa tendunt, etiamsi unum sint verbum, sunt tamen duo et multa. — WA 3,151,36-41; WA 3,388,4-8.

[20] WA 3,361,26-33: Vita spirituali est una: quia omnia unit ... Sed vita mundi est multiplex ... Vita autem Sanctorum est in uno Christo solo.

[21] WA 4,81,12-14: Factura Christi Ecclesia non apparet aliquid esse foris, sed omnia structura eius est intus ... Et ita non oculis carnalibus, sed spiritualibus ... cognoscuntur.

Wir kommen zu folgendem Ergebnis. Die Unterscheidung von Geist und Buchstabe ist grundlegend für die Auslegung der Schrift. Sie macht einen zugleich wahrhaft zum Theologen. Diese Unterscheidung ist von solchem Gewicht, weil es sich dabei nicht um eine formal-logische Unterscheidung handelt, sondern um die Scheidung zweier Grundweisen in der Begegnung mit der Schrift. Das geistige Verständnis ist vom Hl. Geiste erleuchtetes Verständnis, ein Verständnis, das in der Kraft des Geistes auf das Ganze und Eigentliche der Schrift hört. Es kommt aus erleuchtetem Glauben und aus Berufung. Das Buchstabenverständnis steht demgegenüber unter dem Verdikt des hl. Paulus über den tötenden Buchstaben. Die Kraft der Unterscheidung beider Verständnisweisen zeigt sich nicht zuletzt darin, das Buchstabenverständnis in konkreter Gestalt zu erkennen, etwa bei den religiosi, bei den scholastischen Theologen.

b) Das eigentlich Theologische
am Geschäft der Auslegung der Schrift

Wir müssen zur Ausgangsfrage dieses Kapitels noch einmal zurückkehren: Ist Auslegung der Schrift völlig identisch mit Vollzug von Theologie? Ist die Kunst der Auslegung identisch mit der Fähigkeit zu theologischer Arbeit?

Zur Beantwortung der Frage betrachten wir etwas genauer Luthers hermeneutische Methode in den Dictata. Er hat dort zwei hermeneutische Schemata angewendet: das des vierfachen Schriftsinnes und das des Gegensatzes von littera und spiritus[22]. Beide Schemata sind ineinander verschränkt. Weitere Differenzierungen erschweren das Verständnis[23]. Obgleich Luther herkömmliche hermeneutische Mittel anwendet, ist sein eigenes energisches theologisches Wollen erkennbar. Er versucht, die Psalmen mit großer Intensität christologisch zu deuten[24] und dies so, daß es nicht bei objektivierenden Aussagen bleibt, sondern die eigene Existenz vom Christologischen her erhellt wird[25]. Erkenntnis Gottes und Christi sowie Existenzverständnis werden zugleich angestrebt[26]. Im einzelnen hat G. Ebeling diese Zusammenhänge dargelegt. Auf seine Ausführungen sei hier verwiesen[27].

Es läßt sich nicht bestreiten, daß das von Ebeling beschriebene theologische Wollen ein Verständnis von Theologie wenigstens im Ansatz

[22] Ebeling, Die Anfänge von Luthers Hermeneutik, 11f.
[23] AaO., 58.   [24] AaO., 54ff.
[25] AaO., 67f.   [26] AaO., 27.
[27] Ebd. — Holl, Luthers Bedeutung, 544-582.

voraussetzt — ein Verständnis freilich, das in vielerlei Hinsicht noch tastend ist.

Es geht bei der Psalmenauslegung ganz und gar um das Verständnis Christi. Aber nicht nur bei der Auslegung der Psalmen, sondern überhaupt bei der Auslegung der Schrift: „Andere machen Umwege. Und — als wollten sie geflissentlich vor Christus fliehen, unterlassen sie es, mit dem Text zu ihm zu kommen. Ich jedoch, wann immer ich einen Text habe, der für mich eine Nuß ist, deren Schale mir zu hart ist, werfe ihn alsbald an den Felsen (Christus) und finde den süßesten Kern"[28]. Hier klingt weiter und ist entfaltet, was Luther in dem bemerkenswerten Briefe an Lang aus dem Jahre 1509 über Theologie gesagt hatte: daß er die Philosophie gern mit der Theologie vertauschen würde, aber mit einer solchen, die den Kern der Nuß, das Mark des Weizens und das Mark der Knochen erforsche[29].

Worum es bei der Schriftauslegung geht, läßt sich auch anders sagen. Es geht darum, daß wir nicht aus Eigenliebe die Schrift nach unserem eigenen Sinn umdeuten, sondern darum, daß Gott durch die Schrift unsere Bekehrung herbeiführt. Gott will durch das Wort der Schrift den Menschen erschüttern und sich den rechten Hörer schaffen[30]. Der vom Wort Getroffene kommt in Berührung mit Gott selbst. Eben darin ereignet sich die Erleuchtung. Indem der Hörer der Schrift Gott in Christus erkennt, handelt Gott an ihm und führt ihn zu Selbsterkenntnis[31].

Hier erinnern wir uns an Luthers immer wieder neu erhobene Forderung, Raum zu schaffen für schlichte Bibellesung. Nun wird deutlich, von welchem theologischen Anliegen diese Forderung gespeist wird: Es geht um die persönliche Begegnung mit der Bibel, damit Gott den Hörenden sich zum echten Hörer umgestalte, ihn in seinem Selbstgefühl erschüttere und in seinem Gewissen ergreife. Und es wird deutlich, wie Luther eben hierin das Eigentliche des Theologen erblickt: daß er sich schlicht in die Bibel versenke, um von ihr umgewandelt zu werden, um

---

[28] WA 55/I,6,30-34: Alii autem circueunt et quasi dedita opera fugiant Christum, ita differunt accedere cum textu ad eum. Ego autem quandocunque habeo aliquem textum Nuceum, cuius cortex mihi durus est, allido eum mox ad petram et inuenio nucleum suauissimum.

[29] WABr Nr. 5, 42-44. — Vgl. WA 3,291,4: Hec sunt medulla scripture et adeps frumenti coelestis.

[30] WA 3,342,26: Puto ego hanc esse primam gratiam et mirificam dei dignationem, cui datum est sic verba scripture legere et audire, tanquam existimet se a deo ipso audire. quomodo enim non totus horripilabit, si advertat, tantam maiestatem ad se loqui?

[31] WA 4,519,1: Ideo scripturam sanctam nullus perfecte intelligit, nisi qui timet dominum: is enim videbit in illa miribilia. Igitur multi acute quidem speculantur, sed in scriptura nullus sapit et intelligit, nisi qui timet, et qui magis. — Vgl. Ebeling, Die Anfänge, 67f.; Holl, Luthers Bedeutung, 547f.

auf sie hören zu können. Luthers Aussage, daß der doctor bibliae mit Hl. Geiste erfüllt sei, bedeutet demnach: Gott ist ihm durch das Wort der Bibel begegnet.

Luther wendet die wissenschaftlichen Auslegungsmethoden an[32] — aber nicht nur von ihnen hängt das Verstehen ab. Wahrhaft theologisches Verstehen wird das Auslegen erst, wenn ein wahrer Theologe die Methoden handhabt, das heißt jener, der sich schlicht in die Bibel versenkt und dort von Gott selbst ergriffen wird, der von Ihm erst zum wahren Hörer gemacht wird, der beginnt, sein Streben nach Eigenruhm aufzugeben, der stets weiß, daß er beginnen muß: weil er selbst Sünder und das Wort Gottes unendlich tief ist. Nun finden wir die Antwort auf die Frage nach dem Verhältnis von Theologie und Auslegung: Theologie ist in der Tat Auslegung. Sie ist das immer und überall, und sie wendet dafür alle wissenschaftlichen Hilfsmittel an. Aber Theologie ist mehr als die Anwendung der Auslegungskunst. Sie ist Sich-Versenken in die Schrift, der immer wieder neu einsetzende Versuch, als „Alphabetarius" der Schrift zu nahen, um von ihrem Wort getroffen zu werden und vom Geiste Gottes immer neu umgewandelt zu werden. In dem eigentlich Theologischen, der unmittelbaren Begegnung mit Gott, also in dem, was schon mehr ist als Auslegung, wird sie erst wahre Auslegung. Nur der kann wahrhaft Ausleger der Schrift sein, wer wahrhaft Theologe ist.

Um das Gesagte begrifflich etwas zu verdeutlichen, sei sozusagen per modum analogiae daran erinnert, wie Cusanus darlegt, daß jede Stufe eines Lebensvollzugs erst in der nächst höheren ihre Vollendung finden kann. So findet die ratio ihre Vollendung erst im Vollzug des intellectus, der intellectus erst dort, wo die Gnade ihn ergreift. R. Haubst hat diese Gedanken als das Maximitätsprinzip des Cusanus beschrieben[33]. Ähnlich könnte man sagen, kommt die Kunst der Auslegung erst zu ihrem Eigentlichen, wird erst im vollen Sinne Auslegung, wenn sie hineingenommen wird in das zutiefst Theologische: in die unmittelbare Begegnung des Theologen mit der Schrift, ja in seine Begegnung mit Gott selbst, der durch das Wort der Schrift ihn erschüttert und aufrichtet.

In den Jahren 1516-19, also jedenfalls nach Vollendung der Dictata, hat bei Luther noch eine große hermeneutische Wandlung stattgefunden[34]. Im Zusammenhang mit der Ausbildung seiner Rechtfertigungsleh-

---

[32] E. Vogelsang kann dementsprechend sagen, daß in der „Theologie als Wissenschaft" die Exegese den Primat habe. Ders., Die Bedeutung der neuveröffentlichten Hebräerbriefvorlesung Luthers von 1517/18: Sammlung gemeinverständlicher Vorträge und Schriften aus dem Gebiet der Theologie und Rel.-Gesch., H. 143, Tübingen 1930, 7.

[33] R. Haubst, Die Christologie des Nikolaus von Kues, Freiburg 1956, 150.

[34] Ebeling, Die Anfänge, 3.

re wird dem Reformator unumstößlich gewiß, daß die Worte der Schrift einen eindeutigen und klaren Sinn haben. Es handelt sich um Einsichten, die dann im Streit mit Erasmus eine wichtige Rolle spielen[35]. Die Bestimmung des Verhältnisses von Auslegungskunst und Eigentlichem der Theologie wird dadurch im wesentlichen nicht verändert.

c) Geschichtlichkeit theologischer Erkenntnis als Problem der Auslegung und als eigentlich theologisches Problem

An eine neue Dimension theologischer Erkenntnis rührt Luther, indem er zeigt, daß geistiges Verständnis je neu von der Buchstabengesinnung bedroht ist. Er beschreibt nämlich, wie ein bereits erreichtes Verständnis „aus Geist wieder in bloßen Buchstaben (umschlagen kann), sofern es nicht immer neu gewonnen und angeeignet wird"[36]. Diese Einsicht steht in Zusammenhang mit der Überzeugung, daß Glaubenserkenntnis aus Erleuchtung durch Gott ihre Lebenskraft erhält.

Luther betont, daß wir nie auf einer Stufe der Erkenntnis haltmachen dürfen. „(Der Psalmist) bittet um Verstehen gegen den bloßen Buchstaben, denn der Geist ist Verstehen. Aber wie die Zeiten sich mehrten, so verhält es sich auch mit Buchstabe und Geist. Denn was jenen damals zum Verstehen genügte, das ist für uns jetzt Buchstabe. Ist doch, wie schon gesagt, zu unserer Zeit der Buchstabe subtilerer Art als einst. Und zwar des Fortgangs der Zeit wegen. Denn ... für jeden, der unterwegs ist, ist das, was er hinter sich dem Vergessen überläßt, Buchstabe, und das, wohin er sich nach vorn ausstreckt, ist ihm Geist. Denn immer ist das, was man schon besitzt, Buchstabe im Verhältnis zu dem, was es zu erwerben gilt"[37].

Ebeling hebt hervor, daß Luther durch seine Deutung des stufenweisen Fortschreitens von Verständnis zu Verständnis eine erstaunliche Einsicht in die Geschichtlichkeit des Verstehens beweise[38]. Er macht darauf aufmerksam, wie Luther seine Erkenntnis am Dogma der Trinität exemplifiziert: „So war der Artikel der Trinität, als er zur Zeit des Arius aus-

---

[35] Vgl. o. 79.
[36] Ebeling, Luther, 107.
[37] WA 4,365,5-11: Intellectum petit contra literam, quia spiritus est intellectus. Sed sicut creverunt tempora, ita et litera et spiritus. Nam quod illis tunc suffecit ad intellectum, nobis nunc est litera. Quia, ut supra dixi, subtilior est nunc litera nobiscum quam olim fuit. Et hoc propter profectum. Nam, ut dixi, omnis qui proficit, hoc quod post se obliviscitur, est ei litera, et in quod se ante extendit, est spiritus. Quia semper illud quod habetur, est litera ad illud, quod acquirendum est. (Übers. zit. n. Ebeling, Luther, 108.)   [38] Ebeling, Luther, 108.

drücklich formuliert wurde, Geist und nur wenigen aufgegangen; heute aber ist er Buchstabe, weil etwas Offenkundiges — es sei denn, auch wir fügen ein anderes hinzu, nämlich den lebendigen Glauben daran"[39].

Der Geist droht auf jeder Stufe des Verstehens in bloßen Buchstaben umzuschlagen. Darin komme zum Ausdruck, erklärt Ebeling, daß der Geist mehr sei als intellektuelles Verstehen des Sinnes. Wenn der Geist immer wieder neu angeeignet werden muß, dann sei er zugleich existentielles Betroffensein. Nicht nur wegen der unergründlichen Tiefe des Schriftsinnes, sondern auch deshalb, weil geistiges Verstehen existentiell engagiertes Verstehen sei, könne die Aufgabe des Verstehens nie zum Abschluß gebracht werden[40].

Die Notwendigkeit eines stufenweisen Fortschreitens der Erkenntnis steht im Zusammenhang mit der Forderung, je neu anzufangen, semper incipere. Das ist unzweifelhaft, wenn man sich daran erinnert, wie noch der ältere Luther von sich erklärt, er sei ein Alphabetarius in der Erkenntnis der Psalmen, des Vaterunsers und der Zehn Gebote, und er wolle es bleiben[41]. Luther will als theologisch Erkennender immer „Anfänger" bleiben. Nimmt man das semper incipere in der Fülle seiner theologischen Bedeutung, so heißt es: in den Augen *Gottes* immer Anfänger sein und deshalb neu beginnen müssen. Wie wir je neu im Guten anfangen müssen, weil Gott uns je neu rechtfertigen will, weil wir immer neu in Bewegung auf die Rechtfertigung hin sind (semper sumus in motu, semper iustificandi), so müssen wir auch je neu mit der Erkenntnis anfangen, weil Gott uns je neu erleuchten will[42]. Die von Ebeling bewunderte Ein-

---

[39] WA 4,365,11-14: Ita articulus trinitatis expressus tempori Arrii fuit spiritus et paucis datus, nunc autem est litera, quia revelatus, nisi et nos addamus aliud, scilicet vivam fidem ipsius.

[40] Ebeling, Luther, 107.

[41] Vgl. o. 125f.

[42] WA 4,364,14-18 (Dictata): Semper sumus in motu, semper iustificandi, qui iusti sumus. Nam hinc venit, ut omnis iustitia pro presenti instanti sit peccatum ad eam, que in sequenti instanti addenda est. Quia vere dicit B. Bernardus: „Ubi incipis nolle fieri melior, desinis esse bonus. Quia non est status in via dei: ipsa mora peccatum est." — WA 4,350,14-16 (Dictata): Multo magis autem dat incipientibus. Et, ut sepe dictum est, proficere est nihil aliud nisi semper incipere. Et incipere sine proficere hoc ipsum est deficere. Sicut patet in omni motu et actu totius creature. — WA 56, 239,18-23 (Schol. zu Röm 3,11): Non enim qui incipit et querit, sed „qui perseverat" et requirit „vsque in finem, hic saluus erit" (Mt 10,22; 24,13), *semper incipiens*, querens et quesitum semper requirens. Qui enim non proficit in via Dei, deficit. Et qui non requirit, quesitum amittit, cum non sit standum in via Dei. „Et Vbi incipimus nolle fieri meliores, desinimus esse boni", Vt ait S. Bernardus. — WA 9,69,36f. (Randbemerkungen Luthers zu den Sentenzen des Petrus Lombardus 1509/10): Stare est retrogredi, dicit b. Bernardus. — WA 55/II, 64,4-6.
Vgl. *Augustinus*, Sermo 169 c. 15 n. 18 (PL 38,926). — Bernhard v. Clairvaux, ep. 91 n. 3 (PL 182,224A); ep. 385 n. 1f. (PL 182,587D-588C).

sicht Luthers in die Geschichtlichkeit des Verstehens gründet also in der Überzeugung, daß theologisches Erkennen je neu Erleuchtetwerden und eben darin je neu Anfangen ist.

4. KAPITEL

ANFECHTUNG ALS THEOLOGISCHE ERFAHRUNG

a) Herausstellung theologischer Erfahrungen in den Dictata

Schon zu Psalm 1 erörtert Luther, was meditatio sei: ganz innerlich von der lex domini bewegt werden[1]. Sie ist Erfahrung[2]. Diese Betonung der meditatio dürfte durch die devotio moderna angeregt sein. Denn Luther benutzt zu ihrer Kennzeichnung — wenn auch in anderem Zusammenhang — Ausdrücke, die den doctores devotarii geläufig waren: man muß mit Affekt meditieren[3], das Betrachtete gleichsam wiederkäuen (ruminare)[4].

Die Betonung der experientia ist von Luther weitergedacht worden. Schließlich hat er sie zu einer sehr deutlichen Charakterisierung seines Theologieverständnisses benutzt[5]. Es geht nicht um eine theologia doctrinalis, sondern um die theologia experimentalis[6]. Am Beginn der Dictata erscheint die experientia noch ganz einfach als das tief innerlich Bewegtwerden vom Worte der Schrift[7]. Im weiteren Verlauf der Vorlesung hat Luther immer wieder betont, die Schrift müsse mit Einsicht und Ergriffenheit studiert werden: intellectu et affectu[8]. Außer

---

[1] WA 55/II,12,1-5: Differunt autem meditari et cogitare, Quia meditari est morose, profunde, diligenter cogitare, Et proprie in corde. Vnde meditari quasi in medio agitare vel ipso medio et intimo moueri est; qui ergo intime et diligenter cogitat, querit, discutit etc., hic meditatur.
[2] WA 55/II,16,7f.: Tradat se ad meditationem ... et experientia docebitur verum dixisse prophetam in hoc versu.   [3] WA 3,149,34f.
[4] WA 3,540,1f.: Non tantum fissam ungulam habere, sed etiam ruminare oportet: tunc enim senties affectum. — Zum Begriff des ruminare in der devotio moderna vgl. R. R. Post, The Modern Devotion. Confrontation with Reformation and Humanism: Studies in Medieval and Reformation Thought, Bd. 3, Leiden 1968, 323; 345f.; 679. — Vgl. auch Thomas von Straßburg, Dialogus de recto studiorum fine ac ordine (Bibliotheca ascetica antiquonova, Bd. 4, Regensburg 1724, 307).
[5] WA 3,230,9f. (zu Ps. 40): „In hoc signo (= im Zeichen des Leidens und Sterbens Christi) cognovi" expertus sum et noscere alios faciam, quia est experimentalis cognitio in Christo.   [6] WA 9,98,20f.   [7] WA 55/II,16,7f.
[8] z. B. WA 3,149,33; 3,186,4; 3,357,20f.; 3,383,5f.; 3,523,34f.; 3,534,2; 3,539,29f.; 4,103,39f.; 4,109,18; 4,146,24; 4,414,26; 4,304,35f.; 4,308,6f.
Die letztzitierte Stelle ist insofern besonders interessant, als in ihr Luther den Ausdruck toto intellectu et affectu biblisch interpretiert. Er bedeute soviel wie tota mente et toto corde.

von der devotio moderna[9] ist er dabei von Gerson angeregt, den er ausdrücklich erwähnt[10], aber sicher auch von anderen. Daß hier Anregungen von außen eine Rolle spielen, kann man sehr gut an dem nicht seltenen Hinweis auf die contemplatio feststellen. Obschon Luther recht bald Bedenken gegen sie äußert (nämlich Bedenken, wie er sie gegen die theologia gloriae zugespitzt formuliert hat[11]: leicht könne Stolz sie verderben), hat er doch eine Zeitlang weiterhin auf sie positiv verwiesen[12].

Ein anderer Ansatz ist hier zu nennen, der mehr und mehr auf sich zieht, was Luther über die Bedeutung der experientia für die Theologie sagt: tribulatio und tentatio. Bereits in der Erklärung zu Psalm 4 spricht Luther vom Nutzen der tribulatio. Gott schafft dem Menschen durch die tribulatio Raum, er macht ihm gewissermaßen Luft. Die Weite, die der Mensch so gewinnt, wirkt sich für seine Erkenntnis aus. Durch Trübsal lernt er sehr vieles, was er vorher nicht verstehen konnte. Was zuvor unsichere Spekulation war, wird durch Erfahrung zur Sicherheit. Durch Versuchung lernt man auch die Hl. Schrift besser verstehen. „Trübsal" und „Versuchung" erscheinen dabei als auswechselbare Begriffe. Und Luther fügt seiner Darlegung das Schriftwort an: Wer nicht versucht ist, was weiß der? (Eccli 34,9). Durch Trübsal „erweitert" der Mensch sein inneres Empfinden für die geistlichen Dinge und kommt zu praktischen Schlußfolgerungen. Zusammenfassend urteilt Luther sodann: „Ich glaube, daß nur solche, die es erfahren haben, verstehen, wie weitreichend diese Belehrung ist. Denn Tun und Praxis sind der Weg zu Auslegung und Verständnis von Schrift, Bildern (figurae) und Kreaturen"[13]. Hingewiesen sei darauf, daß Luther mit seinen Ausführungen nicht außerhalb des Stromes der theologischen Tradition steht[14].

[9] WA 3,149,33f.   [10] WA 3,151,5.   [11] WA 3,407,31-409,5.
[12] WA 3,422,36: Oculi Christi sunt studiosi et contemplativi in Ecclesia. — Kritik an der contemplatio klingt an WA 3,512,21f. (zu Ps. 74): Hic nos nihil dicimus de liquefactione illa perfectorum et contemplativorum, de qua multi multa loquuntur. — Positiv über contemplatio dann wieder WA 3,607,21-24; WA 4,68,33; WA 4,166,26.
[13] WA 55/II,55,18-57,7: „In tribulatione", inquit, „dilatasti mihi". Quod sic intelligo, i. e. latitudines fecisti mihi. Est autem triplex dilatatio, quam Deus dat in tribulatione: prima Eruditionis. Quia in tribulatione plurima discit, que prius nesciebat, plurima per experientiam certius cognoscit, que etiam speculatiue nouit. Et Scripturam sanctam melius intelligit quam sine tentatione, vnde vocantur „disciplina Domini". Et Psalmus Confitetur .. Et sapiens: „Qui non est tentatus, quid nouit?" Igitur per tribulationem homo dilatat suas synterees et elicit conclusiones practicas miro modo ... Credo, Quod hanc eruditionem, quam lata sit, soli intelligant experti. Opera enim et praxis exponunt et intelligunt Scripturas, figuras et creaturas.
[14] Vgl. Anmerkungen zur Stelle in WA. Dort Hinweise auf Gerson, Gregor von Rimini etc.

Wenn Luther zu Beginn seiner ersten Psalmenvorlesung bereits überzeugt war, daß die Anfechtungen positive Bedeutung für die theologische Erkenntnis besitzen, so steigert sich diese Überzeugung schon sehr bald darauf hin, daß Erfahrung von Anfechtung notwendige Voraussetzung jeglichen echten theologischen Wissens sei[15]. Und fortan steht für Luther fest, daß die entscheidenden theologischen Einsichten in der Anfechtung geboren werden. Erst in der Anfechtung verspürt der Mensch wirklich, was das heißt: Sünder sein[16] und was Glaube ist[17].

In der Römerbriefvorlesung macht er den scholastischen Theologen zum schweren Vorwurf, daß sie die Bedeutung der Anfechtung übersehen. Sie sind deshalb Feinde des Kreuzes Christi[18]. Dieser Vorwurf läßt das Thema der theologia crucis anklingen. In derselben Vorlesung betont Luther, daß der Apostel Paulus ein angefochtener Mensch gewesen sein müsse[19]. In den Tischgesprächen hat er immer wieder diese frühe Erkenntnis von der Bedeutung der tentatio für die Theologie wiederholt[20].

b) Eine Anfechtung oder vielerlei Anfechtungen, ein Trost oder vielerlei Trost?

In der Anfechtung ist unsere Zuflucht das Kreuz Christi. In der ausgebildeten Theologie Luthers, wie sie etwa in De servo arbitrio vorliegt, ist dabei zweierlei klar. Erstens, daß alle Arten von Anfechtungen auf eine einzige hinauslaufen: die Anfechtung durch den Zorn Gottes, wie er uns im Gesetz und in der Androhung des Gerichtes begegnet. Zweitens, daß es einen einzigen Trost gibt, nämlich das Kreuz Christi, das wir im

[15] WA 4,95,7-13 (Schol. zu Ps. 93, Dict.): Qui non est tentatus, qualia scit? qui non est expertus, qualia scit? Qui non experientia cognovit tentationum qualitates, non scita, sed vel audita vel visa vel, quod periculosius est, cogitata sua tradet. Ergo qui vult certus esse et aliis fideliter consulere, prius ipse experiatur, portet ipse crucem et exemplo precedat, ac sic certificabitur, ut aliis prodesse possit. Ideo in Ecclesia visitat deus hominem diluculo et subito probat illum, ut ex sese discat, quod aliis tradat.
[16] WA 56,231,20-22 (Schol. zu Röm 3,5): Sed hoc summopere pensandum est, Quod non satis est ore fateri se peccatorem, iniustum, mendacem, insipientem. Quoniam quid facilius, presertim, vbi quietus fueris et extra tentationem?
[17] WATi Nr. 2126 B.
[18] WA 56,301,25-302,7 (Schol. zu Röm 5,3): („Unsere Theologen" hassen das „tribulari et pati").
[19] WA 56,346,30-33 (Schol. zu Röm 7,24): Immo Consolatorium est tantum Apostolum audire eis adhuc gemitibus et miseriis inuolutum, quibus et nos inuoluimur, dum Deo obedire cupimus. — WATi Nr. 714; 1243; 3089.
[20] WATi Nr. 352,12-14: (Theologie kann nicht ohne Anfechtung gelernt werden). — WATi Nr. 2126: (Was Glaube sei, wird in der Anfechtung verstanden. Das Kreuz der geistigen Anfechtungen); vgl. WATi Nr. 1821. — WATi Nr. 3301: (Durch das Wort Gottes und den Artikel der Rechtfertigung muß die Traurigkeit vertrieben werden). — WATi Nr. 3558 A: (In den Anfechtungen lernt man recht die Schrift verstehen). — WATi Nr. 979; 1351; 1120; 1263; 1597.

Glauben umfassen. Eindrucksvollen Ausdruck hat der Heidelberger Katechismus dieser Überzeugung Luthers verschafft, indem er mit der Frage einsetzt, die den Beginn und den Kern alles christlichen Fragens bedeuten soll: „Was ist dein einziger trost im leben vnd in sterben?"[21] Es liegt auf der Hand, wie eine solche Überzeugung die Gestalt einer ganzen Theologie prägt. Sie bedeutet Konzentrierung auf *ein* Thema, und sie bedeutet entschlossene Ausrichtung auf das existentiell Wesentliche hin.

Wir fragen nun, wie sich in den Dictata und später diese Momente geltend machen. Zu Beginn der Dictata ist von Konzentrierung noch nichts zu spüren. In der Glosse zu Psalm 10,5 schreibt Luther: „Der Trost und die Zuversicht der Gerechten in der Trübsal ist dies: Erstens, daß Gott lebt und existiert. Zweitens, daß er gegenwärtig ist, weil er im Tempel ist. Drittens, daß er über alles herrscht, weil ,im Himmel sein Thron'. Viertens, daß er die ,Armen' gütig ,anschaut'. Fünftens, daß er alle sieht und im Herzen prüft durch den Pulsschlag der syntheresis und des Gewissens. Sechstens, daß er die Bösen ,haßt'. Siebtens, daß er die Bösen nicht ungestraft läßt. Nichts bleibt also für den Gerechten zu fürchten in jeglicher Lage"[22].

Das Spätmittelalter hatte lebhaftes Interesse für die Frage des Trostes[23]. In der Trostliteratur, die im 15. Jahrhundert entstand, ist auffallend, wie man sich bemühte, für jede denkbare Lage möglichst viele und spezielle Arten von Trost zu nennen[24]. Freilich kreisten diese Gedanken

---

[21] Bekenntnisschriften und Kirchenordnungen der nach Gottes Wort reformierten Kirche, hrsg. W. Niesel, Zürich ³1948, 149.

[22] WA 55/I,86,22-28: Consolatio et fidutia Iustorum in tribulatione Est hec: prima, Quod Deus viuit et est. Secunda, Quod praesens est, qui „in templo". Tercia, quia regnat super omnia, quia „in caelo sedes ejus". Quarta, quod „pauperes" clementer „respicit". Quinta, quod omnes videt et in corde examinat per syntheresis et consciencie pulsum. Sexta, quod Iniquos „odit". Septima, Quod Impios non impunitos dimittit. Non ergo timendum omnino est Iusto viro in Quocunque casu. — Vgl. WA 3,209,25-210,11 (Aufzählung von acht Motiven, um die Hoffnung auf die Ewigkeit zu bestärken); WA 4,313,25-32 (Aufzählung von sieben Weisen, wie Gott Leben schenken möge).

[23] H. Appel, Anfechtung und Trost im Spätmittelalter und bei Luther: Schriften des Vereins für Reformationsgeschichte, Jg. 56, Nr. 165, Leipzig 1938, 1-152; A. Auer, Leidenstheologie im Spätmittelalter: Kirchengesch. Quellen und Studien, Bd. 2, St. Ottilien 1952; L. Klein, Die Bereitung zum Sterben. Studien zu den früheren reformatorischen Sterbebüchern, Diss. Göttingen 1958, 9-27.

[24] Johannes de Tambaco, Consolatorium theologicum, Basel 1492, in-8⁰, Praef. fol. 1ᵛ: Vero quia diversae tristes personae variis ex causis seu occasionibus communibus et specialibus turbatae variis indigent consolationum remediis, idcirco, ut in hoc libro pro qualibet persona ex quibuscumque causis turbata parata consolatio in certo suo loco promptius valeat inveniri, a communioribus ad specialia usque procedens, librum istum in quindecim libros partiales distinxi: contra homini turbativa consolationum continentes opportuna. Quorum tituli in genere sunt hic consequenter annotati ... — Gabriel Biel bietet in seiner Erklärung der sechsten Vaterunser-Bitte

mehr oder weniger um das Leiden Christi, aber man scheute sich nicht, philosophische Erwägungen mit einzustreuen[25]. Luther knüpft an die spätmittelalterliche Trostliteratur an, wenn er den Betrübten siebenerlei Trost nennt.

Auch in den Scholien zu Psalm 106 spricht er noch von verschiedenen Anfechtungen, nämlich entsprechend den Grundkräften der Seele[26].

Andererseits hat Luther schon in den Scholien zu Psalm 4 die Frage gestellt, was die schlimmste Versuchung sei, also sozusagen die Frage nach einer Grund-Anfechtung. Und er antwortet, die schlimmste Versuchung sei, keine Versuchung zu verspüren, sich vor Gott sicher zu fühlen[27]. Hierin klingt die Rechtfertigungsproblematik an.

Man könnte glauben, daß Luther seit dem Augenblick, in dem er die Rechtfertigung rein aus Glaube als *seinen* Trost empfunden hat, also seit dem Turmerlebnis, nur noch von dem einen großen Trost spricht. Eigenartigerweise verhält es sich nicht so. Noch im Jahre 1520 weiß er vielerlei Trost aufzuzählen. Eine seiner Schriften aus diesem Jahre trägt den bezeichnenden Titel: Tesseradecas consolatoria pro laborantibus et oneratis[28]. Das ist im Grund noch Denken, wie es den ersten Ansätzen entspricht, nicht wie es von der „Grunderkenntnis" aus zu erwarten wäre.

Eines ist jedenfalls klar. Die Tendenz geht vom Vielerlei zum Einen. Wie diese Tendenz vom Vielerlei des Trostes zum einen Trost hin geht, so geht die Tendenz auch von dem Vielerlei, das in Anfechtung stürzt, hin zur Erwägung der einen großen Anfechtung: durch das Gesetz und den Zorn Gottes.

17 Regeln als Hilfe in Anfechtung. Vgl. R. Damerau, Besprechung des 3. Teiles von G. Biel, Canonis Misse Exp., hrsg. Oberman-Courtenay, Wiesbaden 1966: ThLZ 92 (1967) 683. — Meister Eckhart gibt in „Daz buoch der goetlichen troestunge" „etwa dreißig Stücke und Lehren, in deren jeglicher man recht und völlig Trost zu finden vermag" (= Die deutschen Werke, hrsg. J. Quint, Bd. 5, Stuttgart 1963, 472).

25 Johannes de Tambaco, Consolatorium Theol. Praef. fol. 1ᵛ: Praefatum opus aggressus, aptum (si legentibus placeret) de consolatione theologiae appellandum iudicarem. Quod si interdum philosophorum ac rhetorum necnon aliorum auctoritates in eo sunt insertae, hoc ea intentione factum est, qua doctorem excellentissimum Augustinum dixisse memini. Si qua vera dixerunt philosophi, sunt ab eis tamquam ab iniustis professoribus in usus nostros vendicanda.

26 WA 4,211,9-12.

27 WA 55/II,64,4-6: Primo Quidem, ne ex dilatatione iam velut certus sis et torpeas, que est pessima tentatio. Quia „vbi incipis nolle fieri melior desinis esse bonus", ait Bernhardus.

28 WA 6,104-134. Die noch typisch spätmittelalterliche Liebe für Aufzählungen zeigt sich in dieser Schrift mehrfach. Vgl. z. B. WA 6,107,1-3: Prior imago habebit mala quae consyderantur Primo intra se, Secundo ante se, Tertio post se, Quarto iuxta se in sinistro, Quinto in dextro, Sexto intra se Septimo supra se. — WA 6,119,28-31: Alteri Tabellae quoque spectra septem danda sunt, contraria prioribus, quorum primum de bono interno, Secundum de futuro, Tercium de praeterito, Quartum de inferno, Quintum de sinistro, Sextum de dextro, Septimum de superno.

Das Vielerlei der Anfechtungen, das sind auch die vielerlei kasuistischen Vorschriften[29], die Luther zum Skrupulanten gemacht haben[30], an
denen er sich wund gescheuert hat. Seine „reformatorische Grundein-
sicht" führt ihn über seine Skrupulosität und damit über das Vielerlei
der Kasuistik hinaus.

Belegen läßt sich das durch eine Beichtunterweisung aus dem Jahre
1520. Wie mir scheint, klingt in ihr noch deutlich nach, was die anfäng-
lichen vielerlei Anfechtungen Luthers gewesen sind, und in welcher
Richtung er weitergedrungen ist.

„Der Beichtende soll den Wust von Unterscheidungen, der weit und
breit gepriesen wird, einfach beiseite schieben: was er (gesündigt habe)
durch den ‚timor male humilians' und durch den ‚amor male accendens',
was gegen die drei theologischen Tugenden, Glaube, Hoffnung und Liebe, was gegen die vier Kardinaltugenden, was durch die fünf Sinne, was
durch die sieben Todsünden, gegen die sieben Sakramente, gegen die sieben Gaben des Hl. Geistes, was gegen die acht Seligkeiten, was gegen die
neun fremden Sünden, was gegen die zwölf Artikel des Glaubens, was
durch die stummen und durch die zum Himmel schreienden Sünden und
was es sonst noch gibt, durch oder gegen das gesündigt worden ist. Denn
dieser gänzlich hassenswerte und abscheuliche Katalog von Unterscheidungen ist völlig unnütz, ja sogar ganz und gar schädlich"[31].

„Fürwahr mich ödet an, ekelt, mich schämt und erbarmt das endlose
Chaos von Wahnideen, das durch die Ignoranz einer ernsteren Theolo-
gie in dieses so überaus heilsame Sakrament der Beichte eingedrungen ist.
Seit es Menschen gibt, übt die Unwissenheit ihre Tyrannei aus"[32].

Nicht zufällig spricht Luther in dem angeführten Zitat von einer
„ernsteren Theologie". Er verleiht damit indirekt seiner Überzeugung

---

[29] P. Michaud-Quantin, Sommes de casuistique et manuels de confession au moyen
âge (XII-XVI siècles): Analecta Mediaevalia Namurcensia, Bd. 13, Löwen 1962.
[30] J. Lortz, Die Reformation in Deutschland, Bd. 1, Freiburg ⁴1962, 160f.
[31] WA 6,163,25ff. (Confitendi ratio 1520): Ad rem ipsam accedendo tumultum distinctionum penitus abscindat confessurus, qui passim celebratur, scilicet quid per timorem male humiliantem et amorem male accendentem, quid contra tres virtutes Theologicas, fidem, spem, charitatem, quid contra quattuor virtutes cardinales, quid per
quinque sensus, quid per septem peccata mortalia, contra septem sacramenta, contra
septem dona spiritussancti, quod contra octo beatitudines, quid contra novem
peccata aliena, quid contra duodecim articulos fidei, quid per muta, quid per
clamantia in coelum peccata, aut sie qua alia sunt, per quae aut contra peccatum est.
Iste enim odiosissimus ac tediosissimus cathalogus distinctionum inutilissimus est,
immo noxius omnino.
[32] WA 6,165,38-41 (Confitendi ratio): Sed iam me piget, tedet, pudet, miseret istius
infiniti Cahos superstitionum, quas in sacramentum istud confessionis saluberrimae
invexit infoelix illa syncerioris Theologiae ignorantia, quae tyrannidem suam egit a
tempore constitutionum humanarum. — Vgl. WA 5,24, 10-13 (Melanchthons Vorrede zu den Operationes).

Ausdruck, nicht durch Leichtsinn, sondern durch den Vorstoß zu tieferem Ernst seine Skrupulosität überwunden zu haben. Er ist zur Überzeugung gelangt, daß die Kasuistik, eine Frucht scholastischer Theologie, keinen wirklichen theologischen Ernst als Hintergrund habe[33]. So ergibt sich für ihn ein sehr persönliches Motiv, eine ernstere Theologie zu fordern. Und diese Forderung besitzt für ihn keinen finsteren, sondern einen befreienden, aus Bedrängnis erlösenden Klang. Mit großem Nachdruck betont er wiederholt, daß es ihm bei seinem theologischen Bemühen todernst gewesen sei, während seine Feinde, wie zum Beispiel Eck, nur gespielt hätten oder innerlich eiskalt geblieben seien[34].

Die theologische Überwindung der Kasuistik, die für Luther zunächst ein aus persönlicher Not erwachsenes Anliegen war, eröffnet ihm unmittelbar ein pastorales Aufgabenfeld: So wie sein eigenes verängstigtes Gewissen „getröstet" wurde, sucht er nun auch die Gewissen anderer zu trösten und aufzurichten. Nicht umsonst ist der oben zitierte Angriff gegen die Kasuistik in eine schlichte Beichtunterweisung, die er übrigens in lateinischer und deutscher Sprache veröffentlicht hat, eingefügt.

In der Schrift „An den christlichen Adel deutscher Nation" (1520) deutet Luther das Amt des Doktors der Theologie als Amt göttlicher Berufung. Darin ist ein erstes Moment von Luthers Sendungsbewußtsein ausgesprochen. Das Getroffensein von der Gewissensnot der Menschen ist ein zweites Moment. Durch seine eigenen Gewissensqualen hat er das Gewissenselend der Menschen begreifen gelernt. In einer Predigt über die Ehe spricht er davon, daß er nur wider seinen Willen als Reformator auftrete. Dann fährt er fort: „Aber fur nott hilfft keyn schewhen, ich muß hynan, die elenden verwyrrten gewissen tzu unterrichten, und frisch dreyn greyffen"[35].

In ausgereifter Erfassung seiner eigentlichen Intention schreibt Luther 1538, daß der Mensch im Sterben und in all seinen Nöten alles vergessen und sich allein an das Wort Gottes halten soll, um darin seine Kraft zu finden[36].

---

[33] Kasuistik und Kanonistik sind wesensverwandt.
[34] WA 54,179,28-33 (Vorrede zum 1. Bande der Gesamtausgabe seiner lat. Schriften, Wittenberg 1545). — WA 30/III,483,12f. (Vorrede zu Johann Brenz, „Wie in Ehesachen christlich zu handeln sei" 1531).
[35] WA 10/II,275,1-10.
[36] WA 50,347,5-11 (Vorrede zu Justus Menius, „Wie ein jeglicher Christ" etc. 1538): Solches thut Gott alles darumb, daß er nicht auff menschen noch menschlich wesen, Sondern auff sein wort wil gesehen haben und dasselbe unter, uber und ausser allem geehret und gehalten haben. Als wenn ein mensch im sterben odder sonst jnn nöten ist, so mus er vergessen Himels und Erden, Sonn und Mond, Vater und Mutter, gelt und gut, ehre und gewalt, Und sich blos an Gottes wort halten, darauff sich allein wagen und also dahin faren.

Anfechtung und Trost sind — als empirische Tatsachen für sich betrachtet — doch wohl subjektive, psychologische Phänomene, etwa Gemütszustände. Luther meint jedoch diese Gemütszustände immer als Ausdruck eines Geschehens, das sich zwischen Gott und dem Menschen abspielt. Gott ist es, der den Menschen in Anfechtung stürzt und der ihn tröstet. Dieses für die Beziehung des Menschen zu Gott entscheidende Geschehen ereignet sich im Hören auf das Bibelwort. Von der Bibel aus betrachtet, bedeutet dies, daß alles, was in ihr gesagt wird, „pro me" gesagt ist. So sehr Luther die Bedeutung von Anfechtung und Trost betont, so sehr betont er daher auch das „pro me" oder „pro nobis" der Schrift.

Werner Elert spricht von der „magna emphasis", die Luther immer den Worten pro me, pro nobis beilegt[37]. Er begründet seine Aussage durch zahlreiche Stellen aus Luthers Werken[38]. Die Betonung des „pro me" scheint Elert zunächst dadurch motiviert, daß Luther stets Evangelium und Verkündigung als Einheit sehe. „Wo das Evangelium nicht gepredigt wird, da ist Christus nicht"[39].

Luther betrachtet die Bibel nicht als stummes Wort, sondern in Funktion[40].

„Durch das gesprochene Wort der Predigt (wird) der Hörer am unmittelbarsten ‚gestellt', d. h. er kann als Hörer nicht bezweifeln, daß er auch gemeint ist"[41]. „Der Hörer . . ., der dies wirklich ist, vernimmt das Evangelium als an ihn gerichtet. ‚Denn Euangelii predigen ist nichts anders, den Christum tzu uns kommen odder uns tzu yhm bringen'"[42].

Luther wendet sich mit all seiner Leidenschaft gegen das, was wir heute wohl als objektivierende Erkenntnis Gottes bezeichnen würden. So bestimmt er in einem Predigtkonzept aus dem Jahre 1531 den Unterschied von buchstäblicher und geistiger Erkenntnis der Schrift dahin, daß geistig sei, zu erkennen, was Christus „für mich getan", buchstäblich dagegen eine Erkenntnis, die rein theoretisch bleibt, die nicht im Leben befolgt wird und im Herzen tot liegen bleibt[43]. Etwa um die gleiche Zeit

[37] W. Elert, Morphologie des Luthertums, Bd. 1, München ²1958, 60f.
[38] AaO., 61.
[39] WA 10/I,2,154,14.
[40] H. Fagerberg, Die Theologie der lutherischen Bekenntnisschriften von 1529-1537, Göttingen 1965, 27ff.; 77ff.; 99ff.
[41] Elert, aaO., 60.
[42] Ebd. — Vgl. WA 10/I,14,22.
[43] WA 48,339,9-18 (Vierzehn Predigtkonzepte Luthers: 4. Zur Predigt über 2 Kor 3,4-11 am 27. August 1531): Litera ist lauter gewesch vnd das gesetz auffs papier geschrieben. Denn ders predigt, helts nicht, und der zuhort, helts auch nicht vnd felt

erklärt er (in der Vorlesung über das Hohelied), Ziel aller gesunden Exegese seien die Belehrung und der Trost der Menschen. Spekulationen hätten weder Saft noch Kraft. Es gehe darum, die Menschen zu bessern, damit sie ihren Beruf im Gehorsam und zur Ehre Gottes ausüben[44].

Wie Melanchthon[45] hat Luther gerade auch vom Gedanken des „pro me" her den Unterschied zwischen christlicher Erkenntnis und philosophischer Erkenntnis beschrieben[46]. Das Entscheidende der christlichen Erkenntnis liegt darin, den Willen Gottes uns gegenüber zu erfassen. Diese Aussagen haben ihre Bedeutung für Luthers Ablehnung einer natürlichen Erkenntnis Gottes. Selbst wenn eine solche möglich sein sollte, ist sie doch theologisch unbrauchbar. Sie gibt nämlich keine Auskunft darüber, wie Gott mir gegenüber gesonnen ist[47], der persönliche Bezug fehlt.

Theologische Erkenntnis gibt es nur dort, wo der Mensch wirklich den Vater und den Sohn findet, wo sich ihm Gottes Herz und Wille erschließen. Eindringlich spricht Luther über dieses Thema in einer Predigt des Jahres 1528: „Den Vater kennen und den Sohn: wenn ich nicht nur weiß, daß er Vater ist und einen Sohn hat, sondern welche Bedeutung hat, was er durch den Sohn bewirkt. Wenn ich einen Menschen nur seiner Farbe nach kenne, ,so weiß ich nicht, quid cogitet, was er am Schild fuhr, weiß nicht, was fur ein Kräutlein ist', wie sein Herz und Wille, quid faciat, ,wo er sein opera hinricht'. Der Christ schaut die Tiefe Got-

durch die ohren jns hertz vnd bleibt da todt liegen, wie es jn einem buch geschrieben klebt vnd ist ein lautter buchstabe, bringt keine frucht. Spiritus ist, wenn ich predige, das der mann Christus kommen sey vnd hab vor mich gethan, was ich solt gethan haben, habe durch jn vorgebung der sunde, ewiges leben. Das heistadministratio novi testamenti in spiritu. Wer das nicht predigt, est administrator literae.mortuae, sive sit Schwermerus, sive Turca sive Iudeus sive papa. Es mus gethan sein, sal es spiritus heissen, solt es auch Christus selbst thun.

[44] WA 31/II,588,2-589,5 (Vorlesung über das Hohelied 1530/31): ... sicut multi fecerunt, qui delectantur in obscuris libris versari et ostentare suam scientiam, quia ibi liberum nugari, speculari varias speculationes, quae cum fuerint finitae, nullum habent succum et vim ... Sed oportet verbum sit sanum, quod reddat homines melioris vitae, ut administrent res in obsequium et gloriam dei. In nostram doctrinam et exhortationes et consolationes istum librum interpretabor.

[45] WA 5,25,4-9 (Melanchthons Vorrede zu den Operationes): Quid enim prodest scire, mundum a deo conditum esse, ut Genesis indicat, nisi conditoris misericordiam et sapientiam adores? deinde quid profuerit scire misericordem et sapientem deum, nisi in animum inducas tuum, tibi misericordem, tibi iustum, tibi sapientem esse? Atque id est vere novisse deum. Neque vero extremam hanc cognoscendi dei rationem assecuta est philosophia, Christianorum propria est.

[46] WA 21,510,5-8 (Crucigers Sommerpostille [1544] zu Röm 11,33-36): Darumb können auch allein die Christen hiervon reden, beide, was das sey die wesentliche Gottheit in jr selbs, dazu auch, wie er von aussen, in seinen Creatur sich erzeige und was er im sinn habe gegen den Menschen, — WA 21,509,11-30. — Vgl. D. Löfgren, Die Theologie der Schöpfung bei Luther: FKDG, Bd. 10, Göttingen 1960, 193ff.

[47] WA 21,510,8: Was er im sinn habe gegen den Menschen. — WA 45,93,1.

tes durch das Evangelium (Cor. P. [= 1 Kor 2,10]), weil er den Sohn geboren werden, sterben und auferstehen ließ, so daß gerettet wird, wer an ihn glaubt. Dieses Evangelium hat er geoffenbart. Das lehren sie (die Papisten) nicht und glauben sie nicht, sondern sie vertrauen auf ihre Werke. Das heißt nicht den Vater kennen, daß sie sich einbilden, ein so heiliges Leben zu führen, daß sie Gott nicht mehr brauchen, der seinen Sohn in das Fleisch sendet usw. Also haben sie einen erdichteten Gott. ‚Man kann alle predigt leiden‘, außer die von Christus, dem Sohne Gottes. Der Papst würde sie zulassen, damit wir Aristoteles oder das kanonische Recht lehren. In summa: ‚Sie wollen erhalten‘, was sie selbst lehren, und unsere Lehre verdammen. Wenn ich weiß, was der Vater tut ‚mit seim Sohn gegen mir‘, das heißt den Vater erkennen. Durch deine Werke wirst du nicht erlöst, vielmehr (dadurch), daß der Sohn dem Vater bis zum Tode gehorsam geworden ist und du glaubst"[48].

In den Dictata bietet die Frage nach dem tropologischen Sinn der Psalmen Luther reichlich Gelegenheit, ihr „pro me" zu betonen. Nicht zuletzt Ebeling hat zeigen können, wie die Auslegung nach dem sensus tropologicus Luthers theologisches Ringen in der Frühzeit entscheidend geprägt hat[49].

Abschließend sei in diesem Zusammenhange erwähnt, daß Luther immer wieder die „Nützlichkeit" der Theologie fordert. So schreibt er in der Einleitung zu seiner Vorlesung über den Propheten Zacharias, er glaube, daß die Nützlichkeit dieses Propheten sich erweise, wenn wir ihn so auffassen, als habe er unsertwegen geschrieben[50]. Mit Schärfe hat Luther in De servo arbitrio gegenüber Erasmus den Gesichtspunkt der

---

[48] WA 28,43,8-22 (Wochenpredigten über Joh 10-20. 6. Juni 1528): Patrem nosse et filium, quando non solum scio eum patrem esse et filium habere, sed quam sensum habeat, quid per filium effecerit. Si tantum hominem nosco ex colore, so weis ich nicht quid cogitet, was er am schilt fur, weis nicht was fur ein kreutlein ist, quale cor, voluntatem, quid faciat, wo er sein opera hinricht. Christianus videt profunditatem dei per Euangelium. Cor. P. quia sivit filium nasci, resurgere, ut credens in eum salvaretur. Hoc Euangelium patefacit. Ex hoc sequitur, quod omnes damnati, si verum. Hoc non fatentur nec credunt, sed fidunt suis operibus. Hoc non est nosse patrem, quia tam sanctam vitam ducere putant, ut non indigeant deo qui mittat filium in carnem etc. ergo habent deum fictum. Man kan alle predigt leiden, praeterquam de Christo filio dei. Papa admitteret, ut doceremus Aristotelem, Ius Canonicum. In summa: sie wollen erhalten, quod ipsi docent et nostram doctrinam damnare. Quando scio quid pater faciat mit seim son gegen mir, Est agnoscere patrem. Per tua opera non salvaris, quod vero filius obediens factus patri usque ad mortem et tu credis.
[49] Ebeling, Die Anfänge von Luthers Hermeneutik, 61ff.
[50] WA 13,672,22-25 (Praefatio in Sachariam, 1524f.): Sic caussae illae praemissae, ut spero, textum dilucidabunt, et usum illius prophetae facilius nos adsequemur, doctrina nobis tum salutaris fuerit, tum primum ex eo utilitatem sperabimus ad nos perventuram, si propter nos eius prophetiam scriptam esse senserimus. — WA 13,672,4-9 (Hinweis auf Röm 15,4: Quaecumque enim scripta sunt, ad nostram doctrinam scripta sunt).

Nützlichkeit herausgestellt[51]. Besonders häufig fragt er nach der Nützlichkeit theologischer Erkenntnis, wenn er die scholastische Theologie beurteilt. Bezeichnend ist hier eine Äußerung in seiner Genesisvorlesung (1535-45). Dort spricht er über die traditionelle Auffassung des Begriffes imago dei. Er faßt sein Urteil dahin zusammen, daß zwar die Gedankengänge der alten Theologen nicht einfach falsch seien, daß er aber ihre Nützlichkeit energisch bestreiten müsse[52]. Die Frage nach der Nützlichkeit, und das ist die Frage nach dem, was uns persönlich angeht, ist also entscheidend.

d) Verständnis von Theologie als Existenz-Theologie (Gerhard Ebeling[52a])

G. Ebeling erklärt, daß Theologie für Luther einen Doppelcharakter besitze. Einmal sei Theologie für ihn „der Bereich dessen, wofür er sachverständig und zu Sachverständnis verpflichtet war"[53], also der Bereich eines Spezialwissens und -könnens, scientia im Sinne der Einzelwissenschaft. In diesem Sinne ist Theologie eine absolut nüchtern-objektive Angelegenheit. Ebeling spricht betont von einem „Geschäft" der Auslegung als Aufgabe der Theologie in diesem Sinne. Zugleich mit diesem Verständnis von Theologie bestehe bei Luther ein zweites Verständnis. Dieses zweite Verständnis ist nach Ebeling das Entscheidende. Es ist jedoch nicht so leicht zu umschreiben wie das erste. Ebeling erklärt, daß es bei dem zweiten, dem entscheidenden Verständnis um die eigene Existenz gehe, darum also, „sich selbst zu verstehen aufgrund dessen, was einem gesagt ist"[54]. Theologie sei in diesem Sinne „Inbegriff dessen, was über das Menschsein entscheidet, der gewißmachenden, rettenden, lebenspendenden Wahrheit", „Sache des Glaubens, der Gnade, der Tat Gottes"[55]. Ebeling verdeutlicht die beiden Bedeutungen von Theologie an dem Unterschied zwischen historischer Wahrheit und existentieller Wahrheit oder, was er als das gleiche empfindet, an dem Unterschied „zwischen dem objektiv Feststellbaren, methodisch Ausweisbaren, wissenschaftlich zu Verantwortenden auf der einen Seite und der subjektiven Überzeugung, der Gewissensbildung, dem persönlichen Ergriffensein auf der anderen Seite"[56].

Das existentielle Verständnis der Schrift erscheint demnach im Gegen-

---

[51] WA 18,632,21f.: Quae igitur utilitas aut necessitas talia invulgandi, cum tot mala videantur inde provenire? — Vgl. WA 18,609,15-610,23; WA 18,617,23-25.
[52] WA 42,45,24-26.
[52a] Vgl. auch A. Brandenburg, Gericht und Evangelium: Konfessionskundl. u. kontroverstheol. Studien, Bd. 4, Paderborn 1960, 106ff.; O. H. Pesch, OP, Existentielle und sapientiale Theologie: ThLZ 92 (1967) 731-742.   [53] Ebeling, Luther, 100.
[54] Ebd.   [55] Ebd.   [56] AaO., 101.

satz zu einem distanziert historisierenden Verständnis als das Entscheidende. „(Luthers) Präparationen zur ersten Psalmenvorlesung sind ein einziges Dokument des Bemühens, die Schrift so zu verstehen, daß sie nicht bloßer Buchstabe, das heißt: etwas Fremdes, Distanziertes, Äußerliches bleibt, sondern Geist wird, das heißt: im Herzen lebendig wird..."[57]. Ähnlich kurz darauf: „Dieses auf den Geist gerichtete Bemühen um das rechte Schriftverständnis ist darum eo ipso auf Gegenwart aus. Denn der Heilige Geist ist als solcher Gegenwart machende Gegenwart, lebendig machender Geist, im Gegensatz zu dem der Vergangenheit verhafteten und darum auch der Vergangenheit ausliefernden Buchstaben"[58].

Was Ebeling mit dem Begriff des Existentiellen beschreibt, ist das eigentlich Theologische, das, worin theologische Auslegung zu sich selbst kommt. Zu beachten ist freilich, daß der Akzent, der mit dem Begriff des Existentiellen gesetzt ist (nämlich ein anthropologischer Akzent), das eigentlich Theologische im Sinne von Luther nicht ganz zentral trifft. Die lebensvolle Wirklichkeit, um die es geht, hat ihr Zentrum nicht im Menschen und seinen Vollzügen, sondern im Wirken, das von der Schrift ausgeht. Das weiß und betont natürlich auch Ebeling[59].

Ergänzend sei in diesem Zusammenhang darauf hingewiesen, wie Luther seinen Gegnern innere Kälte und Gleichgültigkeit ihrer eigenen Sache gegenüber vorwirft. In Klammern könnte man hinzudenken: sie haben überhaupt nicht begriffen, was Theologie eigentlich ist!

Eindrucksvoll ist eine Aussage Luthers in der Vorrede zum ersten Bande der Gesamtausgabe seiner lateinischen Schriften (1545): „In der Verteidigung des Papsttums bin ich nicht so lauter Eis und Kälte gewesen wie Eck und seine Gesinnungsgenossen. Mir schien fast, daß sie den Papst ihres Bauches wegen verteidigen, statt sich ernst der Sache anzunehmen. Ja, sie scheinen mir auch heute noch den Papst wie Epikuräer zu verlachen. Mir aber war es mit der Sache ernst. Ich handelte in schrecklicher Furcht vor dem Jüngsten Tag und dennoch voll inbrünstigen Verlangens, gerettet zu werden"[60]. Diese ausführliche Aussage stimmt mit gelegentlichen Äußerungen aus früherer Zeit überein[61].

---

[57] AaO., 105. [58] AaO., 107. [59] Ders., Die Anfänge von Luthers Hermeneutik, 67 f.
[60] WA 54,179,28-33: Non eram ita glacies et frigus ipsum in defendendo papatu, sicut fuit Eccius et sui similes, qui mihi verius propter suum ventrem papam defendere videbantur, quam quod serio rem agerent, imo ridere mihi papam adhuc hodie videntur, velut Epicuraei, Ego serio rem agebam, ut qui diem extremum horribiliter timui, et tamen salvus fieri ex intimis medullis cupiebam.
[61] W. v. Loewenich, Luther als Ausleger der Synoptiker: FGLP, R. 10 Bd. 5, München 1954, 83ff.; O. H. Pesch, Theologie der Rechtfertigung bei Martin Luther und Thomas von Aquin: Walberberger Studien, Theol. R. Bd. 4, Mainz 1967, 936.

Der existentielle Ernst Luthers steht im Zusammenhang mit seinem Sendungsbewußtsein[62], aber auch mit seinen Anfechtungen. Als Mensch, der bis auf den Grund seiner Existenz aufgewühlt, ja der Verzweiflung nahe war[63], hat er sich in die Bibel versenkt und von ihr tröstende Antwort erhofft.

5. KAPITEL

DAS RINGEN UM THEOLOGISCHE GRUNDPOSITIONEN IN DEN DICTATA: ANSÄTZE DER KREUZESTHEOLOGIE, DIE FRAGE NACH DEM GANZEN DER SCHRIFT, DAS PROBLEM DER RECHTFERTIGUNG

Das je neu Anfangen-Müssen ist Forderung für die Auslegung der Schrift, also hermeneutisches Prinzip. Grundlegend ist es Forderung, unter der der Mensch im Geschehen der Rechtfertigung steht. Je neu muß der Mensch gleichsam zu glauben beginnen[1]. Für unseren Zusammenhang lautet nun die Frage, ob in all dem ein besonderes Theologieverständnis zum Ausdrucke kommt. Das tritt deutlich zutage, sobald Luther die Grundlinien seiner Lehre von der Verborgenheit Gottes am Kreuze Christi auszieht, wie er es in den Scholien zu Psalm 76 und dann wiederholt tut[2]. Das je neu Betroffensein durch das Wort der Schrift wird jetzt gleichsam konkreter. Es wird zu einem je neu Betroffensein durch das Kreuz Christi. Es wird ein je neues Mühen um die Kenntnis dieses Kreuzes.

Bei dem Betroffensein durch das Kreuz Christi geht es um das ganze christliche Leben, und es geht um die ganze Theologie. Hier findet nun die Theologie ihren alles überstrahlenden Mittelpunkt. Das Ganze des christlichen Lebens und das Ganze der Theologie sind so miteinander verbunden.

Schon durch Bernhard v. Clairvaux war das Verständnis des je neu Anfangen-Müssens auf das Ganze des christlichen Lebens bezogen worden[3]. Für Luther bestimmt es nun auch den Sinn des Theologie-Betreibens: es geht immer ums Ganze der christlichen Botschaft. Noch sind die radikalen Thesen der Heidelberger Disputation nicht ausgebildet. Aber

---

[62] R. Weier, Das Theologieverständnis Martin Luthers und dessen Bedeutung für die Gegenwart: Cath 24 (1970) 183ff.
[63] WA 18,719,9-12.
[1] P. Althaus, Die Theologie Martin Luthers, Gütersloh ²1963, 212f.
[2] WA 3,547,23-548,37. — WA 4,82,19-40 (Ps. 91); WA 4,87,32-88,19 (Ps. 92); WA 4,101,13-15; 29-36 (Ps. 94); WA 4,291,5-7; 292,8 (Ps.118).
[3] Bernhard v. Clairvaux, ep.91 n.3 (PL 182,224A); ep.385 n.1f. (PL 182,587D-588C).

schon geht es ums Ganze. „Ums Ganze" geht es Luther von Anfang an. Das meint er doch, wenn er 1509 schreibt, daß er den Kern der Nuß erfassen wolle. In den Dictata zeigt sich dieses Ausgerichtetsein aufs Ganze darin, daß Luther nicht nur sozusagen akademisch Psalmen erklären will, sondern zugleich am Ganzen des christlichen Lebens interessiert ist und daher ebenso zum Beispiel von den Problemen der Rechtfertigung wie von den Problemen der Auslegung handeln kann.

Nicht selten spricht er davon, was die Intention des gesamten Psalmes sei, den er gerade erklären will[4]. Zu erwähnen ist hier, daß Luther vor Beginn seiner Vorlesung einen Druck des Psaltertextes für die Studenten erstellen ließ[5], in dem er den Psalmen Summarien beifügt[6]. Er versucht von Anfang an, die Sinnganzheit der Psalmen herauszustellen[7].

Die Frage nach der Intention biblischer Bücher spielt, so erinnern wir uns, in seinen Vorlesungen in den zwanziger Jahren eine bemerkenswerte Rolle[8].

Jetzt in den Dictata erklärt er, man könne das Neue Testament nie ohne das Alte verstehen[9]. Falsch ist also nicht nur die Haltung der „Juden", die das Alte Testament ohne das Neue Testament verstehen wollen, sondern auch die Haltung derer, die meinen, auf das Alte Testament verzichten zu können, wenn sie das Evangelium erklären wollen: eine deutliche Aussage, wie Luther die *ganze* Hl. Schrift hören will.

Bereits zu Psalm 11 erklärt er, daß wir uns um den Weg bemühen sollen, in dem alles zusammengefaßt ist, die compendii via, que est fides. Es geht um das verbum abbreviatum[10]. Vom Gesamtsinn des Römerbriefes spricht er schon in den Scholien zu Psalm 31[11]. Mehrfach versucht er den Hauptsinn eines biblischen Buches oder der ganzen Schrift anzugeben[12].

Wir haben betrachtet, wie Luther später erklärt, er habe bei seinem reformatorischen Grunderlebnis die ganze Hl. Schrift in einem neuen Licht, eben in dem Licht dieses Erlebnisses und des neuen Verständnisses von Römer 1,17 gesehen und von dorther neu verstanden. In den Dictata nennt er bereits eine Kernaussage, die geradezu in allen Teilen der

---

[4] WA 4,126,2; WA 4,129,19; WA 4,141,33f.; WA 4,278,4; WA 4,285,33.
[5] Ebeling, Der Psalterdruck vom Jahre 1513, 71.
[6] Ebeling weist nach, daß diese Summarien von Luther selbständig formuliert seien. AaO., 80.
[7] AaO., 88.
[8] Vgl. o. 72ff.
[9] WA 4,180,11-23: Hic quoque illud insigne nota, quod nihil in scriptura est exponendum, nisi auctoritate utriusque testamenti probetur et consonet ... ut dixi, in consonantia utriusque testamenti seu prophetarum et legis.
[10] WA 50/I,94,15f.; 96,17-20; WA 3,150,3.
[11] WA 3,174,11-20 (14!): Hec est etiam conclusio totius Epistole b. Pauli Roman.
[12] WA 3,225,37f. (Ps. 39); WA 4,69,6-10 (Ps. 90).

178

Schrift bezeugt sei: die Verwerflichkeit der Selbstgerechtigkeit[13]. An zwei voneinander völlig getrennten Stellen sagt er das fast mit den gleichen Worten aus. Es ist die Aussage, die die erste Stufe seiner Rechtfertigungslehre bezeichnet, wie er sie in der Römerbriefvorlesung dann breit entfaltet hat.

Für das Theologieverständnis bedeutet dies, daß Luther bereits in den Dictata Theologie als ein Hören auf den *Gesamt*inhalt der Schrift und als ein Hören auf ihren Kerninhalt versteht.

Daß dieser Kerninhalt mit dem Namen Jesus Christus umschrieben werden kann, ist ihm von vornherein klar. Er ist der fontalis sensus, von dem sich alle anderen „sensus" der Schrift ableiten lassen[14], er ist das verbum abbreviatum, in dem die vielen Worte der Schrift zu einem einzigen zusammengefaßt sind[15].

Dabei nimmt das Bild Christi für ihn immer eindeutiger die Züge des Gekreuzigten an. Und die Theologie, um die es geht, ist eben die Theologie vom Kreuz — freilich so, daß andere Momente nicht einfach ausgeschlossen sind. So besonders nicht das Moment des Eschatologischen. Nicht lange nach seinen ersten Ausführungen über die absconditas dei (nämlich über die Verborgenheit Gottes durch das Kreuz) folgen Ausführungen über den prophetischen Sinn der Schrift, ja beides wird in Verbindung zueinander gesetzt[16].

Hinzuzufügen ist dem Gesagten, daß die Frage nach dem Hauptinhalt der Schrift, die für Luthers Theologieverständnis wichtig ist, auch schon im späten Mittelalter nachdrücklich gestellt worden ist. Rudolf Haubst hat gezeigt, welche Rolle diese Frage etwa bei Cusanus gespielt hat. „Daß Christus den eigentlichen Inhalt der Schrift des Alten Bundes bildet, hebt Nikolaus durch wiederholte ‚Omnis Scriptura'-Sätze … eindringlich hervor: …‚Das ist die ‚Summe' der Heiligen Schrift: sie beschreibt nur den ‚vollkommenen Mann' (Jak 3,2), nämlich Jesus, den Sohn Gottes, und seine Nachahmung'"[17]. Auch der Blick auf das Kreuz

---

[13] WA 3,155,30-37 (Ps. 27): Desertio iustitie et adinventio proprie, que est vere nequitia … Et puto quod non sit authoritas et figura, immo nec unum iota aut apex, in quo hoc teterrimum monstrum non tangatur per totam Scripturam. — WA 4,316,10-13.

[14] WA 55/II,63,4-11 (Ps. 4): Scriptura … primo fontali sensu de ipso (Christo) loquitur. Deinde eundem sensum deriuat in riuulos (i.e. particulares expositiones) participatiue de sanctis loquens eadem verba … Et hoc modo omnes quatuor sensus Scripture in vnum confluunt amplissimum flumen.

[15] WA 55/I,94,16. 96,17f.; WA 3,262,26f.; WA 3,349,3. — Vgl. Faber Stapulensis, Qu. Psalt., fol. 73f. (Ps. 44, Adv. 2. versu): Et quia salvator hominum in carne sumpta verbum caro factum, fecit in mundo isto verbum abbreviatum, quod omnes potest salvare animas; Petrus Cantor, Verbum abbreviatum (PL 205,23ff.).

[16] WA 4,305,3-12.

[17] Cusanus, Sermo 253 (Cod. Vat. lat. 1245, fol.197rb). Zit. n. Haubst, Die Christologie des Nikolaus von Kues, 94. Ebd. weitere Belege.

ist bei der Frage nach dem Kerninhalt der Offenbarung dem Cusanus nicht fremd. „Es sind also alle göttlichen Geheimnisse", schreibt er, „in der Kreuzigung des unschuldigen Christus zusammengefaltet enthalten"[18].

SCHLUSS

VERGLEICH VON LUTHERS THEOLOGIEVERSTÄNDNIS ETWA SEIT 1518 MIT SEINER FRÜHEN THEOLOGIE

Im ersten Teil unserer Untersuchung sind wir etwa vom Jahre 1518 ausgegangen und haben die weitere Entwicklung von Luthers Theologieverständnis verfolgt. Nun haben wir auch seine frühen Aussagen zum Thema betrachtet. Was ergibt sich als Verhältnis der frühen zu den späteren Aussagen?

a) Das die reformatorische Wende begleitende Theologieverständnis im Lichte des Alterszeugnisses (1545) und der frühen Theologie

Wir haben für die Beantwortung der ganz allgemein gestellten Frage nach dem Verhältnis von frühen und späteren Aussagen zum Thema Theologieverständnis sozusagen noch nicht die Hände frei. Innerhalb der allgemeinen Frage gibt es ein Sonderproblem, das sich hier vordrängt, weil es wie eine Hypothek auf den Darlegungen des ersten Teiles liegengeblieben ist. Es handelt sich um folgendes.

Als einen wichtigen Einstieg in die Problematik von Luthers Theologieverständnis überhaupt haben wir seinen bekannten Rückblick auf sein Turmerlebnis aus dem Jahre 1545 benutzt[1]. Entscheidend war dabei seine Aussage, durch dieses Erlebnis habe die Hl. Schrift als ganze ihm ein anderes Gesicht gezeigt, und er sei in Gedanken sogleich die einzelnen Bücher der Schrift durchgegangen, ob sich in ihnen bestätige, was ihm an der Stelle Römer 1,17 so trostreich aufgegangen sei. Wir haben betrachtet, wie Luther in den zwanziger Jahren bis hinein in die dreißiger Jahre tatsächlich immer wieder nach der Sinnmitte der Schrift gefragt hat und in welcher Weise er es getan hat.

---

[18] Sermo 275 (Cod. Vat. lat. 1245, folg.248[rb] = Excitationes ex sermonibus, l.X, Paris 1514, fol.179[v]): Sunt igitur omnia divina mysteria in crucifixione innocentis Christi complicata.
[1] Vgl. o. 65.

Methodisch gesehen liegt das Problem dieses Vorgehens darin, daß die Aussagen aus dem Jahre 1545 in diesem Punkte als zutreffende Wiedergabe eines viel früheren Ereignisses vorausgesetzt werden mußten. Dieses Problem darf nicht unterschätzt werden, zumal die historische Zuverlässigkeit der Altersaussagen Luthers nicht über jeden Zweifel erhaben ist. Der von uns gewählte Einstieg hat eindeutig nur den Wert einer Hypothese, daß heißt einer Arbeitshilfe, deren Recht zu beweisen bleibt.

Wenn Luther, wie dargetan, in den zwanziger und dreißiger Jahren eben das in aller Ausführlichkeit und mit Eifer getan hat, was laut Rückblick von 1545 durch das Turmerlebnis eingeleitet worden ist, so liegt darin eine Bestätigung der Hypothese. Aber erst eine Teilbestätigung: in der Zeit, die sicher später liegt als das Turmerlebnis, hat Luther das getan, was vorauszusetzen ist, wenn seine Angaben aus dem Jahre 1545 zutreffen. Er hat nämlich an den einzelnen Büchern der Schrift, insbesondere des Alten Testamentes gezeigt, ob sie letzten Endes das meinen, was Römer 1,17 aussagt, ob also in Römer 1,17 der Skopus der Schrift ausgesagt ist.

Die Hypothese verlangt jedoch eine zweite Überprüfung. Ob nämlich in der Zeit, die möglicherweise oder sogar wahrscheinlich früher als das Turmerlebnis liegt, dieses Fragen nach dem Ganzen der Schrift, und zwar näherhin im Blick auf das Rechtfertigungsgeschehen noch nicht nachweisbar ist. Diese Zeit ist die Abfassungszeit der Dictata und insbesondere ihrer ersten Teile.

Wir haben nun gesehen: Luther fragt auch in den Dictata, und zwar schon in den Scholien zu Psalm 27[2], nach der Sinnspitze der ganzen Schrift, und es geht dabei um das Problem der Rechtfertigung, wie er es damals sieht: als Problem der Selbstgerechtigkeit und der Selbstanklage.

Luther kann schon so früh diese Fragen stellen, weil diese in seiner geistigen Umwelt bereits lebendig waren[3] als Fragen nach dem Skopus der Schrift und als Problem der Rechtfertigung. Ob seine persönliche Leistung darin bestand, diese beiden Momente zusammenzufassen, müßte genauer geprüft werden.

Was folgt daraus für die Rektifizierung der „Hypothese"? Luther hat wohl schon vor seinem Turmerlebnis die ganze Schrift danach befragt,

---

[2] Vgl. o. 178f., Anm. 13.
[3] G. Krause erklärt, Luther habe unter Verwertung traditionellen Materials eine eigene Skopus-Theorie ausgearbeitet. Ders., Studien zu Luthers Auslegung der Kleinen Propheten: BHTh 33 Tübingen 1962, 241. — Krauses Auffassung, daß man vor Luther den sensus litteralis und den Skopus nicht als wahre Einheit begriffen habe (aaO., 245), läßt sich zum mindesten so undifferenziert nicht aufrechterhalten. Vgl. Weier, Das Thema vom verborgenen Gott, 154.

was sie über das Geheimnis der Rechtfertigung aussagt. Das Turmerlebnis hat dieser Frage nur bestimmteren und neuen Inhalt und neue Intensität verliehen. Wie groß diese Intensität der Frage war, eben das hat unsere Untersuchung, wie ich meine, deutlich machen können.

Oder ist das Gesagte ein Hinweis dafür, daß die Dictata „in engster zeitlicher Nähe zu der in Luthers Selbstzeugnis aus dem Jahre 1545 beschriebenen reformatorischen Grundentdeckung"[4] stehen? Sprechen also die angeführten Tatsachen eher für eine Frühdatierung? Es bleibt bei der Ungewißheit. Klar wird jedoch, daß die Ausführungen von 1545, sofern sie für Luthers Theologieverständnis relevant sind, mit der nachweisbaren Entwicklung in Einklang stehen. Jedenfalls in den zwanziger und dreißiger Jahren ist sein Theologieverständnis wesentlich von der Frage geprägt, wie das Gesamt der Hl. Schrift das Geheimnis der Rechtfertigung meint und ausspricht.

Indirekt haben wir mit der Überprüfung der Altersaussage über die Bedeutung des Turmerlebnisses für Luthers biblische Grundeinstellung einen Teil der allgemeinen Frage beantwortet, wie sich das Theologieverständnis Luthers seit etwa 1518 zu seinem frühen Verständnis von Theologie verhält. Sofern man jene Dimension ins Auge faßt, die mit seiner „reformatorischen Grunderkenntnis" in Zusammenhang steht, ergibt sich eine klare Kontinuität. Man kann nur von einer Intensivierung sprechen: von der Intensivierung der Ausrichtung hin auf die lebendige Sinnmitte der Schrift.

b) Weitere Ansätze von Luthers späterem Theologieverständnis in seiner frühen Theologie

Außer der Frage nach der reformatorischen Grunderkenntnis haben wir zwei Grundansatzpunkte für die Darstellung von Luthers Theologieverständnis etwa seit 1518 herausgestellt: die Thesen zur Heidelberger Disputation über die theologi crucis und gloriae und seine Äußerungen über Theologie im Zusammenhang mit den Studienreformen des Jahres 1518 in Wittenberg.

Zunächst die Thesen zur Heidelberger Disputation. Wir erinnern uns, daß Luthers polarisierendes Denken, wie es die Gegenüberstellung von theologi crucis und gloriae zeigt, sich nicht nur auf den Inhalt der Theologie bezieht, sondern auch und nicht zuletzt auf ihren Vollzug. Beide Tendenzen: der Wille zur Polarisierung und die Deutung der Geisteshal-

---

[4] Ebeling, Die Anfänge von Luthers Hermeneutik, 8f.

tung vom Inhalt aus und umgekehrt treten schon sehr früh hervor, ja geradezu von allem Anfang an, nämlich in seiner Vorlesung zu den Sentenzen des Lombarden. Und beide Tendenzen sind bereits in den Dictata weiterentwickelt. (Man denke an seine Kritik an den „Juden" und den religiosi). Das ist ein sicheres Zeichen dafür, wie lebhaft Luther diese Tendenzen verfolgt, von welch starken Impulsen sie gespeist werden.

In den Dictata wird freilich überdies klar, daß sein Denken sich von diesen beiden Tendenzen her nicht völlig beschreiben läßt. Da ist noch vieles mehr am Gären!

Sodann: Luthers Bemühungen um Studienreform, seine Auseinandersetzung mit humanistischen Denkansätzen. Auch hier ist kein Zeitpunkt angebbar, von dem ab erst das Problem auftauchen würde. Schon in ganz frühen Äußerungen setzt sich Luther für das Väterstudium ein. Und gerade das ist doch der Punkt, an dem das Humanismusproblem ihn nie völlig loslassen wird.

Schließlich ist auch die Auffassung der Theologie als einer praktischen Wissenschaft bei Luther von Anfang an spürbar. So wenn er betont, daß Theologie in einem tieferen Sinne den Menschen nützlich sein müsse, und vor allem durch die grundsätzliche Würdigung der Anfechtungen als theologischer Erfahrung.

DRITTER TEIL

EINBETTUNG VON LUTHERS THEOLOGIEVERSTÄNDNIS IN DIE THEOLOGISCHE ENTWICKLUNG SEINER ZEIT

Geht man von der im Grunde selbstverständlichen und für Luther sogar in besonderer Weise gültigen Tatsache aus, daß Denken sich nicht im leeren Raum entfaltet, sondern immer so, daß von der geistigen Situation des Denkenden eine entscheidende Befruchtung ausgeht[1], so zeigt sich, daß die Rückfrage nach den Ansätzen für Luthers Verstehen von Theologie, wie wir sie im zweiten Teil unserer Untersuchung versucht haben, nach einer Komplettierung verlangt, die den geistigen Raum des jungen Reformators betrifft. Es erhebt sich mithin die Frage, wie in seinem geistigen Umkreis über Theologie gedacht worden ist.

Unvermeidlich ist diese Frage überdies, weil Luther wahre Theologie so zu begreifen sucht, daß er sie abhebt von dem Hintergrund uneigentlicher, ja verderblicher und teuflischer Theologie, und daß er falsche Theologie nicht im Sinne etwa eines nur konstruierten Kontrapunktes meint, sondern im Sinn konkreter historischer Gegebenheit: im Sinne der „scholastischen" Theologie in globo.

Die Rückfrage nach Theologieverständnis im geistigen Umkreis Luthers ist demnach von Grund auf zwiefältig. Sie ist einerseits Frage danach, wie denn jene von Luther verurteilten „scholastischen" Theologen selber über Theologie gedacht haben. Sie ist also erstens Frage nach der historischen Wirklichkeit des von Luther verurteilten scholastischen Theologieverständnisses. Zweitens ist sie Rückfrage danach, wie Luther mit seinem Denken über Theologie in seinem geistigen Raum gründet, also nicht nur im Gegensatz zu ihm steht, sondern mit ihm verbunden ist.

Bezüglich dieser zweiten Aufgabe ist näherhin zu fragen, ob man sich auf Texte beschränken muß, von denen man unzweideutig oder mit Wahrscheinlichkeit nachweisen kann, daß Luther sie gelesen und theologisch ausgewertet hat. Bei der Beantwortung dieser Frage ist zu bedenken, daß es nicht etwa um Quellenanalyse von Texten Luthers geht, sondern darum, sich ein Bild davon zu machen, wie in der geistigen Umwelt Luthers über Theologie gedacht worden ist. Denn dieses Denken ist doch die Atmosphäre, aus der sein eigenes Denken über Theologie erwächst.

---

[1] J. Lortz, Martin Luther. Grundzüge seiner geistigen Struktur, in: Festgabe H. Jedin, Reformata reformanda, Bd.1, Münster 1965, 238.

184

Der Nachdruck liegt auf dem Worte Bild: es geht (wenigstens letzten Endes) nicht um begrifflich scharf fixierbare Einzelbezüge, sondern um das Gesamtbild.

Daraus ergibt sich der Weg der Untersuchung. Wir beginnen mit der Betrachtung „scholastischen" Theologieverständnisses. Sodann wenden wir uns solchen Theologieverständnissen zu, die Luther mit Sicherheit bekannt waren und die er wenigstens mehr oder weniger als sympathisch empfunden und als echte Theologie anerkannt hat. Von dort schreiten wir zu Theologieverständnissen fort, die nur als Ausdruck von geistigen Strömungen dienen können, die Luther in irgendeiner Form umspült haben. Hier geht es nicht mehr um den Nachweis historischer Abhängigkeit im strengen Sinn, sondern um Einbettung von Luthers Denken in seine Zeit. Dabei kann vieles nur tastend gesagt werden, das heißt als Vergleich zwischen Luther und dem betreffenden Theologen. Jedoch gehört zur Aufhellung des Gesamtbildes das Abtasten der ins Unbestimmte verlaufenden Randzonen, wie ich meine, notwendig hinzu.

A. Das Theologieverständnis des Gabriel Biel als typisches Beispiel „scholastischer" Theologieauffassung

Wenn im folgenden Gabriel Biels Theologieverständnis als typisches Beispiel „scholastischer" Theologieauffassung vorgestellt werden soll, so ist „scholastisch" im Sinne von Luther gemeint, also so, wie er in seinen Angriffen gegen die „scholastischen Theologen" dieses Wort versteht.

Schon vor seinem Eintritt ins Kloster im Jahre 1505 hat er in Erfurt eine erste Bekanntschaft mit der Scholastik gemacht. Vier Jahre lang hat er dort scholastische Philosophie, insbesondere die ockhamistische Interpretation der aristotelischen Logik studiert[2]. Der akademische Lehrbetrieb in Erfurt war damals (mit Ausnahme der Barfüßerschule[3]) vom Ockhamismus beherrscht[4]. Luther hat sich selbst häufig als Ockhamist bezeichnet, und zwar sowohl in früheren als in späteren Jahren[5].

---

[2] O. Scheel, Martin Luther. Vom Katholizismus zur Reformation, Bd.1, Tübingen ³1921, 174ff.

[3] L. Meier, OFM, Die Barfüßerschule zu Erfurt: BGPhThMA 38/2, Münster 1958, 83-92.

[4] F. Ehrle, Der Sentenzenkommentar Peters von Candia: FStud Beih.9, Münster 1925, 162f. u. 202; Scheel, Martin Luther, Bd.1, 175; F. W. Kampschulte, Die Universität Erfurt in ihrem Verhältnis zu dem Humanismus und der Reformation, Bd.2, Trier-Lintz 1860, 2.

[5] E. Iserloh, Luthers Stellung in der theologischen Tradition, in: (Hrsg.) K. Forster, Wandlungen des Lutherbildes (= Studien und Berichte der Kath. Akademie in Bayern, H. 36), Würzburg 1966, 16f.

Wie nicht zuletzt die Disputatio contra scholasticam theologiam aus dem Jahre 1517 zeigt, hat er die Lehre Gabriel Biels als repräsentativ für die scholastische Theologie empfunden[6]. Im folgenden wird daher zunächst Biels Interpretation von Ockhams Theologieverständnis dargelegt, soweit es die Problemlage charakterisiert, an die Luthers eigene Erwägungen anschließen[7].

1. KAPITEL

AUSGANGSPOSITIONEN

Biel erörtert Wesen und Eigenschaften der Theologie in seinem Collectorium in quattuor libros sententiarum[8]. Als Absicht des Werkes bezeichnet er, eine verkürzte Darstellung von Ockhams Sentenzenkommentar zu bieten[9]. Er schließt sich daher auch bei der Darlegung seines Theologieverständnisses eng an diesen an. Im Explizit des Prologs bekräftigt er sein Vorhaben und fügt hinzu, er habe der Ansicht Ockhams einiges hinzugetan und einiges geändert[10]. Traditionsgemäß bildet seine Theorie

---

[6] L. Grane, Contra Gabrielem: Luthers Auseinandersetzung mit Gabriel Biel in der Disputatio contra Scholasticam Theologiam 1517: Acta Theologica Danica, Bd.4, Gyldendal 1962, 46. — Auf die Schwierigkeit, die Beziehung zwischen Biel und Luther genauer zu erfassen, weist hin H. A. Oberman, Spätscholastik und Reformation, Bd.1, Zürich 1965, 3.
Unabhängig von der Frage, welche Bedeutung Biel für Luther gehabt hat, nennt K. Feckes ihn „den typischen Vertreter" des Ockhamismus. Ders., Gabriel Biel, der erste große Dogmatiker etc: ThQ 108 (1927) 54; ders., Die Rechtfertigungslehre des Gabriel Biel und ihre Stellung innerhalb der nominalistischen Schule, Münster 1925, 140ff.
Erwähnung verdient, daß Luther zur Vorbereitung auf seine Priesterweihe im Jahre 1507 in der Expositio canonis missae Biels mit Eifer studiert hat. — Vgl. A. Zumkeller, OESA, Martin Luther und sein Orden: AAug 25 (1962) 259.
[7] Auf das Verhältnis Biels zu Ockham wird jeweils verwiesen. Nicht untersucht wird von mir Luthers Verhältnis zu seinen ockhamistischen Lehrern Jodokus Trutfetter von Eisenach und Bartholomäus Arnoldi von Usingen. Neben Gabriel Biel nennt besonders die ältere Lutherforschung Peter von Ailly (vgl. H. Grisar, Luther, Bd.1, Freiburg 1911, 104). Dieser ist Schüler Ockhams und als solcher Nominalist (vgl. Iserloh, aaO., 19f). Außerdem ist er aber Eklektizist. Aus Gründen, die noch darzulegen sind, scheint mir besonders wichtig, was er an augustinischen Gedanken vorträgt.
[8] Probleme des Entstehungsdatums erörtert H. A. Oberman in: Spätscholastik und Reformation, Bd.1, 22f.
[9] Sent. propositum, fol. 3rb: Cum ergo nostri propositi est dogmata et scripta venerabilis inceptoris Guilhelmi Occami anglici veritatis indagatoris acerrimi circa quattuor sententiarum libros abbreviare.
[10] Sent. finis prologi: Finem habet in his notatis quam breviter et succincte epithoma prologi admodum diffusi venerabilis inceptoris Guilhelmi Occami, ubi studiosus lector latius invenire potest, quod hic truncatim proponitur paucis adiectis et quibusdam mutatis.

der Theologie den Prolog zum Kommentar. In der Ausgabe Tübingen 1501 (in-f°) nimmt der Prolog neun Blätter ein[10a].

Biel beginnt mit der Feststellung, daß Ockham zum Thema des Theologieverständnisses drei Hauptproblemkreise erörtere: Erstens, was die Theologie in sich sei, zweitens, was mit Hinblick auf ihre Einheit, und drittens, was mit Hinblick auf ihr Objekt über sie zu sagen sei[11].

Die erste Frage (was die Theologie in sich sei) ist nichts anderes als die Frage, ob die Theologie eine Wissenschaft sei[12]. Darin liegt in gewisser Weise eine Umbiegung der ersten Frage. Denn was die Theologie in sich sei, ist doch zunächst die Frage nach dem Eigentlichen, nach dem, was sie zur Theologie macht, sie also vor anderen auszeichnet. Die Frage nach der Wissenschaftlichkeit der Theologie ist dagegen die Frage, ob die Theologie sich dem allgemeinen Wissenschaftsbegriff subsumieren lasse. Freilich erörtert Biel — wie alle Scholastiker — im Zusammenhang mit der Frage nach dem Wissenschaftscharakter der Theologie das, was der Theologie eigentümlich ist, insbesondere, daß sie von Wahrheiten handelt, die mit dem natürlichen Lichte der Vernunft nicht eingesehen werden können.

Die zweite Frage (was über die Theologie in Hinblick auf ihre Einheit auszusagen sei) betrifft im Kern die Frage nach dem Subjekt der Theologie[13]. Diese Feststellung überrascht insofern, als die dritte Frage das Objekt der Theologie betrifft, „Subjekt der Theologie" jedoch in der scholastischen Theologie regelmäßig deren Gegenstand meint[14]. Biel unterscheidet zwischen Subjekt und Objekt der Theologie. Seine Unterscheidung beruht auf formal-logischen Erwägungen[15].

Die Frage nach dem Objekt der Theologie (dritte Hauptfrage)

[10a] Die von H. Rückert veranstaltete kritische Ausgabe des Collectoriums erscheint erst seit Abschluß des Manuskriptes unserer Untersuchung.

[11] Sent. prol., fol.1rb: Prologum quem doctor omnibus libris praemittit accurtandum et abbreviandum assumimus. In quo de tribus principaliter quaerit. Scilicet de theologia in se ... Circa secundum, quoniam unitas scientiae ... attenditur ... Circa tertium, quoniam obiectum, circa quod versatur ...

[12] Ebd.: Scilicet de theologia in se ... Circa primum investigat, qualis notitia sit theologia, an scientia an alia.

[13] Ebd.: Circa secundum, quoniam unitas scientiae ex unitate subiecti eius attenditur, quaerit de subiecto theologiae.

[14] J. Finkenzeller, Offenbarung und Theologie nach der Lehre des Johannes Duns Skotus: BGPhThMA 38/5, Münster 1961, 141. — Das hier angedeutete Problem verweist auf eine von den scholastischen Autoren berücksichtigte doppelte Gegenstandsbestimmung durch Aristoteles. — Vgl. A. Zimmermann, Ontologie oder Metaphysik? Die Diskussion über den Gegenstand der Metaphysik im 13. und 14. Jahrhundert: Studien und Texte zur Geistesgeschichte des Mittelalters, Bd.8, Leiden-Köln 1965, 95-101.

[15] Sent. prol. q.9 a.2 F: Differentia etiam est inter subiectum scientiae et obiectum. Obiectum est conclusio scita cuius subiectum est subiectum scientiae.

betrifft die insbesondere seit Thomas eifrig ventilierte Frage nach dem praktischen oder spekulativen Charakter theologischer Aussagen[16].

Biel hebt sodann hervor, daß er eine Reihe von Fragen Ockhams übergangen habe, weil sie „rein logisch" seien, also den Rahmen formal-logischer Untersuchungen nicht überschreiten[17]. Er will demnach deutlicher als Ockham den Kern des Theologischen herausstellen.

Duns Skotus hat durch seine Kritik an der thomasischen Begründung des Wissenschaftscharakters der Theologie eine bis zum Ende des Mittelalters nicht verstummende Diskussion über den Wissenschaftscharakter der Theologie entfacht. Durch die Zähigkeit der Diskussion sind viele Einzelfragen aufgetaucht. Sie führten zu immer differenzierteren Lösungen, die auf verfeinerten Unterscheidungen des formalen Charakters unserer Erkenntnis basieren. Das trifft besonders für Ockham zu. Es kommt hier zum Ausdruck, in welcher Richtung sich die Diskussion um den Wissenschaftscharakter der Theologie seit Thomas verlagert hat.

Wendelin Steinbach legt in der Praefatio zum Collectorium Biels dar, dieser habe eine mittlere Linie zwischen älterer und neuerer Theologie gefunden und eine reiche Tradition verarbeitet. Namentlich weist er hin auf Hugo von St. Viktor, Petrus Lombardus, Alexander von Hales, Bonaventura, Thomas von Aquin, Richard von St. Viktor, Duns Skotus, Durandus de S. Porciano, Petrus de Palude, Ockham, Robert Holkot, Gregor von Rimini, Adam Wodeham, Heinrich Oyta, Peter von Ailly[18].

Im folgenden untersuchen wir nun, welche Lösungen Biel für die drei Grund-Quästionen seines Prologs anbietet.

Die erste Hauptfrage: Was Theologie in sich sei

Biel behandelt die drei Prinzipalfragen seiner Untersuchung in einer Reihe von Teilquästionen. Wir folgen seiner Darstellung, soweit sie für einen Vergleich mit Luthers Theologieverständnis relevant ist.

[16] Sent. prol. propositum: De theologia... in ordine ad obiectum... Sicut cuiuslibet alterius scientiae est praxis et speculatio, quaerit an theologia sit practica vel speculativa. — Vgl. Finkenzeller, Offenbarung und Theologie nach der Lehre des Johannes Duns Skotus, 246.

[17] Sent. prol. propositum: Circa quodlibet horum plures movet quaestiones (sc. Occam), quas tamen non omnes (diffuse saltem) prosequemur: pro eo quod aliquae sunt pure logicales.

[18] Praef., fol.1b: Comperit lector collectorem ipsum veluti apem argumentosam priscorum virorum illustrium alvearia sacrosancta perlustrasse. Hugonis de sancto victore, Perti Lombardi, Alexandri, sanctorum Bonaventurae et Thomae, Richardi, Scoti, Durandi, Paludis, Occami, Holchoti, Gregorii, Adam, Oyta, Cameracensis et aliorum, prout humana fert valetudo, ita inter novos et veteres theologos sese medium posuisse quod nec illorum simplicem sprevit maiestatem nec horum magnificam horruerit subtilitatem.

Die erste von Biel gestellte Teilfrage lautet: „Ist es für den Verstand des Erdenpilgers möglich, eine evidente Einsicht in theologische Wahrheiten zu gewinnen?"[19] Dem eigentlichen Fragesinn gemäß ist damit das Thema der Einsichtigkeit theologischer Erkenntnis angeschnitten (Utrum sit possibile . . . habere notitiam evidentem). Sodann zeigt sich, daß Biel die seit Thomas[20] hochbedeutsame Unterscheidung zwischen einer Theologie der Seligen des Himmels (theologia beatorum) und einer Theologie im Pilgerstande (theologia viatorum) beibehält. Schließlich erhebt sich die Frage, was näherhin eine veritas theologica sei. Biel selbst weist darauf hin, daß in der Quaestio die genannten drei Momente enthalten sind. Er tangiert sie durch den Hinweis auf die drei Hauptbegriffe der Frage: „Verstehen im Pilgerstand", „evidente Erkenntnis", „theologische Wahrheit"[21].

Was zunächst das erste Moment anlangt, das Problem der Einsichtigkeit theologischer Erkenntnis, so ist zu sagen, daß für den Vergleich mit Luther an den Ausführungen Biels bedeutsam ist, daß er die Überzeugung der scholastischen Theologie von der unbedingten Sicherheit theologischer Erkenntnis unterstreicht. Diese Sicherheit gründet nicht in der Evidenz der theologischen Prinzipien, sondern in der Wahrhaftigkeit des offenbarenden Gottes[22]. Man erinnert sich, mit welchem Nachdruck Luther gegenüber Erasmus die unumstößliche Sicherheit theologischer Aussagen hervorhebt.

Im Zusammenhang mit der Frage der Sicherheit theologischer Erkenntnis erörtert Biel auch die Unterscheidung zwischen zufälligen (kontingenten) und notwendigen Wahrheiten[23]. Kontingente Wahrheiten sind insbesondere geschichtliche Aussagen[24]. In konsequenter Anwendung des aristotelischen Wissenschaftsbegriffes[25] gehören nach Biel zur Theologie nur notwendige Wahrheiten[26].

[19] Sent. prol. q.1: Utrum possibile intellectui viatoris habere notitiam evidentem de veritatibus theologicis.
[20] Meyer, Die Wissenschaftslehre: PhJ 48 (1935) 26ff.
[21] Sent. prol. q.1: Utrum sit possibile intellectui viatoris . . . In illa quaestione auctor primo declarat terminos . . . Circa primum describit tres terminos: scilicet intellectus viatoris, notitia evidens, veritas theologica.
[22] Sent. prol. q.1, a.3 L: Deus de potentia sua absoluta potest causare in intellectui viatoris notitiam evidentem aliquarum veritatum theologicalium et aliquarum non.
[23] Sent. prol. q.2, a.2.
[24] Außer den geschichtlichen sind auch die eschatologischen Wahrheiten kontingent. — Vgl. Sent. prol. q.1, concl. 2: Deus non potest causare in intellectu viatoris notitiam evidentem veritatis theologicae contingentis . . . sicut harum: Resurrectio mortuorum erit; deus beatificat animas perpetuo.
[25] G. Söhngen, Philosophische Einübung in die Theologie, Freiburg-München 1935, 43.
[26] Sent. prol. q.2, a.2 (fol.4rb): Est autem scientia notitia evidens veri necessarii nata causari per praemissas applicatas ad ipsum per discursum syllogisticum. — Ebd.:

Bezüglich der Unterscheidung zwischen theologia beatorum und theologia viatorum ist hervorzuheben, daß die „Theologie der Seligen" als das Überlegene, Maßgebende erscheint[27]. Die existentielle Situation des Pilgerstandes, seine Heilsbedrohung und die Hoffnung auf Erlösung verliert durch den betonten Blick auf das Wissen derer, die dem Pilgerstand enthoben sind, an Akzentuierung für die Theologie.

Zur Frage nach der „theologischen Wahrheit" ist folgendes zu sagen: Der Sache nach bestimmt Biel mit der veritas theologica den inhaltlichen Umfang der Theologie. Er unterscheidet zwischen der theologischen Wahrheit in einem engeren und in einem weiteren Sinne. Im engeren Sinn beschreibt er sie als den Bereich der Wahrheit, der dem Erdenpilger zur Erlangung des ewigen Heiles notwendig ist[28]. In weiterem Sinn umfaßt die theologische Wahrheit alle Erkenntnis von Gott und den Geschöpfen, sofern sie einen Bezug zu Gott haben, sei es durch das göttliche Werk der Leitung, Schöpfung, Erhaltung, Rechtfertigung oder der Erlösung oder durch ein anderes göttliches Werk[29].

Ergebnis

Biel sucht im Gefolge von Ockham den Wissenschaftscharakter der Theologie durch drei Hauptfragen zu klären: was Theologie in sich sei, was im Hinblick auf die Einheit der Theologie auszusagen sei und ob die Theologie eine praktische oder eine spekulative Wissenschaft sei.

Die erste Hauptfrage (was Theologie in sich sei) verschiebt sich bei

Conclusio responsalis ad q.: Omnis propositio necessaria in qua aliquid affirmatur vel negatur de deo dubitabilis cuius praedicatum alicui alii termino prius convenit quam subiecto talis propositionis, vel prius ab eo removetur, haec et sola talis est demonstrabilis, et ita eius notitia evidens est scientia proprie dicta. Hoc est omnis propositio de deo: necessaria dubitabilis mediata est demonstrabilis.

[27] Die theologia viatorum ist der theologia beatorum subalterniert. — Vgl. Meyer, Die Wissenschaftslehre: PhJ 47 (1934) 26ff. — Vgl. bei Duns Skotus das Verhältnis von theologia in se und theologia nostra: Ordinatio, prol. p.3 q.3 n.141 (S.95,9-13): De primo dico quod quaelibet scientia in se est illa quae nata est haberi de obiecto eius secundum quod obiectum natum est manifestare se intellectui proportionato; doctrina autem nobis est illa quae nata est haberi in intellectu nostro de obiecto illo.

[28] Sent. prol. q.1 (fol.1va-b); Notandum tertio circa tertium terminum, scilicet veritas theologica. Veritas theologica est veritas necessaria viatori ad aeternam salutem habendam. Hoc est: veritas theologica est veritas, cuius notitia adhaesiva necessaria est ad salutem explicite vel implicite habenti usum rationis et eam apprehendenti. Dicitur explicite vel implicite, quoniam omnes veritates in canone bibliae contentae et ex eius in consequentia necessaria illatae sunt veritates theologicae.

[29] Ebd.: Notificatur quamquam largius, ut omnis propositio seu veritas formata vel formabilis de deo vel etiam de creaturis ut habent reductionem vel per se ordinem ad deum, puta secundum rationem gubernationis, creationis, conservationis, iustificationis, redemptionis etc. dicatur veritas theologica.

Biel zu der Frage, ob Theologie eine Wissenschaft sei. Mit der scholastischen Tradition ist er von der Sicherheit theologischer Erkenntnis überzeugt. Dabei bereitet ihm die Anwendung des aristotelischen Wissenschaftsbegriffes Schwierigkeiten, auch geschichtliche Wahrheiten in den Bereich echter theologischer Erkenntnis einzuordnen. Anderseits ist er überzeugt, daß theologische Wahrheiten in striktem Sinne jene Wahrheiten sind, die zur Erlangung des ewigen Heiles notwendig sind, also die Wahrheiten, die in der Bibel enthalten sind[30], und das sind die Wahrheiten der Heilsgeschichte.

Mit der Tradition unterscheidet er zwischen der theologia beatorum und viatorum. Diese Unterscheidung setzt die theologia beatorum als die maßgebende Art von Theologie voraus. Bei Biel ist der theologische Hintergrund dieser Voraussetzung kaum noch spürbar[31].

2. KAPITEL

DIE FORMAL-LOGISCHE AUFLÖSUNG DER EINHEIT DER THEOLOGIE UND IHRES SUBJEKTES BEI DER BEHANDLUNG DER ZWEITEN HAUPTFRAGE DES PROLOGS[1]

Biels Darlegungen zur Frage nach dem Subjekt der Theologie und besonders nach dessen Einheit sind mit Hinblick auf Luthers Theologieverständnis von besonderem Gewicht. Diesen Ausführungen ist deshalb ein eigenes Kapitel gewidmet.

Die Bestimmung des Subjektes der Theologie steht in engem Zusammenhang mit der Frage nach dem Habitus der Theologie[2]. Das hängt mit dem aristotelischen Wissenschaftsverständnis zusammen[3]. Biel hat in einer eigenen Quaestio die Frage erläutert, ob der habitus theologiae der Zahl nach einer sei. Wir setzen daher zur Behandlung der Frage nach dem Subjekt der Theologie bei der Quaestio zum Habitus der Theologie ein.

Die nun zu besprechenden Fragen entsprechen der zweiten Haupt-Quaestio des Prologs: ob die Theologie *eine* sei.

---

[30] Sent. prol. q.1 (fol.1vb): Omnes veritates in canone bibliae contentae et ex eis in consequentia necessaria illatae sunt veritates theologicae.
[31] Bei Thomas v. Aquin zum Beispiel ist das noch anders. Vgl. u. 203f.
[1] Die zweite Hauptfrage des Prologs: quaerit de subiecto theologiae (Sent. prol., fol.1rb).
[2] Sent. prol. q.8 a.1 B: Distinctarum conclusionum distincti sunt habitus. — Sent prol. q.9 a.1 E: Tot sunt subiecta scientiarum quot sunt conclusiones scitae.
[3] Zimmermann, Ontologie oder Metaphysik?, 92.

a) Die Frage nach der Einheit oder Vielheit des theologischen Habitus

Biel sucht die Frage nach der Einheit oder Vielheit des theologischen Habitus mit Hilfe von zwei Unterscheidungen zu lösen, die ihm erlauben, noch von Einheit der Wissenschaft und der Theologie zu sprechen, ohne an der Einheit des theologischen Habitus in dem Sinne festzuhalten, wie er in der vornominalistischen Tradition betont worden war.

Der Begriff der Wissenschaft im allgemeinen

Bedeutsam für das Verständnis des Folgenden ist eine von Biel vollzogene Unterscheidung, die den Wissenschaftsbegriff betrifft. Wissenschaft wird in einem doppelten Sinne verstanden[4]. Erstens „aggregative", nämlich als Sammlung vieler Einzelerkenntnisse, die sich auf die Erkenntnis des Gegenstandes beziehen, oder (anders beschrieben) als Sammlung vieler Einzelerkenntnisse, die eine bestimmte Ordnungseinheit bilden. In diesem Sinne enthält eine Wissenschaft: notitiae apprehensivae (und zwar simplices und complexae), notitiae adhaesivae, die Prinzipien und Konklusionen, Widerlegungen von Irrtümern, Auflösung falscher Argumente, Definitionen, Einteilungen, Argumentationen. In diesem Sinne gehören viele habitus, die nach Art und Gattung verschieden sind, zu einer Wissenschaft[5]. Zweitens läßt sich „scientia" verstehen im Sinne einer einfachen qualitas, das heißt im Sinne eines Habitus, der gegenüber den anderen habitus intellectuales distinkt abgegrenzt ist[6].

Im einzelnen unterscheidet Biel sodann noch verschiedene Möglichkeiten des Verständnisses von Wissenschaft im aggregativen Sinne. In der soeben behandelten quaestio 1 deutet er den Begriff der scientia aggregativa von den verschiedenen „notitiae" aus: scientia aggregativa

---

[4] Sent. prol. q.9 a.2 F: Supponitur etiam ex quaestione 1. prologi et quaestione VIII. eiusdem, quod scientia accipitur vel pro simplici habitu vel aggregativa.

[5] Sent. prol. q.1 a.1 E: Notandum secundum doctorem (sc. Occamum), quod scientia accipitur dupliciter: Uno modo aggregative pro collectione multorum pertinentium ad notitiam unius vel multorum determinatum ordinem habentium. Illo modo scientia continet notitias apprehensivas simplices et complexas et adhaesivas principiorum et conclusionum, reprobationes errorum et solutiones falsarum argumentationum, diffinitiones et divisiones secundum quam acceptionem dicitur quod in scientia est triplex modus procedendi, scilicet diffinitivus, divisus et illativus, id est argumentativus; et hoc modo multi habitus specie et genere distincti possunt dici una scientia. — Vgl. *Ockham* Sent. prol. q.1 H. (Ad primum).

[6] Sent. prol. q.1 a.1 E: Secundo accipitur scientia pro simplici qualitate vel habitu distincto contra alios habitus intellectuales. — Vgl. *Ockham*, Sent. prol. q.1 I (Ad primum).

ist Sammlung vieler Erkenntnisse. In quaestio 8 bestimmt er erneut den Begriff der scientia aggregativa. Hier erläutert er etwas ausführlicher die Art der Ordnung, in der die verschiedenen Einzelerkenntnisse zueinander stehen.

Von einer einzigen Wissenschaft spricht man bei einer Sammlung vieler Schlußfolgerungen, die untereinander in bestimmter Ordnung verbunden sind. Geordnet sind sie entweder durch die Einheit ihres Subjektes oder ihres Objektes, indem nämlich entweder je von ihrem Subjekt verschiedene „passiones" (Eigenschaften) bewiesen werden oder dieselbe passio von verschiedenen Subjekten. Wegen der Ordnung dieser „zusammengehäuften Schlußfolgerungen" (propter ordinem conclusionum aggregatarum) und ihrer habitus nennt man ihre Ansammlung eine einzige Wissenschaft[7]. Zu den verschiedenen Konklusionen der aggregativen Wissenschaft gehören ebenso viele verschiedene habitus[8]. Also enthält die scientia aggregativa viele habitus.

Die Scholastik hatte im Anschluß an Aristoteles die Wissenschaft als Habitus gedeutet[9]. Biel knüpft im Grunde an diese Deutung an, wenn er zwischen der scientia aggregativa und der Wissenschaft im Sinne eines einfachen geistigen Habitus unterscheidet. Scientia aggregativa ist Ordnungseinheit verschiedener habitus. Dieser Begriff der scientia aggregativa lockert jedoch die von Aristoteles behauptete Einheit der Wissenschaft auf: nicht *ein* Habitus, sondern eine Menge von verschiedenen habitus bilden die Wissenschaft. Je nachdem mehr die Ordnung dieser verschiedenen habitus oder eben die Verschiedenheit der habitus betont wird, tritt Einheit oder Vielheit hervor. Bei Licht besehen führt also, so kann man zusammenfassend sagen, die Unterscheidung eines doppelten Wissenschaftsbegriffes zur Paralysierung der Lehre von der Einheit des wissenschaftlichen Habitus.

[7] Sent. prol. q.8 a.1 D: Notat etiam doctor post praedicta in quaestione I. prologi et in quaestione IX., quod scientia una aliquando capitur pro collectione multarum habentium ordinem determinatum propter conclusiones ordinatas ex unitate subiecti earum vel praedicati, ut dum de eorum subiectis demonstrantur diversae passiones vel una passio de diversis subiectis. Et propter huiusmodi ordinem conclusionum aggregatarum ex habitibus eorum dicitur una scientia: et sic communiter loquuntur philosophi de unitate scientiae. Vgl. *Ockham*, Sent. prol. q.3 (8) G (Responsio auctoris ad quaestionem. Primum): Pro intentione philosophi primo dico, quod philosophus accipit scientiam unam vel pro collectione multorum ordinem determinatum habentium, vel pro multis conclusionibus scitis habentibus ordinem determinatum. (Ockham versteht also seine Ansicht als Interpretation der Auffassung des Aristoteles.)
[8] Sent. prol. q.8 a.1 B: Secundum dictum doctoris est: distinctarum conclusionum distincti sunt habitus. — Vgl. *Ockham*, Sent. prol. q.3 (8) G.
[9] Zimmermann, Ontologie oder Metaphysik?, 92.

Bei der Darlegung, was Wissenschaft sei, betont Biel die Ordnung der verschiedenen Konklusionen und insofern die Einheit der Wissenschaft. In quaestio 8 wendet er seinen Wissenschaftsbegriff auf die Theologie an. Nun betont er die Verschiedenheit der habitus.

Dem doppelten Wissenschaftsbegriff entsprechend entwickelt er auch einen doppelten Theologiebegriff. Theologie ist in zweifachem Sinne zu verstehen: Erstens als fides infusa. In diesem Sinne ist Theologie ein einziger Habitus[10]. Zweitens im Sinne der Zusammenfassung verschiedener habitus. Es handelt sich um folgende: die fides acquisita, verschiedene habitus adhaesivi evidentes (= habitus einsichtigen Urteilens[11]), und zwar sowohl von Sätzen als von Konklusionen, ferner die verschiedenen habitus apprehensivi (= habitus des geistigen Erfassens[12]) von allem, wovon in der theologia acquisita gehandelt wird (sowohl der complexa als der incomplexa[13])[14]. Offenbar entspricht dieser zweite Begriff von Theologie dem Begriff der scientia aggregativa.

In der conclusio wiederholt Biel die angegebene Begriffsbestimmung und erklärt, die Theologie sei unter der Voraussetzung dieses Begriffes nicht eine der Zahl nach. Sie besteht aus verschiedenen habitus[15].

Zusammenfassend ist zu sagen, daß Biel die Lehre von der Einheit des wissenschaftlichen Habitus im allgemeinen und des theologischen Habitus im Anschluß an Ockham aushöhlt. Es bedarf kaum der Erwähnung,

---

[10] Sent. prol. q.8 a.1 E: Considerandum etiam est circa terminum theologia quod dupliciter accipitur. Uno modo ut idem est theologia et fides infusa. Et sic theologia est unus habitus numero in uno intellectu. — Vgl. *Ockham*, Sent. prol. q.3 (8) G (Responsio auctoris ad quaestionem. Secundum).

[11] Zur Erklärung der Begriffe „adhaesivus" und „evidens" vgl. Sent. prol. q.1 a.2 nota 3 H: Notitia *adhaesiva* sive iudicativa est actus intellectus, quo assentit vel dissentit alicui complexo propositionali. — Sent. prol. q.1 a.1 nota 2 B: Notitia *evidens* ... evidentia et inevidentia sunt differentiae veritatis complexae propositionalis.

[12] Zur Begriffserklärung vgl. Sent. prol. q.1 a.2 nota 3 H: Unde notitia *apprehensiva* est actus intellectus quo aliquid, aliqua vel aliqualiter complexe vel incomplexe cogitamus.

[13] Zur Begriffserklärung vgl. Sent. prol. q.1 a.2 nota 3 H: *Incomplexe:* ut cum video caelum vel audio „caelum" et solum caelum cogito nihil ultra cogitando. *Complexe* propositionaliter, dum cogito caelum actu moveri vel motum fuisse.

[14] Sent. prol. q.8 a.1 E: Alio modo theologia includit fidem acquisitam et aliquos habitus adhaesivos evidentes tam propositionum quam conclusionum; et cum hoc habitus apprehensivos omnium de quibus tractatur in theologia acquisita sive complexorum sive incomplexorum. — Vgl. *Ockham*, Sent. prol. q.3 (8) G (Responsio auctoris ... secundum).

[15] Sent. prol. q.8 a.2 concl. 2 F: Accipiendo theologiam ut includit fidem acquisitam et habitus acquisitos evidentes tam propositionum quam consequentiarum quam etiam actus comprehensivos complexorum et incomplexorum non est una numero. Patet. Quoniam diversorum actuum sunt diversi habitus, sed actus illi sunt diversi specie et numero. Ergo et habitus etc.

daß sich hierin der Nominalismus Ockhams drastisch Geltung verschafft hat. Nominalismus bedeutet ja Abschwächung der Realgeltung der Allgemeinbegriffe und damit ihrer einheitsstiftenden Funktion. Auf dieser Einheitsfunktion der Allgemeinbegriffe ruht aber die Einheit eines wissenschaftlichen Habitus notwendigerweise auf[16].

Wie einleitend bemerkt, interessiert uns die Fragestellung Biels weniger um ihrer selbst willen als wegen der mit ihr zusammenhängenden, nun zu behandelnden Frage nach der Einheit des Subjektes der Theologie. Diese Frage hat Bedeutung für den Vergleich mit Luthers Theologieverständnis.

b) Das erste Subjekt der Theologie

Die Begriffe „Subjekt der Theologie" und „erstes Subjekt der Theologie" sind historisch von der Aristotelesbenutzung des Mittelalters her zu erklären. Aristoteles hatte die Einheit der Wissenschaft durch die Einheit der Gattung ihrer Gegenstände erklärt[17]. Diesen Gegenstandsbereich der Wissenschaft (die Gegenstände, von denen sie handelt) nennt er auch ihr Subjekt[18]. Die mittelalterlichen Interpreten verstanden daher zunächst die Gattung der Gegenstände einer Wissenschaft als ihr Subjekt[19]. Es tauchte aber die Schwierigkeit auf, die grundlegende, die Einheit der Wissenschaft begründende Gattung festzustellen. Da nun Aristoteles auch geäußert hat, es genüge für die Einheit einer Wissenschaft, daß man ihre einzelnen Gegenstände auf Eines zurückführen könne, so schlossen die Kommentatoren, „daß die Gegenstände einer Wissenschaft nicht ihrer Natur nach eine Gattung zu bilden brauchen, sondern daß alle Gegenstände lediglich eine Beziehung zu dem haben müssen, was in erster Linie in der Wissenschaft erforscht wird"[20]. Damit wird das Subjekt der Wissenschaft (= die Subjekt-Gattung) zum ersten Subjekt (= das, was in erster Linie in der Wissenschaft erforscht wird).

---

[16] Zimmermann, Ontologie oder Metaphysik?, 97.
[17] Aristoteles, Anal. Post. I, c.28,87a38 f. — Vgl. Zimmermann, aaO., 97.
[18] Aristoteles, Met. II, c.2,997a20. — Vgl. Zimmermann, aaO.
[19] Zimmermann, aaO.
[20] AaO., 99.

Die Frage nach dem Subjekt der Theologie
bei Thomas von Aquin, Bonaventura, Johannes Duns Skotus

Ohne hier einen geschichtlichen Überblick über die Behandlung der Frage nach dem Subjekt der Theologie bieten zu wollen, seien einige besonders repräsentative Darlegungen mittelalterlicher Theologen erwähnt.

Thomas von Aquin nennt in der Summa theologiae Gott das erste Subjekt der Theologie, weil in der Theologie alles sub ratione dei behandelt wird, sei es, daß von Gott selbst gesprochen wird, oder sei es, daß von Dingen gehandelt wird, die auf Gott als den Anfang und das Ende hingeordnet sind. Thomas spricht sodann von einem zweiten Subjektsbegriff, mit dem der Umfang des theologischen Gegenstandsbereiches gemeint ist. In diesem Sinne sind Gegenstand der Theologie die res et signa oder die opera reparationis oder schließlich totus Christus, id est caput et membra[21].

Bonaventura versucht eine Harmonisierung verschiedener Lehrmeinungen. Je nach dem führenden Gesichtspunkt erscheint ihm als erstes Subjekt Gott, Jesus Christus (vgl. Robert von Melun, Robert Grosseteste), res et signa (vgl. Augustinus, Petrus Lombardus), das credibile[22].

Duns Skotus geht bei seiner Bestimmung des ersten Subjektes von der Unterscheidung zwischen der theologia in se und „unserer" Theologie aus. Er erklärt, das erste Subjekt der theologia in se sei Gott, insofern er eben diese Wesenheit ist[23]. Denn Gottes Wesenheit begreife alle Wahrheiten der Theologie virtuell in sich. Der Zentralgegenstand unserer Theologie sei ebenfalls „Gott als diese Wesenheit"[24]. Da uns jedoch die Wesenheit Gottes verhüllt bleibt, so erhebt sich für die irdische Theologie die Frage, unter welcher Hülle Gott in seiner Wesenheit erkannt werden könne. Duns Skotus glaubt, daß dies unter dem Begriff des ens infinitum geschehe. Näherhin ergibt sich daher als erstes Subjekt: Gott in seiner Wesenheit — unter dem Begriff des unendlichen Seins[25].

---

[21] S. th. prol. q. 1 a. 7. — E. Krebs, Theologie und Wissenschaft nach der Lehre der Hochscholastik: BGPhMA, Bd.XI/3-4, Münster 1912, 57.

[22] Finkenzeller, aaO., 146; Krebs, aaO., 54f.; Meyer, Die Wissenschaftslehre: PhJ 48 (1935) 20.

[23] Ordinatio prol. p.3 q.3 n.167 (S.109): Deus sub ratione qua scilicet est haec essentia.

[24] Ord. prol. p.3 q.3 n.168 (S.112).

[25] Finkenzeller, aaO., 152ff.

Biel teilt seine Darlegungen über das Subjekt der Theologie in zwei Artikel ein. Im ersten Artikel nimmt er ausführlich zu der Bestimmung des ersten Subjekts der Theologie durch Duns Skotus Stellung. Er beschreibt die Lehre des Skotus vom ersten Subjekt einer Wissenschaft folgendermaßen: „Die Ansicht des Skotus in quaestio 3 des Prologs: Das Entscheidende des subiectum primum (einer Wissenschaft) liegt darin, daß es in sich erstens virtualiter alle Wahrheiten jenes (Wissenschafts-) Habitus enthält. Hierbei bedeutet das ,virtualiter-Enthalten' nichts anderes als ,ursächlich enthalten', das heißt ,ein anderes verursachen können', so wie die Kenntnis der Prämissen virtuell die Kenntnis des Schlußsatzes in sich begreift"[26].

In ausführlicher Stellungnahme weist Biel im Gefolge von Ockham die Auffassung des Duns Skotus zurück.

Das Subjekt der Wissenschaft im allgemeinen

Sodann beginnt Biel die Darlegung seiner eigenen Ansichten. In zweifachem Ansatz zeigt er, daß eine Wissenschaft mehr als ein Subjekt habe.

Der erste Ansatz setzt den aggregativen Sinn von Wissenschaft voraus: „Sofern Wissenschaft nur eine Ordnungseinheit ist (aggregative una), hat sie nicht bloß ein Subjekt, vielmehr gibt es so viele Subjekte als Schlußfolgerungen mit verschiedenen Subjekten. Freilich kann unter ihnen eine vielfältige Ordnung bestehen ... Und häufig bezeichnet man das erste unter ihnen als Subjekt der aggregativen Wissenschaft. Wie also die aggregative Wissenschaft in Wirklichkeit nicht nur *eine* Wissenschaft ist, so hat sie auch nicht nur einfachhin ein Subjekt, sondern viele Subjekte. Unter ihnen kann eines das erste sein[27] durch irgendeinen Vorrang"[28].

---

[26] Sent. prol. q.9 a.1 A: Est opinio Scoti quaestione III. prologi, quod ratio subiecti primi est continere in se virtualiter primo omnes veritates illius habitus. Ubi nota quod „continere virtualiter", nihil aliud est quam „continere causaliter", id est „posse causare aliud". Et ita „unam notitiam virtualiter continere aliam notitiam" est „unam notitiam posse causare aliam". Sicut notitia praemissarum virtualiter continet notitiam conclusionis. — Vgl. *Ockham*, Sent. prol q.3 (9) (Opinio Scoti in prologo): Circa primum est una opinio: quod ratio primi subiecti est continere in se virtualiter primo omnes veritates illius habitus.
[27] Biel fragt mit der Tradition nach dem „ersten Subjekt".
[28] Sent. prol. q.9 a.1 D: Ex illo patet, quod scientiae, quae est aggregative una, non est unum subiectum, sed tot subiecta quot conclusiones habentes diversa subiecta, licet

Im zweiten Ansatz benützt Biel den Begriff Wissenschaft im Sinne von „simplex qualitas". Das bedeutet im Grunde, daß er hier jede wissenschaftliche Einzelerkenntnis als „scientia" bezeichnet: „Es ergibt sich, daß es so viele Subjekte der Wissenschaften gibt wie erkannte Schlußfolgerungen, oder (mit anderen Worten) wie ‚scientiae conclusionum' (= wissenschaftliche Einsichten in Schlußfolgerungen), die ihre verschiedenen Subjekte haben. Freilich ist klar, daß zwischen den Subjekten der Einzelerkenntnisse (scientiarum) eine vielfältige Ordnung besteht"[29].

Biel löst mithin im zweiten Ansatz wie im ersten Ansatz die Einheit des wissenschaftlichen Subjektes auf. Er will den Begriff des ersten Subjektes retten, nimmt ihm aber in Wahrheit die Bedeutung eines echten Zentralbegriffes der Wissenschaft.

Das Subjekt der Theologie

Im zweiten Artikel der quaestio wendet sich Biel näherhin der Frage nach dem Subjekt der Theologie zu. Er stellt seinen als „conclusiones" gekennzeichneten Thesen einige allgemeine Unterscheidungen voraus, die das begriffliche Verständnis des Subjektbegriffes betreffen.

„Subjekt" wird in doppeltem Sinne verstanden: als subiectum praedicationis und als subiectum inhaesionis. Die Erklärung des Terminus subiectum inhaesionis übergeht er. Sie sei für den Zusammenhang ohne Bedeutung[30]. Gemeint ist das Realsubjekt, dem die aussagbaren Eigenschaften „inhärieren"[31].

Es geht also um das subiectum praedicationis. Bei diesem Terminus ist von der Tatsache ausgegangen, daß Subjekt und Prädikat die beiden

inter illa potest esse multiplex ordo ... Et frequenter primum inter illa assignatur subiectum scientiae aggregativae. Sed sicut scientia aggregativa in veritate non est una scientia, sic nec habet unum subiectum simpliciter sed multa, inter quae unum potest esse primum aliqua primitate. — Vgl. *Ockham*, Sent. prol. q.3 (9) N (Ad tertium dubium): Diversarum partium sunt diversa subiecta, et tamen illa subiecta possunt habere ordinem inter se.

[29] Sent. prol. q.9 a.1 E: Ex quo sequitur, quod tot sunt subiecta scientiarum quot sunt conclusiones scitae sive scientiae conclusionum diversa subiecta habentes. Vero inter subiecta scientiarum multiplex est ordo ut patuit.

[30] Sent. prol. q.9 a.2 F: Subiectum accipitur dupliciter. Vel pro subiecto praedicationis vel inhaesionis. De secundo nihil ad propositum.

[31] *Ockham* macht an der entsprechenden Stelle seines Prologs die Unterscheidung zwischen einem „Subjekt, das supponiert", und einem „Subjekt, für das supponiert wird". Das supponierende Subjekt ist der Subjektsterminus, das Subjekt, für das supponiert wird, ist das Realsubjekt (a). Ockham zersetzt das Realsubjekt nominalistisch zugunsten des Subjektsterminus (b).
(a) Ockham, Sent. prol. q. 3 (9) T (Decisio quaestionis): Subiectum primo modo dictum potest accipi dupliciter. Vel pro isto quod supponit in conclusione, vel pro illo pro quo supponitur. Et tunc accipitur subiectum improprie.
(b) ebd.: ... pro illo pro quo supponitur. Et tunc accipitur subiectum improprie.

„extrema" einer Aussage bilden. Das subiectum praedicationis ist Subjekt im Sinne des einen der extrema propositionis. Subjekt ist der Terminus, von dem das Prädikat ausgesagt wird[32].

Biel kommt zu drei Konklusionen. In der ersten nimmt er Subjekt im Sinne des Realgegenstandes, für den der Subjektsterminus der jeweiligen Erkenntnis supponiert. „Deus sub ratione deitatis" ist unter dieser Voraussetzung nur Subjekt eines Teiles der Theologie. In anderen Teilen der Theologie sind Subjekt: der Vater, der Sohn, der Hl. Geist, die Schöpfung usw.[33].

In der zweiten Konklusion nimmt Biel Subjekt im Sinne von Subjektsterminus. In diesem Sinne ist weder Gott noch eine Sache außerhalb der Seele, die nicht Zeichen ist, Teil- oder Totalsubjekt der Theologie[34].

Die dritte Konklusion gibt das Endergebnis: In verschiedenen Teilen der Theologie gibt es verschiedene Subjekte[35]. Er fügt hinzu: Zuweilen sei das Subjekt eines; wenn nämlich von demselben Subjekt verschiedene passiones ausgesagt werden, oder Verschiedenes von ihm geschlußfolgert wird[36]. Diese Bemerkung ist aber keine Einschränkung, sondern eine formal-logische Präzision des Gesagten.

Das erste Subjekt der Theologie

Nachdem Biel vom Subjekt der Theologie im allgemeinen gehandelt hat, wendet er sich im besonderen der Frage nach dem ersten Subjekt der Theologie zu. Er bezieht sich dabei auf Darlegungen Ockhams, in denen dieser sich ausführlich mit der Tradition auseinandersetzt und zu zeigen versucht, daß seine Bestimmung des Subjektes der Theologie so weit

Nam non semper est idem quod supponit et pro quo supponitur. Hoc patet. Nam in ista propositione: „Omnis homo est visibilis" illud quod supponit (= Subjektsterminus) est aliquod commune ad omnes homines ... Sed illud pro quo supponitur est aliquod singulare.

[32] Sent. prol. q.9 a.2 F: (Subiectum) accipitur pro altero extremo propositionis, sc. termino vel conceptu de quo dicitur praedicatum.

[33] Sent. prol. q.9 a.2 G: Conclusio prima. Accipiendo subiectum pro re significata pro qua supponit subiectum scientiae in aliqua parte theologiae deus sub ratione deitatis est subiectum in aliqua parte, in aliqua pater, in aliqua filius, in aliqua spiritus sanctus, in aliqua creatura. — Vgl. Ockham, Sent. prol. q.3 Z.

[34] Sent. prol. q.9 a.2 G: Conclusio secunda. Capiendo subiectum pro termino supponente, sic nec deus nec res aliqua extra animam quae non est signum, est subiectum theologiae nec totalis nec partialis etc. — Vgl. Ockham, Sent. prol. q.3 Y.

[35] Sent. prol. q.9 a.2 G: Conclusio tertia. In diversis partibus theologiae diversa sunt subiecta. — Vgl. Ockham, Sent. prol. q.3 Z. Daß Gott nur Subjekt eines Teiles der Theologie sei (sc. sub ratione deitatis), kennzeichnet Biel als Nominalisten. — Vgl. Zimmermann, Ontologie oder Metaphysik?, 354f.

[36] Sent. prol. q.9 a.2 G: Et quamquam etiam unum, quando de uno subiecto dicuntur seu demonstrantur diversae passiones in diversis conclusionibus etc.

gefaßt sei, daß sie alle früheren Bestimmungen in ihrem wahren Kern bestehen lasse: „Durch das oben Gesagte lassen sich gewissermaßen alle Ansichten über das Subjekt der Theologie verifizieren — wenn auch nicht ganz in dem Sinne derer, die sie aufgestellt haben"[37]. Biel faßt die Ausführungen Ockhams systematisierend zusammen. Die Bezugnahme auf die Tradition tritt dabei weitgehend zurück, ohne freilich ganz zu verschwinden.

Einleitend erklärt er, das erste Subjekt der Theologie lasse sich auf verschiedene Weise bestimmen. Unterscheidungsprinzip seien die verschiedenen Arten einer Erstrangigkeit des Subjektes[38].

1. Eine erste solche primitas liegt in der perfectio. Faßt man das Moment der Vollkommenheit ins Auge, so läßt sich sagen, daß Gott in seiner Gottheit erstrangig gegenüber den Kreaturen ist. Auch mit Hinblick auf die göttlichen Personen besitzt die Gottheit eine gewisse primitas. Insofern ist also Gott in seiner Gottheit erstes Subjekt der Theologie[39].

Die Ausführungen Ockhams, die der Darlegung Biels zugrunde liegen, beziehen sich auf die Auffassung des Duns Skotus. Ockham zeigt kritisch, daß Gottes Gottheit nicht in der Weise erstes Subjekt der Theologie sei, daß seine Kenntnis virtuell die Kenntnis aller theologischen Wahrheiten enthalte[40]. Die Gründe Ockhams für seine Kritik an Skotus gibt Biel zu Beginn seiner quaestio wieder[41].

2. Ein zweites Moment, von dem aus sich eine Erstrangigkeit ergibt, sieht Biel im „continere". Mit Hinblick auf das „Enthalten" könnte man Christus erstes Subjekt der Theologie nennen, weil er die göttliche und die menschliche Natur „enthält"[42]. Auch hier gibt Biel Ockham wieder. Dieser bezieht sich auf Bonaventura[43].

[37] Ockham, Sent. prol. q.3 (9) BB (Concordat omnes opiniones): Per praedicta possunt aliquo modo verificari fere omnes opiniones de subiecto theologiae, licet forte non ad intentionem ponentium eas.
[38] Sent. prol. q.9 a.2 H: Dicendum quod secundum diversos modos primitatis possunt poni diversa subiecta prima.
[39] Sent. prol. q.9 a.2 H: Unus deus sub ratione deitatis est primum subiectum perfectione respectu creaturarum, sed respectu personarum etiam est aliqua prioritate primum.
[40] Ockham, Sent. prol. q.3 (9) BB: (Scoti) opinio quod deus sub ratione deitatis est subiectum theologiae, potest verificari ... Non tamen est sic primum subiectum notitia eius in intellectu creato quod contineat virtualiter notitiam omnium veritatum.
[41] Sent. prol. q.9 a. 1 A-C. — Vgl. o. 197. — Auch die These Biels, daß Gottes Gottheit nicht erstes Subjekt eines jeden Teiles der Theologie sei (vgl. o. 199), geht auf Ockham zurück. — Vgl. Ockham, Sent. prol. q.3 (9) BB: Nec est subiectum primum cuiuslibet partis theologiae, quoniam non illius partis in qua praedicantur passiones vel praedicata de patre vel filio, vel spiritu sancto vel de creatura.
[42] Sent. prol. q.9 a. 2 H: Sic Christus potest poni subiectum primum prioritate continentiae, quoniam continet naturam divinam et creatam.
[43] Ockham, Sent. prol. q. 3 (9) BB: (Ut Bonaventura) Potest etiam verificari aliquo

3. Eine dritte Weise der Erstrangigkeit bezeichnet Biel als Allgemein-
heit. Unter dieser Rücksicht seien die res et signa erstes Subjekt der
Theologie. Denn alles, wovon die Theologie handelt, sind res et signa[44].
Als Hauptvertreter der Ansicht, daß die res et signa erstes Subjekt der
Theologie seien, nennt Ockham Petrus Lombardus. Kritisch bemerkt er:
„Jedoch sind nicht alle Dinge und nicht alle Zeichen Subjekte (be-
zeichnenderweise spricht Ockham hier von einer Mehrzahl von Subjek-
ten) der Theologie — weder der unseren noch jener der Seligen"[45]. Die
Ansicht des Lombarden fußt ihrerseits auf Augustinus[46].

4. Mit Ockham verwirft Biel die Auffassung, daß Gott, insofern er
Erlöser, Seligmacher und Spender der Herrlichkeit ist, erstes Subjekt der
Theologie sein könne. Er übernimmt die ganz formale Argumentation
Ockhams: „Erlöser" und „Spender der Herrlichkeit" seien nicht Bedeutungen des Subjekts(-terminus), sondern des Prädikats(-terminus). Die
theologischen Sätze, in denen Gott unter dieser Rücksicht genannt wird,
heißen nämlich: „Gott ist Erlöser", „Gott ist der Spender der Herrlichkeit". In diesen Sätzen fungieren die Begriffe „Erlöser" und „Spender
der Herrlichkeit" als Prädikatsterminus[47].

Die hier zurückgewiesene Auffassung hat im Mittelalter besonders
Ägidius Romanus vertreten[48]. Seiner Ansicht nahe steht Hugo von St.
Viktor[49], teilweise auch Albert d. Gr.[50].

Abschließend bestimmt Biel den Umfang theologischer Erkenntnisge-

modo opinio ponens Christum esse subiectum theologiae, quoniam est primum inter
omnia subiecta aliqua primitate. Continet enim divinam naturam et creatam. — Zu
Bonaventura vgl. Finkenzeller, Offenbarung und Theologie, 146.
[44] Sent. prol. q. 9 a. 2 H: Similiter res et signa possunt poni subiectum propter priorita-
tem communitatis, quoniam quaecumque tractantur in theologia sunt res vel signa.
[45] Ockham, Sent. prol. q. 3 (9) BB: (Ut magister sententiarum) Similiter potest dici vel
poni, quod res et signa sunt subiectum theologiae ... Non tamen omnes res nec
omnia signa sunt subiecta theologiae, nec nostrae nec beatorum.
[46] Augustinus, De doctrina christiana, l. 1 c. 2 (PL 34,19). — Vgl. Finkenzeller, aaO.,
142f.; 144.
[47] Sent. prol. q. 9 a. 2 H: Sed deus sub ratione redemptoris vel ratione glorificatoris
non est subiectum, quoniam illae rationes non sunt rationes subiecti, sed magis
praedicati. Istae enim sunt propositiones theologicae: „Deus est redemptor" et „deus
est glorificator". Ubi ratio redemptoris et glorificatoris respiciunt praedicatum et
non subiectum etc. — Vgl. Ockham, Sent. prol. q. 3 (9) BB: Sed illa opinio de rationibus puta quod deus est subiectum theologiae sub ratione glorificatoris videtur
omnino irrationabilis.
[48] R. Egenter, Vernunft und Glaubenswahrheit im Aufbau der theologischen Wissenschaft nach Ägidius Romanus: Festgabe J. Geyser. Philosophia perennis, Bd. 1, Regensburg 1930, 198; Finkenzeller, aaO., 145f.
[49] Hugo von St. Viktor, De sacramentis christianae fidei, prol c. 2 (PL 176,183B). —
Finkenzeller, aaO., 143f.
[50] C. Feckes, Wissen, Glauben und Glaubenswissen nach Albert dem Großen: ZKTh 54
(1930) 33; Finkenzeller, aaO., 145.

genstände[51]. Es gibt keinen Terminus, von dem nicht eine passio theologica ausgesagt werden könnte, denn alles Seiende ist Schöpfer oder Geschöpf[52]. So handelt also die Theologie (im Sinne der theologia acquisita) von jeglichem besonderten Seienden[53].

Korollar: Die dritte Hauptfrage: Was das Objekt der Theologie sei

Biel entfaltet sein Theologieverständnis von drei Grundfragen aus. Auf die zweite Grundfrage (was über die Einheit der Theologie auszusagen sei) wurde besonders ausführlich eingegangen. Die dritte Grundfrage dagegen kann wie die erste (was Theologie in sich sei) kurz abgehandelt werden, da die Ausführungen Biels hier für einen Vergleich mit Luthers Theologieverständnis wenig ertragreich sind.

Die dritte Haupt-quaestio ist die Frage nach dem Objekt der Theologie. Biel deutet sie als Frage, ob die Theologie eine praktische oder eine spekulative Wissenschaft sei[54]. Er erörtert diesen Fragenkomplex in drei Quästionen[55]. Die Antwort hat er selbst kurz zusammengefaßt. Sie genügt für unseren Zusammenhang: Es gibt zwei gegensätzliche Ansichten zum Gegenstand der Frage: Die eine Gruppe behauptet, die Theologie sei einfachhin spekulativ, die andere, sie sei eine praktische Wissenschaft[56]. Dagegen steht folgende von ihm akzeptierte Antwort Ockhams: „Gewisse theologische Erkenntnisse sind einfachhin spekulativ, andere einfachhin praktisch. Denn offenbar enthalten gewisse theologische Konklusionen Anleitung zum Tun, andere nicht"[57].

---

[51] Sent. prol. q. 9 a. 2 H: Sed si quaeritur de quibus est theologia. — Vgl. *Ockham*, Sent. prol. q. 3 (9) CC (Dubitatur).

[52] Sent. prol. q. 9 a. 2 I: Et quoniam non est aliquis terminus, de quo non possit praedicari passio theologica. Omne enim ens est creator vel creatura. — Vgl. *Ockham*, Sent. prol. q. 3 (9) CC (Respondetur).

[53] Sent. prol. q. 9 a. 2 I: Theologia habet tractare de quolibet ante in particulari: quoniam de deo creatore omnium et causarum communissima. Item de creaturis et facturis dei et effectibus illius causae communis. — Vgl. *Ockham*, Sent. prol. q. 3 (9) CC (Respondetur).

[54] Sent. propositum (fol. 1rb): In quo de tribus principaliter quaerit, scilicet de theologia ... in ordine ad obiectum ... Circa tertium: quia obiectum, circa quod versatur. Sicut cuiuslibet alterius scientiae est praxis et speculatio, quaerit an theologia sit practica vel speculativa.
Zur Geschichte der Unterscheidung in der Scholastik vgl. Finkenzeller, aaO., 256ff.; L. Baur, Dominicus Gundissalinus de divisione philosophiae: BGPhMA IV/2-3, Münster 1903, 186ff.; 194ff.; 325ff.; Meyer, Die Wissenschaftslehre: PhJ 47 (1934) 309ff. [55] Sent. prol. q. 10-12.

[56] Ockham hat die Auffassung der Tradition in diesem Punkt recht ausführlich dargelegt: Sent. prol. q. 4 (12) A-H.

[57] Sent. prol. q. 12 A-B: Sunt autem de quaestionis materia opiniones contrariae, quarum una ponit, quod theologia est simpliciter speculativa, alia quod simpliciter

Beispiele für praktische Sätze der Theologie sind: „Man muß Gott aus ganzem Herzen lieben", „den Sabbat heiligen", „zur rechten Zeit am rechten Ort beten". Spekulative Sätze sind: „Gott ist dreieinig", „Der Vater zeugt den Sohn", „Die drei göttlichen Personen sind eins im Wesen, gleich ist ihre Herrlichkeit und Majestät"[58].

3. Kapitel

Luthers Theologieverständnis
im Lichte der wissenschaftstheoretischen Darlegungen
von Biels Sentenzenkommentar

Biels Darlegungen zur Wissenschaftstheorie der Theologie beleuchten in mehrfacher Hinsicht die Entwicklung vom mittelalterlichen zum lutherischen Theologieverständnis.

a) Theologia beatorum und theologia viatorum

Die Unterscheidung einer theologia beatorum und einer theologia viatorum, wie sie in der mittelalterlichen Theologie seit Thomas von Aquin[1] bedeutsam geworden war, hat erheblichen Einfluß auf die Bestimmung des Subjektes der Theologie. Die eigentliche Aussageabsicht dieser Unterscheidung ist darin zu erblicken, daß letzten Endes alle theologische Erkenntnis „von oben" stammt, daß sie nicht ein Hinaufspekulieren ist, sondern Geschenk des Himmels[2].

Sobald dieses Grundanliegen verblaßt, gewinnt die Unterscheidung der theologia beatorum und viatorum ein anderes Gesicht. Dann scheint es, als lenke der Blick auf die Seligen des Himmels die Aufmerksamkeit von der für uns entscheidenden Mühseligkeit unserer irdischen Pilgerschaft ab. In diesem Sinne warnt bereits Johannes Gerson, hier auf Erden vorwegnehmen zu wollen, was uns doch erst nach dem Tode

---

practica. Contra quas est haec responsio auctoris. Aliqua notitia theologica est simpliciter speculativa et aliqua simpliciter practica. Patet, quia aliqua est notitia conclusionis directivae ad opus seu ad operationem, alia non. — Ockham, Sent. prol. q. 4(12) I.

[58] Ebd.

[1] Meyer, Die Wissenschaftslehre: PhJ 48 (1935) 26; 31f.

[2] Thomas v. Aquin, S.th.I q.1 a. 3 ad 2: Sacra doctrina sit velut quaedam impressio divinae scientiae, quae est una et simplex omnium. — Vgl. M.-D. Chenu, OP, La théologie comme science au XIIᵉ siècle: BiblThom 33, Paris 1957, 77. — M. Grabmann, Die theol. Erkenntnis- und Einleitungslehre des hl. Thomas von Aquin auf Grund seiner Schrift „In Boethium de Trinitate", Freiburg/Schw. 1948, 143f.

geschenkt werden kann³. Und das, was scientia subalternata sein soll, das heißt im strikten Sinne untergeordnetes Wissen, erscheint als „Glorieren" und als Greifen nach höchsten Geheimnissen (so die Kritik der devotio moderna oder der Theologia deutsch⁴). Diese im Mittelalter laut werdende Kritik an der scholastischen Ortsbestimmung der Theologie im Hinblick auf das Himmlische nimmt wichtige Momente von Luthers Kritik an der theologia gloriae vorweg.

Luther selbst erklärt bereits in den Dictata gegen jene, die sich in Eigengerechtigkeit ihre eigenen Wege suchen⁵, die „Juden" und Häretiker und alle, die im Stolz verblendet sind: sie wollen nicht „in via", sondern „in patria" sein⁶. Sie wollen nicht den Weg⁷. Mit dem Teufel stellen sie sich auf die Zinne des Tempels⁸. Ohne den Schutz der Verborgenheit Gottes wollen sie ihre Theologie „in nudo coelo", „in nudo deo" betreiben.

Auf unseren Fragepunkt angewendet, bedeuten diese Aussagen: Die spekulative Theologie ist nicht, wie sie vorgibt, theologia viatorum, sondern sie sei in Wahrheit der teuflische Versuch, hier auf Erden Theologie des Himmels zu betreiben⁹. Freilich spricht Luther an dieser Stelle noch nicht offen von den scholastischen Theologen. Er nennt hier die „heretici"¹⁰. Aber denkt er wirklich nur an sie?!¹¹

b) Utrum theologia sit scientia

Die Frage, ob die Theologie eine Wissenschaft sei, ist von der Theologie des Hochmittelalters aus apologetischen Gründen gestellt worden. Die Averroisten des 13. Jahrhunderts haben den Wissenschaftscharakter der Theologie bezweifelt, um der Philosophie den ersten Platz unter den Wissenschaften zu erobern¹². Die Theologen — und unter ihnen besonders Thomas — haben daraufhin ihrerseits in aller Form die Frage gestellt, ob Theologie eine Wissenschaft sei. Sie haben mit Hilfe der aristotelischen Wissenschaftslehre den Wissenschaftscharakter der Theologie zu begründen versucht¹³. Nachdem nun der Anlaß für die genannte Frage, also der Kampf der Averroisten gegen die Theologie

³ Vgl. u. 252.   ⁴ Vgl. u. 221f., 273.
⁵ WA 4,64,9f.   ⁶ WA 4,65,10.
⁷ WA 4,65,11.   ⁸ WA 4,64,34; 65,1; 65,30.
⁹ WA 4,65,39.   ¹⁰ WA 4,65,40.
¹¹ WA 4,64,11f.: Heretici atque imitatores illorum omnes singulares, superstitiosi, superbi in sensu suo.
¹² M. Grabmann, Der lateinische Averroismus des 13. Jahrhunderts und seine Stellung zur christlichen Weltanschauung: SAM 1931, H. 2, 8ff.
¹³ Meyer, Die Wissenschaftslehre: PhJ 48 (1935) 31.

aufhörte, räumte man auch weiterhin der Untersuchung der Frage nach dem Wissenschaftscharakter der Theologie breiten Raum ein. Das trifft auch für Ockham und Biel zu.

Obgleich die Diskussion um den wissenschaftlichen Rang der Theologie in großer geistiger Weite ausgetragen wurde, wovon insbesondere die Darlegungen des Thomas von Aquin und des Duns Skotus Zeugnis geben, erkennen wir jedoch zurückschauend, daß die Fragestellung: „Utrum theologia sit scientia" eine wichtige Vorentscheidung für das Theologieverständnis enthielt. Das ergibt sich folgendermaßen: Zunächst deshalb, weil diese Fragestellung die vom theologietheoretischen Standpunkte aus zweifellos zentralste Frage, nämlich die Frage nach dem Wesen der Theologie, nach dem, was eigentlich Theologie sei, in etwa überdeckt hat. Denn das, was Theologie eigentlich ist, unterscheidet diese von den anderen Wissenschaften; die Frage, ob Theologie Wissenschaft sei, betrifft dagegen das, was Theologie mit den anderen Wissenschaften gemein hat.

Erst im Gegensatz zur Scholastik und als Reaktion auf ihr Theologieverständnis ist die Frage, ob Theologie Wissenschaft sei, durch die Frage nach dem Eigentlichen der Theologie ersetzt worden[14]. Diese Frage kündigt sich in der Kritik an dem scholastischen Wissenschaftsbetrieb an, wie sie in der devotio moderna und von Gerson und seinen Schülern geübt worden ist. In dieser Kritik wird immer wieder darauf hingewiesen, daß die scholastischen Theologen aus Fragesucht sich von ihrer eigentlichen Aufgabe entfernt hätten. In den Kreisen des theologisch interessierten Humanismus ist dann die Frage nach der wahren Theologie mit Macht durchgebrochen[15]. Luther hat diese Frage von Anfang an, das heißt von der Zeit an, aus der wir überhaupt Äußerungen von ihm besitzen, als entscheidende Frage erkannt.

Ergänzend sei hier angefügt, daß Duns Skotus weitgehend die Gefahr vermieden hat, die aus der Frage, ob die Theologie eine Wissenschaft sei, entstanden ist: nämlich die Gefahr einer übermäßigen Akzentuierung dessen, was die Theologie mit den anderen Wissenschaften gemein hat. Das gelingt ihm, indem er die Frage nach dem spekulativen oder praktischen Charakter der Theologie zum Anlaß nimmt, in tiefgründiger Weise nach der wahren und eigentlichen Aufgabe der Theologie zu fragen[16]. Ockham hat sich demgegenüber durch seine Vorliebe für das Formal-Logische verleiten lassen, wieder ganz auf die Ebene der Frage

---

[14] Vgl. u. 276.   [15] Vgl. u. 285ff.
[16] Finkenzeller, Offenbarung und Theologie, 248ff.

zurückzukehren, ob die Theologie eine Wissenschaft sei. Im Anschluß an ihn behandelt Biel die Frage, was die Theologie in sich sei, ausdrücklich unter der Überschrift Utrum theologia sit scientia. Die Frage nach ihrem praktischen oder spekulativen Charakter hat die Tiefe verloren, die sie bei Duns Skotus erreicht hat, und wird zu einer bloßen Subsumtionsfrage: ob die einzelnen theologischen Erkenntnisse unter den Begriff des Praktischen oder unter den Begriff des Spekulativen fallen[17].

Die Frage, ob die Theologie eine Wissenschaft sei, bedeutet insbesondere auch deshalb eine Weichenstellung für das Theologieverständnis, weil in dieser Frage „Wissenschaft" im Sinne der aristotelischen Wissenschaftslehre verstanden ist. Diese Wissenschaftslehre hat einen Mangel, der für die Theologie folgenschwer ist: von ihrem Boden aus ist es nicht möglich, die Geschichte als Wissenschaft zu rechtfertigen. Die Geschichte ist nach Aristoteles keine Wissenschaft, weil sie nicht auf das Allgemeine, sondern auf das Einzelne gehe. „Der Faktor des Willkürlichen und Unberechenbaren bei allem menschlichen Tun und die Vielgestaltigkeit menschlicher Produktion ließen dem Stagiriten die Geschichte als ungeeignetes Objekt wissenschaftlicher Betrachtung erscheinen"[18].

Die mittelalterlichen Wissenschaftstheoretiker übernahmen mit dem aristotelischen Wissenschaftsbegriff die ablehnende Haltung gegenüber der Geschichte als Wissenschaft. So leugnet Thomas von Aquin die wissenschaftliche Erkennbarkeit menschlicher Geschehnisse wegen ihrer Singularität und Zufälligkeit. Bezeichnend ist, wie er sich mit dem Einwand auseinandersetzt, die Theologie sei keine Wissenschaft, weil sie es mit Einzeltatsachen zu tun habe. Er erwidert, diese Einzelgeschehnisse seien nicht Hauptgegenstand der Theologie, sondern nur Beispiele für das praktische Leben, oder zur Stützung der Autorität derjenigen Personen angeführt, durch die die Offenbarung an die Menschen ergangen sei[19].

Auch Ockham und Biel teilen die aristotelischen Reserven gegenüber der Geschichtswissenschaft[20].

Natürlich haben alle mittelalterlichen Theologen die entscheidenden Heilstatsachen theologisch zu erhellen gesucht. Jedoch behinderte sie der aristotelische Wissenschaftsbegriff, die Heilsgeschichte in ihrem ganzen Ablauf als ein zentrales Thema der Theologie zu unterstreichen.

---

[17] Vgl. o. 202f.
[18] Meyer, aaO.: PhJ 47 (1934) 189.
[19] Thomas v. Aquin, In Boethium de trinitate II,1; S.th.I, q. 1 a. 2 ad 2. — Vgl. Meyer, aaO., 47 (1934) 192.   [20] Vgl. o. 189.

Die großangelegte Geschichtstheologie Augustins[21] fand im Mittelalter daher nur außerhalb der von Aristoteles beeinflußten Scholastik ihre Fortsetzung: bei Otto von Freising, Hugo von St. Viktor, Joachim von Fiori und anderen[22]. Erwähnung verdienen in diesem Zusammenhang die mittelalterlichen Weltchroniken, in denen (im Anschluß an Augustin[23]) der Geschichtsablauf mit dem Schöpfungs-hexaemeron parallel gesetzt wird.

Luther wandte sich mit voller Intensität der Geschichte zu. Anregung boten ihm nicht nur Augustin und die Chroniken, sondern auch das historische Interesse des Humanismus. Er hat die enge Beziehung zwischen Theologie und Geschichte schon früh ins Auge gefaßt. Seine intensive Beschäftigung mit dem Alten Testament hat ihn sodann die Bedeutsamkeit dieses Zusammenhangs in vollem Ausmaße erfassen lassen. Er brauchte die aristotelischen Einwände gegen den Wissen-schaftscharakter der Geschichte nicht zu widerlegen, weil er Aristoteles selbst — cum grano salis gesprochen — verachtete, und weil er überhaupt nicht mehr die Frage stellte, „utrum theologia sit scientia". Die Frage nach der wahren Theologie aber lenkte seinen Blick auf das Kreuz. Die scholastische Problematik bezüglich der Geschichte tauchte deshalb nicht einmal für ihn auf.

c) Die Einheit der Theologie und des Subjektes der Theologie

Es wurde dargelegt, daß die scholastischen Theologen die Frage nach dem Subjekt der Theologie immer wieder erörtert und vielfältig beant-wortet haben, ja daß sogar die einzelnen Theologen regelmäßig verschie-dene Möglichkeiten der Bestimmung gelten ließen und diese zu harmoni-sieren suchten[24]. In der Hochscholastik wurde durch diese Erörterungen weder die Überzeugung von der Einheit des je angenommenen Subjektes der Theologie noch erst recht die Einheit der Theologie selbst in Frage gestellt. Sie teilte die Überzeugung des Aristoteles von der Einheit jeder Wissenschaft und der Einheit ihres jeweiligen Gegenstandes[25].

Ockham — und in seinem Gefolge Biel — haben zwar nicht gewagt, die Einheit der Theologie und ihres Subjektes einfachhin zu

[21] E. Stakemeier, Civitas Dei. Die Geschichtstheologie des hl. Augustinus, Paderborn 1955; W. v. Loewenich, Augustin und das christl. Geschichtsdenken: Gottes Wort und Geschichte, H. 6, München 1947.
[22] H. Meyer, Abendländische Weltanschauung, Bd. 3, Paderborn-Würzburg [2]1952, 140ff.   [23] Ders., Die Wissenschaftslehre, PhJ 47 (1934) 191.   [24] Vgl. o. 196.
[25] A. Antweiler, Der Begriff der Wissenschaft bei Aristoteles: Grenzfragen zwischen Theologie und Philosophie, Bd. 1, Bonn 1936, 82f.; Meyer, Die Wissenschaftslehre, PhJ 47 (1934) 176f.

leugnen, aber sie haben diese Einheit paralysiert. Wie sich aus dem oben Dargelegten ergibt, ist die Entleerung des Gedankens der Einheit der Theologie eine direkte Folge ihrer nominalistischen Erkenntnishaltung. Wenn man die verschleiernden Ausflüchte Ockhams und Biels beiseite läßt, muß man sagen, daß Ockham und Biel die Einheit der Theologie und ihres Subjektes preisgegeben haben und nur noch eine Vielheit von Subjekten der Theologie kennen.

Während für die Hochscholastik die Frage nach dem primären Subjekt eine Frage nach dem zentralen, eigentlichsten Thema der Theologie gewesen ist, haben also Ockham und Biel vor der Aufgabe, das zentrale Thema der Theologie zu bestimmen, weitgehend kapituliert. Sie haben sich durch ihren Nominalismus die Möglichkeit genommen, das Eigentlichste der Theologie herauszustellen. Schon die traditionelle quaestio „utrum theologia sit scientia" war eine Gefahr, den Weg zur Frage nach dem Zentrum der Theologie zu verstellen. Die nominalistische Zersetzung der alten scholastischen Überzeugung von der Einheit der Theologie und ihres Subjektes macht es geradezu unmöglich, die Theologie auf ein ihr eigenes einheitliches Zentrum hin auszurichten.

Luthers Theologieverständnis steht in direktem Gegensatz zu den soeben beschriebenen Positionen Ockhams und Biels. Während Ockham und Biel fragen, ob Theologie eine Wissenschaft sei, fragt er nur, was wahre Theologie sei. Während ferner Ockham und Biel sich den Weg zu einem Zentrum der Theologie verstellen, ja die Überzeugung vom Vorhandensein eines solchen Zentrums der Theologie nahezu aufgeben, ist es für Luther spätestens seit seiner „reformatorischen Entdeckung" ausgemacht, daß es bei aller theologischen Arbeit um *ein* Zentrum geht, nämlich um jenen „Kern der Nuß"[26], der ihm an Römer 1,17 aufgegangen ist, durch den die gesamte Schrift für ihn ein neues Gesicht gewonnen hat[27]. Er ist erfinderisch, um durch verschiedene Bezeichnungen die Bedeutung dieses Zentrums herauszustellen. Einmal erklärt er, es gehe um den Hauptartikel[28], ein andermal, er meine die summa[29], den scopus[30], das fundamentum[31], die Quelle[32] oder das Subjekt der Theolo-

[26] WABr Nr. 5,4 (1509).
[27] WA 54,186,9f. (Vorrede zum 1. Bande der Gesamtausgabe seiner lateinischen Schriften, Wittenberg 1545).
[28] z. B. WA 30/II,79,14 (Vorrede zu Venatorius' Ein kurz Unterricht den sterbenden Menschen furzuhalten); WA 50,196,26; WA 50,266,32ff.
[29] z. B. WA 13,396,2 (Praelectiones in prophetas minores 1524f.); WA 13,424,4; WA 13,208,12f.; WA 13,372,9; WA 13,159,11.
[30] z. B. WA 13,159,11 (Praelectiones in prophetas minores 1524f.); WA 13,424,4; WA 13,480,3;   [31] z. B. WA 9,329,2f. (Scholia in librum Genesios 1519-21).
[32] WA 14,499,16-22 (Deuteronomium Mosi cum annotationibus 1525); WA 9,329,2f.

gie und der Schrift³³. Von dem einen Zentrum — dem Artikel des Glaubens an Christus — gehen alle seine Gedanken aus und bewegen sich zu ihm hin³⁴.

Abschließend sei auf die Auffassung Erwin Iserlohs hingewiesen, daß Luther trotz all seines Gegensatzes zu den Ockhamisten selbst Ockhamist geblieben sei. Er sieht den Ockhamismus in zwei wichtigen Anschauungen Luthers wirksam. Erstens „in der starken Betonung der absoluten Souveränität Gottes und der von da aus bestimmten Lehre von der Akzeptation des Menschen aus freier göttlicher Wahl"³⁵ und zweitens in einer Vorbereitung des „sola scriptura"³⁶. Letzterer Punkt überrascht, weil Iserloh die Bibelfremdheit des Nominalismus betont³⁷. Näherhin verweist er auf Thomas Bradwardine, Wiclif, Hus und Wessel Gansfort. Sie sahen „die göttliche Offenbarung als ‚ius divinum' vollständig und ausschließlich in der Heiligen Schrift enthalten"³⁸.

B. Verständnisweisen von Theologie im geistigen Umkreis von Luther und mit innerer Nähe zu seinem Denken

Luther formuliert von Anfang an und weiterhin ständig sein Theologieverständnis in Absetzung von anderem, nämlich dem „scholastischen" Verstehen von Theologie. Insofern setzt er sich radikal von seiner Situation ab. Mit dieser Feststellung kann man sich aber nicht zufriedengeben, wenn nach seiner geistigen Situation gefragt ist. Sein Verständnis wächst aus der Situation heraus. Wie sollte es also nicht auch mit ihr zusammenhängen?

I. Theologen mit besonderer geistiger Nähe zu Luther

Es geht nun darum, jene Theologen und jene theologischen Strömungen auf ihr Verständnis von Theologie hin zu befragen, mit denen Luther bekanntermaßen direkt oder indirekt in Berührung gekommen ist. Von einzelnen Theologen (oder theologischen Werken) sind, wie ich meine, an

---

³³ WA 40/II,326,10-329,2 (Enarratio Psalmi LI 1532 [1538]); WATi Nr. 1868; 561.
³⁴ WA/I,33,3-11 (In epistolam S. Pauli ad Galatas commentarius 1531 [1535]).
³⁵ E. Iserloh, Luthers Stellung in der theologischen Tradition, in: (Hrsg.) K. Forster, Wandlungen des Lutherbildes (= Studien und Berichte der Kath. Akademie in Bayern, H. 36), Würzburg 1966, 19.
³⁶ AaO., 24.   ³⁷ AaO., 27.   ³⁸ AaO., 25.

erster Stelle Augustinus, Staupitz, Tauler, die Theologia deutsch und Bernhard von Clairvaux zu nennen.

1. KAPITEL

AUGUSTINUS

Luther hat schon zur Zeit seiner Vorlesung über die Sentenzen des Petrus Lombardus (1509 / 10) eine Reihe von Schriften des Kirchenvaters gelesen und mit Glossen versehen[1]. B. Lohse macht auf eine Bemerkung Luthers aufmerksam, die er auf die Rückseite des Einbanddeckels seines Exemplars der Sentenzen eingetragen hat. Die Philosophie sei als Hilfe für die Theologie nicht gänzlich zu verwerfen. Jedoch sei an Petrus Lombardus nicht vor allem seine Philosophie zu loben, sondern dies, daß er sich „in kluger Zurückhaltung und makelloser Lauterkeit auf die Lichter der Kirche, das heißt die Väter, und zwar insbesondere auf das Licht, den niemals genug gelobten Augustin, stütze"[2]. Aus den angeführten Tatsachen ergibt sich die Bedeutung Augustins für den jungen Luther[3].

Unter Augustins Schriften hat die größte Bedeutung für Luther das Werk De spiritu et littera, „denn keine andere Schrift des Bischofs von Hippo steht der reformatorischen Theologie Luthers so nahe wie diese"[4]. Luther selbst hat die Bedeutung von De spiritu et littera für sein theologisches Denken hervorgehoben. Am bekanntesten sind seine diesbezüglichen Äußerungen in der Vorrede zum ersten Bande seiner lateinischen Schriften in der Wittenberger Gesamtausgabe des Jahres 1545. Luther berichtet dort von seiner „reformatorischen Entdeckung". Nach diesem Erlebnis habe er De spiritu et littera Augustins gelesen und wider Erwarten gefunden, daß der Kirchenvater die Gerechtigkeit Gottes in derselben Weise verstehe wie er[5]. In den Tischreden äußert er sich ähnlich: Als er das Wort verstanden habe, daß der Gerechte aus dem Glauben lebt

[1] Die Confessiones, De trinitate, De civitate dei, zahlreiche kleinere Schriften wie De vera religione, Enchiridion. — Vgl. WA 9,5ff.
[2] WA 9,29,1ff. — Übersetzung zit. n. B. Lohse, Die Bedeutung Augustins für den jungen Luther: Kerygma und Dogma 11 (1965) 119.
[3] Weitere Literatur s. Lohse, aaO., 117[4] u. 118[7].
[4] Lohse, aaO., 120.
[5] WA 54,186,16-20: Postea legebam Augustinum de spiritu et litera, ubi praeter spem offendi quod et ipse iustitiam Dei similiter interpretatur: qua nos Deus induit, dum nos iustificat. Et quamquam imperfecte hoc adhuc sit dictum, ac de imputatione non clare omnia explicet, placuit tamen iustitiam Dei doceri, qua nos iustificemur.

(Röm 1,17) und daraufhin Augustin studiert habe, da sei er „fröhlich" geworden[6].

Wann Luther De spiritu et littera kennenlernte, ist nicht geklärt. Insbesondere wird die Frage verschieden beantwortet, ob er schon 1509 / 10 mit dieser Schrift bekannt war[7].

Für die Beurteilung der Frage, welche Bedeutung Augustin für Luthers Theologieverständnis hat, ist ein Brief Luthers an Spalatin vom 18. Januar 1518[8] aufschlußreich.

Dieser Brief Luthers gipfelt in der Feststellung, „zur Erkenntnis Christi und seiner Gnade, das heißt, zu einem tieferen geistigen Verständnis (der Schrift)" seien vor allem Augustinus und Ambrosius die rechten Führer[9]. Zunächst könnte scheinen, daß Luther hier Augustinus und Ambrosius als gleichrangig betrachtet. Er fährt jedoch an der genannten Stelle seines Briefes fort: „Den Anfang macht man am besten mit dem Werke De spiritu et littera des hl. Augustinus, das unser Karlstadt, ein unvergleichlicher Gelehrter, mit einer wunderbaren Erklärung versehen und ediert hat"[10].

Der Hinweis auf Karlstadt verdient eine genauere Beleuchtung, denn gerade er enthüllt, wie hier Augustinus eindeutig in den Mittelpunkt gerückt wird. Karlstadt hat in der Vorrede zu dem von Luther hier erwähnten Kommentar sich über die Bedeutung Augustins für das theologische Studium geäußert: „Ich habe mich überzeugt, daß dieses Buch (De spiritu et littera) eine Handhabe und ein Tor bildet, um in die ganze Theologie einzudringen"[11].

In einem kurzen Schreiben an Spalatin hat Karlstadt einige Monate später noch einmal die Bedeutung von De spiritu et littera für das Theologiestudium unterstrichen[12]. Das Lob Augustins ist praktisch der ge-

---

[6] WATi Nr. 4007: Sed postea cum consequentia viderem, scilicet sicut scriptum est: Iustus ex fide sua vivet, et insuper Augustinum consulerem da wardt ich frolich. — Lohse weist, aaO., 121[15], darauf hin, daß Luther in der Vorrede zu seiner Ausgabe von De spiritu et littera Augustinus als unvergleichlichen Kirchenlehrer preist: Experientia doctus possum affirmare tuto, post sacras literas nullum esse doctorem in ecclesia, qui sit illi conferendus eruditione christiana.

[7] AaO., 119[10]. — Iserloh urteilt, daß eine „eingehendere Beschäftigung" mit dieser Schrift „vor 1515 nicht nachweisbar" sei. Ders., Luthers Stellung in der theologischen Tradition, 33.   [8] WABr Nr. 57.

[9] WABr Nr. 57,43f.: Ad Cognitionem Christi et gratiae (id est ad secretiorem spiritus intelligentiam) longe mihi plus videtur Conducibilis B. Aug. et Ambro.

[10] WABr Nr. 57,47-49: Incipies autem ... B. Aug. De Spi. et litera, quam iam Noster Carlstadius, Homo studii incomparabilis, explicavit miris Explicationibus et edidit.

[11] WABr 1, S. 134, Anm. 1 (Die Vorrede an Staupitz vom 18. November 1517): Inveni illum librum ansam et limen ad totam praestare theologiam.

[12] WABr 1,132,7ff.: Ego profecto librum de spiritu et litera Augustini doctissimum comperi ansam ad secretiora theologiae latibula praestantem. Hunc legas atque relegas, consulo.

samte Inhalt des Briefes. Beachtung verdient, daß dieser Brief fast gleichzeitig mit dem besprochenen Brief Luthers an Spalatin abgefaßt ist[13].
Karlstadt und Luther haben mit ihren Briefen eine Anfrage Spalatins
über die besten Hilfsmittel zum Studium beantwortet[14].

Dieser hat Luthers Brief mit der Überschrift versehen: „Einleitung in
die Theologie"[15]. Er hat also Luthers Aussagen als grundsätzliche Äußerung zu dem Thema verstanden, wie Theologie zu betreiben sei.

Inhaltlich betrachtet hebt Luther zwei Momente hervor, die an der
Frucht des Augustinusstudiums bedeutsam seien: Augustinus führt zur
Erkenntnis Christi und seiner Gnade, und er führt zu einem geistigen
Verständnis der Schrift. „Erkenntnis Christi und seiner Gnade"[16] ist für
Luther das entscheidende und einzig wichtige theologische Thema. Augu-
stinus hilft also zur entscheidenden theologischen Erkenntnis. „Das Eindringen in ein geistiges Verständnis"[17] erwächst aus der rechten Ausrichtung des Theologen auf den „Geist". Auch dazu hilft Augustinus. Und
Luther ist überzeugt, daß beides: die entscheidende theologische Erkenntnis und die rechte geistige Ausrichtung, einander so eng zugeordnet
sind, daß sie geradezu als zwei Seiten ein und derselben Sache erscheinen.
Daher kann er schreiben: „Zur Erkenntnis Christi und seiner Gnade, *das
heißt* zu einem tieferen geistigen Verständnis…"[18]

Somit ergibt sich, daß Luther im Jahre 1518 überzeugt ist, daß der
Theologe bei Augustin Entscheidendes lernen kann: die entscheidende
Erkenntnis und die entscheidende geistige Ausrichtung. Aus dieser Verbindung von inhaltlicher Thematik und geistiger Ausrichtung ergibt sich,
wie Luther hier Vollzug der Theologie und Inhalt der Theologie als un-
lösbare Einheit verstanden hat.

Zusammenfassend läßt sich sagen, daß Augustinus Luther darin bestärkt hat, den Inhalt der Theologie auf das Thema der Erlösung zu
konzentrieren, daß er ferner (in hermeneutischer Hinsicht) die Frage
nach dem geistigen Sinn der Schrift unterstützt hat und daß Luther

---

[13] 17. Januar 1518. Luthers Brief ist vom 18. des gleichen Monats datiert. — Vgl.
WABr 1,132.
[14] WABr 1,132. — Sicher hat Luther von dem Briefe Karlstadts gewußt. Das beweist
dessen lobende Erwähnung in seinem Brief sowie die Tatsache, daß beide Briefe sich
inhaltlich ergänzen. Das Lob Karlstadts zeigt, daß Luther mit dem Inhalt von dessen
Brief einverstanden war, der übrigens mit der Vorrede zu der ihm bekannten Edition
von De spiritu et littera übereinstimmt (WABr 1,134). Karlstadt hat uneingeschränkter als Luther die Bedeutung von De spiritu et littera für das Theologiestudium gepriesen. Luthers Aussagen sind differenzierter. Immerhin dürfen Karlstadts Aussagen
auf Grund des Gesagten aber wie eine Interpretation von Luthers Brief gelten:
Augustin erscheint als entscheidend wichtiger Lehrer echter theologischer Grundhaltung.
[15] WABr Nr. 57,3: Εἰσαγωγη εἰς τήν θεολόγιαν.
[16] WABr Nr. 57,43.   [17] WABr Nr. 57,43f.   [18] Ebd.

schließlich in der Schrift De spiritu et littera die Einheit von inhaltlicher Konzentrierung der Theologie und die Ausrichtung auf ein geistiges Verständnis der Schrift gefunden hat.

Wir haben bereits betrachtet, wie Luther mit seiner Auffassung, daß der Mensch in der Begegnung mit der Schrift vom Worte Gottes selbst erleuchtet wird, in mehrfacher Hinsicht an Augustinus selbst anknüpfen konnte[19]. Das Wort Gottes, so lehrt der Kirchenvater, führt uns selbst in ein tieferes, nämlich das geistige Verständnis ein.

Hier ist hinzuzufügen, daß Augustinus als Ergänzung seiner Illuminationstheorie mit Nachdruck die Bedeutung der auctoritates für den Erwerb von Wissen herausstellt. In seiner Wissenschaftslehre spielt die Frage nach der Erkenntnis aus Autorität eine wichtige Rolle[20]. Erst recht mitbestimmt diese Frage sein Verständnis von Theologie. Natürlich geht es in der Theologie um die göttliche Autorität und um die Autorität der Schrift[21]. Aber Augustinus reflektiert auch über die Autorität der Kirche. Berühmt und im Mittelalter durchdiskutiert ist sein Bekenntnis: Ego (uero) euangelio non crederem, nisi me catholicae ecclesiae conmoueret auctoritas[22]. Luther hätte sich, so könnte man meinen, an diesem Worte Augustins stoßen können. Er brauchte sich aber gar nicht damit auseinanderzusetzen, etwa um es zu paralysieren. Der von ihm früh gelesene Peter von Ailly hat diesen Satz im Anschluß an Gregor von Rimini — ich möchte sagen — neutralisiert[23], ihm also seine Kraft genommen.

Augustinus wendet sich gegen Wissenschaft und besonders gegen Theologie, die aus falscher Grundhaltung heraus betrieben wird. Scharf verurteilt er das Grübeln über theologische Themen aus Neugier und aus Hochmut[24]. Luther hat in den Dictata schon in der Erklärung zu Psalm 1 gegenübergestellt, wie die Schrift bestimmte Grundbegriffe gebraucht und wie es die „curiosi" tun[25].

Augustinus geißelt, wie der Mensch in stolzer Wissensgier sich erhebt und gleichsam den Himmel an sich reißen will. Solcher Wissensdrang führe nicht zu Gott, sondern in die Gottferne[26]. Er stellt der wahren Theologie nachdrücklich eine verderbliche Theologie gegenüber, an der

---

[19] Vgl. o. 157ff.
[20] R. Lorenz, Die Wissenschaftslehre Augustins: ZKG 67 (1955/56) 216ff. — G. Söhngen, Die katholische Theologie als Wissenschaft und Weisheit: Cath 1 (1932) 62f.
[21] Lorenz, aaO., 217f.
[22] Contra ep. fundamenti, 5 (CSEL 25,1,197,22f.).
[23] Vgl. u. 238f.   [24] Lorenz, aaO., 244ff.
[25] WA 55/II,21,21f.: Sequitur tandem ex predictis, Quod Scriptura sancta aptius et melius vtitur verbis quam curiosi disputatores in suis studiis.
[26] Confessiones, l. VIII c. 8,19 (CSEL 33,186): Surgunt indocti et caelum rapiunt, et nos cum doctrinis nostris ecce ubi uolutamur in carne et sanguine.

die Teufel ihre Freude haben[27]. Er meint damit die „Theologie" der Heiden. Im Mittelalter blieb der Gedanke, daß einer wahren Theologie eine verderbliche Theologie gegenübersteht oder -stehen kann, lebendig[28]. Luther konnte jedenfalls an solche Gedanken anknüpfen.

Bereits in den Dictata erklärt er, daß daemoniaci doctores im Stolz statt durch das Wort zu Gott aufsteigen wollen[29]. Und er erinnert daran, wie der Teufel bei der Versuchung Jesu gleichsam theologisch disputiert habe[30]. Er mußte sich mit all dem nicht unmittelbar an Augustinus anschließen. Er konnte diesen Gedanken auch sonst ausgesprochen finden. Jedenfalls ist aber augustinische Tradition im Spiele.

Augustinus sucht eine „harmonische Synthese" von Glaube und Wissen[31]. Darin ist er der mittelalterlichen Theologie, weniger Luther, Lehrer geworden.

2. KAPITEL

JOHANNES VON STAUPITZ

Luther hat wiederholt erklärt, daß Staupitz ihm in der Hölle seiner Anfechtungen beigestanden habe. In seiner Angst vor dem Gericht Gottes habe er ihn auf Christus und sein Leiden verwiesen[1]. In verschiedener Version hat er zitiert, was Staupitz ihm gesagt habe: „Warum zerquälst du dich mit solchen Spekulationen (über den ewigen Ratschluß und den Zorn Gottes)? Schau auf die Wunden Christi und das Blut, das er für dich vergossen hat. Daraus wird dir entgegenleuchten, was Prädestination ist"[2]. Oder: „Staupicius meus dicebat: Man mus den man ansehen, der da heyst Christus"[3].

Das alles sind geistliche Ratschläge — Ratschläge, die ganz unmittelbar das innere, geistliche Leben des Ordensmannes Luther betreffen. Aber sie wurden für ihn Anstöße, die auch seine theologische Ausrich-

---

[27] De civitate dei, 1.VI c.6 (CSEL 40/I,281): ... dicens alios esse deos naturales, alios ab hominibus institutos; sed de institutis aliud habere litteras poetarum, aliud sacerdotum, utrasque tamen ita esse inter se amicas consortio falsitatis, ut gratae sint utraeque daemonibus, quibus doctrina inimica est ueritatis.

[28] Vgl. u. 221f., 224ff., 228f., 254ff., 275f., 281ff.

[29] WA 4,65,23-66,33.   [30] WA 4,65,23ff.

[31] J. Beumer, SJ, Theologie als Glaubensverständnis, Würzburg 1953, 49ff.

[1] E. Wolf, Staupitz und Luther. Ein Beitrag zur Theologie des Johannes von Staupitz und deren Bedeutung für Luthers theologischen Werdegang: QFRG 9, Leipzig 1927, 194.

[2] WA 43,457,32ff. (Genesisvorlesung 1535-45): Staupitius his verbis me consolabatur: Cur istis speculationibus te crucias? Intuere vulnera Christi et sanguinem pro te fusum. Ex istis fulgebit praedestinatio.

[3] WATi Nr. 526.

tung im strengen Sinne des Wortes prägten. Das, was Luther neben seiner akademischen Theologie her als einen praktisch-aszetischen Rat für sein Leben als Ordensmann hätte verstehen können, versteht er in seiner grundsätzlichen Bedeutung. Und eben darin gibt er dem Rat auch theologische Relevanz. Er nimmt geistliches Leben und Theologie-Betreiben als reale Einheit. Und so kann er an der letztgenannten Stelle erklärend fortfahren, Staupitz habe die doctrina angefangen (nämlich durch den geistlichen Rat, den er gegeben hat)[4]. Staupitz hat Hilfe in Anfechtung gegeben, er hat auf die Wunden Christi hingewiesen. Eben das wurde für Luther „doctrina", Anfang einer Theologie.

Sieht man die Schriften Staupitzens daraufhin durch, was in ihnen über Anfechtung gesagt ist, so läßt sich ohne weiteres feststellen, daß er sie als wichtiges Problem des geistlichen Lebens ausgiebig behandelt[5]. Eine andere Frage ist jedoch, ob er wie Luther Anfechtung selbst in einem wesentlichen Sinne als Vollzug von Theologie verstanden hat, nämlich als practica theologiae, und ob er wie Luther etwas von der Konzentration der Anfechtungen (das Gesetz und damit der Zorn Gottes stürzen in Anfechtung) angedeutet hat. Das läßt sich nicht behaupten[6]. Noch 1515 zählt er neunerlei Anfechtungen auf, die den Menschen treffen: drei, die von den Sünden kommen, drei von den Tugenden und drei von außerhalb[7]. Mit besonderer Sorgfalt spricht er von den Anfechtungen in Todesnot[8].

Bei Luther sind Anfechtung und Trost einander zugeordnet. So deutlich Staupitz sich in seiner Deutung der Anfechtungen noch von Luther unterscheidet, so nahe kommt er ihm in seinem Verständnis des christlichen Trostes. Um diesen Trost ging es doch, als er Luther ermahnte, in seinen inneren Nöten auf die Wunden Christi zu schauen. Der wahre christliche Trost ist das Kreuz Christi. Bemerkenswert ist,

---

[4] Neben einer Reihe uneingeschränkter Dankesbezeugungen Luthers gegenüber Staupitz darf man kritische Äußerungen nicht übersehen. — Vgl. O. Scheel, Martin Luther, Bd. 2, Tübingen 3/41930, 373f.

[5] z. B. Hiob (1497/98), sermo 11 (= Tübinger Predigten 93, 2ff.); sermo 17 (144,19f.); sermo 19 (156,4ff.); sermo 21 (169,26ff.); sermo 22 (176,13ff.); sermo 23 (183,1ff.).

[6] E. Vogelsang, Der angefochtene Christus bei Luther: Arbeiten zur Kirchengeschichte, Bd. 21, Berlin-Leipzig 1932, 71-74; A. Jeremias, Johannes Staupitz, Luthers Vater und Schüler: Quellen. Lebensbücherei christlicher Zeugnisse aller Jahrhunderte, Bd. 3/4, Berlin 1926,4.

[7] De imitando morte Jesu Christi libellus, 1515 (Knaake 50-88). — Vgl. D. C. Steinmetz, Misericordia dei. The theology of Johannes von Staupitz in its late medieval setting: Studies in medieval and reformation thought, Bd. 4, Leiden 1968, 166.

[8] De imitando morte (Knaake 66-70): Das sybendt Capittel. wie man die letzten anfechtung vberwinden sal; das acht Capitel. wie man die anfechtung in sterbens notten leychtlich vberwindt.

daß Staupitz um Christi willen der Heiligenverehrung gegenüber Reserven anmeldet. Im Sterben, so erklärt er, wolle er sich nicht an die Heiligen halten, sondern an Christus und „nymandts anders"[9]. Christi Leiden macht unser Leiden süß[10].

Staupitz hat seine theologische Auffassung als Prediger entfaltet[11]. In dieser „Theologie" hat er dem Leiden Christi, den Themen der Prädestination, der Barmherzigkeit Gottes und seiner Gnade nachdrücklich das Zentrum eingeräumt. Er mahnt, unsere Werke als Gottes Werke zu betrachten[12]. Freilich betont er auch — im faktischen Gegensatz zu Luther —, daß unser Wille frei ist[13]. Zusammenfassend ist zu sagen, daß Staupitz Luther geholfen hat, die Theologie als Theologie des Kreuzes zu verstehen.

Erwähnung verdient auch, daß Staupitz den Unterschied von Buchstabe und Geist im Sinne des Gegensatzes von Gesetz und Evangelium deutet. Ohne den Bezug auf Christus sei das Evangelium nichts als Verdammnis[14].

Die Theologie des Staupitz enthält zweifellos ausgeprägt mystische Momente. So spricht er in dem Libellus de amore dei in einer Weise von dem Aufstieg des Menschen zu Gott, wie es für die mystische Theologie kennzeichnend ist. Er unterscheidet den Weg der Anfänger, der „Zunehmer" und der Vollkommenen[15]. Zur Brautmystik finden sich Ausfüh-

---

[9] De imitando morte (Knaake 62): Wer do wil der lerne von sant Peter sterben ader von andern heilgen, ader aber sehe, wie die frommen yr leben schliessen. Ich wils von Christo lernen und nymandts anders. — Vgl. Steinmetz, aaO., 169.

[10] Sermones convivales, 1517 (Knaake 28): Nymandt vnderstee sich gottes fußstaffen nachzuuolgen, Christus hab Ime dann zuuor sein leyden suße gemacht.

[11] Steinmetz, aaO., 29; Wolf, Staupitz und Luther, 21.

[12] Sermones convivales (Knaake 39): Ein yder mensch ist von got darzu beschaffen, das er alhie so lang er In diesem sterblichen leib ist In gottes krafft vnd gnad tugentlich Werck Wurcken soll, aber In dieselben sein gute werck gantz nit vertrawen oder ainich hoffnung haben, was Ine die zur seligkait bringen werden. Dann dieselben Werck sein nit seiner werck sonder gots werck, der Ime die gnad mittailt, guts zuwurcken . . . Vnd darumb sol der mensch an seinen guten wercken vnd tugendten gantz verzweifeln.

[13] AaO. (Knaake 21): Item ob ain mensch sagen wolt: So got der almechtig allein der ist der vnns In ain guten fursatz bringt So haben wir auch keinen freyen Sonder ainen gezwungen Willen . . . Do gegen ist aber die antwurt das got der almechtig den menschen zu ainem freyen willen hat erschaffen.

[14] Steinmetz, aaO., 173.

[15] De amore Dei libellus, 1518 (Knaake 104f.; 105; 106): Wie der anfaher got vber alle Ding liebt. Wie der zunemer gott vber alle ding liebt. Wie der volkomen got vber alle ding liebt. — Man kann einwenden, die Dreiteilung des Weges zu Gott sei eher Aszese als Mystik. Jedoch wäre eine solche Gegenüberstellung ein Anachronismus. Die Kirchenväter und auch das Mittelalter denken bei den drei Wegen zum mindesten auch an das mystische Gnadenleben. — Vgl. I. Backes (Hrsg.) in: Hieronymus Jaegen, Das mystische Gnadenleben, Heidelberg ⁴1949, 124.

rungen[16]. Nicht zuletzt diese Mystik[17] zeigt die Differenz zwischen Staupitz und Luther.

3. Kapitel

Tauler und die Theologia deutsch

In geistiger Nähe zu Staupitz stehen Tauler und der „Frankfurter" mit seiner „Theologia deutsch". Es ist fraglich, ob Luther in ihnen nur eine Bestätigung seiner bereits bezogenen Positionen oder wichtige Anregung gefunden hat.

Erich Vogelsang erklärt, daß Luther zur deutschen Mystik „ein fast reines Ja"[1] gesprochen habe. Sein Urteil bezieht sich besonders auf Tauler und den „Frankfurter", also die Theologia deutsch. Ihren Titel hat Luther selbst gebildet[2]. Er gab sie Anfang 1516 teilweise (Kap. 7-26) und Anfang Juni 1518 vollständig (Kap. 1-54) heraus[3]. Er lobt sie in der zweiten Ausgabe geradezu überschwenglich[4].

Die erste Bezugnahme auf Tauler findet sich in einem Brief Luthers aus dem Jahre 1516[5]. Kurz darauf erwähnt er in einem Brief an Spalatin lobend die Predigten Taulers. Sie enthalten nach seinem Urteil eine reine Theologie, die der Vätertheologie vergleichbar ist und dem Geiste des Evangeliums entspricht[6]. Luther fügt seinem Brief ein Exemplar der kurz zuvor edierten Theologia deutsch bei. Sie entspreche der „art des erleuchten doctors Tauleri", sei echt und tiefgründig[7].

---

[16] Stellen zur Brautmystik finden sich in Nachschriften von Staupitzpredigten, die E. Wolf ediert hat. Ders., Staupitz und Luther, Textanhang, 281 (aus dem Salzburger Cod. Nonnberg. 27, E. 8). Wolf meint freilich, daß „diese Mystik ein nur vorübergehend so stark hervortretender Teil seiner Frömmigkeit sein dürfte". AaO.

[17] Der Streit, inwieweit man Staupitz überhaupt als Mystiker bezeichnen dürfe, beruht, wie D. C. Steinmetz mit Recht betont, auf einer unterschiedlichen Bestimmung des Begriffes Mystik. Ders., aaO., 152.

[1] E. Vogelsang, Luther und die Mystik: Luther-Jahrbuch, Hamburg 1937, 33.

[2] AaO., 42.

[3] Näheres zu den Ausgaben der Theologia deutsch bei G. Baring, Bibliographie der Ausgaben der „Theologia deutsch" (1516-1961). Ein Beitrag zur Lutherbibliographie: Bibliotheca bibliographica Aureliana, Bd. 8, Baden-Baden 1963.

[4] WA 1,378,21-27: Und das ich nach meynem alten narren rüme, ist myr nehst der Biblien und S. Augustino nit vorkumen eyn buch dar auß ich mehr erlernet hab und will, was got, Christus, mensch und alle ding seyn.

[5] WABr Nr. 26 (1,65,14).

[6] WABr Nr. 30 (1,79,58-63).

[7] WA 1,153,9f. — Vgl. WABr Nr. 30 (1,79,61).

1. Die Theologia deutsch

Mehr als alles betont der Frankfurter[8], daß wir das „Eigene" aufgeben sollen. Kein Gut soll man sich selbst anmaßen[9]. Wenn der Mensch sich selbst das Gute zuschreibt, greift er in Gottes Ehre ein[10]. Das Eigene an Weisheit, Wille, Liebe, Begierde, Erkenntnis soll er aufgeben[11]. Das Gute soll man sich nicht zuschreiben, sondern nur das Böse[12]. Gut und Böse hängen an Gehorsam und Ungehorsam, an Selbstsucht und Selbstlosigkeit[13]. Zum „Christusleben" gelangt man nur durch wahren Verzicht auf sich selber[14]. Der Mensch muß seinen Eigenwillen lassen[15]. Nichts ist gegen Gott als der Eigenwille[16]. Gott ist das wahre Licht[17]. Dieses Licht ist ohne alle „Selbstheit". Das Licht der natürlichen Kraft ist falsches Licht[18]. Ihm ist zugeordnet „ich, mir, mich und dergleichen"[19].

[8] Zur Verfasserfrage vgl. R. Haubst, Welcher „Frankfurter" schrieb die „Theologia deutsch"?: Theologie und Philosophie 48 (1973) 218-239.

[9] Theologia teutsch, Straßburg 1519, Das ander Capitel: Nun merck wenn sich die creatur annymmt etwas güts / als wesens / lebens / erkennens / vermügens / vnd kurtzlich alles des / das man gut nennen sol / das sie das sey / oder das das ir sey / so keret sye sich ab. Was thet der teüfel anders / oder was was sein abkeren oder sein fal anders dann das er sich anam er wär auch etwaz / . . . Diß annemen / vnd sein ich / vnd sein mich / vnd sein mir / vnd sein mein / das was sein abkeren vnnd sein fal / also ist es noch.
Haubst hebt aaO., 225, hervor, daß die Frage nach dem „vollkommenen Menschen" das Ganze durchzieht, und daß Luther in der Überschrift seines ersten (Teil-) Druckes schon auf die Unterscheidung des alten und neuen Menschen hingewiesen hat. Wie der Frankfurter gerade von hier aus zur Bekämpfung alles Eigenwillens fortschreitet, zeigt Haubst aaO., 236ff.

[10] Zum iiij. (fol. ij^r): Wie der mensch durch das annemen das er sich etwas guts annymt / thut ain fal vnd greifft gott in sein eer.

[11] Zum fünfften. (fol. ij^v): Wie man das versteen sol / das man weißlos / willoß / liebloß / begirloß / erkennloß / vnd deßgleichen werden sol.

[12] Zum xv. (fol. ij^v): Wie man sich des guten nit annemen sol / vnd sol sich des bösen schuldig geben das man gethon hat.

[13] 14. Cap. (fol. Biij^r): Kurtzlich / ob der mensch gut / besser / oder aller best sey / byß / böser / oder aller böst sey / sündig oder sälig von gott / das ligt alles zemal an diser gehorsame / vnd vngehorsame. Darumb ist auch geschriben. So ye meer selbhait vnnd ichthait / so ye meer sind vnnd boßhait / so dises minder / so auch des minder.

[14] Zum xvij. (fol. iij^r): Wie man zu dem waren liecht vnd zu Christus leben nit kommen mag mit vil fragens oder lesens / oder mit hoher natürlicher kunst vnd vernunfft / sonder mit ainem verzeyhen sein selbs vnd aller ding.

[15] Zum xxxij. (fol. iij^v): Sol der mensch zu dem besten kommen so muß er seinen aigen willen lassen. Vnd wer dem menschen hilfft zu seinem aigen willen der hilfft jm zu seim aller bösesten.

[16] Zum xlij. (fol. iiij^r): Wie nit anders wider gott sey dann aigner will.

[17] 38. Cap. (fol. Fij^r): Nun merck / das war liecht ist gott / oder götlich.

[18] 38. Cap. (fol. Fij^r): Das falsch liecht ist natur / oder natürlich.

[19] Ebd.: Vnd als gott vnd das war liecht on all ichait vnd selbhait / vnd on aigen gesuch ist / also gehört der natur vnd dem natürlichen liecht zu / ich / mir mich / vnd der geleich.

218

Die Sünde Adams und Luzifers lag in ihrem Eigenwillen[20]. Diese Welt ist noch immer ein Paradies. In ihm ist alles erlaubt mit Ausnahme eines Baumes und seiner Frucht. „Das maint alsovil / In allem dem das da ist da ist nichts gebotten / vnnd nichts das gott wider ist / dann ains allain das ist aigener will / oder das man anders wöll dann der ewig will will"[21]. Die Sünde besteht darin, daß der Mensch anders will, als Gott will[22].

Der Mensch soll also „gott leyden / jm gehorsam / gelassen / vnd vnderthon sein"[23]. Wenn der Mensch sich nichts als Eigenes anmaßt und allein Gott anhängt, so erlangt er die Freiheit. Er verliert die Furcht vor Strafe und vor der Hölle und auch die Hoffnung auf Lohn oder Himmelreich. Er dient Gott in freier Liebe[24]. Im irdischen Leben Christi erfüllte sich das auf vollkommene Weise. Für seine Jünger gilt es mehr oder weniger[25]. Zur Beurteilung des Verhältnisses von Luthers Theologie zur Theologia deutsch verdient deren elftes Kapitel besondere Beachtung: „Wie der gerecht mennsch in diser zeyt in die hell wirt gesetzt / vnd mag darinn nit getröst werden / vnd wie er auß der hell wirt genomen / vnd wirt in das himmelreich gesetzt / vnd mag darinn nit betrübt werden"[26]. Der Frankfurter schildert in diesem Kapitel, wie der Mensch, der sich wahrhaft selbst erkennt, so trostlos und ange- fochten wird, daß er glaubt, er sei ewig verloren und verdammt: „Auch duncket in recht das er ewigklichen verdampt soll sein / vnnd auch ein fußschämel sol sein aller teüfel in der hell. Vnd diß alles noch vnwirdig / vnd wil oder mag kaines trostes oder erlösung begeren / weder von got noch von creaturen / sunder er will gern vngetröst vnd vnerlöst sein / vnd jm ist nicht leid verdamnüß vnd leiden / wann es billich vnd recht ist / vnd ist nit wider gott / sunder es ist der will gottes / vnd das ist jm lieb vnnd ist jm wol darmit / jm ist allein laidt sein schuld vnd boßhait / wann das ist vnrecht vnd wider got / vnd damit ist jm wee vnd übel zu mut. Vnd ist diß vnd haißt ware rew vmb die sünd"[27].

In Wahrheit ist solche Haltung aber Bereitung für den Himmel: „Wer also in diser zeit in die hell kumpt / der kumpt nach diser zeyt in das

---

[20] Zum xlvij. (fol. iiij^r): Von aignem willen / vnnd wie Lucifer vnd Adam von gott seind gefallen durch den aigen willen.
[21] 47. Cap. (fol. Hij^{r-v}).
[22] 34. Cap. (fol. Eiij^v): Wer anders dann gott oder wider gott will . . . das ist alles widder gott / vnd sünd.
[23] 21. Cap. (fol. Ciij^{r-v}).
[24] 10. Cap. (fol. B^r): Auch stond dise menschen in einer freyheit / also das sye verlorn haben forcht der pein / oder hell / vnd auch hoffnung lons oder hymelreichs / sun- der sie leben in lautrer vnderthänigkeit . . . auß einer fryen liebe.
[25] 10. Cap. (fol. B^{r-v}).   [26] Zum xj. (fol. ij^v).   [27] 11. Cap. (fol. B^v).

hymelreich... Vnd die wyl der mensch also in der hell ist / so mag jn niemant getrösten / weder gott noch creatur / als geschriben steet. In der hellen ist kein erlösunge. Da von sprach ain mensch. Verderben / sterben / ich leb on trost aussen vnd innen verdampt / niemand bitt das ich werd erlößt"[28].

Aber Gott läßt den Menschen nicht in dieser Hölle. Er tröstet ihn durch sich selbst, wenn er nichts mehr will als Gott allein. Der Mensch erkennt dann, „das dem ewigen gut also über wol ist / vnd sein wunn / frid / fröd / ruw / vnd genüge"[29].

Sodann beschreibt der Frankfurter die Hölle der Anfechtungen und das „Himmelreich" der göttlichen Tröstungen als „zwei gute sichere Wege für den Menschen in dieser Zeit"[30]. Die Hölle der Anfechtung ist so radikal, daß der Mensch, der sich in ihr befindet, keinerlei Trost hat. Ebenso radikal ist der Himmel des Trostes frei von Trostlosigkeit und Betrübnis. Wer in Anfechtung ist, kann nicht glauben, daß er jemals wieder getröstet werden könne, wer im Zustand des Trostes ist, kann nicht glauben, daß ihn je wieder einer betrüben oder beleidigen könne[31]. Trotzdem ist in dieser Zeit weder die Anfechtung noch der Trost von ständiger Dauer: „So kumpt dem menschen dise hell / vnd diß hymelreich das er nit waiß wo von es herkumpt / vnnd der mensch kan weder gethun oder gelassen / oder nicht von dem seinen daruon es kumm oder far"[32].

Anfechtung und Trost erscheinen als die beiden Existenzsituationen, in denen der Mensch Gott findet. Wichtig ist nicht, ob der Mensch in Anfechtung *oder* Trost lebt — Anfechtung und Trost sind in diesem Sinne gleichwertig. Wichtig ist, daß er nicht *ohne* Anfechtung oder Trost lebt: „Vnd wenn der mensch in diser zwayer aim ist / so ist jm recht / vnd er mag in der hell als sicher sein als in dem hymelreich / vnnd alle die weil der mensch in diser zeit ist / so mag er gar offt auß eim in das ander fallen. Ja vnder tag vnd nacht etwan vil vnd alles / on sich selber. Wenn aber der mensch in diser kaim ist / so geet er mit den creaturen vmb / vnd wackelt hin vnd her / vnnd weiß nicht wo er daran ist"[33].

Der Frankfurter deutet die Hölle, die der Mensch durch Anfechtun-

---

[28] 11. Cap. (fol. Bᵛ-Bijʳ).   [29] Ebd. (fol. Bijʳ).
[30] Ebd.: Dise hell vnd dises hymelreich seindt zwen gut sicher wege dem menschen in diser zeit.
[31] Ebd.: Auch sol der mensch mercken wenn er in diser hell ist / so mag jn nicht getrösten / vnnd er kan nit glauben das er ymmer erlößt oder getröst werde. Aber wenn er in disem hymelreich ist / so mag / jn nichts betrüben oder vngetrösten / vnd glaubt nicht das er betrübt oder vngetröst mag werden.
[32] Ebd.   [33] 11. Cap. (fol. Bijʳ-ᵛ).

gen hier auf Erden erlebt, als Abbild des Abstieges Christi in die
„Hölle": „Christus seel must in die hell ee dann sye zu hymel kam / also
muß auch des menschenn seel"[34].

Wir sollen uns bemühen, Christi Leben in uns nachzubilden. Denn
dieses Leben ist das köstlichste und beste[35]. Die Natur wehrt sich freilich
dagegen[36]. In wahrer Demut und Armut des Geistes können wir es erlan-
gen[37]. Das „Christusleben" vereinigt uns mit Christus: „Wann wa
Christusleben ist / da ist Christus. vnd da sein leben nit ist / da ist
Christus auch nit"[38]. So wird man ein „vergotteter Mensch"[39]. Zum
Christusleben gelangt man nicht durch viel „Fragen oder Lesen oder mit
hoher natürlicher Kunst und Vernunft", sondern durch Verzicht[40].
Nachdrücklich wendet sich der Frankfurter gegen ein theologisches
Erkenntnisbemühen, das in der Eigenliebe seine verdeckte, aber tiefste
Wurzel hat. Er nimmt die Kritik Luthers an der theologia gloriae
vorweg. Diese Art von Erkenntnis sucht bis zu Gott emporzusteigen und
endet doch nur bei dem eigenen Ich: „Dem natürlichen falschen liecht
gehört besonder zu / das es geren vil wißte / möcht es sein vnd hat
grossen lust / freüd / vnd *glorirn in seim wissen* vnd erkennen /
vnd darumb begert es alles mer vnd mer zu wissen / vnd kumpt
darinn nymmer zu ruwe oder genugde. Vnd so es mer vnd höher
erkennt / so es mer lusts vnd *glorierens* hat / vnd wenn es also hoch
kumpt / das es mainet es erkenn alles / vnd über alle / so steet es in
seinem höchsten lust vnd *glorieren.* Vnd es hat erkennen für das best
vnnd edelst / vnd darumb leert es die lieb / sie soll das erkennen vnnd
wissen lieb han für das best vnd edelst. Sich alda wirt das erkennen vnd
wissen mer geliebt / dann das erkant wirt. Wann das natürlich falsch
liecht liebt sein erkennen vnnd wissen / das es selber ist mer / dann das
erkannt würt / vnd wär es müglich / das diß natürlich liecht gott vnd
ainfältige warhait / als in gott / vnnd in der warhait ist / erkannte / es
ließ nicht von seiner aigenschafft / das ist von jmselber vnnd dem

---

[34] Ebd. (fol. B[v]).
[35] Zum. xvj. (fol. ij[v]-iij[r]): Wie das leben Christi sey das edelst vnnd best leben das
ye ward / noch ymmer werden mag.
[36] Zum. xviij. (fol. iij[r]): Seyd das leben Christi aller natur vnd selbhait das allerbit-
terst ist / darumb wil die natur es nit an sich nemen.
[37] 24. Cap. (fol. Dij[r]): Wa Christus vnd seine waren nachuolger seind / da muß von
nodt ware grundtliche vnd gaistliche demutigkeit und gaistliche armut sein.
[38] 43. Cap. (fol. Giiij[v]).
[39] 33. Cap. (fol. Eiij[r]).
[40] 17. Cap. (fol. C[v]): Nyemandt gedenckt das er zu disem waren liecht vnd waren
erkantnüß kumm / oder zu Christusleben mit vil fragen oder von hören sagen / oder
mit lesen oder studieren / noch mit grossen hohen künsten vnd maisterschafften /
oder mit hoher natürlicher vernunft.

seinen. Sich in disem sinne ist erkantnüß on lieb des / das erkant ist oder wirt: Vnnd also *steigt oder klimmet es als hoch* / das es wänet es erkenne gott / vnd lauter ainfältige warhait / vnnd also liebt es in jmselber sich. Vnd ist war das gott von nicht erkant wirt dann von gott / vnnd so es wänet es erkenn gott / so wänet es auch es sey gott / vnd gibt sich für gott dar / vnnd wil darfür gehalten sein / vnd es sey aller ding wol wirdig / vnnd hab zu allen dingen recht / es sey über alle ding kommen / hab alles überwunden: vnd dergleichen / vnd auch über Christum vnd Christusleben / vnd wirt alles ain spott / wann es wil nit Christ sein / sonder *es will gott sein* in ewigkeit / das ist dauon / Wann Christus vnd sein leben ist aller natur wider vnd schwär darumb will die natur nit daran / sonder *wil gott sein* in ewigkait / vnd nit mensch / oder wil Christus sein nach der vrstend"[41].

Dieses ausführliche Zitat soll zeigen, wie klar der Frankfurter den Gedanken einer theologia gloriae in seiner Verwerflichkeit entfaltet, wie er natürliche Theologie ablehnt und überzeugt ist, daß wahre Gotteserkenntnis von Gott selbst stammt.

Der Mensch gehört entweder Gott oder dieser Welt und dem Teufel. Bisweilen besitzt der Geist Gottes einen Menschen, bisweilen hat der Teufel ihn in der Gewalt[42]. Man könnte gleichnishaft sagen, daß Christus mit dem rechten Auge Gott schaute, mit dem linken dagegen die Trübsale und Wirren dieser Welt in sich aufnahm. So hat der Mensch ein rechtes Auge, mit dem er auf Gott schaut, und ein linkes, das er auf die Kreaturen richtet. Während jedoch Christus zugleich Gott und die Kreaturen anschaute, können wir übrigen Menschen nur eines von beidem[43].

---

[41] 40. Cap. (fol. G^{r-v}).

[42] Zum. xx. (fol. iij^r): Wie der gaist gottes etwand ainen menschen besitzt vnd sein gewaltig ist / vnd auch der böß gaist.

[43] 7. Cap. (fol. Aiij^v-Aiiij^r): Man sol mercken das man lißt vnd spricht: die seel Christi het zway augen / ain recht aug / vnnd ain gelinckes ... Also stund der inner mensch Christi nach dem rechten aug der seel in volkommner gebrauchung göttlicher natur in volkommner wunn vnd fröde. Aber der ausser mensch vnd das linck aug der seel mit jm in volkommem leiden / iamer / vnd arbeit ... Nun hatt die geschaffen seel des menschen auch zway augen ... Aber dise zwey augen der seel des menschen mügen nicht mit einander ir werck geüben ... —

Ähnlich in einer Predigt des Johannes von Frankfurt: Sicut quilibet homo habet duos oculos, scilicet dextrum et sinistrum: dextro debet respicere gaudium paradisi, ut illud assequatur, sinistro debet videre huius vitae praesentis exilium et miseriam atque poenas inferni ac cetera quo (!) terrorum incutiunt. — Zit. n. R. Haubst, Johannes von Frankfurt als der mutmaßliche Verfasser von „Eyn deutsch Theologia": Scholastik 33 (1958) 195. — Ders., Welcher „Frankfurter" schrieb die „Theologia deutsch"?: Theologie und Philosophie 48 (1973) 232ff.

Das in der *Theologia deutsch* zum Ausdruck kommende Theologieverständnis und Luthers Theologieverständnis

1. Auffallend ist in der Theologia deutsch das Kreisen um einige Kernthemen — ja vielleicht sogar um ein einziges Kernthema: das Übel der Eigensucht und das Köstliche des nach dem Willen Gottes ausgerichteten „Christuslebens". Diese Konzentration auf ein Kernanliegen ist Luthers Theologieverständnis gemäß, der von sich sagt, daß all sein theologisches Denken um den einen Artikel des Glaubens kreise.

2. Wichtig ist ferner die Wertung von Anfechtung und Trost durch den Frankfurter: Sie sind die irdische Hölle und das irdische Himmelreich. Sie sind die existentiellen Grundsituationen, in denen sich Christenleben überhaupt nur entfalten kann. Luther mißt Anfechtung und Trost dieselbe fundamentale Bedeutung zu.

3. Der Frankfurter warnt vor eigenwilligem Erkenntnisbemühen, das — im Grunde aus Eigenliebe — zur Höhe der göttlichen Geheimnisse hinaufsteigen möchte. Luthers Abwertung theologischer Spekulation ist hier vorausgenommen.

Ob Luther in der Theologia deutsch im wesentlichen keine neuen Erkenntnisse, sondern nur die Bestätigung für Einsichten gefunden hat, die ihm auf anderem Wege aufgegangen sind[44], oder ob er nicht doch wichtige Denkanstöße durch den Frankfurter erhalten hat, ist in der Lutherforschung bis jetzt nicht endgültig entschieden[45].

2. Johannes Tauler

Als Luther zum ersten Male die Theologia deutsch edierte, wies er auf deren Artverwandtschaft mit der Theologie Taulers hin. In der Vorrede erklärt er, „die matery" sei gefaßt „nach der art des erleuchten doctors Tauleri, prediger ordens"[46]. Gemeinsam mit der Deutschen Theologie ist den Predigten Taulers vor allem die zu zahllosen Malen wiederholte Mahnung, daß wir unserem Eigenen absterben sollen, um in Gott einzugehen.

Wir sollen nicht auf eigenen Werken beharren[47], vielmehr soll der

---

[44] H. Boehmer, Der junge Luther, Leipzig ⁴1951, 124f.; K. A. Meißinger, Luther, München 1953, 67; Vogelsang, Luther und die Mystik, 43.

[45] B. Moeller, Tauler und Luther: La Mystique Rhénane, Colloque de Strasbourg 16-19 Mai 1961, Paris 1963, 165ff. [46] WA 1,153,9f. — Vgl. WABr Nr. 30 (1,79,61).

[47] S. (= sermo) 13. Oves mee vocem meam audiunt (Vetter 64,20-22; vgl. Hofmann 95): Ouch dise judische wise die hant alles vil lúte und stont uf iren eigenen wercken, die wellent su ie haben zu eime understande, sú enhabent ire wercke geton, so ist alles nit in verlorn.

eigenwillige Mensch sterben. Christus allein kann aus freier Güte dieses Sterben schenken[48]. Wir sollen uns hüten, die eigene Urteilskraft zu überschätzen: „Nun kommen wir Menschen mit hoher Urteilskraft, die in ihrer eigenen natürlichen Einsicht aufgewachsen sind und sich über alle Dinge erhaben dünken. Meine Lieben, daran kehrt euch nicht"[49].

Tauler warnt vor der Disputiersucht der (scholastischen) Philosophen: „Vor den spitzfindigen Menschen sollst du dich hüten, damit du nicht den ausgetriebenen Schlangen auf dem Weg hoher Geistigkeit wieder in dich Einlaß gewährst"[50]. Wer auf die Kraft seiner Vernunft baut, statt dem „lieben Vorbild unseres Herrn Jesus Christus... in demütiger Gelassenheit" zu folgen, gleicht einem Dieb und Mörder, der in den Schafstall Christi eindringen will[51]. Wer sich „in hohem Verstande" eitel erhebt, wird in den Abgrund stürzen[52]. So muß man also vor den „großen Vernünftigen" warnen[53].

Tauler spricht anerkennend von der negativen Theologie des Ps.-Dionysius, die uns zeige, „daß Gott das nicht sei, was wir nennen, verstehen oder begreifen können"[54]. Aber er warnt davor, mit der

---

[48] S. 14. Sante Johannes schribet (Vetter 66,4-10; vgl. Hofmann 97): Das su dich alle tage zu tusent molen zu tode liessest stechen und also licke wieder lebende wurdest... hiemitte kundestu dis nút ergriegen ... das es dir Cristus alleine geben mus von blosser miltekeit.

[49] Ebd. (Vetter 66,29-31): Nu kumment dise hohen vernunfte die in irre eigen natúrlichen vernunften ufgewachsen sint, die wellent úber alle ding kummen sin Kinder, do kerent úch nút an (übertr. zit. n. Hofmann 98).

[50] S. 60e. Repleti sunt omnes (Vetter 309,5-13; vgl. Hofmann 175): Mit núwen zungen, daz ist wenne ir zu ennander kumment, so súllent ir reden von Gotte und von tugentlichem leben und sút *disputieren von der gotheit* in ander wise noch der vernunft: daz get úch nút an, noch mit behenden worten und *subtilen worten*, sunder uz dem grunde der tugende... Und ouch soltu vor *subtilen menschen* dich huten, das die slangen usgetriben sint, das du die in geistlicher wise nút inzihest, wan de vigent laget dir on underlos wie er dich geneiget vinde.

[51] S. 27. Dixit Ihesus discipulis suis: qui non intrat per hostium (Vetter 112,2-9; vgl. Hofmann 188): Wanne nu Cristus sprach selber daz er die túre were in der worheit, und wie vil ir anderswo ingingent danne durch dise túre, die werent alle diebe und morder, weles sint nu dise diebe? Daz sint alle die in irre natúrlicher behendikeit irre vernunft stant und domitte ingant, und nút Got blos und luterlichen enmeinent und dem minneclichen bilde unsers herren Ihesu Cristi nút volgent in demutiger gelossenheit.

[52] S. 60 h. Karissimi, humiliamini sub potenti manu Dei (Vetter 328,8-10; vgl. Hofmann 259): Kinder, der ist vil die uf sint gegangen in der vernúnftiger wise und hant geflogiert in hohem verstonde und ensint durch disen weg nút gegangen: die vallent alle dernider und vallent in den grunt.

[53] S. 45. Beati oculi qui vident quod vos videtis (Vetter 198,29-199,1; vgl. Hofmann 392): So komet die lúte úber dich mit grúwelichen geberden und sweren worten, und denne dise grossen vernúnftigen mit den geswindesten grossen hohen worten, recht als ob si die aposteln sin. — Vgl. S. 74. Ecce prandium meum paravi (Vetter 402,17-19; vgl. Hofmann 574).

[54] S. 45. Beati oculi qui vident quod vos videtis (Vetter 201,8f.; vgl. Hofmann 395): Das ist das nicht da S. Dionysius ab sprach, das Got nicht ensi alles das man genemmen oder verston oder begriffen mag.

Vernunft gleichsam über alle Himmel hinauffliegen zu wollen. Der Weg der stolzen Vernunft führt nicht zur lebendigen Wahrheit, sondern zur Schande: „Da kommen denn etliche und reden von so großen, vernünftigen, überwesenhaften, ‚überformhaften'[55] Dingen, ganz so, als seien sie über die Himmel geflogen, und doch haben sie nie auch nur einen Schritt aus sich selbst getan in dem Bekenntnis ihres eigenen Nichts. Wohl mögen sie zu vernunftmäßiger Wahrheit gelangt sein, aber zu der lebendigen Wahrheit, wo die Wahrheit sie selbst ist, kommt niemand als auf dem Weg seines Nichts. Und wer diesen Weg nicht gegangen ist, wird mit großem Schaden und großer Schande an dem Tage dastehen, an dem alles offenbar werden wird"[56].

Unsere Sündhaftigkeit ist so groß, daß wir nicht wert sind, auf dieser Erde zu leben[57]. Wer aber seine Sünde in ihrer Schwere einsieht und sich davon abwendet, der findet vor Gott Gnade: „Von dieser Leute Sünden will Gott niemals Rechenschaft verlangen und will sie nicht wissen"[58]. Hüten müssen wir uns besonders vor jenen Sünden, die sich unter dem Schein des Guten verbergen[59].

Jesus Christus, der Gekreuzigte, muß in uns geboren werden[60]. Deshalb sollen wir bereitwillig äußere und innere Leiden ertragen. Wer wahrhaft Gott liebt und wer Christus in seinem Leiden nachfolgt, dem schickt Gott „die greulichste Finsternis und das tiefste Elend vollkommener Verlassenheit"[61]. Er beraubt ihn allen Trostes[62].

In der Auseinandersetzung zwischen dem Theologieverständnis des Thomas von Aquin und des Duns Skotus spielt die Frage, ob der Sinn

[55] Über die forma substantialis erhaben?
[56] S. 45. Beati oculi etc. (Vetter 200,6-13; vgl. Hofmann 393f.): So koment etliche und sagent von also grossen vernünftigen über wesentlichen überformlichen dingen, recht als si über die hímele sin geflogen, und si enkamen noch nie einen trit usser sin selber an bekentnisse irs eigenen nichts. Si múgen wol sin komen zu vernünftiger worheit, sunder zu der lebenden worheit, do die worheit worheit ist, dar zu enkumet nieman denne durch diesen weg sins nichts. Und wer disen weg nút gegengen enist, der sol mit grossem schaden und schadnen do ston do alle ding entecket súllent werden.
[57] AaO., (Vetter 199,30-32; vgl. Hofmann 393).
[58] S. 36. Erant appropinquantes ad Ihesum (Vetter 138,34f.; Hofmann 266): Von diser lúte súnden enwil got niemer enkeine vorderunge getun noch enwil ir nút wissen.
[59] S. 52. Transite ad me omnes qui concupiscitis me (Vetter 235,30f.; Hofmann 440): ... boser gewonheit: die entschuldigent sich und wisent sich als es sin tungende, und sint valsche schine, da hofart in dem grunde lit verborgen.
[60] S. 51. In exaltacione sancte crucis (Vetter 233,32-34; Hofmann 450): Kinder, dis krúze ist der gekruziget Cristus. Der sol und mus geborn werden durch alle die krefte, vernunft, willen und durch den usseren menschen.
[61] S. 50. Transite ad me etc. (Vetter 229,33-230,2; Hofmann 437): Her nach verhengt got úber den menschen das grúwelichste vinsternisse und das tiefste ellende also ze moll verlossen.
[62] Ebd. — Vgl. S. 3 (Vetter 19,4ff.; Hofmann 32); S. 9 (Vetter 45,15ff.; Hofmann 66).

der Theologie in der Erkenntnis oder in der Liebe liege, eine große Rolle[63]. An diese Frage knüpft Tauler an. Er erklärt selbst — einen Ausdruck Meister Eckharts aufgreifend[64] — diese Auseinandersetzung als Sache der Lesemeister. Er will es statt dessen mit den Lebemeistern halten, weil sie sich um das „eine Notwendige", von dem Christus spricht (Lk 10,41), kümmern. Und dieses Eine besteht darin, daß wir unser Nichts und unsere Sündhaftigkeit erkennen: „Meine Lieben! Die großen Doktoren und die Lesemeister disputieren, ob Erkenntnis oder Liebe wichtiger und edler sei. Aber wir sollen hier jetzt von den Lebemeistern sprechen. Wenn wir dahin (in den Himmel) kommen, werden wir gewiß aller Dinge Wahrheit schauen"[65]. Tauler schiebt hier die für den Unterschied des Theologieverständnisses von Thomas und Duns Skotus fundamentale Diskussion um den Vorrang von Liebe oder Erkenntnis beiseite und läßt durchblicken, daß dieser gelehrte Streit unsere menschliche Existenzsituation vernachlässige. Er betrifft nur die theologia beatorum: „Wenn wir dahin kommen, werden wir gewiß aller Dinge Wahrheit schauen"[66]. Tauler stellt damit implicite in Frage, daß die Theologie rechtmäßig von einer theologia beatorum her konzipiert wird, er bestreitet die Bedeutung der Unterscheidung zwischen der theologia beatorum und der theologia viatorum.

Er fährt fort: „Unser Herr sagte: ‚Eines ist notwendig'. Welches ist nun dieses Eine, das notwendig ist? Dieses Eine besteht darin, daß du bekennst dein Nichts, das dein eigen ist, ferner was du bist und wer du aus dir selber bist. Um dieses Einen willen hast du unserem Herrn solche Angst eingeflößt, daß er Blut geschwitzt hat. Weil du dieses Eine nicht erkennen wolltest, hat er am Kreuz gerufen: ‚Gott, mein Gott, wie hast du mich verlassen'"[67].

Es geht um das eine Notwendige: um die Erfassung unserer menschlichen Existenzsituation (daß wir nichts und Sünder sind) und des Kreu-

---

[63] Finkenzeller, Offenbarung und Theologie, 249.
[64] Meister Eckart, III Sprüche, Nr. 8 (hrsg. F. Pfeifer, Göttingen ³1914, 599,19f.).
[65] S. 45. Beati oculi etc. (Vetter 196,28ff.; vgl. Hofmann 389): Lieben kinder, die grossen pfaffen und die lesemeister die tisputierent weder bekentnisse merre und edeler si oder die minne. Aber wir wellen nu al hie sagen von den lebemeistern. Als wir dar komen, denne súllen wir aller dinge worheit wol sehen. — Vgl. Ed. Augsburg 1508 (A. L. Corin, Sermons de J. Tauler et autres écrits mystiques I, Bd. 1, Liège-Paris 1924, 89 B 10-12): die grosen doctor und die leszmeister disputirn.
[66] Ebd.
[67] Ebd.: Unser herre sprach: „eins ist not". Welchs ist nu das eine des als not ist? Das eine das ist das du bekennest din nicht, das din eigen ist, was du bist und wer du bist vor dir selber. Umbe dis ein hast du unserm herren als angst gemacht das er blut switzte. Umbe das du dis ein nút enwoltest wellen bekennen, so ruft er an dem crúze: „Got, Got min, wie hast du mich gelossen!"

zesleidens Jesu Christi. Es geht darum, „Lebemeister" und nicht „Lese-meister" zu werden. Obgleich Tauler sich noch in vielen Punkten an Thomas von Aquin anlehnt[68], hat er hier das Programm einer neuen Art von Theologie skizziert. Freilich zwingt seine vielfache Ausrichtung am Aquinaten zu der Annahme, daß er sich nicht voll bewußt geworden ist, wie weit sich seine Äußerungen von der thomasischen Theologieauffas-sung entfernen.

Textkritisch ist zu dem soeben Dargelegten noch folgendes zu bemer-ken. Taulers Aussagen erhalten, wie dargelegt, besonderes wissenschafts-theoretisches Gewicht durch sein Beiseiteschieben der thomasisch-sko-tistischen Frage nach dem Vorrang von Liebe oder Erkenntnis in der Theologie. Ausgerechnet dieser Passus findet sich jedoch nicht in dem für die Überlieferung von Taulers Predigten hochbedeutsamen Codex Vindobonensis 2744[69]. Er liegt vor in der Augsburger Ausgabe aus dem Jahre 1508[70]. Es erhebt sich mithin die Frage, ob die Stelle eine Glosse zur ursprünglichen Predigt Taulers darstellt. Auf die Entscheidung die-ser Frage kann hier verzichtet werden, da Luther selbst die Augsburger Ausgabe der Predigten Taulers benutzt hat[71].

Taulers und Luthers Theologieverständnis

1. Wie in der Theologia deutsch tritt in Taulers Predigten ein Kernthe-ma hervor: die Frage nach dem „einen Notwendigen": daß wir Sünder sind, unser „Eigenes" verlassen und dem Gekreuzigten folgen sollen.

2. Nicht ganz so eindrucksvoll wie der Frankfurter schildert Tauler die Anfechtungen derer, die Gott suchen.

3. Tauler warnt, die Geheimnisse Gottes eitel ergründen zu wollen. Mit der Theologia deutsch bereitet er Luthers Kritik an der theologia gloriae vor. Er betont nachdrücklich — und auf den Akzent kommt es hier an —, daß nicht die Seligkeit des Himmels, sondern die Situation un-serer irdischen Pilgerschaft der Horizont alles theologischen Denkens sein müsse. Wie Luther ist er somit überzeugt, daß echte Theologie (mo-dern gesprochen) bei der menschlichen Existenzsituation einsetzen und bei ihr verharren müsse. Lobend (und im Einklang mit der Tradition[72])

---

[68] G. Hofmann, Johannes Tauler, 11. — Vgl. G. Gierath, Art. Johannes Tauler, LThK².
[69] Corin, Sermons de J. Tauler et autres écrits mystiques, Bd. 1, 89 a 10-12.
[70] AaO., 89 B 10-18. Vgl. Vetter, 196,28ff.   [71] WA 9,95.
[72] Cusanus, De visione dei, Anfang (Opera, Bd. 1, Paris 1514, fol. 99r): Pandam nunc quae vobis... promiseram circa facilitatem mysticae theologiae... Conabor autem simplicissimo atque communissimo modo vos experimentaliter in sacratissimam obscuritatem manuducere.

erklärt Luther, daß die „mystische Theologie" Taulers sapientia experimentalis und nicht doctrinalis sei[73].

4. KAPITEL

BERNHARD VON CLAIRVAUX

In der Auseinandersetzung mit Peter Abälard sah Bernhard von Clairvaux sich gezwungen, grundsätzlich über Theologie als solche, über rechtes und falsches Theologie-Betreiben nachzudenken[1].

Bemerkenswert ist, mit welcher Schärfe er das Recht theologischer Spekulation in Frage stellt. Wiederholt wirft er Abälard vor, er versuche, die Majestät Gottes zu erforschen, also spekulativ in das Geheimnis Gottes einzudringen[2]. Er sei scrutator maiestatis[3]. Zu Unrecht versuche er, Gott ganz mit der menschlichen Vernunft zu begreifen[4]. Er wage sich an das Große heran, das doch über ihm ist[5]. Wie Abälard, so suchen die Philosophen überhaupt eitlen Ruhm[6].

Bernhards Ziel ist, alles Hochhinauswollen in theologischen Dingen zu vernichten und jegliches Verständnis „zurückzuführen in die Gefangenschaft des Gehorsams Christi"[7]. Je mehr der Eigensinn in uns herrscht,

---

[73] WA 9,98,20f. (Randbemerkungen zu Taulers Predigten 1516): Totus iste sermo procedit ex theologia mystica, quae est sapientia experimentalis et non doctrinalis. — Vgl. E. Iserloh, Luther und die Mystik, in: (Hrsg.) I. Asheim, Kirche, Mystik, Heiligung und das Natürliche bei Luther. Vorträge des Dritten Internationalen Kongresses für Lutherforschung, Göttingen 1967, 60. — J. Lortz deutet die Stelle als Ausdruck von Luthers tiefverwurzeltem Verlangen nach gefühlsmäßigem Erleben. Ders., Die Reformation in Deutschland, Bd. 1, Freiburg [4]1962, 177.

[1] E. Kleineidam, Wissen, Wissenschaft, Theologie bei Bernhard von Clairvaux: Erfurter Theologische Schriften, H. 1, Leipzig 1955, 1. — G. Englhardt, Die Entwicklung der dogmatischen Glaubenspsychologie in der mittelalterlichen Scholastik vor Abälardstreit (um 1140) bis zu Philipp dem Kanzler († 1236): BGPhThMA, Bd. 30 H. 4-6, Münster 1933, 11.

[2] De erroribus Petri Abaelardi, c. 7,17 (PL 182,1067B): Incomparabilis doctor, qui etiam profunda Dei sibi aperiens, et ea quibus vult lucida et pervia faciens, altissimum sacramentum, et mysterium absconditum a saeculis, sic nobis suo mendacio planum et apertum reddit.

[3] De erroribus, c. 5,11 (PL 182,1062 D): Temerarius scrutator majestatis. — Vgl. De consideratione, l. 5 c. 3,6 (PL 182, 790D); ep. 191,1 (PL 182,357C).

[4] Ep. 191,1 (PL 182,357B): Petrus Abaelardus christianae fidei meritum evacuare nititur, dum totum quod Deus est, humana ratione arbitratur se posse comprehendere. Ascendit usque ad coelos.

[5] Ep. 191,1 (PL 182,357C): Ambulans in magnis et in mirabilibus super se.

[6] Sermones de diversis, 40,1 (PL 183,647B).

[7] De erroribus, c. 9,26 (PL 182,1072C-D): Operae mihi pretium arbitror, si illum monui, cujus arma potentia a Deo ad destructionem contrariarum assertionum, ad destruendam omnem altitudinem extollentem se adversus scientiam Dei, et in captivitatem redigendum omnem intellectum in obseqium Christi. — Vgl. Luther, Dictata (WA 4,324,35): Inclina, id est humilia, quia captivari oportet intellectum. —

desto schlechter sind wir[8]. Interessant ist, daß Bernhard den von ihm bekämpften Abälard auch anklagt, er denke wie Pelagius über den freien Willen und die Gnade[9].

Bernhard macht sich Gedanken über den Unterschied eines Denkens dem „Fleische" nach und dem „Geiste" nach. Er bestimmt diesen Unterschied von der Grundfragestellung aus. Die fleischlich Gesonnenen fragen nach dem Was der Dinge[10]. Nicht viel besser sind die Philosophen[11]. Die geistigen Menschen dagegen fragen nach dem Ziel und insbesondere nach dem letzten Ziel, auf das Gott alles hingeordnet hat. Sie tun es in eschatologischer Haltung: Utentes hoc mundo, tanquam non utentes[12]. In der Schule Christi geht es nicht darum, Plato und Aristoteles zu studieren, sondern zu lernen, recht zu leben[13].

Zur Wahrheit führt uns der Glaube. Er schenkt eine weit sicherere Wissenschaft, als jene ist, um die sich Abälard bemüht[14]. Das Zeugnis des Hl. Geistes selbst schenkt Glaubensgewißheit[15]. Bernhard übernimmt und betont den pseudo-augustinischen Satz: „Nichts ist sicherer als der Glaube"[16].

Zu der Glaubensdefinition des Hebräerbriefes, der Glaube sei substantia rerum sperandarum (Hebr 11,1), bemerkt Bernhard, unter substantia sei nicht ein luftartiges Phantasiegebilde zu verstehen, sondern etwas

---

Vgl. 2 Kor 10,5. — Die Stelle aus dem 2. Korintherbrief wurde auch sonst im MA theologisch verwendet. Vgl. Cusanus, Cod. Cus. 40, fol. 149r-150v (R. Haubst, Die Christologie des Nikolaus von Kues, Freiburg 1956, Text-Anhang 320,7ff.).

[8] É. Gilson, Die Mystik des heiligen Bernhard von Clairvaux, Wittlich 1936, 94.

[9] Ep. 338,2 (PL 182,543C).

[10] In festo Pentecostes, sermo 3,3 (PL 183,331): Tria in magno hujus mundi opere cogitare debemus: videlicet quid sit, quomodo sit, ad quid constitutus... multos esse videmus, qui... totos se dederunt his quae facta sunt... Quid istos, nisi carnales dicamus?

[11] Ebd.: Quibus summum studium fuit... modum et ordinem investigare factorum... Ipsi quidem sese philosophos vocant, sed a nobis curiosi et vani rectius appellantur.

[12] AaO., 3,4 (PL 183,331f.): Utrisque igitur successerunt viri prudentiores utrisque, qui nimirum et quae facta sunt, et quomodo facta sunt transilientes, intenderunt aciem mentis, ut ad quid facta sunt viderent. Nec latuit eos, quoniam omnia propter semetipsum fecit Deus, omnia propter nos... Hi sunt spirituales viri, sic utentes hoc mundo, tanquam non utentes. — Vgl. R. Linhardt, Die Mystik des hl. Bernhard von Clairvaux, München 1923, 43.

[13] In festo Pent. 3,4 (PL 183,332). — Sermones in cantica 36,1 (PL 183,967C).

[14] Gilson, Die Mystik des hl. Bernhard, 96f.

[15] In festo annuntiationis b. Mariae virginis, sermo 1 (PL 183,383f.). — Luther verweist auf diese Bernhardstelle bei zwei für seine theologische Entwicklung wichtigen Ausführungen: In seiner Scholie zu Röm 8,16 und in der Scholie zu Hebr 5,1. Vgl. M. Kroeger, Rechtfertigung und Gesetz: FKDG 20, 144f. und 166.

[16] De erroribus, c. 4,9 (PL 182,1062B): Non est enim fides aestimatio, sed certitudo. — Vgl. Linhardt, Die Mystik des hl. Bernhard, 34; Englhardt, Die Entwicklung der dogmatischen Glaubenspsychologie, 76.

Gewisses und Fixes, vor dem jede (subjektive) Meinung, ja selbst jeder Zweifel, jedes dialektische Verfahren zum Unrecht werde[17].

Erwähnt sei schließlich, was Bernhard über den Nutzen der Versuchung schreibt. Sie diene eher der Belehrung als dem Untergang. Der Mensch schreite auf dem Wege zu Gott im Wechsel von Gnade und Prüfungen voran. Die Anfechtung verhindere die Selbstüberhebung[18].

Bernhards und Luthers Theologieverständnis

Bernhards Kritik an Abälard als Repräsentant einer geistigen Haltung und Luthers Kritik an der speculatio maiestatis[19], nämlich an dem Versuche, aus Stolz die Geheimnisse Gottes ergründen zu wollen, entsprechen sich. Wenn Bernhard das Fragen nach quid und quomodo der Dinge im Unterschied zur Frage nach dem letzten Ziel als Denken secundum carnem apostrophiert, so entspricht das der Gegenüberstellung von philosophischem und theologischem Denken durch Luther in seiner Römerbriefvorlesung[20]. Ferner entspricht Luthers Denken die Betonung der Glaubensgewißheit. Wenn Bernhard die belehrende Kraft von Prüfungen aufzeigt, so entspricht das Luthers Aussagen über die Anfechtungen etwa zu Beginn seiner Dictata[21].

II. Repräsentanten augustinischer Strömungen um Luther

Da Luther dem Orden der Augustiner-Eremiten angehört hat, ist die Frage nach seinem Verhältnis zum mittelalterlichen Augustinismus besonders naheliegend. Die Beantwortung ist jedoch von zwei Seiten aus erschwert. Erstens durch die Unschärfe des Begriffes Augustinismus. Man kann sicher sagen, daß Augustinus bei sämtlichen mittelalterlichen Theologen eine Rolle spielt[1]. Man fragt jedoch, ob es außerdem eine augustinische Lehrrichtung gegeben hat analog etwa zum Skotismus oder

---

[17] De erroribus, c. 4,9 (PL 182,1062A): Substantia, inquit, rerum sperandarum, non inanium phantasia conjecturarum. Audis substantiam. Non licet tibi in fide putare, vel disputare pro libitu ... Substantiae nomine aliquid tibi certum fixumque praefigitur. — Vg. Linhardt, aaO., 34f.

[18] J. Leclercq, OSB, Saint Bernard mystique, Brügge 1948, 275.

[19] D. Löfgren, Die Theologie der Schöpfung bei Luther: FKDG 10, Göttingen 1960, 195f.

[20] Vgl. o. 154f.

[21] Vgl. o. 165ff.

[1] Br. Decker, Art. Augustinismus in der Theologie u. Philosophie des MA: LThK².

Thomismus[2]. Diese Frage soll im folgenden nicht ins Auge gefaßt werden. Vielmehr soll „augustinisch orientierte Theologie" nur besagen, daß in einer Theologie augustinische Ansätze und Gedanken besonderes Gewicht haben. Dementsprechend betrachten wir zum Beispiel (und nicht zuletzt) den Ockhamisten Gregor von Rimini als augustinisch orientierten Theologen. Die zweite Schwierigkeit, die der Beantwortung der Frage nach Luthers Verhältnis zum Augustinismus im Wege steht, liegt in der Tatsache, daß keineswegs völlig klar ist, inwieweit das Ordensstudium der Augustiner-Eremiten augustinisch orientiert war. Es läßt sich „nicht oder noch nicht genau angeben, welche theologischen Auffassungen im Erfurter Augustinerkloster vertreten worden sind"[3]. Man muß ebenso mit dem Einfluß der augustinischen Tradition auf Luther rechnen, wie man die Schwierigkeit zugeben muß, diesen Einfluß näher zu bestimmen[4].

Sicher ist beachtenswert, welche hohe Auffassung der Orden der Augustiner-Eremiten vom theologischen Studium im allgemeinen[5] und vom Studium der Hl. Schrift im besonderen[6] hatte. Wenn Luther oft den affektiven Charakter der Theologie betont, so stand er damit in der Tradition seines Ordens und besonders des Ägidius Romanus[7], dessen Studium zwar nicht ohne Laschheit, aber doch immerhin auf Grund besonderer Ordensvorschriften betrieben wurde[8]. Luther war auch keineswegs der einzige Augustinertheologe, der gegen pelagianische Tendenzen der zeitgenössischen Theologie ankämpfte[9].

---

[2] F. Lang, Art. Augustinerschule: LThK[2]. — K. Werner, Die Scholastik des späteren Mittelalters, Wien 1883. — Weitere Literatur bei B. Lohse, Die Bedeutung Augustins für den jungen Luther: Kergygma und Dogma, Jg. 11, Göttingen 1965, 117[4]; 118[7].

[3] Iserloh, Luthers Stellung in der theologischen Tradition, 31.

[4] Ebd.

[5] A. Zumkeller, Die Augustinerschule des Mittelalters: Vertreter und philosophisch-theologische Lehre (Übersicht nach dem heutigen Stand der Forschung): AAug 27 (1964) 167f.

[6] Ebd.   [7] AaO., 182.

[8] AaO., 169f. — Die angeführten Momente in der geistigen Ausrichtung der Augustinereremiten finden sich z. B. bei Thomas von Straßburg. Seinen Einfluß auf das Generalstudium der Erfurter Augustiner am Ausgang des MA weist nach L. Meier, Contribution à l'histoire de la théologie à l'université d'Erfurt: RHE 50 (1955) 864f.
Vgl. Thomas v. Straßburg, Dialogus de recto studiorum fine ac ordine, et fugiendis vitae saecularis vanitatibus (Bibliotheca ascetica antiquo-nova, Bd. 4, Regensburg 1724, 306): Verus Theologus est, qui Sacram Scripturam intelligit, et in affectum trahit, et opere implet. — AaO., 307: Sicut enim secundum Ciceronem Orator est vir bonus, et dicendi peritus: ita, ut dicit Cancellarius, Theologus est vir bonus, in sacris literis eruditus, non quidem eruditione solius intellectus, sed multo magis affectus, ut ea, quae per Theologiam intelligit, traducat per iugem ruminationem in affectum cordis, et in executionem operis.

[9] Zumkeller, aaO., 194.

Trotzdem bleibt Iserlohs Urteil im Recht: Es ist schwer, konkret zu zeigen, wie weit der Einfluß dieser Gesamtausrichtung seines Ordens auf Luthers geistige Haltung eingewirkt hat[10].

Nun haben wir uns zwar von vornherein nur die Aufgabe gestellt, die Atmosphäre aufzuhellen, aus der Luthers Denken erwächst. Es blieb aber doch die Frage, welche Theologen Luther nähergestanden haben, welche ihm weiter entfernt sind. Diese Frage ist für uns ja der Leitfaden für die Grundeinteilung des vorliegenden Teiles unserer Untersuchung. Beides: das Anliegen, die „Atmosphäre" aufzuhellen, und die Frage nach „näher" und „ferner" bestimmt nun unsere folgenden Überlegungen.

Was zunächst die Frage nach „näher" und „ferner" anlangt, so drängen sich überraschenderweise einige Texte des Sentenzenkommentars des Peter von Ailly in den Vordergrund. Sie sind Exzerpte aus dem Sentenzenkommentar Gregors von Rimini und haben zum Thema die Theologie als solche, also das Theologieverständnis. Es gibt konkrete Gründe für die Annahme, daß Luther diese Texte sehr früh studiert hat[11].

Gregor von Rimini war Augustinergeneral und gilt als hochbedeutsame Autorität innerhalb des spät(?)-mittelalterlichen Augustinismus[12].

Sodann zum Anliegen, die Atmosphäre aufzuhellen. Zur Klärung der augustinischen „Atmosphäre", in der Luther lebte, genügen die Texte aus Gregor von Rimini und Peter von Ailly nicht. Zum mindesten ist zu bedenken, daß sie deren Sentenzenkommentaren entstammen und insofern scholastische Werke sind[13]. „Augustinismus" findet sich aber auch und nicht zuletzt in Werken, die nicht nach scholastischer Manier abgefaßt sind. Besonders ist hier noch einmal auf Johannes von Staupitz und Bernhard von Clairvaux zu verweisen. Außerdem sollen im folgenden als Vertreter eines nicht — oder nicht ausgeprägt scholastischen Augustinismus Johannes Gerson und Nikolaus von Clémanges mit seinem Schriftchen De studio theologico zu Worte kommen.

---

[10] Iserloh, aaO., 31. — Die Unklarheit der Situation wird besonders deutlich am Beispiel des Aegidius Romanus. Einerseits hat Staupitz die Ordensvorschrift des Aegidius-Studiums erneuert. Andererseits bleibt fraglich, inwieweit Luther sich in Erfurt, wo man ockhamistisch dachte, mit der Theologie des „Realisten" Aegidius befaßt hat. — Vgl. O. Scheel, Martin Luther, Bd. 2, Tübingen ³/⁴1930, 121f.; 139f.

[11] Vgl. u. 233f.

[12] A. Zumkeller betont mit G. Leff die zentrale Bedeutung Gregors für die Theologie des 14. Jahrhunderts. Ders., Die Augustinerschule des Mittelalters, 223. Es wäre zu überprüfen, ob das, was für das 14. Jahrhundert ausgesagt wird, auch für das 15. gilt. — Das Verhältnis Gregors zum Nominalismus wird verschieden beurteilt. Vgl. G. Leff. Gregory of Rimini, Manchester 1961, 14ff.

[13] Es wäre natürlich möglich, in diesem Zusammenhang auch ausführlicher auf Aegidius von Rom und Thomas von Straßburg einzugehen.

1. KAPITEL

PETER VON AILLY UND GREGOR VON RIMINI ALS REPRÄSENTANTEN DES SCHOLASTISCHEN AUGUSTINISMUS UM LUTHER

a) Luthers Kenntnis des Peter von Ailly und Gregor von Rimini

Der literarische Ort, an dem die scholastischen Theologen des späten Mittelalters vorzugsweise ihr Theologieverständnis entfalteten, ist der Prolog ihrer Kommentare zu den Sentenzen des Petrus Lombardus.

Als Luther im Jahre 1509/10 selbst eine Vorlesung über die Sentenzen zu halten hatte und zur Vorbereitung naturgemäß scholastische Kommentare studierte, sah er sich daher sogleich, das heißt ganz am Beginn seiner Lehrtätigkeit überhaupt, mit mittelalterlichen Konzeptionen von Theologie konfrontiert. Sicher ist, daß Luther die Kommentare Biels und Ockhams benutzt hat[14]. Außerdem ist mit der Möglichkeit zu rechnen, daß er sich damals mit dem Sentenzenkommentar Peters von Ailly befaßt hat. An drei Stellen seiner Randbemerkungen zum Lombarden bezieht er sich ausdrücklich auf den Cameracensis[15]. Freilich dreht es sich an diesen drei Stellen immer um denselben Text, nämlich l.1 q.5 a.1. Eben diesen Artikel hat aber Biel in seinem eigenen Sentenzenkommentar wiedergegeben[16].

Leif Grane fragt daher mit Recht, ob sicher sei, daß Luther den Cameracensis so früh gekannt habe[17]. Gar zu selbstverständlich ist dies von der älteren Lutherforschung aus den Hinweisen Luthers gefolgert worden.

Außer Zweifel steht freilich, daß Luther zu späterem Zeitpunkt sich recht intensiv mit Peter von Ailly auseinandergesetzt hat[18]. Melanchthon behauptet sogar, Luther habe ihn fast wörtlich aus dem Gedächtnis zitieren können[19]. Die Frage ist also, von welchem Zeitpunkt ab Luther mit Sicherheit Peter von Ailly gekannt hat.

Zur Beantwortung dieser Frage ist ein Text heranzuziehen, der von Grane und Oberman übergangen wird. Es handelt sich um eine Stelle aus

---

[14] Scheel, Martin Luther, Bd. 2, 398f. Zu Biel vgl. WA 9,40,36, zu Ockham WA 9,33,30; WA 9,91,3 (vgl. Scheel, aaO.).

[15] WA 9,34,13; 37,11; 54,18.

[16] Sent. I d. 4 q. 1 a. 3 N.

[17] L. Grane, Contra Gabrielem: Acta Theologica Dancia, Bd. 4, Gyldendal 1963, 13.

[18] Vgl. o. 54f.

[19] Praefatio zu Teil 2 der Gesamtausgabe der Werke Luthers, Wittenberg 1546 (CR 6,159, nr. 3478): Gabrielem et Cameracensem pene ad verbum memoriter recitare poterat. — Zweifel an der unbedingten Zuverlässigkeit dieser Bemerkung Melanchthons äußert Scheel, Martin Luther, Bd. 2, 139.

Luthers Weihnachtspredigt vom Jahre 1514[20]. Dort behandelt Luther ein von den „moderni logici" aufgeworfenes trinitarisches Suppositionsproblem. Für die Lösung der Schwierigkeit scheint ihm die Auffassung des Cameracensis wegweisend[21]. Bemerkenswert ist, daß Luther 1537 sich noch einmal mit eben diesen Darlegungen Peters von Ailly befaßt. Dann wird er sie ablehnen[22]. Luther hat also seine Haltung gegenüber Peter von Ailly in diesem Punkte geändert. In der Zeit, die uns interessiert, hat er ihn positiv bewertet.

Es ergibt sich: Wenn Luther den Cameracensis 1509 noch nicht studiert haben sollte, muß er es spätestens bis 1514 getan haben. Natürlich ist nun weiter zu fragen, welche Teile aus Peter von Ailly er studiert hat.

Immerhin gewinnen durch die Weihnachtspredigt des Jahres 1514 die Hinweise auf Peter von Ailly aus dem Jahre 1509 an Gewicht. Es wächst die Wahrscheinlichkeit, daß Luther selbst die betreffende Stelle aus dem ersten Buche von Peters Sentenzenkommentar gelesen hat. Zusammenfassend ist zu sagen, daß ernste Gründe für die Annahme sprechen, daß Luther im ersten Buche des Sentenzenwerkes des Cameracensis schon sehr früh studiert hat.

Nun hat vor einigen Jahren Louis Saint-Blancat die bereits angedeutete Tatsache ans Licht gebracht, daß Peter in diesem ersten Buche Passagen aus den betreffenden Teilen des Sentenzenkommentars des Gregor von Rimini fast wörtlich übernimmt[23]. Inhaltlich betreffen sie das Thema Theologie als solche, also das Theologieverständnis[24].

Hat auf diese Weise Luther schon sehr früh das Theologiekonzept Gregors kennengelernt? Wir brauchen die Frage nicht endgültig zu entscheiden. In jedem Falle können die in Frage stehenden Texte die geistige Situation Luthers verdeutlichen.

Wie weit Luther unmittelbar Gregor von Rimini studiert hat, soll

[20] E. Vogelsang, Zur Datierung der frühesten Lutherpredigten: ZKG 50 (1931) 122.
[21] WA 1,22,5-11: Subsumunt enim „Filius est Deus, ergo Filius est Pater". Sed est Fallacia Figurae dictionis et sub termino essentiali distributo subsumitur terminus personalis. Unde multo melior modus potest assignari, quo salvetur huius Articuli et regularum Syllogisticarum, quam a Cameracense assignatur, iste scilicet, quod omnis Syllogismus ex terminis divinis, qui infert conclusionem falsam, certissime peccat secundum fallaciam aequivocationis vel Figurae dictionis.
[22] Vgl. o. 55f.
[23] L. Saint-Blancat, La théologie de Luther et un nouveau plagiat de Pierre d'Ailly: Positions luthériennes 4 (1956) 77-81. — Vgl. H. Beintker, Neues Material über die Beziehungen Luthers zum mittelalterlichen Augustinismus: ZKG 68 (1957) 144. Daß der Cameracensis kompilatorisch gearbeitet hat, ist schon länger bekannt. Vgl. C. Michalski, Le Criticisme et le Scepticisme dans la philosophie du XIVe siècle: Bulletin des sciences et des lettres, Phil. hist. Cl., Krakau 1925, 112.
[24] L. Grane bestätigt, daß die Gregor-Exzerpte Peters den „Charakter der theologischen Erkenntnis" betreffen. Ders., Gregor von Rimini und Luthers Leipziger Disputation: StTh 22 (1968) 30.

nicht näher untersucht werden. 1519 hat er ihn jedenfalls anerkennend erwähnt: dieser stimme mit Karlstadt, das heiße mit Augustinus und dem Apostel Paulus, gegen den „Pelagianismus" der übrigen Scholastik über-ein[25].

b) Exzerpte Peters von Ailly aus Gregor von Rimini: Einordnung in den Textzusammenhang von Peters Sentenzenkommentar

Die von Saint-Blancat abgedruckten Texte aus dem Sentenzenkommentar Peters von Ailly, die er als „Plagiate" aus Gregor von Rimini erwiesen hat, gehören sämtlich zur quaestio 1, Artikel 3 des ersten Buches dieses Kommentars. Wie bereits hervorgehoben, ist der Gegenstand der Exzerpte die Theologie als solche.

Näherhin konzentrieren sich die Ausführungen auf die Behandlung der Frage, was das „Eigentliche" eines theologischen Diskurses sei: quid sit proprie discursus theologicus[26].

Bevor wir auf diese Frage und damit auf den Inhalt der Exzerpte näher eingehen können, muß einiges über ihren Kontext gesagt werden. Und zwar ist der den Exzerpten unmittelbar vorausgehende Text in Artikel 3 zu beachten, nämlich als die Anschlußstelle. Außerdem aber Artikel 2. Artikel 2, der einen Kontext in etwas weiterem Sinne darstellt, ist wegen einer Stellungnahme H. Obermans zu diesem Text erwähnenswert. Wir gehen zunächst auf ihn ein.

Oberman meint, daß Peter von Ailly in diesem Artikel die Ansicht verteidige, „daß theologische Wahrheiten im weiteren Sinne des Wortes nicht unmittelbar mit der Heiligen Schrift in Zusammenhang stehen müssen"[27]. Und er folgert daraus, daß Peter „in dieser wichtigen Frage" nicht mit Gregor, sondern mit Biel zusammengehe[28].

Da es im folgenden weitgehend um die Frage geht, wie biblizistisch Peters Theologieverständnis ist, erfordert das Urteil Obermans eine Überprüfung. Zunächst der entscheidende Text Peters im Wortlaut:

„Zunächst muß man klären, was theologische Wahrheiten sind. Ich sage nun, daß man von ihnen in zweifachem Sinne sprechen kann. Erstens in strengem, zweitens in weitem Sinne. Strenggenommen sind theologische Wahrheiten jene, die für den irdischen Pilger notwendig sind, um das ewige Glück zu erlangen, das heißt Glaubenswahrheiten, die für

---

[25] WA 2,394,31-36 (Resolutiones Lutherianae super propositionibus suis Lipiae disputatis 1519). — Vgl. Zumkeller, Die Augustinerschule des Mittelalters, 218; ders., Martin Luther und sein Orden: AAug 25 (1962) 270.
[26] Sent. I q. 1 a. 2 EE.
[27] Oberman, Spätscholastik und Reformation, Bd. 1, 189[37].   [28] Ebd.

den Pilgerstand heilsnotwendig sind. In einem weiteren Sinne dagegen sind theologische Wahrheiten Urteile, die über Gott gebildet oder bildbar sind, oder auch Urteile über die Geschöpfe, insofern sie eine äußere oder innere Hinordnung auf Gott haben, nämlich durch Schöpfung, Leitung, Erlösung, Rechtfertigung und ähnliches, was in der Theologie als Subjektseigenschaft betrachtet wird"[29].

Peter gibt der zweiten von ihm getroffenen Bestimmungen der veritates theologicae den Vorzug. Er beruft sich dabei auf Augustinus[30].

Es ist Oberman zuzugestehen, daß die Bestimmung der veritas theologica bei Biel und dem Cameracensis im wesentlichen übereinstimmt. Jedoch geht es bei der Frage nach der veritas theologica überhaupt nicht um das Problem, wie bibelbezogen Theologie sein müsse oder nicht, sondern darum, jene Gegenstände zu umgrenzen, nach denen Theologie rechtmäßig zu fragen hat. Es geht also um eine formale Umfangsbestimmung des theologischen Fragebereiches. Ob der formal bestimmte Kreis theologischer Wahrheiten seinen *Inhalt* von der Bibel her empfängt, bleibt völlig offen. Eines freilich ist hier anzumerken. Luther hat nicht einmal formal den Umfangsbereich theologischer Fragestellungen ohne klaren Bezug auf die Hl. Schrift beschrieben[31].

Sodann zum unmittelbaren Kontext der Exzerpte: der Anschlußstelle in Artikel 3. Hier erörtert der Cameracensis den Begriff Theologie[32]. Dabei geht er anders vor als Gregor von Rimini am entsprechenden Ort. Während dieser ein formallogisches Problem ins Spiel bringt[33], ist für

---

[29] Peter von Ailly, Sent. I q. 1 a. 2 R: Primo ergo declarandum est quid sint veritates theologicae. Unde dico quod de ipsis possumus loqui dupliciter. Uno modo stricte. Alio modo large. Stricte loquendo veritates theologicae sunt veritates necessariae viatori ad aeternam beatitudinem consequendam, vel veritates quas credere viatori est necessarium ad salutem. Sed magis large loquendo veritates theologicae sunt illae veritates quae sunt de deo formatae vel formabiles, vel etiam de creaturis ut habent attributionem vel per se ordinem ad deum puta secundum creationem, gubernationem, reparationem, iustificationem, remunerationem, et similia, quae considerantur in theologia ut passiones subiecti. — Zu *Biel* vgl. o. 190.

[30] Sent. I q. 1 a. 2 R: Unde ad istud facit dictum Augustini X. De trinitate ca. 1.... Ex ista autoritate sequuntur aliquae propositiones. Prima est, quod secunda descriptio posita est magis propria quam sit prima et hoc est contra Occam.

[31] Vgl. o. 69f.

[32] Sent. I q. 1 a. 3 DD: Primo ergo declarandum est quid sit theologia.

[33] Gregor unterscheidet nämlich unter dem formallogischen Gesichtspunkt, ob zu der „Kenntnis" der theologischen Inhalte auch die „Zustimmung" hinzutritt. Der „gewußte" Inhalt ist der Inhalt der Hl. Schrift: Sent. Prol. q. 2 a. 2 L-M: Sciendum est quod ... theologia potest accipi dupliciter. Uno modo pro habitu vel habitibus quo vel quibus quis novit sensum sacrae scripturae, et scit unum dictum eius per aliud exponere et probare, necnon aliquae quae non secundum se formaliter continentur in ipsa ex his quae in ipsa continentur deducere et inferre. Et penes hunc modum potest accipi theologia etiam pro actu vel actibus praedictorum habituum. Alio modo potest accipi theologia pro assensu tam actuali quam habituali in animo fidelis acquisito per discursum theologicum de obiecto theologico.

236

Peter das Problem das Verhältnis von Inhalt der Schrift und theologischem Diskurs. Man müsse „Theologie" in mehrfachem Sinne verstehen. Einmal bezeichne dieser Begriff die Hl. Schrift selbst, sodann den geistigen Vollzug oder Habitus, der sich auf den Inhalt der Hl. Schrift richtet[34]. Den letzteren Begriff fächert er dann weiter auf und kommt schließlich zu folgender Bestimmung, die er für die „eher eigentliche"[35] hält. Man könne unter Theologie jene „actus" und „habitus adhaesivi" verstehen, „die ein Gläubiger sich durch theologischen Diskurs oder durch theologische Diskurse von theologischen Konklusionen erworben hat"[36].

Zweierlei fällt hier auf: der biblische Ausgangspunkt und das Ende, das — wenigstens auf den ersten Blick — Verständnis der Theologie als Konklusionstheologie[37] zu besagen scheint. Wie verhält sich beides zusammen? Gerade darüber können die Exzerpte Aufschluß geben. Denn sie handeln, wie bereits erwähnt, über theologische Diskurse und Konklusionen.

c) Der Inhalt der Exzerpte Peters von Ailly und der zugrunde liegenden Texte bei Gregor von Rimini

Wie gesagt, sind die Exzerpte aus Gregor der Frage nach dem Eigentlichen des theologischen Diskurses untergeordnet.

Diese Frage gliedert sich auf in die Frage nach dem Eigentlichen theologischer Prinzipien und dem Eigentlichen theologischer Konklusionen[38]. Denn beide zusammen konstituieren den theologischen Diskurs. Und sofort geht Peter (im Anschluß an Gregor) in medias res: Theologischer Diskurs im eigentlichen Sinn besteht „aus Aussagen und Sätzen, die in der Heiligen Schrift enthalten sind, oder aus solchen, die aus diesen abgeleitet werden, oder aus letzterem ebendieser Art (= abgeleitet aus abgeleiteten Aussagen)"[39].

---

[34] Sent. I q. 1 a. 3 DD: Unde dico quod (theologia) multipliciter potest capi. Uno modo pro scriptura sacri canonis. Alio modo pro actu vel habitu mentis respectu illorum quae in sacra scriptura continentur.

[35] Sent. I q. 1 a. 3 DD: Et licet quolibet istorum modorum quandoque sumatur theologia tamen magis proprie sumitur ultimo modo.

[36] Sent. I q. 1 a. 3 DD: Alio modo pro actibus vel habitibus adhaesivis in animo fidelis acquisitis per discursum theologicum vel discursus theologicos de conclusionibus theologicis.

[37] Die „Konklusionstheologie" versucht, aus den Glaubensartikeln Folgerungswissen zu gewinnen: G. Söhngen, Art. Konklusionstheologie in LThK² 453.

[38] Peter, Sent. I q. 1 a 3 EE: Quid sit proprie discursus theologicus: quia ex hoc patet quae sunt principia theologica et conclusiones theologicae.

[39] Peter, Sent. I q. 1 a. 3 EE: Dico igitur, quod discursus proprie theologicus est qui constat ex dictis seu propositionibus in sacra scriptura contentis vel ex his quae

Näherhin schreibt er sodann (wörtlich Gregor zitierend) über die „Prinzipien" und „Konklusionen": „Es ergibt sich, was theologische Prinzipien sind: Es sind eben die Wahrheiten des heiligen Kanon, insofern auf sie das theologische Denken letztlich zurückbezogen wird und aus ihnen als Grundlage die einzelnen theologischen Folgerungen gezogen werden. Zweitens ergibt sich, was unter theologischen Konklusionen im eigentlichen Sinne zu verstehen ist, insofern nämlich die Konklusionen von den Prinzipien unterschieden werden müssen. Es sind jene Wahrheiten, die nicht ‚formaliter' in der Heiligen Schrift enthalten sind, sondern aus ihrem Inhalt mit Notwendigkeit folgen, sei es, daß es sich um Artikel (sc. des Glaubens) handelt oder nicht, sei es, daß sie durch die Kirche determiniert sind oder nicht, sei es, daß sie gewußt werden oder nicht"[40].

An dieser Stelle fällt auf, daß Peter (Gregor kopierend) ebenso die Abhängigkeit der theologischen conclusiones von der Schrift betont wie ihre Unabhängigkeit vom Engagement der Kirche: „... sei es, daß es sich um Artikel handelt oder nicht, sei es, daß sie durch die Kirche determiniert sind oder nicht." Im folgenden wird dann die Frage nach der „Kirchlichkeit" der Theologie in der Weise eines Einwandes ausdrücklich gestellt: Die Hl. Schrift ist glaubwürdig nicht in sich, sondern durch die Autorität der Kirche. Folglich ist sie das letzte Grundprinzip der Theologie. Schreibt doch Augustinus: „Ich hätte dem Evangelium keinen Glauben geschenkt, wenn nicht die Autorität der Kirche mich dazu bewogen hätte"[41]. Urheber des Einwandes ist Petrus Aureolus,

---

deducuntur ex eis vel ex altera huiusmodi. — Vgl. Gregor, Sent. I prol. (= dist. 1) q. 1 a. 2 Q: Respondeo ergo ad articulum quod discursus proprie theologicus est qui constat ex dictis sive propositionibus in sacra scriptura contentis, vel ex his quae deducuntur ex eis vel saltem ex altera huius.

[40] Peter, Sent. I q. 1 a. 3 EE: Ex hac descriptione patet quae sint principia theologica: sunt enim ipsae sacri canonis veritates, quantum ad ipsas fit ultimata resolutio theologici discursus et ex eis primos singulae conclusiones theologicae decuntur. Secundo patet quae sint conclusiones proprie theologicae distinguendo conclusiones contra principia. Sunt enim illae veritates quae non formaliter in sacra scriptura continentur sed ex contentis in ipsa de necessitate sequuntur, sive sint articuli sive non, sive sint per ecclesiam determinatae sive non, sive sint scitae sive non. — Vgl. Gregor, Sent. I prol. q. 1 a. 2 C: Ex hoc ulterius patet quod principia theologiae sic sumptae quam scilicet per theologicos discursus acquiritur sunt ipsae sacri canonis veritates, quoniam ad ipsas stat ultimata resolutio totius discursus theologici et ex eis primo cunctae conslusiones theologicae deducuntur. Conclusiones autem theologicas distinguendo contra principia dico omnes veritates non secundum se formaliter in sacra scriptura contentas, sed ex contentis in ipsa de necessitate sequentes et hoc sive sint articuli fidei sive non, sive etiam sint scibiles vel scitae per scientiam aliam vel non, sive etiam sint determinatae per ecclesiam sive non.

[41] Peter, Sent. I q. 1 a. 3 FF: Principia sunt quae non per alia sed per seipsa habent fidem. Sed auctoritates contentae in sacro canone non per seipsas sed per aliud habent fidem scilicet per auctoritatem ecclesiae iuxta illud Augustini (Contra

den Peter von Ailly kurz zuvor schon aus anderem Grunde angeführt hatte[42].

Der Cameracensis weist im Gefolge Gregors den Einwand zurück. Sein Ergebnis lautet: Die Autorität der Kirche ist nach Augustinus nicht Prinzip der Theologie[43].

Die betonte Absetzung der theologischen Prinzipien von der Autorität der Kirche bedeutet nicht etwa eine Infragestellung dieser Autorität selbst. Daran haben weder Peter von Ailly noch Gregor von Rimini irgendwie gedacht[44]. Wohl aber ist an der oben angeführten Stelle unter wissenschaftstheoretischem Gesichtspunkt zwischen Theologie und Lehramt deutlich unterschieden und geschieden.

Peter gibt sodann — etwas verkürzt — einen weiteren Gedankengang Gregors wieder, warum die Autorität der Kirche nicht Grundprinzip der Theologie sein könne. An diesen Darlegungen interessieren für unseren Zusammenhang zwei Momente. Erstens. Peter gibt eine klare Absage an alle Art von Konklusionstheologie, das heißt die Auffassung, die Theologie lasse sich aus den Artikeln des Glaubens deduzieren[45]. Zweitens weist

epistolam Fundamenti c. 2.): „Ego evangelio non crederem nisi me ecclesiae catholicae commoveret auctoritas". — Vgl. Gregor, Sent. I prol. q. 1 a. 2 D: Principia sunt quae non per alia sed per seipsa habent fidem. Sed auctoritates contentae in sacro canone non per seipsas sed per aliud habent fidem puta per auctoritatem ecclesiae iuxta illud Augustini (Contra epistolam Fundamenti): „Ego evangelio non crederem nisi me ecclesiae catholicae commoverent auctoritates."

[42] Saint-Blancat, aaO., 70.

[43] Peter, Sent. I q. 1 a. 3 FF: Pro hoc sit quarta propositio quo posito quod Augustinus ex tali principio (sc. auctoritate ecclesiae) credidisset evangelio, quod tamen ex eius auctoritate non habetur, tamen illud non fuit in eo per se principium theologiae. — Vgl. Gregor, Sent. I prol. q.1 a.2 G: Respondeo quod quamvis possibile fuerit Augustinum ex tali principio credere evangelio, non hoc tamen necessario concluditur ex eius auctoritate. Posito tamen quod ita fuerit adhuc non sequitur quod illud fuerit in eo principium per se theologicum.

[44] Peter, Sent. I q. 12 a. 3 FF: ... Consequens patet falsum de articulis fidei et de his quae per prophetas et apostolos et ecclesiam revelata sunt. Sed consequentiam probat quia non liceret de talibus dubitare, aut hoc esset praecise quia a deo est dictum, vel quia non solum dictum est... (Der Artikel handelt über die Frage, ob Gott uns täuschen könne. Im Zitat werden die Aussagen des AT und NT [Propheten und Apostel] in eine Linie mit den Lehraussagen der Kirche gerückt.) — Vgl. Gregor, Sent. I d. 42-44 q. 2 a.2 D: Si inter dei dicta vel ecclesiae aliqua falsa admissa fuerit, nihil penitus remanebit auctoritatis. Oberman weist auf diese Stellen hin. Er betont, daß Ockham und Biel wie Gregor das Verhältnis der kirchlichen Autorität zur Theologie bestimmen: aaO., 1904[2]. Wie kritisch Ockham das Verhältnis von Theologie und kirchlicher Autorität beurteilt, wenigstens in der Zeit nach seinem Bruch mit Johannes XXII., stellt heraus A. v. Leeuwen, OFM, L'église règle de foi dans les écrits de Guillaume d'Occam: EThL 11 (1934) 274ff.

[45] Peter, Sent. I q. 1 a. 3 FF: Sequeretur quod quilibet articulus fidei theologice concluderetur arguendo modo praedicto. Sed constat quod quamvis vere et bene concludatur, non tamen theologice, alioqui quilibet fidelis adultus etiam noviter baptizatus antequam audisset vel legisset sanctam scripturam recipiens evangelium videndum ab ecclesia et habens illud principium, theologice concluderet quemlibet

Peter jede unbiblische Argumentation als untheologisch zurück. Eindeutig setzt er die „physische" und „metaphysische" Denkweise von der theologischen ab[46].

An dieser Stelle nun müssen wir uns der Vorlage Peters, also dem Sentenzenkommentar Gregors von Rimini, direkt zuwenden, weil die Exzerpte Peters die Schärfe der Gedanken Gregors nicht genügend durchblicken lassen.

Gregor stellt die metaphysische Denkweise nicht nur sozusagen im allgemeinen der theologischen gegenüber, sondern er behauptet, daß ein Gedankengang, der metaphysische Erwägungen zugrunde legt, selbst dann nicht theologisch ist, wenn das Ergebnis inhaltlich mit einer strikt theologischen Konsequenz übereinstimmt. Wenn zum Beispiel gefragt wird, ob Gott ewig sei, und man beweist das mit Hilfe aristotelischer Gedanken, so ist das Denken metaphysisch und nicht theologisch. Führt man den Beweis der These jedoch im Anschluß an den Prolog des Johannesevangeliums, so ist die Beweisführung theologisch. Ähnlich, wenn man die Unveränderlichkeit Gottes mit Hilfe der Physik des Aristoteles beweisen will. Dann ist der Beweis ein metaphysischer. Stützt man sich dagegen auf die Aussage Exodus 3,14: „Ich bin, der ich bin", oder auf das Psalmwort: „Du aber bist derselbe" usw., so ist der Beweis ein theologischer. In diesem Sinne argumentiert Augustinus theologisch[47]. Peter übergeht

articulum et sic absque studio et noticia sacrae scripturae foret theologus, quod videtur absurdum. — Vgl. Gregor, Sent. I prol. q. 1 a. 2 D: Sequeretur quod quilibet articulus fidei theologice concluderetur, sic arguendo: Omne quod ecclesia iubet etc. Sed hunc articulum verbi gratia „Spiritus sanctus procedit a patre et filio" ecclesia iubet esse credendum. Ergo etc. Et sic de quolibet. Sed constat quod quamvis vere et bene concludatur, non tamen theologice, nisi illa maior sumatur tamquam conclusio alterius theologici discursus, quo scilicet ipsa ex sacra scriptura sit deducta, alioquin quilibet fidelis et noviter baptizatus adultus, qui numquam legit vel audivit sacram scripturam, recipiens symbolum credendum ab ecclesia et habens illud principium theologice posset concludere quemlibet articulum fidei, et sic absque studio et notitia sacrae scripturae foret theologus, quod nullus sapiens diceret, sicut puto.

46 Peter, Sent. I q. 1 a. 3 FF: Quamvis vere et bene concludatur, non tamen theologice... Doctores autem disputantes articulos et probantes eos aliunde quam ex scriptura sacra non faciunt hoc per habitum theologicum sed per alium metaphysicum vel physicum aut alium aliquem. — Vgl. Gregor, Sent. I prol. q. 1 a. 2 H-I: Sed constat quod quamvis vere et bene concludatur, non tamen theologice ... Quod adducitur de doctoribus et disputantibus quaestiones formatas de articulis non valet contra propositum, quoniam cum ipsi tales propositiones inducunt non ex scriptura, non faciunt hoc immediate per habitum theologicum sed per alium ut physicum vel metaphysicum aut alium aliquem.

47 Gregor, Sent. I prol. q. 1 a. 2 A: Omnes arbitrantur tunc solum theologice aliquid probare cum ex dictis probant sacrae scripturae. Unde si verbi gratia quaeratur, utrum deus sit aeternus, et unus probet quod sic et aeternitate motus, sicut processit Philosophus 12. Metaphysicorum[1], alius autem probet ex eo quod scriptum est Io. primo: „In principio erat verbum" etc.[2], sicut probat Augustinus De fide ad Petram[3]. Vel si quaeratur, utrum deus sit aliquo modo mutabilis et probet aliquis quod non per rationem sumptam et motu, sicut incessit Philosophus 8. Physicorum[4], alius vero

diese reich mit Zitaten ausgestattete Argumentation. Vielleicht war sie ihm zu anspruchsvoll. Jedoch hatte er gewiß keine grundsätzlichen Bedenken dagegen. Denn immerhin übernimmt er ein Zitat aus De trinitate Augustins, mit dem Gregor das Gesagte abschließend erhärtet[48].

Noch ein weiterer Teil der Exzerpte Peters aus Gregor ist für unseren Zusammenhang von Bedeutung. Es handelt sich um eine Widerlegung der thomistischen Theorie, daß die Theologie eine scientia subalternata im Hinblick auf das Wissen Gottes und der Seligen des Himmels sei[49]. Unser Interesse richtet sich weniger auf die Gedankenführung, mit der Peter (bzw. Gregor[50]) die logische Schwäche der thomistischen Position aufzudecken versucht, als auf die innere Tendenz der Ausführungen. Es geht bei seiner Kritik um den Aufweis, daß die Theologie ein Glaube sei, und zwar ein Glaube, der sich einerseits vom Wissen unterscheidet, andererseits aber auch — und darauf liegt der Akzent — von bloßer Meinung. Theologie ist *sicherer* Glaube, Glaube, der frei von der Furcht ist, das Gegenteil des Geglaubten könne wahr sein: sicheres und gläubiges Anhangen an den Wahrheiten der Hl. Schrift[51]. Der Unterschied zwischen theologischem Denken und bloßem Meinen geht so weit, daß man

per illud quod scriptum est Ex.: „Ego sum qui sum" etc.[5] et Ps.: „Tu autem idem ipse es" etc.[6], sicut probat Augustinus 5. De trinitate et De fide ad Petram[7], aut per illud apostoli primae ad Tim.: „Qui solus habet immortalitatem"[8], sicut idem Augustinus probat Contra Maximum libro 3[9], non est dubium quod omnes consentient.

[1] Aristoteles, Met. XI, c. 6,1071 b 3 ff. (= nach alter lat. Zählung Met. *XII*, c. 5). — [2] Joh 1,1. — [3] Augustinus, De fide ad Petram, c. 6 (PL 40, 769f.). — [4] Aristoteles, Phys. VIII, c. 5,256b3ff. — [5] Ex 3,14. — [6] Ps. 101 (102), 28. — [7] Augustinus, De trinitate, 1.5 c. 2 n. 3 (Pl 42,912); De fide ad Petram, c. 7 (PL 40,770). — [8] 1 Tim 6,16. — [9] Non inveni.

[48] Gregor, Sent. I prol. q. 1 a. 1 B-C: Ait enim Augustinus primo De trinitate „Omnes quos legere potui qui ante me scripserunt de trinitate quae deus est, divinorum librorum veterum et novorum catholici tractatores haec intendunt secundum scripturas docere . . ." non ait: „secundum alias scientias" vel „doctrinas" aut „probabiles propositiones" sed: „secundum scripturas", inquit, supple „divinas" ... Ex hoc ulterius patet quod principia theologiae sic sumptae quae scilicet per theologicos discursus acquiritur sunt ipsae sacri canonis veritates. — Vgl. Peter, Sent. I q. 1 a. 2 EE: Sicut Augustinus processit in libro De trinitate qui libro 1., capitulo 4 ita dicit: „Omnes quos legere potui . . ." etc. non enim ait: „secundum aliquas scientias humanitus adinventas aut probabiles propositiones" sed „secundum scripturas" etc. Ex hac scriptione patet quae sint principia theologica: sunt enim ipsae sacri canonis veritates. — Vgl. Augustinus, De trinitate l.1 c. 4 (PL 42, 821 A). Vgl. G. Leff, Gregory of Rimini, Manchester 1961, 218ff.
[49] Peter, Sent. I q. 1 a.3 II: Est igitur opinio quod ex discursu theologico acquiritur scientia proprie dicta et subalterna scientia dei et beatorum. — Vgl. Gregor, Sent. prol. q. 1 a. 4 I: Alii dixerunt etiam quod ex discursu theologico acquiritur scientia proprie dicta sed subalterna scientiae dei et beatorum.
[50] Leff, aaO., 225ff.
[51] Peter, Sent. I q. 1 a. 3 LL: Prima igitur conclusio erit quod theologia per discursum theologicum naturaliter acquisita non est scientia proprie dicta sed est in animo fidelis quaedam adhaesio sive cognitio adhaesiva. Secunda conclusio erit quod

in bezug auf denselben Gegenstand nicht zugleich etwas theologisch denken und dann doch nur meinen kann[52].

Peter vereinfacht hier etwas Gregors Aussagen. Dieser unterscheidet Theologie im Sinne der *Kenntnis* des Sinnes der Schrift und im Sinne der *Zustimmung* zu dem theologischen Objekt[53]. Ähnlich unterscheidet er verschiedene Bedeutungen von „Meinung"[54]. Dadurch werden die Ausführungen Gregors zum Thema differenzierter. Den Akzent setzt aber Peter wie Gregor: Theologie ist Glaube, und dieser Glaube ist mit der Furcht, daß das Gegenteil des Geglaubten wahr sein könne, völlig unvereinbar. Beides schließt sich kontradiktorisch aus[55]. Der theologische Glaube ist gänzlich sicherer Glaube.

Die Frage nach dem Eigentlichen der Theologie und die Frage nach ihrem Wissenschaftscharakter stehen zueinander in polarer Spannung. Peter von Ailly und Gregor von Rimini machen aus der Spannung eine Kluft. Nach ihrer Auffassung ist Theologie nicht Wissenschaft im eigentlichen Sinn[56].

d) Das Theologieverständnis Peters von Ailly und Gregors von Rimini und das Theologieverständnis Luthers

Es ist bekannt, daß der Sentenzenkommentar Peters von Ailly nominalistische Züge trägt[57]. Durch seine Entdeckung, daß der Cameracensis

theologia huiusmodi non est adhaesio cum formidine, sed est quaedam fides firma sive credulitas cum certitudine. — Vgl. Gregor, Sent. prol. q.1 a.4 Q-R: Prima (conclusio) est, quod ex discursu theologico non per se acquiritur scientia. Secunda quod acquiritur adhaesio in animo dantis fidem sacrae scripturae in aliis autem non. Tertia quod non acquiritur adhaesio cum formidine. Quarta quod acquiritur fides quaedam, ex quo patebit quod habitus theologiae qui consequenter acquiritur est quaedam habitus creditivus et fides quaedam acquisita.

[52] Peter, Sent. I q. 1 a. 3 LL: Theologia in eodem subiecto et respectu eiusdem obiecti non est naturaliter compossibilis scientiae vel opinioni.

[53] Gregor, Sent. prol. q. 2 a. 2 L-M: Theologia potest accipi dupliciter. Uno modo pro habitu vel habitibus, quo vel quibus quis novit sensum sacrae scripturae . . . Alio modo potest accipi theologia pro assensu tam actuali quam habituali in animo fidelis acquisito . . . de obiecto theologico. — Vgl. Leff, aaO., 221.

[54] Gregor, Sent. prol. q. 2 a. 3 E: Opinio conformiter ad distinctionem in praecedenti articulo datam de theologia potest dupliciter accipi in proposito.

[55] Gregor, Sent. prol. q. 2 a. 3 H: Impossibile est eundem hominem adhaerere alicui formidando de veritate oppositi et adhaerere eidem non formidando de veritate oppositi. Patet, quia alioquin formidaret et non formidaret de eodem, quod implicat contradictionem. Igitur impossibile est eundem simul eidem adhaerere assensu theologico et opinativo. — Vgl. Leff, aaO., 222.

[56] Peter, Sent. I q.1 a.3 LL: Prima igitur conclusio erit quod theologia per discursum theologicum naturaliter acquisita non est scientia proprie dicta. — Vgl. Gregor, Sent. prol. q. 1 a. 4 N: Cum ergo principia theologiae non sint neque fuerint nobis nota, ut isti concedunt, theologia quae acquiritur de communi lege in theologis, de qua etiam nunc est sermo, non est vere scientia.

[57] Grabmann, Die Geschichte der katholischen Theologie, 113.

auch Gregor von Rimini ausgeschrieben hat, hat sich nun Saint-Blancat zu der Behauptung verleiten lassen, Luther habe sich unter dem Einfluß dieser Exzerpte geistig vom Ockhamismus entfernt[58]. Diese Behauptung hat naturgemäß eine Richtigstellung oder wenigstens Differenzierung herausgefordert. Grane und Oberman zeigen, inwiefern sich bei Ockham und Biel inhaltliche Parallelen zu den von Saint-Blancat entdeckten Gregor-Exzerpten finden lassen[59]. Beide kommen zu dem Ergebnis, daß Ockham im Grunde bereits enthält, was dann Peter von Gregor übernommen hat. Die Linie gehe von Peter über Gregor auf Ockham zurück[60]. Biel habe zudem die Gedanken Ockhams, die hier in Frage stehen, ebenfalls aufgenommen[61].

Grane kommt zu folgendem negativem Ergebnis: „Die Kritik ... bedeutet, daß Saint-Blancat bislang nicht in der Lage gewesen ist, unser Wissen um Luthers tatsächliches Verhältnis zu Gregor sonderlich zu erweitern ... Ein eigentliches Zeugnis dafür, daß Luther hierdurch etwas anderes gelernt haben sollte, als er von Ockham und Biel hätte lernen können, wird uns nicht vermittelt"[62].

Was ist nun von diesem Ergebnis zu halten? Zunächst ist hier etwas zum Fragepunkt zu sagen. Das so allgemein formulierte negative Ergebnis Granes verdeckt, daß er und Oberman nur die Beziehung der Gregor-Exzerpte zu Ockham und Biel untersuchen. Ob sich aber aus diesen Beziehungen zwischen Gregor, Ockham und Biel ergibt, daß die Gregor-Exzerpte „unser Wissen um Luthers tatsächliches Verhältnis zu Gregor (nicht) sonderlich zu erweitern" vermögen, wie Grane folgert, das bleibt nun zu überprüfen.

Die Kritik Granes an Saint-Blancat hebt folgende Übereinstimmungen zwischen den Gregor-Exzerpten einerseits, Ockham und Biel andererseits hervor: Erstens. Wie Gregor lehren auch Ockham und Biel, daß Theologie keine Wissenschaft sei. Zweitens. Ockham und Biel kritisieren in derselben Weise den thomistischen Beweis für den Wissenschaftscharakter der Theologie wie Peter von Ailly (bzw. Gregor von Rimini). Gregor ist nicht Skeptiker und „Fideist", wie Saint-Blancat behauptet[63].

Oberman legt zudem dar, daß Ockham, nicht nur Gregor, den radika-

---

[58] Saint-Blancat, La théologie de Luther et un nouveau plagiat de Pierre d'Ailly, 68.
[59] Grane, Contra Gabrielem, 18-20. — Ders., Gregor von Rimini und Luthers Leipziger Disputation: StTh 22 (1968) 30. — Oberman, Spätscholastik und Reformation, Bd. 1, 188-190.
[60] Oberman, aaO., 190.
[61] Grane, Gregor von Rimini, 30.
[62] Ebd.
[63] Ders., Contra Gabrielem, 19.

len Gegensatz zwischen fides und opinio betone[64]. Die Einstellung zur kirchlichen Autorität sei bei beiden die gleiche. Es liege kein Grund vor, eine Antithese zwischen der sogenannten biblischen Einstellung Gregors und der philosophischen oder unbiblischen Einstellung Ockhams und Biels zu konstruieren[65].

Die Kritik Peters von Ailly an der thomistischen Theorie der Theologie entspreche nicht nur Gregor, sondern auch, und zwar zum Teil bis in den Wortlaut hinein, Ockham[66]. Zur Beurteilung der Darlegungen Granes und Obermans sei folgendes gesagt.

1. Ockham stellt den Gegensatz zwischen fides und opinio nicht so radikal heraus wie Gregor. Freilich betont Ockham die absolute Sicherheit des Glaubens. Gregor ist aber an diesem Punkte ganz anders interessiert. Bei Ockham ist das mehr beiläufig gesagt. Biel hat dies bereits erkannt. Er weist in diesem Punkte seine Leser auf Peter (der an dieser Stelle Gregor exzerpiert hat) hin. Er habe „weitläufiger" und „deutlicher" darüber geschrieben[67].

2. Es geht nicht darum, eine „Antithese zwischen der sogenannten biblischen Einstellung Gregors und der philosophischen oder unbiblischen Einstellung Ockhams und Biels zu konstruieren". Wohl aber muß betont werden, daß Gregor (und zwar an Stellen, die Peter exzerpiert hat) eine radikale biblische Ausrichtung alles theologischen Denkens fordert. Es geht um den Akzent. So haben weder Ockham noch Biel akzentuiert[68].

3. Ockham und Biel haben zwar tatsächlich wie Gregor (und Peter) bestritten, daß Theologie Wissenschaft sei, aber die Frage nach dem *Eigentlichen* des theologischen Denkens spielt nicht die Rolle wie bei Gregor. Ihre Theologie-Theorie ist weitgehend beherrscht von der Frage nach der Einheit und dem Subjekt der Theologie und nach ihrem praktischen oder spekulativen Charakter[69]. Letztere Frage ist freilich auch Gregor sehr wichtig. Er betont den praktischen Charakter der Theologie[70].

Wenn der Inhalt der Gregor-Exzerpte sich *auch* bei Ockham oder Biel teilweise findet, so sagt das nichts gegen unsere Auffassung, daß dieser

[64] Oberman, Spätscholastik, 188f.
[65] AaO.   [66] AaO., 190.
[67] Biel, Sent. I q. 7 a. 1 H: Quaeritur utrum per studium theologicum etiam possit acquiri opinio credibilis ... Alia ad hoc dubium necessaria patent ex praecedentibus quaestionibus. Et vide hic Petrum de Alliaco qui latius hanc materiam prosequitur. Et aliquo modo distinctius: q. 1 a. 2 et 3. Item quomodo fides est notitia certissima, quamvis non sit evidens: habens in tertio d. 23 q. 2 a. 1.
[68] Iserloh, Luthers Stellung in der theol. Tradition, 21; 27.
[69] Vgl. o. 191ff.   [70] Leff, Gregory of Rimini, 218.

Inhalt geeignet ist, die Einbettung von Luthers Theologieverständnis in sein geistiges Milieu zu seinem Teil zu charakterisieren. Die ständige Berufung Gregors auf Augustinus läßt zudem ihren „augustinischen" Charakter nicht ernsthaft in Frage stellen.

Somit können wir uns nun dem Vergleich zwischen dem Theologieverständnis der Exzerpte aus Gregor mit Luthers Theologieverständnis im einzelnen zuwenden.

Wie Luther betonen Peter von Ailly und Gregor von Rimini, daß die Hl. Schrift die alleinige und ausschließliche Grundlage jeder Theologie sei. Die Linie von Gregor und Peter auf Luther führt in diesem Punkte übrigens auch über seinen Lehrer Jodokus Trutfetter[71].

Im einzelnen erinnern wir uns an folgende Punkte. Die kirchliche Lehrautorität kann nicht neben der Bibel als Prinzip der Theologie gelten. Unbiblisches Denken ist kein theologisches Denken. Wenn man nicht von der Schrift her argumentiert, so mag es immerhin vorkommen, sagt Gregor, daß man zu gleichlautenden Ergebnissen kommt wie durch biblisches Denken, aber theologisch ist einzig und allein das biblisch fundierte Denken. Alles andere Denken ist physisch oder metaphysisch oder sonstwie, nur nicht theologisch. Es bedarf keiner näheren Ausführung, daß die Behauptung solch strikter und ausschließlicher Bezogenheit der Theologie auf die Schrift dem Denken Luthers entspricht[72].

Darüber hinaus findet sich bei Peter und Gregor folgender Gedankenkomplex, der sein Analogon in einem wichtigen Moment von Luthers Bibelprinzip besitzt: Peter und Gregor lehren mit großem Nachdruck, daß theologisches Denken ein Glauben mit unbedingter Sicherheit sei, einer Sicherheit, die jede Furcht, man könne sich in seinem Glauben irren, ausschließt. Luther hat die Sicherheit theologischer Erkenntnis mit gleicher Betonung, ja mit Leidenschaft behauptet. In der Auseinandersetzung mit Erasmus hat er die unbedingte Sicherheit echter theologischer Einsicht mit seiner Lehre von der Klarheit der Schrift untermauert.

Beachtung verdient auch die Stellungnahme Peters und Gregors zum Wissenschaftscharakter der Theologie. Wie noch darzulegen ist, entfaltet sich im späteren Mittelalter das Fragen nach der Theologie als solcher in zweierlei Richtung: Erstens fragt man nach dem Wissenschaftscharakter der Theologie: Utrum theologia sit scientia. Zum anderen fragt man,

---

[71] WABr Nr. 1,171 (an Trutfetter, 1518): Ex te primo omnium didici, solis canonicis libris deberi fidem caeteris omnium iudicium. — Vgl. Iserloh, aaO., 26.
[72] Explizit stellt Luther wie Gregor von Rimini metaphysische (= „moralische") und theologische (= „geistige") Denkweise gegenüber: WA 56, 334,3ff.

was das Eigentliche der Theologie sei, was sie gegenüber dem Allgemeinen der Wissenschaft auszeichnet. Peters (Gregors) Fragen geht in die zweite Richtung. Er lehnt mit Gregor ab, daß Theologie Wissenschaft sei, und sucht das Eigentliche des theologischen Denkens aufzuhellen.

Luther hat sich nicht für die Frage interessiert, ob Theologie Wissenschaft sei. Schon 1509 möchte er wissen, was der „Kern der Nuß" ist, das heißt das Eigentliche der Theologie.

Schließlich ist zu erwähnen, daß Gregor, Peter und Luther in gleicher Weise Augustinus als entscheidende theologische Autorität hochschätzen.

2. KAPITEL

Repräsentanten eines der scholastischen Form gegenüber freieren Augustinismus

Der Augustinismus im Sinne des Gregor von Rimini begegnet uns in scholastischem Gewande. Augustinus hat aber im Mittelalter oft gerade in Weisen von Theologie weitergewirkt, die wenigstens der Form nach unscholastisch waren. Ja, er hat sicher diese Freiheit gegenüber der scholastischen Form begünstigt. Solche nicht im schweren Kettenhemd der Scholastik einherschreitende Theologie, die stark von Augustinus beeinflußt ist, liegt zum Beispiel vor bei Bernhard von Clairvaux oder Johannes von Staupitz. Wir finden sie auch bei Theologen der devotio moderna und des Humanismus. Im folgenden betrachten wir als Beispiele einige Schriften des Johannes Gerson und Nikolaus von Clémanges.

1. Johannes Gerson

Gerson betont den affektiven Charakter der Theologie. Eben hierin erweist er sich als Augustinist. Unmittelbar hat er die Betonung des affektiven Momentes von Bonaventura übernommen[1].

Luther hat in besonders lobender Weise bei verschiedenen Gelegenheiten Gersons gedacht. Allerdings ist es im Grunde immer derselbe Punkt, den er lobend hervorhebt. Gerson sei der einzige, der über geistige Versuchungen schreibe. Die geistigen Versuchungen sind aber nach Ansicht Luthers die für die Existenz des Christen entscheidenden Versuchungen. Weil Gerson die wahren Anfechtungen des Christen erkannt

---

[1] Grabmann, Geschichte der katholischen Theologie, 113.

habe, deshalb könne er auch als einziger die Gewissen trösten. Freilich fehle ihm doch das Wichtigste: das rechte Verständnis der Rechtfertigungslehre, daß man nämlich nicht dem Gesetz, sondern Christus vertrauen müsse[2]. Gerson sei ein vir conscientiae im Gegensatz zu den viri speculativi wie Thomas von Aquin, Duns Skotus, Alexander von Hales, Bonifacius (VIII.) oder auch im Gegensatz zu dem Dialektiker Ockham[3].

a) Anfechtung und Trost in dem Traktat De consolatione theologiae

Gerson hat in einer Reihe von Traktaten zum Problem der Anfechtung Stellung genommen und versucht, den Kleinmütigen einen Weg zum inneren Frieden und Trost zu zeigen[4]. Wie nahe seine Anliegen an die großen theologischen Themen Luthers heranführen, zeigt Gersons Büchlein De consolatione theologiae. Die äußere Form freilich ist auffallend. Die Gedanken sind abwechselnd in Gedichten (genannt „metrae") und in kurzen Prosastücken („prosae") entfaltet.

Eine einleitend gebotene Übersicht zeigt das für unseren Zweck Notwendige: „Im Proemium werden vier Grundlagen des ‚theologischen Trostes' genannt, nämlich die Hoffnung, die Schrift, die Geduld und die Lehre ... Das zweite Gedicht zeigt als Ruhm der Theologie, daß sie die Kraft zum Trösten besitzt.

Das zweite Prosastück legt dar, daß die Theologie dort mit ihrem Trost beginnt, wo und aus welchem Grunde der philosophische Grund am Ende ist: daß wir nämlich all unser Tun vor den Augen des allwissenden Richters vollziehen. Ferner, daß das Gericht Gottes dreifach ist. Daß hieraus in uns Hoffnung und Furcht erwächst und wie sie untereinander in Beziehung stehen. Ferner, daß es nützlich ist, in Nüchternheit eine Betrachtung der Gerichte Gottes in der Prädestination und Verwerfung zu überdenken und darzubieten, wie der Apostel getan hat. Schließlich, wie von hier aus ein tief innerer Trost kommt, den (freilich) nur die verstehen, die ihn erfahren haben.

---

[2] WATi Nr. 979; 1351; 1492; 2557a. — Vgl. W. Dreß, Gerson und Luther: ZKG, Bd. 52, F. 3, H. 1, 1933, 122-161. —
Hinweis auf Gersons De theologia mystica in den Randbemerkungen Luthers zu den Predigten Taulers: WA 9,99,38. [3] WATi Nr. 2544 a und b.
[4] De remediis contra pusillanimitatem (Opera p. III, LXIX); De tentationibus diaboli diversis (Opera p. III, LXX); Appellatio cuiusdam peccatoris a divina iustitia ad eius misericordiam (Opera p. III, LXXVII); Oratio cum peccator de peccatis suis multum est anxius (Opera p. III, LXXVIII); Tractatus de effectu tribulationum (Opera p. IV, LXXII); Doctrina contra nimis strictam et scrupulosam conscientiam (Opera p. IV, LXXII); Tractatus contra tentationem blasphemiae (Opera p. IV, LXXII).

Das dritte Gedicht handelt von der Empfindung (sentimentum) dieses Trostes.

Das dritte Prosastück handelt zunächst im besonderen davon, ob es einen Grund dafür gibt, daß Gott diesen oder jenen prädestiniert hat. Darauf, unter welcher Voraussetzung man eine solche Betrachtung im einzelnen zulassen müsse und könne. Schließlich, unter welcher Bedingung die Hoffnung in Gott ihre Ruhe finden kann.

Das vierte Gedicht zeigt an Beispielen, wieso durch Anfechtungen die Hoffnung nicht getilgt wird.

Das vierte Prosastück zeigt zunächst, worin die Hoffnung besteht und daß man hier auf Erden keineswegs verzweifeln soll. Ferner, wie man durch die äußerste Verzweiflung zur Hoffnung gelangt und wie sehr nützlich die Erwägung der göttlichen Prädestination ist"[5].

Im folgenden geht Gerson zu Themen über, in denen seine Gedanken weitab von Luthers Gedanken sich bewegen: Stärkung der Hoffnung durch das Beispiel der Heiligen, die Frage der Freiheit und so weiter[6].

Vergleich mit Luthers Auffassung

Ein Vergleich mit Luthers Theologie zeigt, welch zentrale Thesen in De consolatione theologiae von Gerson behandelt werden.

Folgende Punkte sind hervorzuheben:

1. Gerson ist wie Luther überzeugt, daß es ein Hauptthema der Theologie ist, die Gewissen zu trösten: Ponitur laus theologiae in hoc, quod est efficax consolari[7].

---

[5] De consolatione theologiae (Opera p. III, LIV [fol. 1ra]): In proemio notantur quattuor causae theologicae consolationis, quae sunt spes, scriptura, patientia et doctrina ... In secundo metro ponitur laus theologiae in hoc, quod est efficax consolari. In secunda prosa ponitur primo quod theologia suam consolationem inchoat, ubi et unde desinit philosophica consolatio, sc. quod cuncta agimus ante oculos iudicis cuncta cernentis. Amplius, quod triplex est iudicium dei, unde consurgit in nobis spes et timor, et quomodo se comitantur. Amplius quod cum sobrietate potest utiliter recogitari et tradi consideratio iudiciorum dei in praedestinatione et reprobatione sicut fecit apostolus. Et deinde qualiter oritur inde consolatio intimarum solis expertis cognita. In tertio metro agitur de sentimento talis consolationis. In tertia prosa agitur primo in speciali si causa sit aliqua, cur deus istum vel illum praedestinaverit. Deinde cum qua cautela talis consideratio in particulari debeat aut possit admitti. Demum quo pacto potest quietari spes in deo. In quarto metro ponuntur exempla quomodo per tentationes non evellitur spes. In quarta prosa traditur primo in quo spes consistit, et quod de nullo hic est desperandum. Amplius, quomodo per summam desperationem venitur ad spem et quantum sit utilis consideratio divinae praedestinationis.

[6] Ebd.: Rursus agitur de corroboratione spei exemplo sanctorum, et quomodo stat cum libertate ...   [7] Ebd.

2. Wie Luther stellt Gerson als den Kern menschlicher Trostlosigkeit heraus, daß unser sündiges Tun unter dem Gericht des allwissenden und prädestinierenden Gottes steht.

3. Wie Luther zeigt Gerson, daß die Betrachtung der Prädestination im letzten für uns heilsam ist, ja daß wir gerade durch die Nacht der äußersten Verzweiflung zur Hoffnung gelangen.

4. Im Unterschied zu Luther betont jedoch Gerson sehr stark das Moment der menschlichen Freiheit.

Die Form, in der Gerson seine Thesen darlegt (abwechselnd Gedicht und Prosa), hat irgendwie etwas Spielerisches. Luthers entsprechende Darlegungen sind ungleich wuchtiger — nicht nur in De servo arbitrio, sondern spätestens seit seiner Römerbriefvorlesung.

Anderseits ist zu betonen, daß die übrigen Schriften Gersons zeigen, daß er sich ehrlich und mit Hingabe um den Trost ängstlicher Gewissen gemüht hat. Das gilt zum Beispiel für seine Traktate De praeparatione ad missam et pollutione nocturna und De pollutione diurna[8], in denen er mit Sorgsamkeit einer kasuistischen Frage nachgeht[9]. Er ermuntert den Beichtvater zu festem Urteil, um die Zweifel des Pönitenten zu beheben[10].

Wenn Luther betont, daß Gerson das rechte Verständnis der Rechtfertigungslehre nicht gefunden habe[11], so könnte man fragen, ob hier nur die Rechtfertigungslehre im strikten Sinne gemeint ist oder nicht vielmehr auch und gerade die Haltung Gersons gegenüber der Kasuistik. Dieser müht sich um Verständnis für skrupulöse Gewissen, tut aber nicht den Schritt, den Luther getan hat, indem er die Rechtfertigungslehre benutzte, um die Kasuistik zu vernichten[12].

---

[8] Gerson, Opera p. II 37 und 38.

[9] De praeparatione ad missam (fol. 1rb des Traktates): Dubitatum est apud me frequenter et diu / praesertim post susceptum sacerdotium: si quis nocturno pollutus somnio a celebrando missam cessare deberet. Expertus sum similiter multos, praesertim religiosos, et novissime quendam prae ceteris, tali *dubitationis scrupulo* non parum *turbatos*. — AaO. (Propositio nona): Expedit autem, quod post consilium acceptum a prudentibus, expertis et devotis dimittat homo *scrupulos et timores nimios.*

[10] De pollutione diurna, propositio nona: Debet vero superior et expertus, cuius in hac re quaeritur consilium a subditis, postquam exploraverit omnia, dicere diffinitiva et solida responsione: „Tu fac ita!" Quoniam si medicus in medendo vacillaverit, qualis in aegroto speranda erit secura stabilitas?

[11] Vgl. o. 247.

[12] WA 6,163,25ff. (Confitendi ratio 1520): Ad rem ipsam accedendo tumultu distinctionum penitus abscindat confessurus, qui passim celebratur, scilicet quid per timorem male humiliantem et amorem male accendentem, quid contra tres virtutes Theologicas, fidem, spem, charitatem, quid contra quattuor virtutes cardinales, quid per quinque sensus, quid per septem peccata mortalia, contra septem sacramenta,

b) „Ocium ad Christi doctrinam"

Die Sorge um die rechte Verwendung unserer Lebenszeit ist ein altes Thema klösterlicher Aszese[13]. Die Beziehung dieses Themas auf das Studium der Theologie ist nicht erst das Werk Luthers und seiner Freunde. Schon Gerson hat hervorgehoben, daß beim Studium sehr darauf zu achten sei, wie man die Zeit recht nutze. Man dürfe die Zeit nicht an unwesentliche Fragen verschwenden: „Glaube mir", schreibt er seinem Bruder, dem Prior der Cölestiner in Lyon, „ein großes Talent, ja ein großes und kostbares Talent ist die Zeit. Wer es nutzt, wird mit vielfachem Ertrag die Garben der Gerechtigkeit unter Jauchzen einbringen. Wer es jedoch böse und faul vertut, den läßt Gott schon in dieser Welt verderben. Denn ‚ein überaus schlimmes Übel ist träge Ruhe', sagt Bernhard. Und ‚die Wünsche töten den Faulen'. Unter ‚Wunsch' ist hier nicht nur zu verstehen, was offenbar schlecht und verwerflich ist, sondern auch, was sich unter dem Schein des Guten verbirgt und verhüllt, wie etwa der Wunsch, andere zu erbauen und zurechtzuweisen und möglichst viel zu wissen, um die Finsternisse des Geistes zu vertreiben. Aber in Wirklichkeit entsteht (hierbei oft) eine schlimmere Dunkelheit aus der Neugier. Wer sich ihr hingibt, gerät unter die Zahl derer, von denen der Apostel sagt, sie seien wortreich, neugierig, stets lernend, ohne je zur Erfassung der Wahrheit zu gelangen (2 Tim 3,7). Sie gleichen völlig einem Sieb, das ins Wasser getaucht wird, sie sind ein Gefäß voller Sprünge, das überall ausläuft und keine Weisheit enthält"[14].

contra septem dona spiritussancti, quod contra octo beatitudines, quid contra novem peccata aliena, quid contra duodecim articulos fidei, quid per muta, quid per clamantia in coelum peccata, aut si qua alia sunt, per quae aut contra peccatum est. Iste enim odiosissimus ac tediosissimus cathalogus distinctionum inutilissimus est, immo noxius omnino.

[13] Vgl. z. B. Bernhard von Clairvaux: Liber de praecepto et dispensatione, c. 8,8 (PL 182,817C): Heu nobis! quaenam poterit reddi ratio de otio? — Ders., sermo 17 (De triplici custodia, manus, linguae et cordis) n. 3 (PL 183,584A-C). — Ders., De consideratione, l.2, c. 13, n. 22 (PL 182,756A-B): Etsi recte Sapiens hortatur sapientiam scribi in otio (Eccli. 38,25) cavendum et in otio otium est. Fugienda proinde otiositas, mater nugarum, noverca virtutum. — Sermo in obita Domni Humberti, monachi Claravallensis, n. 8 (PL 183,518B): Volat irrevocabile tempus.

[14] Oeuvres complètes, Vol. II Nr. 50: Magnum est, crede mihi, magnum et pretiosum otii talentum; quo qui utitur multiplicato foenore manipulos justitiae cum exultatione reportabit; qui vero male et inerter illud dissipaverit, disperdet illum Deus etiam in hoc saeculo; summa enim malitia est otium iners, ait Bernardus; Et desideria occidunt pigrum; desideria intellige, non ea sola quae palam improba sunt et scelerata, sed quae specie boni se velant et palliant, ut sunt desideria aedificationis aliorum, sciendi quoque plurima ad expulsionem tenebrarum intellectus sed evenit profecto deterior obscuritas ex curiositate, quam qui sequitur ponitur in numero talium, quales Apostolus verbosos, garriculosos, curiosos, semper discentes et nunquam ad scientiam veritatis venientes. Sunt cribro in aquam merso simillimae: sunt vas plenum rimarum quod hac illuc effluit, nec sapientiam continebit.

c) Der Traktat An monachus pro studio lectionis possit se subtrahere a divinis[15]

André Combes hat in einem Aufsatz über Gersons beide Lectiones contra vanam curiositatem in negotio fidei dargelegt, daß es sich dabei um Reformschriften für das theologische Studium handelt. Gerson habe sie als Kanzler der Universität geschrieben, um das Theologiestudium theoretisch und praktisch zu reformieren[16]. Er verfolge das Anliegen, die Fakultät zum Evangelium zu rufen[17]. Er kämpfe darum, daß die Theologie in „authentischer" Weise betrieben werde[18]. Die von ihm erstrebte Reform sei im eigentlichen Sinne religiös und aszetisch[19].

Die Ausführungen Gersons in diesen beiden Lectiones werden bestätigt und ergänzt durch den Traktat An monachus pro studio lectionis possit se subtrahere a divinis. Er soll für die weitere Beleuchtung von Gersons Theologieverständnis der Leitfaden sein.

Besinnung der Theologie auf ihre eigentliche Aufgabe

Obgleich Gerson Kanzler der Universität Paris war, finden sich bei ihm gegenüber der scholastischen Theologie deutliche Reserven. Im einzelnen führt er aus: Das Ordensleben ist nicht eine Schule der Theologie und Philosophie, nicht „Eitelkeit weltlicher Wissenschaft", sondern Disziplin und das Gut eines demütigen Lebens. „Laß die Quästionen den Männern der Scholastik!" Dem Mönch soll genügen, treu seine Regel zu beobachten und dadurch sein religiöses Gefühl (den Affekt) entflammen zu lassen[20].

Stellungnahme zur theologia beatorum

Wie bereits dargelegt, spielt in der mittelalterlichen Theologie die Unterscheidung zwischen der theologia viatorum und der theologia beatorum

---

[15] Gerson, Opera, p. I, XIX.

[16] A. Combes, Les deux „Lectiones contra vanam curiositatem in negotio fidei" de Gerson: Divinitas 4 (1960) 301.

[17] AaO., 302.   [18] AaO., 315f.   [19] AaO., 311.

[20] An monachus, consideratio VII D (fol. 1rb des Traktates): Dicebat hoc unus fratrum...: „Frater, haec religio non est schola theologiae vel philosophiae sed christianae felicitatis et disciplinae. Non venisti ad doctrinam et saecularis scientiae vanitatem sed ad disciplinam et humilis vitae bonitatem. Linque quaestiones scholasticis viris quae erudiunt intellectum. Tibi satis sint regulares nostrae observantiae quae inflammare sufficiunt tuum affectum." Et vere ita est et verissimum est quod dixit.

eine wichtige Rolle. Die beati sind die comprehensores, die ohne Dazwischenkunft sinnenhafter Phantasmen Gott schauen dürfen. Die Schau der Seligen ist das Urbild der Theologie. Bereits bei Darstellung des Theologieverständnisses von Biel wurde darauf hingewiesen, daß die Gegenüberstellung der theologia viatorum und der theologia beatorum einen Trend auslöst, die Themen der irdischen Theologie nach dem Inhalt der visio beatifica zu bestimmen und insbesondere die Geheimnisse der Erlösung und Rechtfertigung zurückzudrängen[21]. Gerson wendet sich sehr deutlich gegen diesen Trend: Wir sind Erdenpilger, und deshalb sollen wir das tun, was uns als Erdenpilgern zukommt, nicht das, was Sache der Seligen im Himmel ist. Nachdrücklich rückt er das Thema von Jesus unserem Erlöser in den Mittelpunkt und mahnt zur Beschränkung auf dieses Wesentliche: „(Der Ordensmann) soll erwägen, daß wir hier (auf Erden) Pilger sind und nicht im Lande des Schauens (non comprehensores). Er sei also Pilger als Pilger und suche nicht hier auf dem Wege, was ihm zum Lohn des Gesuchten im (himmlischen) Vaterlande zuteil werden soll, nämlich die Schau der Gottheit ohne Phantasma und ohne Mühe, wo es nicht Schwäche oder Alter oder etwas Ähnliches gibt. Vielmehr wollen wir mit dem Apostel sprechen: ‚Ich nahm mir vor, nichts unter euch zu kennen als Jesus Christus, und diesen als Gekreuzigten‘ (1 Kor 2,2). Uns, die wir hier im Leiblichen durch das Leibhafte hindurchwandeln, soll genügen, im Glauben und in der Hoffnung und Liebe zum Ewigen hinüberzugehen. Und wir wollen so lange im Spiegel und im Rätsel sehen (vgl. 1 Kor 13,12), bis jener Tag kommt, an dem der Bräutigam uns weidet und im Mittag ewiger Klarheit ruhen läßt: wenn wir von Angesicht zu Angesicht ihn sehen, wie er ist, und ihm ähnlich sein werden (1 Kor 13,12; 1 Joh 3,2)“[22].

Beachtung verdient, wie Gerson hier das Hauptthema des theologischen Bemühens ganz von Paulus her bestimmt. Wissenschaftstheoretisch gesprochen ist hier das mysterium salutis als Subjekt der Theologie ins Auge gefaßt.

---

[21] Vgl. o. 203f.
[22] An monachus, consideratio VIII: consideret octavo quod viatores hic sumus non comprehensores. Sit igitur viator ut viator, nec quaerat hic es in via, quae pro praemio quaesita debentur in patria. Comprehensio sc. divinitatis sine phantasmatibus et sine labore, ubi nec languor nec senium etc. Et dicamus cum Apostolo: „Nihil iudicavi me scire inter vos nisi Iesum Christum et hunc crucifixum.“ Sufficiat hic nobis corporaliter ambulantibus per corporalia transire per fidem perque spem et charitatem in aeterna. Et videamus tamdiu in speculo et aenigmate quousque veniat dies illa qua sponsus pascit et cubat in meridie claritatis aeternae: quando videbimus eum facie ad faciem sicuti est et similes ei erimus.

Die Betrachtung des göttlichen Gerichtes und das theologische Studium

Im besonderen Gericht nach unserem Tode oder im allgemeinen Gericht am Jüngsten Tage wird Gott uns nicht fragen, „wie scharf unser Verstand ist und ob wir gelehrt sind, sondern wie unser Herz (unser ‚Affekt') zum Herrn unserem Gott steht, das heißt, wie einfältig, gerade, wie fromm, wie demütig und hingegeben (devotus), wie bereit und treu wir im Dienste Gottes sind gemäß der Berufung, durch die wir von Gott berufen sind"[23].

Der Hinweis auf die Einfalt (simplicitas) und die devotio sowie die starke Zurückhaltung gegenüber der Gelehrsamkeit zeigt den Einfluß der devotio moderna, mit der Gerson schon in Berührung gekommen war[24]. Außerdem tritt hervor, daß er stark vom Gedanken an den richtenden Gott bewegt ist. Das zeigte sich auch in seiner Schrift De consolatione theologiae[25].

Im folgenden betont Gerson noch nachdrücklicher die Bedeutung der Affekte für die Theologie. Außerdem will er sich an die Mystik des Ps.-Dionysius anschließen, von der aristotelisch-spekulativen Theologie sich dagegen distanzieren[26].

Die inflammatio affectus und der eitle ardor sciendi

In der folgenden consideratio geht Gerson noch einmal auf den von ihm so betonten Punkt ein, daß es für einen Ordensmann darauf ankommt, daß sein Herz (Affekt) entflammt werde. Nun stellt er der „Entflammung des Affektes" das übertriebene und vorwitzige Streben nach Einsicht gegenüber. Falscher Wissensdurst, Alles-wissen-Wollen, eitle Neu-

---

[23] An monachus, consideratio IX D (fol. 1rb-va des Traktates): In illa die primi specialis examinis nostri et in die etiam examinis secundi seu novissimi et generalis non interrogabimur quantum fuerit intellectus noster acutus et eruditus, sed qualis fuerit affectus noster ad dominum deum nostrum, hoc est, quam simplex, quam rectus, quam pius, humilis et devotus quamque spontaneus te fidelis in dei servitio secundum eam vocationem fuerit divinitus.

[24] J. L. Connolly, John Gerson Reformer and Mystic, Löwen 1928.

[25] Vgl. o. 247.

[26] An monachus, consideratio X D (fol. 1va d. Trakt.): Consideret decimo ipse religiosus ex praemissis, ex quod omne studium suum resolvi debet in affectum, ut nihil studeat, nihil legat, nihil cantet, nihil meditetur, quod non immediate aut mediate ordinetur ad inflammationem affectus, quoniam in hac inflammatione consistit supremus apex theologiae mysticae traditae per Dionysium ac revelatae sibi et aliis per spiritum sanctum sed neque fugabuntur phantasmata per studium, sed per desiderium, per affectum, sc. non intellectum, quoniam necesse est intelligentem phantasmata speculari.

gier entstammen den Einflüsterungen des Teufels. Gerson legt das nicht ohne Pathos dar[27].

Zusammenfassung

Als das Grundanliegen echter theologischer Bemühungen stellt Gerson die inflammatio affectus heraus. Er warnt vor eitlem weltlichem Wissen und läßt durchblicken, daß er damit auch den scholastischen Wissenschaftsbetrieb kritisieren will. Er ermahnt die Ordensleute, sich auf das Eigentliche ihres Standes zu besinnen. Das Eigentliche der Theologie sieht er in dem Pauluswort ausgesprochen: „Ich nahm mir vor, nichts unter euch zu wissen als Jesus Christus, und diesen als Gekreuzigten."

Den Ernst seiner Forderung unterstreicht er zunächst durch den Hinweis auf das Gericht Gottes, das nach dem Tode und am Jüngsten Tage über uns ergehen wird, sodann durch eine Warnung vor dem Teufel, der sich nicht scheue, zuweilen „Theologie zu betreiben" und die Menschen so durch den Schein des Guten zu verführen.

d) Falsche Theologie als Teufelswerk

Daß der Teufel zuweilen in Beziehung zur Theologie trete, hat schon Johannes Klimakus geäußert. An ihn anschließend führt Gerson aus, daß eine bestimmte Art der Theologie vom Teufel sei[28]. Einen Hinweis darauf, daß der Teufel zuweilen Theologie betreibt, erblickt er in der Evangelienperikope von der Versuchung Jesu durch den Teufel. Denn dieser habe (gleichsam theologisierend) gesagt: „Es steht geschrieben: ‚Seinen Engeln hat er deinethalb befohlen usw.'. So warnte auch Paulus vor Lehrmeinungen, die oberflächlich betrachtet, als wahr erscheinen, in Wahrheit aber dämonischen Ursprung haben"[29]. Sodann zitiert Gerson

---

[27] An monachus, consideratio XI E (fol. 1va d. Trakt.).

[28] De examinatione doctrinarum (Opera, p. I, XVIII F, 1. Pars princ. I. consideratio): Theologizat aliquando daemon, ait Climacus. — Vgl. Joh. Klimakus, Κλῖμαξ τοῦ παραδείσου, gr. 26 (PG 88,1068A): τὴν τῶν δαίμονων θεολογίαν, μᾶλλον δὲ θεομαχίαν. — Herr Prof. Dr. Völker/Mainz, der die zit. Stelle freundlicherweise ermittelt hat, machte mich darauf aufmerksam, daß Klimakus im Kontext erklärt, daß besonders jene für den Einfluß des Teufels in der Theologie anfällig seien, die sich zuvor mit Philosophie befaßt haben. Was Klimakus unter Theologie verstand, zeigt seiner Angabe zufolge besonders gr. 30 (PG 88,1157C): ἁγνεία μαθητὴν θεόλογον εἰργάσατο und Ad pastorem 1 (PG 88,1165C): ὁ τοὺς κάτω παιδεύων, ἄνωθεν ἐκ τοῦ ὕψους διδάσκου.

[29] Ebd.: Et patet in evangeliis, etiam coram Jesu, quem tentare praesumpsit et dicere: „Scriptum est: ‚Angelis suis mandavit de te etc.'" Nihilominus prohibuit Christus,

2 Kor 6,14f.: „Denn welche Gemeinschaft hat das Licht mit der Finsternis und Christus mit Belial?"[30] Erklärend fährt er fort: „Der erste Grund (für den dämonischen Ursprung der Lehrmeinungen von Häretikern) ist ihre Exkommunikation. Der zweite, daß sie nichts Wahres aus guter Absicht sagen, der dritte, daß sie beständig Falschheit einmengen, selbst wenn sie tausend Wahrheiten zugeben würden. Denn es gibt nach Beda keine falsche Lehre, die nicht Wahres einmischt"[31]. Man soll daher die Lehrmeinungen prüfen. Ein guter Prüfstein besteht darin, eine Lehre, die sich auf ausgefallene Begriffe oder neue und fremdartige Sentenzen stützt, mit den Begriffen und Lehrsätzen allgemein anerkannter Doktoren zu vergleichen. Das hat Christus dem Teufel gegenüber getan[32].

Diese Darlegungen Gersons finden eine Ergänzung durch eine eindringliche — bereits erwähnte — Erwägung zu dem gleichen Thema in der quaestio „An monachus . . ." Er vergleicht in dieser quaestio die echte inflammatio affectus mit einem falschen ardor sciendi[33]. Falsche Wißbegier entstamme oft den Einflüsterungen des Teufels und bringe nichts als Unruhe der Seele und des Leibes[34].

Sodann erzählt Gerson einen Fall, den er selbst erlebt habe. Wie ein Professe, der einer sehr vornehmen Familie entstammte, zu ihm gekommen sei und sein Unglück beklagt habe, keine besseren Lehrer zu haben, um mit ihrer Hilfe tiefer in das Wissen einzudringen, ohne zu bedenken, daß seine Lehrer jedenfalls für seine Belehrung genug wußten, und daß er nicht in den Orden eingetreten sei, um zu klagen, sondern um Zeugnis abzulegen[35]. „Traurig denke ich daran", fährt er fort, „wie ich ihm mit milder Eindringlichkeit vor Augen stellte, daß ich fürchten würde, eine

---

qui Paulus et alii se conformant, ne testimonium quantumlibet in superficie verum acciperetur a daemoniacis vel phitonibus vel simulacris et prophetis insanientibus . . . — In den Scholien zu Ps. 90 der Dictata bemerkt Luther, daß der Teufel bei der Versuchung Jesu die Schrift für seine Zwecke mißbraucht habe: WA 4,66,8f.

[30] De examinatione doctrinarum (aaO.): . . . ne testimonium quantumlibet in superficie verum acciperetur a daemoniacis . . . „Nam quae communicatio lucis ad tenebras, et Christi ad Belial?"

[31] Ebd.: Ratio prima, quia sunt excommunicati. Secunda, quia nullum verum bono fine dicunt. Tertio, quia continuo falsitatem ingerunt, et si mille permiserint veritates. Non est enim doctrina fallens, quae vera non misceat secundum Bedam.

[32] Ebd.: Altera cautela est Conferre protinus doctrinam quae terminos habet extraneos vel sententias novas et peregrinas ad terminos doctorum communium et sententias eorum. Hoc Christus contra diabolum egit.

[33] Vgl. o. 253f.

[34] An monachus, consideratio XI (Opera, p. I, E fol. 1va d. Trakt.): Haec inflammatio affectus non expectanda est ab homine. Propterea non suspiret ad hunc vel illum doctorem, praesertim viatorem, ut dicat: Felix essem ex convictu talis unius. Suggestiones huiusmodi saepe sunt diabolicae inducentes mentis et nonnumquam etiam corporis inquietudinem.

[35] Ebd.

solche Wissensgier entstamme nicht einem guten, sondern einem bösen Triebe. Da antwortete er mir unwillig, was ihm (gerade) einfiel, und er entfernte sich. — O mein mildester und in deinen Ratschlüssen über uns Menschenkinder schrecklichster Herr und Gott — wohin entfernte er sich und ging davon? O Unglück! Kurz darauf wurde er Apostat"[36]. Zunächst habe er das noch bemäntelt, dann aber ganz das Ordensgewand abgelegt[37].

Auch uns drohe solches Unglück, wenn wir versuchen würden, aus Neugier und eitler Wißbegier mehr wissen zu wollen, als uns zu wissen zukommt[38]. Der Begriff der curiositas spielt hier eine besondere Rolle[39].

Die von Gerson angegriffene Form von Theologie ist weithin mit der scholastischen Theologie seiner Zeit identisch. In einer Predigt zum Kirchweihtag beklagt er bitter, daß in der Kirche echter seelsorglicher Eifer am Schwinden sei. Unwissenheit in theologischen Dingen, Keckheit im Urteil, Leichtfertigkeit in Sachen des Glaubens, Aufgeblasenheit durch profanes Wissen haben sich breitgemacht[40].

Wahre Theologie hätte da eine große Aufgabe zu erfüllen — nicht eine wortreiche, sophistische, geschwätzige entartete „metaphysische" Theologie, sondern jene, die den Glauben nährt, die Sitten fördert[41].

Menschliche Vernünfteleien, so führt er weiter aus, zieht man echter Theologie vor[42]. Statt sich über zahllose Dinge zu zanken und zu

---

36 Ebd.: Recolo tristis, quod dum ego pia sollicitudine dicerem me timere talem sciendi ardorem non fore ab instinctu bono sed malo, respondit ille indignabundus mihi quae voluit et recessit. Et o piissime et terribilissime in consiliis deus meus, quo recessit et abiit? Utique, heu, paulo post factus est apostata.

37 Ebd.: Factus est apostata sub specie quasi arctioris religionis immo tandem absque omni verecundiae velo totum religionis omnis habitum abiecit.

38 Ebd.: Misereatur sui, immo et mei ac omnium nostrum deus! Huius modi etenim par vel etiam maius periculum seclusa dei pietate imminere potest cervicibus nostris, nisi a curiositate et vanitate sciendi plura quam oporteat caveamus.

39 z. B. Metrum contra curiositatem scribendi plures libros (Oeuvres complètes, Vol. IV Nr. 186).

40 Sermo Domin. XIX post Pentecosten, Incipit: Vade in domum tuam. (Oeuvres complètes, Vol. V. Nr. 250, 574f.): Sed heu quam versa omnia! Vade nunc precor in domum Ecclesiae, circumduc paulisper oculos et in locis aliquibus, quem ibi speculatorem, qualem janitorem, qualem denique pastorem inveneris manifesta. An vidisti? Quid stupes? Quid attonitis oculis stas? Scio, prorsus scio quia horrenda te nostrorum imago et abominandum idolum desolationis exterruit ... rapacem saevitiam pro pastore ...
Ecce in primis quam pessima omnium exploratrix statuta est ignorantia, quae temeritate praeceps est et elatione turgens ... Si exsurgant haereses, si perversorum dogmatum gladii jaciantur, si errores cuneatim irrumpant, non clanget buccina ... Hinc fit, ut simplices et plerumque litteris saecularibus inflati a pestiferis erroribus rapiantur, seducantur, obruantur.

41 Chr. Dolfen, Die Stellung des Erasmus von Rotterdam zur scholastischen Methode, Diss. Münster 1936, 23.

42 Sermo Domin. XIX post Pent. (Oeuvres complètes, Vol.V Nr. 250, 576): Theologia quippe ecclesiastici corporis oculus est ... De theologia loquor, non quae ad verbo-

streiten, sollte man von der Hl. Schrift ausgehen und die Menschen lehren, sittsam zu leben und im Glauben festzustehen[43].

e) Gersons und Luthers Theologieverständnis

Das Theologieverständnis Gersons zeigt eine Reihe von inhaltlichen Verwandtschaften mit dem Theologieverständnis Luthers.

1. Luther hat wiederholt lobend erwähnt, daß Gerson Anfechtung und Trost als theologische Probleme erfaßt habe. Er sei jedoch nicht zum rechten Verständnis der Rechtfertigungslehre durchgedrungen[44].

Die Untersuchung von Gersons Theologieverständnis macht einen weiteren Unterschied offenkundig: Seine Darlegungen über Anfechtung und Trost sind keineswegs so mit seinem Theologieverständnis verschmolzen wie bei Luther. Bei diesem sind Anfechtung und Trost gewissermaßen Grundvollzüge, auf denen überhaupt erst echte Theologie aufbauen kann. Das ist bei Gerson nicht so. Er sieht lediglich in der Entflammung des Affektes eine conditio sine qua non für den Vollzug wahrer Theologie.

2. Wie Luther fordert Gerson die Besinnung des Theologen auf seine eigentliche Aufgabe. Er verwirft wie Luther den vom Wesentlichen abgeglittenen scholastischen Disputierbetrieb. Der Theologe soll die ihm zur Verfügung stehende Zeit als kostbares Gut achten. Luther hat diesen Gedanken, der in der Tradition der Mönchsaskese verwurzelt ist, betont auf das Thema der Schriftlesung angewendet. Auch Gerson fordert eifriges Schriftstudium. Beide betonen die pastorale Verantwortung des Theologen.

3. Gerson stellt das Geheimnis der Erlösung und des göttlichen Gerichtes in den Mittelpunkt seiner Theologie. Er bestreitet bereits die Berechtigung der Unterscheidung zwischen der theologia beatorum und der theologia viatorum[45]. Für Luther ist selbstverständlich, daß die Erlösung in Jesus Christus die Kernfrage der Theologie ist. In seiner theologia crucis hat er das eindrucksvoll gezeigt.

---

sam et sophisticam loquacitatem et chimericam nescio quam metaphysicam redacta est sed quae metit fidem moresque componit ...
Rursum eadem ex radice dilucidum est quam frivola ... judicanda sit quorundam infidelium opinio qui in regione ecclesiasticae domus scientiarum adinventionum humanarum audent asserere ipsi theologiae praeferendam, nisi fortasse inquiunt vel in locis ubi publica viget haeresum dogmatizatio.
[43] Ebd.: Ita videlicet quasi Sacrae Scripturae nullum aliud officium quam patentium haeresum extirpatio et non etiam mores componere, erigere spem ad coelestia, ... Haec autem et consimilia sapientiae officia si praeclariora sint, et viris domus ecclesiasticae rectoribus digniora quam assiduos disceptationum tumultus super rebus innumeris audire.   [44] Vgl. o. 247.   [45] Vgl. o. 251f.

4. Gerson spitzt den Gegensatz zwischen echter und falscher Theologie so zu, daß er die falsche Theologie als Teufelswerk hinstellen kann. Luther hat in seiner epistola ad Brismannum (1523) in provozierender Weise 2 Kor 6,14f.[46] auf das Verhältnis seiner Lehre zur Scholastik verwendet[47]. Die Annahme liegt nicht fern, daß er dabei von Gerson angeregt worden ist[48].

2. De studio theologico des Nikolaus von Clémanges († 1437)[49]

Nikolaus von Clémanges, ein persönlicher Bekannter Gersons[50], hat in seinem Liber de studio theologico ein Theologieverständnis skizziert, das in auffallender Weise Ansätze Luthers vorwegnimmt. Allerdings ist mir keine Stelle aus den Werken Luthers bekannt, die eine direkte Kenntnis des Nikolaus von Clémanges voraussetzen würde.

Wie bereits der Titel andeutet, enthält der genannte Traktat eine grundsätzliche Darlegung über die Theologie. Nikolaus knüpft seine Ausführungen an eine ihm von einem Bakkalar der Theologie gestellte Frage an, ob es nämlich gut sei, den theologischen Doktorgrad zu erwerben, oder ob man besser der Ehre des Doktorates aus dem Wege gehe. Er verbreitet sich sodann darüber, was der Stand des theologischen Doktors eigentlich sei, was er nicht sei, was die entscheidende Aufgabe der Theologie sei und wie man dieser Aufgabe gerecht werden könne.

Nikolaus verleiht dem akademischen Doktorgrad großes theologisches Gewicht. Er betont zwar, daß man das Amt eines Doktors ganz äußerlich verstehen könne. Er spricht von denen, die den Doktorat nur um des

---

[46] Quae autem conventio Christi ad Belial?
[47] WA 11,284,6-8: Conatus Christum et Belial conciliare, nempe sacrilegam scholasticen et literas sacras.
[48] De examinatione doctrinarum (Opera, p. I, XVIII F. 2. pars princ. I. consideratio): Nihilominus prohibuit Christus, cui Paulus et alii se conformant, ne testimonium quantumlibet in superficie verum acciperetur a daemoniacis vel phitonibus vel simulacris et prophetis insanientibus, ut Sybillae sunt et ventiloqui cum ceteris magicis maledictis. „Nam quae communicatio lucis ad tenebras, et Christi ad Belial?" — Vgl. o. 25f.
[49] Nikolaus von Clémanges, De studio theologico,1411: (Hrsg.) L. d'Achéry in: Spicilegium sive collectio veterum aliquot scriptorum qui in Galliae bibliothecis delituerunt, Bd. 1, ²1723 (= Achéry), 473-480; F. W. Tr. Schoepff, Aurora sive bibliotheca selecta ex scriptis eorum, qui ante Lutherum ecclesiae studuerunt restituendae, Bd. 2, Dresden 1857. — Vgl. P. Glorieux, Notations biographiques sur Nicolas de Clémanges, in: Mélanges offerts à M.-D. Chenu: BiblThom 37 (1967) 306.
[50] Vgl. die Briefe des Nikolaus von Clémanges an Gerson: Oeuvres complètes, Vol.II Nr.I g u. h; 19a; 29a; 30a; 30b; 31a; 31b.

Hutes und des erhöhten Katheders willen anstreben[51]. Aber er betont zugleich, daß diese Leute am Eigentlichen, was einen zum Doktor macht, völlig vorbeisehen.

Er nimmt das Wort „doctor" in seiner ursprünglichen Bedeutung als Lehrer, nimmt es aber auch als Bezeichnung des akademischen Grades. Er betont, daß der „Lehrer" (doctor) nach den Worten des hl. Paulus zugleich Hirte und jeder Hirte zugleich Lehrer (doctor) sei[52]. Dem entspricht, daß er „Theologe" und „Prediger" geradezu als austauschbare Begriffe behandelt[53]. Der Prediger aber ist für ihn nichts anderes als ein Prophet — ein Prophet, der von der Hl. Schrift belehrt, vom Hl. Geiste erleuchtet, das gläubige Volk unterweist und vor Gefahren warnt.

„‚Wer Prophet ist, spricht zur Erbauung, zur Ermahnung und zum Trost der Menschen' (1 Kor 14,3). Durch keine Worte konnte (der Apostel) deutlicher das Wesen der geistlichen Prediger der heiligen Kirche erklären. Wie mir scheint, nennt er sie deshalb Propheten, weil sie durch die Hl. Schriften, die sie mit unersättlichem Eifer erwägen, belehrt sind und so dem Volke drohende Gefahren verkünden. Aufgrund innerer Erleuchtung durch den Hl. Geist sagen sie Strafen und Gerichte Gottes voraus, die aus den Sünden der Menschen zu erwachsen pflegen"[54].

So kann Nikolaus sich zu der Behauptung aufschwingen, der Stand des Doktors sei der vollkommenste Stand, zu dem wir Menschen gelangen können[55].

Mit Gerson tritt Nikolaus für den affektiven Charakter der Theologie ein. „Das ist die wahre Wissenschaft", lehrt er, „die einem Theologen geziemt, die jeder Theologe erstreben muß: jene, die nicht nur den Intel-

---

[51] De studio theologico (Achéry 474ᵃ): Non cappa quippe Doctorem facit, non birreti magistralis impositio, non cathedra sublimior aut locus superior. Signa ista extrinsecus adhibita, quod quis vita, moribus, fidei integritate, copia eruditionis alios docere idoneus sit demonstrant ...

[52] AaO. (Achéry 473ᵃ): Audimus Apostolum dicentem quosdam Prophetas, alios Evangelistas, alios Pastores et Doctores (Eph 4,1) ... Et vide quod duo novissima signanter invicem conjunxit, cum superiora singula posuisset, ut intelligant qui Pastores sunt, Doctores se esse debere; quoniam quidem et pascere nihil aliud est nisi vita, verbo, exemplo bene ad salutem docere. Non sunt ergo Pastores nisi qui Doctores, nec Doctores vicissim habendi, nisi iidem Pastores sint ...

[53] Achéry 474ᵇ: Ad Theologum igitur sive Praedicatorem (haec enim pro eodem habeo) in primis pertinet etc.

[54] Achéry 480ᵃ: Qui prophetat, hominibus loquitur ad aedificationem, et exhortationem et consolationem. Nullis potuit verbis manifestius spirituales sancti Ecclesiae Praedicatores explicare, quod idcirco, ut puto Prophetas appellat, quia per divinas Scripturas, quas insatiabili aviditate discutiunt edocti, ingruentia solent populo pericula pronuntiare, flagellaque Dei et judicia ex peccatis hominum surgere solita Spiritu intus illustrante praedicare.

[55] Achéry 474ᵃ: Quare si quaeris utrum te Doctorem esse expediat, facile et incunctanter respondeo omnino expedire, nec ullum posse tibi statum perfectiorem inter mortales contingere.

lekt unterweist, sondern sich zugleich in den Affekt ergießt und ihn erfüllt"[56]. Dabei verleiht er dem Begriff affectus in eigenwilliger Weise theologische Tiefgründigkeit.

Zunächst erblickt er im Affekt nichts anderes als die Sorge des Theologen um das Seelenheil der Mitmenschen. „Doktor sein", so erklärt er, „das heißt mit Sorge (affectu) für das ewige Heil die Menschen lehren"[57]. Wie schon in der strengen Verbindung zwischen dem Amt des Lehrers und Hirten, des Theologen und Predigers, zeigt sich hier, daß Nikolaus die Theologie strikt als praktische Wissenschaft betrachtet.

Seinen Darlegungen fügt er einen Abschnitt über den Ernst seelsorglicher Verantwortung bei. Ermahnend ruft er aus: „Wußtest du nicht, daß dir in der Person des Petrus gesagt ist: ‚Wenn du mich liebst, weide meine Schafe'?" (Joh 21,17). Diesen Gedanken führt er homiletisch näher aus[58]. Luther hat das gleiche Bibelzitat und den gleichen Hinweis auf Petrus gebraucht, um ebenfalls die seelsorgliche Verantwortung des Theologen (nicht etwa nur des eigentlichen Seelsorgeklerus!) zu unterstreichen[59]. Schon Hieronymus, den Luther in diesem Zusammenhange erwähnt, hatte betont, daß der Seelenhirte zugleich Lehrer sein müsse[60].

„Affekt" ist für Nikolaus noch in anderer Richtung Schlüsselbegriff. Er bietet ihm den Einstieg, über das Wirken des Hl. Geistes im Theologen und über das Schriftstudium zu sprechen. Predigt ohne Liebe ist eitel. Das Herz muß entflammt werden. Wie soll aber der Prediger die Herzen entflammen, wenn er selbst ohne Feuer ist? Wie soll einer kraftvoll sprechen, wenn er ohne Geist und Kraft ist? Der Hl. Geist ist es, der die Stimme des Predigers mit Kraft erfüllt, er entflammt sein Herz mit dem Feuer der Liebe[61]. Damit aber die Liebe Gottes sich reichlicher durch den Hl. Geist in das Herz des „Doktors" ergieße und durch seine

---

56 Achéry 476b-477a: Illa est vera scientia quae Theologum decet, quamque omnis debet Theologus expetere, quae non modo intellectum instaurat, sed infundat simul atque imbuat affectum.
57 Achéry 474a: Quid autem est Doctorem esse, nisi arte, usu, exercitio, salutis aeternae affectu alios docere?
58 Achéry 479a: Tantine erant tua studia, ut propter illa meas perire oves oporteret, pro quarum volui redemptione meum sanguinem fundere? ... Nesciebas in persona Petri tibi dictum: Si diligis me, pasce oves meas ...
59 WA 5,22,3-20.
60 *Hieronymus*, Commentar. in ep. ad Ephes., l.2, c.4 (PL 26,532B): Non enim ait: alios autem pastores et alios magistros, sed alios pastores et magistros: ut qui pastor est, esse debeat et magister ... sit pastor et doctor.
61 Achéry 475a-b: Plenus est mundus Sacerdotibus, plenus est Doctoribus et Praedicatoribus, et quare tantam abundantiam iniquitatis ubique cernimus, nisi quia inanis est praedicatio, quam charitas quae nescit otiosa, non adjuvat? Quomodo corda accendit qui sine igne est? Quomodo sursum ducet qui in imis jacet? Quo pacto vocem virtutis habebit, qui sine spiritu et virtute est? Virtutem voci Praedicatoris Spiritus sanctus tribuit, cor ejus zelo charitatis inflammans.

Stimme, die gleichsam das Werkzeug seines Wortes und seiner Liebe ist, in den Herzen der Hörer gebildet werde, muß er wachsam und beständig im Gesetz Gottes meditieren. Die Schrift wandelt die Herzen um, sie schenkt geistige Affekte, nämlich solche, die vom Hl. Geiste erzeugt sind. Sie vertreibt die fleischlichen, weltlichen und eitlen Affekte. „Wenn der Hl. Geist aus dem Munde des Predigers seine eigenen Worte erklingen hört, so ist er bei ihnen, leitet sie, folgt ihnen und begleitet sie. Er prägt sie den Herzen der Hörer ein und läßt sie Frucht bringen"[62]. Der Theologe soll daher all sein Bemühen darauf richten, in das Verständnis der Schrift einzudringen. Was er außerhalb der Schrift liest, soll er um ihretwillen lesen. Überflüssige Lehren soll er fliehen, die mehr der Eitelkeit dienen als Nutzen bringen. Denn diese bewirken nur Verachtung und Ekel vor der Hl. Schrift, erzeugen eitlen Ehrgeiz. Er soll mit Liebe, gern und häufig predigen, was ihm an Erkenntnis aufgegangen ist[63]. Bei seinem Studium denke er daran, daß es ihm selbst und anderen zum ewigen Heile dienen soll[64]. Ziel des Theologiestudiums ist also, für sich und andere den Weg zum ewigen Heile zu finden[65].

Bei all dem ist zu beherzigen, daß nicht die Theologie (hier nur als intellektueller Wissenshabitus verstanden!) einen selig macht, sondern dies: der Theologie gemäß wirken[66].

---

[62] Achéry 476a: Ut autem charitas Dei copiosius in corde Doctoris per Spiritum sanctum diffundatur, et per ejus vocem, quae verbi ejus et Charitatis velut quoddam vehiculum est, in cordibus etiam figatur auditoris, necesse est, ut in lege Dei vigilanter et assidue meditetur. Illa etenim lex sancta et spiritualis et immaculata convertens animas, si attenta investigatione ac meditatione ruminetur, munda animalia facit, et digna Domino offerri, spirituales quoque in omnibus maxime parit affectus, utpote a Spiritu sancto instituta. Hos autem inducendo carnales educit, mundanos expellit, vagos et curiosos exturbat. Gaudet admodum Spiritus sanctus dum ex ore Praedicatoris sua audit verba sonare, illis adest, illa dirigit, illa sequitur et comitatur, et in cordibus impressa audientium fructificare facit.

[63] Achéry 477a-b: Ut praeterea ad intelligentiam Scipturarum totis virium conatibus elaboret, assidua lectione, sedula meditatione, frequenti oratione, quae illam maxime impetrat intelligentiam, ut ad illas totum suum conferat studium, et quaecumque extra illas viderit aut legerit, illarum gratia videat; ut doctrinas supervacuas, plusque curiositatis quam utilitatis habentes effugiat, quae contemptum et fastidium sacrarum litterarum in animis pariunt, curamque vanae ostentationis, et consequenter ambitionis solent immittere: ut diligenter, libenter, frequenter praedicet, quaeque de coelesti sapientia sibi fuerint communicata.

[64] Achéry 477b: Ea mente ac proposito Theologiae aggrediatur studium, ut . . . secum ad salutem aeternam quoscumque poterit perducat ac lucrifaciat.

[65] Achéry 478a: Cum itaque finis theologici studii secundum praemissa sit, se atque alios ad vitam aeternam convenienter instruere.

[66] Achéry 478b: Porro Christi attestatione instruimur non Theologiam nosse beatum efficere, sed secundum Theologiam operari. — Achéry 474b-475a: Ad Theologum igitur sive Praedicatorem (haec enim pro eodem habeo) in primis pertinet bene secundum Deum vivere, in mandatorumque ejus observatione, morumque compositione formam caeteris ac speculum se praebere, ut ad Christi imitationem, qui, ut legimus, coepit facere et docere, non a doctrina sed ab opere incipiat.

Gegenüber der Scholastik ist Nikolaus kritisch eingestellt. Er klagt darüber, daß die „Theologen seiner Zeit" (das heißt die scholastischen Gelehrten) das Studium der Schrift vernachlässigen und sich in sterile Subtilitäten hinein verlieren[67]. Sie tun so, als seien Phantasien menschlicher Einbildung wichtiger als das unerschütterliche Zeugnis der Schrift[68]. Anstelle des Studiums scholastischer Lehrmeinungen empfiehlt Nikolaus Lesung der Väterschriften[69]. Denn, so erklärt er, die Väter haben ihre Aussagen auf das Zeugnis der Schrift gegründet[70].

Das Theologieverständnis bei Nikolaus von Clémanges und Luther

Nikolaus von Clémanges hat eine Reihe von wichtigen Punkten des Lutherschen Theologieverständnisses vorweggenommen.

1. Wie Luther ist Nikolaus von Clémanges von der geradezu prophetischen Würde des theologischen Doktors überzeugt. Wie Luther sieht er Lehramt, Hirtenamt und Predigtamt als völlige Einheit. Auffallend ist, daß er das von Luther an ausgezeichneter Stelle auf das Amt des Theologen angewendete Bibelwort „Pasce oves meas" in demselben Sinne gedeutet hat.

2. Wie Luther tritt Nikolaus dafür ein, daß das Eigentliche der Theologie den Menschen im Innersten erfassen müsse. So ist seine Betonung ihres affektiven Charakters gemeint. Allerdings geht er an dem von Luther in den Mittelpunkt gerückten Problem der Anfechtung und des Trostes vorbei.

3. Wie Luther ist Nikolaus überzeugt, daß wahre theologische Erkenntnis Verständnis der Bibel ist, und daß echtes Verständnis der Bibel stets geistgewirkt ist.

4. Nikolaus steht der Scholastik kritisch gegenüber und empfiehlt das Studium der Väterschriften.

---

[67] Achéry 476b: Quocirca miror Theologos nostri temporis paginas divinorum Testamentorum ita negligenter legere, et nescio quarum satis sterilium subtilitatum indagine sua ingenia conterere.

[68] Achéry 476b: Nunc autem plerosque videmus scholasticos sacrarum inconcussa testimonia litterarum tam tenuis aestimare momenti, ut ratiocinationem ab auctoritate ductam velut inertem et minime acutam sibilo ac subsannatione irrideant, quasi sint majoris ponderis quae phantasia humanae imaginationis adinvenit, quam quae divinitas coelitus aperuit.

[69] Achéry 476a: Proinde legat diligenter Theologus sanctorum Patrum libros ac commentarios.

[70] Achéry 476b: Solebant antiqui Patres et Theologi, quorum per Ecclesiam sunt approbata scripta, nihil dicere vel adstruere, nisi quod Scripturarum testimonio posset confirmari.

III. „Doctores devotarii“[1]

Daß die führenden Köpfe der devotio moderna eine eigene Theologie geschaffen hätten, läßt sich mit Fug und Recht in Frage stellen, wo nicht einfachhin verneinen. Jedoch ist unbestreitbar, daß ihnen die Theologie als solche zum Problem geworden ist, und daß sie versucht haben, vom Kern des Christlichen her oder doch vom Kern ihrer geistlichen Aufgabe und Berufung her das Theologie-Betreiben in seinem Wert oder Unwert zu bestimmen. Eben dadurch haben sie einen Beitrag zum Problem „Theologieverständnis“ geleistet.

Als repräsentativ für die geistige Ausrichtung der devotio moderna behandle ich im folgenden Gerhard Groote als Gründer der devotio moderna, Florens Radewijns, seinen Freund und Nachfolger, Gerhard Zerbolt von Zütphen, von dem Luther wenigstens eines seiner Hauptwerke gekannt hat, und schließlich die dem Thomas von Kempen zugeschriebene „Nachfolge Christi“.

1. Gerhard Groote († 1384)

Groote hat die Geistigkeit der devotio moderna wesentlich grundgelegt[2]. Für ihn ist nicht irgendeine theologische These, sondern das Theologie-Betreiben als solches zum Problem geworden. Hierbei gilt es zu beachten, wie er den Charakter dieses Problems gesehen hat. Sicher nicht im Sinne einer plumpen Bildungsfeindlichkeit. Erst spätere Generationen der devotio sind der Gefahr geistiger Enge nicht entgangen.

Groote selbst war ein hochgebildeter Mann, außerordentlich belesen in der Hl. Schrift und in den Kirchenvätern, ferner in den Klassikern, verschiedenen mittelalterlichen Mystikern, Juristen, Theologen und Philosophen. Sein Studieninteresse spiegelt sich in seinem unstillbaren Verlangen, Bücher zu erwerben, und zwar nicht nur Bücher mit aszetischem und theologischem Gehalt[3]. Geradezu leidenschaftlich war er darum bemüht, Bücher abschreiben zu lassen[4].

Problem wurde ihm das Theologie-Betreiben, indem er die pastorale

---

[1] Der Ausdruck „doctores devotarii“ findet sich bei Luther in den Dictata: WA 3,149,36.
[2] Über die große Zahl erhaltener Handschriften von Werken Grootes unterrichtet J. G. J. Tiecke, OCarm, De Werken van Geert Groote, Utrecht-Nijmegen 1941, 63-280. — Vgl. R. Haass, Art. Devotio moderna in LThK².
[3] R. R. Post, The Modern Devotion. Confrontation with Reformation and Humanism: Studies in Medieval and Reformation Thought, Bd. 3, Leiden 1968, 98.
[4] Post, aaO., 99ff.

Aufgabe des Priesters nicht nur als seine Hauptaufgabe grundsätzlich bejahte, sondern daraus mit vollem Ernste die Konsequenzen zu ziehen versuchte, die sich für die Lebensgestaltung ergeben, und insbesondere diese Konsequenzen auch auf das Theologie-Betreiben anwendete.

Die pastorale Aufgabe — das heißt die Leitung der Seelen. Groote ist überzeugt, daß es nichts Erhabeneres, aber auch nichts Schwierigeres gibt[5]. Für diese Aufgabe ist Theologie notwendig, ja sogar eine „vollkommene oder wenigstens große Kenntnis" von ihr. Auffallend ist dabei, wie stark Groote näherhin das Kirchenrecht und die Moral und überhaupt die geistige Bildung betont[6].

Trotz grundsätzlicher Empfehlung der Theologie hat er auch Bedenken. Er schreibt, es sei wichtiger, die Sitten anderer zu bessern, als ihre Irrtümer zu beheben. Wissenschaft mache oft aufgeblasen, oft rede man sich nur ein, man betreibe sie zur Ehre Gottes[7]. Es gibt eine geheime Selbstsucht, die sich unter der Maske einer scheinbaren Sorge um die Ehre Gottes verbirgt[8].

Groote macht seine kritischen Äußerungen aus gegebenem konkreten Anlasse, aber es kommt doch auch etwas Grundsätzliches zur Sprache: Die wissenschaftlichen Bestrebungen der Theologen sollen auf das wahrhaft Nützliche reduziert werden, das heißt aber auf das, was dem regimen animarum dient.

Der Geistliche soll seine Zeit nicht mit Geometrie, Arithmetik, Rhetorik, Dialektik, Grammatik, mit Dichtungen, Rechtssachen und Astrologie vertun. Zeitvergeudung schien schon dem Heiden Seneca verwerflich. Wieviel mehr muß ein Geistlicher und Christ sie verabscheuen. Von den antiken Schriftstellern ist nur lesenswert, was der Moral dient[9].

---

[5] Ep. 23 (Mulder 100): Ars arcium, dicunt Sancti, est regimen animarum. Superexcellit et difficultate et subtilitate ceteras. — Vgl. Gregor d. Gr., Liber regulae pastoralis, l. 1 c. 1 (PL 77,14A).

[6] Ep. 23 (Mulder 101): Nam requirit (sc. regimen animarum) perfectam vel magnam et iuris canonici et sciencie theologice periciam, que multas alias sciencias morales et naturales, antequam vere sciantur, presupponunt.

[7] Ep. 63 (Mulder 246): Videmini namque plus aliorum errores, quam vestros mores corrigere. Vobis mores, aliis sciencia utiliores sunt. Numquid plures sciencia mundana inflat? ... Ad quid alios scientificos facere vel ab erroribus liberare? Propter Deum, vobis mens et superficies mentis mentitur.

[8] Ep. 63 (Mulder 247): Mens propter Deum hoc simulat facere, quod Deo minus placet, negligens placitum.

[9] Conclusa et Proposita (Schoepff, Bd. 8, 65): Item, tu nullum tempus consumes in geometricis, arithmeticis, rhetoricis, dialecticis, grammaticis, lyricis, poetis, judicialibus, astrologis. Haec enim omnia per Senecam reprobantur et retracto oculo bono viro respicienda sunt: quanto magis spirituali vel christiano respuenda! — Item, inutilis temporis consumtio est et nihil prodest ad vitam. Item, inter omnes scientias gentilium Moralia minus abhorrenda sunt; ... Quidquid enim meliores nos non facit vel ab malo non retrahit, nocivum est.

264

Scharf wendet sich Groote gegen die scholastische Disputiersucht: „Man soll jede öffentliche Disputation meiden und verabscheuen, wenn sie dem Streit, dem Triumph oder der Schaustellung dient. Das gilt für alle Disputationen der Theologen und der Artisten in Paris. Sie bieten keine Belehrung. Denn offenbar sind sie gegen den Frieden und entzünden Streit und Zwietracht. Sie sind unnütz und befriedigen nur die Neugier. Meistens sind sie anmaßend, tierisch, teuflisch und irdisch. So ist ihre Lehre oft schädlich und immer unnütz. Sie ist unnütze Zeitvergeudung. Inzwischen könnte man geistlichen Nutzen erwerben, sei es durch Gebet an (übernatürlichem) Verdienst oder durch Studium eines (wirklichen) Geistesmannes"[10].

Groote empfiehlt das Bibelstudium[11]. Im Alten und Neuen Testament soll man erforschen, was dem Lob und der Ehre Gottes dient[12].

Zusammenfassend kann man sagen, daß Groote zwar durchaus die Bedeutung theologischen Bemühens würdigt (mit besonderer Betonung von Kirchenrecht und Moral), daß aber eine kritische Norm nachdrücklich, ja in gewisser Weise geradezu radikal geltend gemacht wird: der Nutzen für das regimen animarum, für die Rettung und Bekehrung der Menschen.

Besondere Erwähnung verdienen im Hinblick auf Luther noch folgende Einzelheiten. In einem Brief, der später den Abhandlungen des Thomas von Kempen (?) über die „Nachfolge Christi" angefügt wurde[13], empfiehlt er als Heilmittel gegen Anfechtungen Gebet und Lesung der Hl. Schrift. Besonders das Lesen der Schrift verbanne die Schwermut und helfe, die tentationes zu überwinden[14]. Er verlangt, sich immer wieder in die Schrift zu versenken: Sepe masticande et ruminande sunt

---

[10] AaO. (Schoepff, Bd. 8, 67): Item, omnem disputationem publicam vitare et abhorrere, quae est litigiosa vel ad triumphandum vel ad apparendum; sicut sunt omnes disputationes Theologorum et Artistarum Parisiis imo nec ad discendum interesse. Patet, quia contra quietem sunt et lites et dissensiones fiunt et inutiles et semper curiosae et ut plurimum superstitiosae, animales, diabolicae et terrenae; ita, quod doctrina saepe nociva et semper inutilis est. Interim possis lucrum spirituale acquirere, vel oratione in merito vel studio alicujus devoti.

[11] Ep. 23 (Mulder 100): Placet michi in Domino quia vobis placet biblia. Timui non eatenus vobis placere, quatenus michi placuisset. — Im Anschluß an die Stelle empfiehlt Groote freilich auch das Studium des Kirchenrechtes, der Moral, überhaupt der Theologie und anderer Stoffe.

[12] Conclusa et Proposita (Schoepff, Bd. 8, 66): Item, Secreta naturae non esse studiose inquirenda in libris gentilium, nec legis nostrae veteris et novi testamenti: sed cum occurrunt, de iis et in iis Deus est laudandus et glorificandus.

[13] Post, The Modern Devotion, 107.

[14] Ep. 62 (Mulder 233): Scripturarum eciam sanctarum frequens leccio et meditacio tribulatis succurrit tripliciter: quia et pellit tristiciam, et docet, miliciam, et promittit coronam. — Vgl. Post, aaO.

Scripture auctoritates[15]. Mit besonderer Sorgfalt erwäge man das Leiden Christi[16].

Mit deutlicher Zurückhaltung nimmt Groote zur areopagitischen Mystik Stellung. „Es gibt nichts Gefährlicheres", erklärt er, „als jenes Höchste (in Gott) zu predigen, ohne den Weg dorthin zu lehren. Denn der heilige Dionysius ermahnt in seiner Theologia mystica, wo er von jenem (Höchsten) spricht, sich vor dem Unreinen zu hüten und sich von ihm abzuschließen. Ohne vorhergehende Reinigung das Höchste in Gott betrachten zu wollen, ist ein Tor zur Häresie"[17].

Luthers Stellung zu Ps.-Dionysius hat sich im Laufe seiner Entwicklung gewandelt. Grootes Darlegungen liegen etwa in der Linie von Luthers Äußerungen in seiner Römerbriefvorlesung. Wie Groote betont Luther dort die Gefährlichkeit des Versuches, in das Geheimnis Gottes — Luther nennt es das Dunkel Gottes, Groote das Höchste in Gott — eindringen zu wollen. Wie Groote empfindet Luther, daß die Reinigung des eigenen Herzens, die der Betrachtung des Höchsten in Gott vorausgehen soll, im Grunde genommen eine Warnung vor dieser Betrachtung ist. Über Groote hinausgehend erklärt er, daß die Reinigung durch Versenkung in das Leiden Christi erlangt werden muß[18].

Grootes und Luthers Theologieverständnis

Wie Luther stellt Groote die Seelsorge als Hauptaufgabe der Theologie heraus und betont dabei näherhin, daß der Priester durch Predigt und Ermahnung die Sünder bekehren solle. Wie Luther lehnt Groote die entartete Scholastik ab, ja mit Gerson nennt er sie teuflisch. Er betont das Studium der Hl. Schrift.

Groote verlangt wie Luther eine Reduktion der Theologie auf das

---

[15] Ep. 62 (Mulder 234). — Vgl. Post, aaO., 108.
[16] Ep. 62 (Mulder 240): Crux Christi in ruminacione passionis iugiter fabricanda est. — Post, aaO.
[17] Ep. 31 (Mulder 135): Nichil est periculosius, quam predicare illa altissima et non docere viam ad illa, quia beatus Dionisius in „Mistica" illa „Theologia" illa docens, iubet caveri et abscondi ab inpuris, et ianua heresis est, velle contemplari altissima Dei sine purgatione precedente. — Groote denkt freilich nicht wie der reife Luther an eine theologisch-grundsätzliche Ablehnung des Ps.-Areopagiten. Vgl. Ep. 57 (Mulder 214): Ego Gherardus . . . protestor . . ., docuisse et seminasse secundum sensus et intelligencias sanctorum doctorum et patrum . . . Dionisii . . . quorum libros . . . pro terrenis habeo et quero.
Vgl. Ps.-Dionysius, De mystica theologia, c. 1 (PG 3,999C). — W. Völker, Kontemplation und Ekstase bei Pseudo-Dionysius Areopagita, Wiesbaden 1955, 175ff.
[18] Vgl. o. 59.

wahrhaft Nützliche, erblickt dies jedoch im Gegensatz zu diesem zu einem erheblichen Teil im Kirchenrecht und in der Moral.

2. Florens Radewijns († 1400)

Der bedeutendste von Grootes Nachfolgern und Helfern war Florens Radewijns. Er ist Mitbegründer der Bruderschaft vom gemeinsamen Leben und leitete die Bewegung der devotio moderna vom Tode Grootes bis 1400[19]. Außer einigen Briefen und verschiedenen „Verba notabilia" sind zwei kleinere Schriften von ihm erhalten: 1. Multum valet, 2. Omnes, inquit artes[20]. Beide Werke haben das geistliche Leben zum Thema. Alles, was wir tun, soll dem geistlichen Fortschritt, das heißt dem Streben nach Heiligkeit, dienen. Das bedeutet vor allem Bemühen um Reinheit des Herzens und um die Liebe[21]. Wie bei Groote die alles entscheidende Wichtigkeit des pastoralen Anliegens dem Theologie-Betreiben seine problemlose Selbstverständlichkeit nimmt, so bei Radewijns das geistliche Streben. Mit verschiedenen Akzenten versehen geht es bei beiden um das eine Anliegen, mit dem Geistlichen und Priesterlichen konsequent ernst zu machen. Und dieses Anliegen läßt das Theologie-Betreiben als solches zum Problem werden.

Florens ist nicht gegen das Studium überhaupt, sondern gegen ein Studium, das nicht mehr nach seinem Zweck fragt[22] — im Unterschied zu einem Studium von Büchern, „die eher den Menschen helfen, zur Reinheit des Herzens und zur Liebe zu gelangen, also etwa Bücher über Moral und geistliches Leben"[23]. Von hier aus wird ihm alles scholastische Studium, auch die spekulative Mystik suspekt[24].

Florens ermahnt zum Studium der Hl. Schrift. Führend bleibt sein geistliches Anliegen. Wie soll man die Hl. Schrift studieren, damit sie der devotio wirklich nützt? Das Studium der Schrift soll die Liebe zu Gott

[19] Post, aaO., 317.
[20] Ebd.
[21] Multum valet hrsg. J. F. Vregt, in: Archief voor de Geschiedenis van het Aartsbisdom Utrecht, 10 (1882) 383—427 [383f.!]): Multum valet ad perfectionem sanctitatis... Hec duo, id est, puritas cordis et caritas dei sunt duo fines in humana vita quibus quantum homo appropinquat, tantum appropinquat veraciter sue perfectioni. — Vgl. Post, aaO., 383f.
[22] Multum valet, 389: Non debet simpliciter studere propter scire, vel propter scienciam.
[23] Multum valet, 391: Debet eciam niti principaliter studere libros tales, qui magis docent hominem venire ad puritatem cordis et caritatem, sicut libros morales et devotos.
[24] Post, aaO., 319f.

wecken, den Gebetsgeist bestärken und schließlich in guten Werken Frucht bringen[25]. Deshalb soll man „hohen" Fragen und solchen, die nur die Neugier befriedigen (also keinem tieferen Anliegen dienen), ausweichen[26]. Man soll keine Fragen an die Schrift herantragen, sondern sie sich von ihr aufgeben lassen. Während man bei anderen Büchern klug auswählen soll, was der Reinheit des Herzens, der Liebe, der Moral und der Frömmigkeit dient, soll man die Hl. Schrift als ganze lesen, das Gelesene immer wieder, ja den ganzen Tag überdenken, gleichsam wiederkäuen und es sich wirklich einprägen[27]. Dazu hilft die Einhaltung einer Tagesordnung[28].

Als Themen der Betrachtung sind besonders wichtig das Leiden Christi, das Geheimnis der Erlösung, Tod, Gericht, Himmel und Hölle[29].

Stark betont Radewijns, daß man mit innerer Ergriffenheit und der Bereitschaft, das Gelesene durch Tun zu erfüllen, die Hl. Schrift studieren soll. Man soll sich bewußt halten, daß sie Botschaft des höchsten Königs ist[30]. Vor scholastischen Lehren muß man sich hüten. Man darf ihnen nicht ins Netz gehen. Im Blick auf den Herrn soll man sie wie einen finsteren Wald durchschreiten, ohne auf sie zu achten. „Sehet also zu, daß ihr nicht in ihrer Mitte verharret"[31].

---

25 Multum valet, 381: Qui autem legendo in hac via voluerit proficere, debet ante omnia primo et principaliter omne studium et lectionem ad hoc dirigere, ut prosit vicia extirpare et virtutes inserere, et ea que legit opere adimplere, vel accendi ad devocionem, ieiunium, penitentiam, laborem manuum et consimilia que sunt adminicula ad virtutes ... Et sic patet quod debet omne studium et lectionem divine scripture referre ad caritatem et virtutes predicto modo.

26 Multum valet, 389: Homo non debet querere alta, curiosa aut questiones in scripturis, saltem propter se.

27 Multum valet, 389f.: Non sit lectio fortuita vel raptim, ne ex casu studeatur; sed debet homo studere integrum librum, non hic unum folium, et illic aliud .. Unum eciam punctum, qui sibi pro suo proposito magis conveniat, homo debet excipere, quem postea ruminet, et memoriam per illum occupet. — Post, aaO., 324.

28 Multum valet, 390: Debet studere certis temporibus ad hoc deputatis.

29 Multum valet, 396-400; 423-426.

30 Verba notabilia (hrsg. J. F. Vregt, in: Archief voor de Geschiedenis van het Aartsbisdom Utrecht 10 [1882] 427-472 [437!]): Item si homo recte attenderet, numquam sine magno affectu et desiderio deberet legere sacram scripturam, ut posset eam implere. Et in principio lectionis bonum esset cogitare quod essent missule summi regis ad nos misse, qui non requirit a nobis aliquod servicium, sed intimat nobis eternam salutem nostram. — Florens erklärt im gleichen Zusammenhang, er gebe nur Gerhard Grootes Meinung wieder.

31 Verba notabilia, 436: Oportet vos valde videre ne afficiamini circa doctrinas scolasticas, quia sciencia secularis est valde allectiva; sed per illas quasi per medium ire ad dominum: sicut qui vellet ire trajectum pro magno frusto auri aut argenti, transit per silvas, per nemora, et quasi non cogitat de via, nec quiescit donec ibi venerit. Videatis igitur, ne maneatis in medio. — Er erklärt im Zusammenhang, Gerhard Grootes Ansicht wiederzugeben.

Es kann keine Rede davon sein, daß Radewijns Ansätze reformatorischer Theologie bieten würde. Jedoch ist ihm die zentrale Bedeutung eines Problems bewußt geworden, das auch Luther von Anfang seines Wirkens an bewegt: daß Betreiben von Theologie von Grund auf unwertig sein kann. Daß also Betreiben von Theologie ein ganz grundsätzliches und tiefes Problem ist. Es gibt ein theologisches Studium, das überaus wichtig ist (nämlich besonders das fromme Studium der Hl. Schrift), es gibt aber auch ein theologisches Studium, durch das man mitten hindurchgehen muß wie durch einen finsteren Wald. Die Frage, worum es beim Theologiestudium im Kern geht, ist als wichtiges Problem bewußt geworden. Dieses Problembewußtsein verbindet Luther und Radewijns. Die Betonung der Schriftlesung, und zwar der schlichten Lesung der *ganzen* Hl. Schrift, die Verurteilung der Scholastik als Hindernis auf dem Wege zum Herrn finden sich bei beiden.

Es soll hier keine Abhängigkeit Luthers von Radewijns behauptet werden, sondern darauf sei nochmals hingewiesen, es geht darum, die Atmosphäre zu beschreiben, in der Luther gleichsam geatmet hat.

3. Gerhard Zerbolt von Zütphen († 1398)

Zur Charakterisierung der „devoten" Spiritualität und dem aus ihr resultierenden Theologieverständnis seien nun noch folgende Werke Gerhard Zerbolts von Zütphen herangezogen: De spiritualibus ascensionibus[32] und De reformatione animae[33].

Er gehörte zum Kreise Gerhard Grootes in Deventer. Luther hat das Werk De spiritualibus ascensionibus Gerhards erwähnt[34]. An anderer Stelle hat er Gerhard Zerbolt mit Gerhard Groote verwechselt[35]. — Das Grundthema des Werkes De spiritualibus ascensionibus ist der „Fortschritt im geistlichen Leben"[36]. Es geht also um die Frage, wie man

---

[32] Im folgenden zitiert nach Ink. 262, Gutenberg-Museum, Mainz, s. l. a.

[33] Im folgenden zitiert nach Ink. 761, Gutenberg-Museum, Mainz, s. l. — Expl.: a. D. MCCCCXCij. — Der Traktat war also 1492 bereits gedruckt, nicht erst 1539 in Köln. Vgl. LThK², Art. Gerhard Zerbolt v. Zütphen.

[34] WA 3,648,23-26: Beatus vir cuius est auxilium abs te: Ascensiones in corde suo disposuit ... Unde est quidam tractatus super isto versu Gerardi Zutphaniensis.

[35] WA 56, 313,13-16 (Schol. zu Röm 5,14).

[36] Devotus tractatulus ... de spiritualibus ascensionibus, omnibus *in spirituali vita proficere volentibus* etc., c. 44 (fol 1ᵛ des Kapitels): Sane ut tibi lectio *pro spirituali ascensu* sit fructuosa ...

„geistlicher" werden könne. Indirekt wird damit die Frage nach der Theologie gestellt. Als Maßstab für den Wert der Theologie erscheint die Frage, in welchem Verhältnis Theologie zum geistlichen Leben stehen soll oder in Wirklichkeit steht[37].

Wie Gerhard Groote meldet Gerhard Zerbolt starke Bedenken gegen die Scholastik an. An ihrer Stelle wünscht er eine Theologie, die das Herz (den „Affekt") entflammt: „Damit das Studieren für deinen geistigen Aufstieg fruchtbar werde, mußt du auf Vieles achten... Du mußt dich mehr auf das Studium jener Schriften verlegen, die eher das Herz zum geistigen Fortschritt und Aufstieg entflammen, als Bücher zu lesen, die mit diffizilen und der Neugier dienenden Themen den Verstand erleuchten und die Neugier aufstacheln, wie es für die Disputationsthesen gilt. Denn die Lesung diffiziler Abhandlungen erquickt keinen feineren Geist. Vielmehr bricht sie zuweilen seine (gute) Absicht. Daher muß man jene Bücher studieren, die über Moral, über Ausrottung und Natur der Leidenschaften, über Übung der Tugenden und den geistigen Fortschritt belehren — oder jene, die die Frömmigkeit (devotionem) vermehren und das Herz für Christus und das Himmlische entflammen"[38]. Beachtung verdient, daß Gerhard Zerbolt in diesem Zusammenhang außer dem Affekt auch die rechte Intention betont: „(Das Studium diffiziler Abhandlungen) bricht zuweilen die gute Absicht"[39].

Noch deutlicher tritt die Verbindung dieser beiden Momente in De reformatione virium animae zutage: „Bemühe dich vor allem, so weit dir das möglich ist, so gestimmt (affectatus) und innerlich ergriffen (compunctus)[40] an das Studium heranzugehen, daß du dein ganzes Augenmerk (totam intentionem) auf die Reinheit des Herzens richtest... und

---

37 AaO., c. 44 (fol. 2ʳ des Kapitels): Debes advertere ad quod vel propter quod legis ... Item ut lectionem immediate dirigas ad puritatem saepius lectionem oratio interrumpat, ut de lectione formes affectum et de affectu surgas ad orationem.

38 AaO. (fol. 1ᵛ des Kapitels): Sane ut tibi lectio pro spirituali ascensu sit fructuosa, multa sunt tibi attendenda ... illarum scripturarum lectionibus magis debes incumbere quae tuum affectum magis inflammant ad spiritualem profectum et ascensum quam quae in rebus difficilibus et curiosis illuminant intellectum et acuunt curiositatem, sicut sunt materiae disputabiles. Lectio etiam difficilium scripturarum non reficit animum teneriorem; sed nonnumquam frangit eius intentionem. Illos autem libros praecipue debes legere quae vel instruunt de moribus, de extirpatione et natura vitiorum, de exercitiis virtutum et spirituali profectu; vel illos qui in te augent devotionem et inflammant affectum ad Christum et ad caelestia.

39 AaO.: Lectio etiam difficilium scripturarum ... nonnumquam frangit eius (sc. animi) intentionem.

40 De imitatione Christi, l. 1 c. 21 (Thomas v. Kempen, Opera omnia, Bd. 2, 39): De compunctione cordis. Felix qui abicere potest omne impedimentum distractionis: et ad unionem se recolligere sanctae compunctionis.

so soll alles, was du liest, diesem deinem Affekt und deiner Absicht folgen"[41].

Diese Anweisung ist in einem Kapitel enthalten, das über Schriftlesung handelt[42]. Auch in De spiritualibus ascensionibus empfiehlt Gerhard das Studium der Hl. Schrift[43]. Das Studium soll durchdrungen und getragen sein von Gebet und Affekt[44]. —

In dem Traktat De litteris sacris in lingua vulgari legendis[45] verteidigt er, daß Laien die Hl. Schrift in der Muttersprache lesen dürfen. Er faßt seine Ausführungen folgendermaßen zusammen: „Es ergibt sich also, daß es für Laien nicht unerlaubt ist, die Hl. Schrift in der Muttersprache zu lesen oder zu besitzen. Vielmehr ist es für sie sehr verdienstlich und von Heiligen und Lehrern geraten und gutgeheißen"[46]. Eine Schrift De precibus vernaculis[47] bietet als Ergebnis, daß Laien die Psalmen in der Muttersprache beten dürfen[48].

Zerbolts und Luthers Theologieverständnis

Luthers Kritik an der Mystik trifft auch Gerhard Zerbolt. Der Gedanke des geistlichen Aufstieges, der ein Zentralanliegen Zerbolts ist, hat seine Wurzeln in der Mystik, die sich um den Aufstieg zu den „altissima dei" bemüht. Diesem Gedanken gegenüber betont Luther, daß der Christ in Anfechtung und Kreuz seinen wahren Platz erkennen muß.

Jedoch ist der Einschluß mystischen Gedankengutes nicht die ganze Lehre Zerbolts. Die Betonung des Affektes, der inneren Ergriffenheit, der rechten Absicht, mit der wir an das Studium, insbesondere an das Studium der Hl. Schrift herantreten müssen, stimmt mit Luthers Forderungen überein.

---

[41] De reformatione virium animae, c. 15 (fol. 1r des Kapitels): Summopere stude: ut quantum tibi possibile fuerit, ita affectatus et compunctus ad studium venias: et totam intentionem tuam ad cordis puritatem dirigas: ... et ita omnia quae legeris ad illum tibi affectum et illam intentionem obsequentur.

[42] De reformatione virium animae, c. 15: De reformatione intellectus per sacram lectionem, et qualiter scriptura sit legenda.

[43] De spiritualibus ascensionibus, c. 44: Qualiter sacra lectio adiuvat et sustentat ascendentes, et qualiter sit ad profectum spiritalem ordinanda et dirigenda.

[44] AaO. (fol. 2r des Kap. 44): Ut de lectione formes affectum et de affectu surgas ad orationem.

[45] Schoepff, Bd. 5, 1-27.

[46] AaO., 27: Quare sequitur, quod non sit laicis illicitum S. Scripturam legere vel habere in lingua propria, sed est ipsis multum meritorium, a sanctis et doctoribus consultum et laudatum.

[47] AaO., 27-33.

[48] AaO., 32: Et sic non est illicitum, quod laici psalmos in proprio idiomate legunt.

Kaum erwähnt zu werden braucht, daß Zerbolts Mißbehagen gegenüber scholastischen Disputationen und Quästionen dem Theologieverständnis Luthers entspricht.

4. De imitatione Christi des Thomas von Kempen (?)

Bis jetzt ist kein stichhaltiger Grund für die Annahme beizubringen, daß Luther die dem Thomas von Kempen zugeschriebene[49] „Imitatio Christi" gekannt hat. Jedoch ist deren Bedeutung für die Geistigkeit der devotio moderna so groß und sind die in ihr enthaltenen Parallelen zu Luthers Theologieverständnis so interessant, daß wir sie nicht gut übergehen können.

Thomas betont, daß die Liebe wichtiger ist als das Wissen. Es gibt vielerlei Wissen, das der Seele keinen Nutzen bringt. Nicht das viele Wissen, sondern das sittenreine Leben erquickt den Geist. Je mehr man weiß, um so strenger wird man von Gott gerichtet, wenn man nicht ein heiliges Leben führt[50].

Man soll sich beim Studieren um den wahren Nutzen, nicht um subtile Redeweise sorgen. Eine besondere Gefahr beim Studium ist die Neugier. Wer im Guten Fortschritte machen will, muß einfältig, demütig und gläubig studieren. Das gilt besonders für das Studium der Hl. Schrift[51].

Deutlich zeigt Thomas sein Mißfallen an der Scholastik: „Was nützt es, sich den Kopf über verborgene und dunkle Dinge zu zerbrechen, derentwegen wir doch nicht im Gericht (Gottes) angeklagt werden, weil wir sie nicht wußten? ... Und was kümmern uns die ‚genera' und ‚spe-

---

[49] „Die Verfasserschaft der Nachfolge Christi bleibt umstritten": J. Sudbrack, LThK² Art. Thomas Hemerken (Malleolus) v. Kempen; Post, The Modern Devotion, 524ff.

[50] De imitatione Christi, l. 1 c. 2 (Thomas v. Kempen, Opera omnia, Bd. 2, 7): Si scirem omnia quae in mundo sunt, et non essem in caritate; quid me iuvaret coram Deo qui me iudicaturus est ex facto? Quiesce a nimio sciendi desiderio: quia magna ibi invenitur distractio et deceptio. Scientes libenter volunt videri et dici sapientes. Multa sunt: quae scire parum vel nihil animae prosunt. Et valde insipiens est: qui aliquibus intendit, quam his quae saluti suae deseruiunt. Multa verba non satiunt animam; sed bona vita refrigerat mentem: et pura conscientia, magnam ad Deum praestat confidentiam. Quanto plus et melius scis: tanto gravius inde iudicaberis nisi sanctus vixeris.

[51] De imitatione, l. 1 c. 5 (Opera, Bd. 2, 12f.): Veritas est in scripturis sanctis quaerenda: non eloquentia. Omnis scriptura sacra eo spiritu debet legi quo facta est. Quaerere potius debemus utilitatem in scripturis: quam subtilitatem sermonis. Ita libenter devotos et simplices libros legere debemus: sicut altos et profundos ... Curiositas nostra saepe nos impedit in lectione scripturarum: cum volumus intelligere et discutere ubi simpliciter esset transeundum. Si vis profectum haurire; lege humiliter, simpliciter et fideliter.

cies'?" Kurz darauf fährt er fort: „O wenn man doch ebenso viel Sorgfalt aufwenden würde, um die Laster auszurotten und die Tugenden zu pflanzen, wie bei der Entfaltung (scholastischer) Quästionen: es gäbe nicht so viel üble Dinge und so viele Ärgernisse unter dem Volke und nicht so viel Zuchtlosigkeit in den Klöstern"[52].

Thomas wendet sich nachdrücklich gegen ehrfurchtsloses, „neugieriges" Forschen in göttlichen Geheimnissen. Er warnt davor, mit seinem Denken zu hoch hinauf oder in die Tiefe des Mysteriums hinuntersteigen zu wollen.

Im Schlußkapitel des vierten Buches der „Imitatio Christi" führt er Dinge aus, die an den Kern lutherischer Theologieauffassung zu rühren scheinen: „Hüte dich vor neugieriger und unnützer Erforschung dieses abgrundtiefen Sakramentes, wenn du nicht in die Tiefe des Zweifels versenkt werden willst. Wer die Majestät erforschen will, wird von ihrem Glanz erdrückt. Gott kann mehr wirken, als der Mensch zu erkennen vermag. Erträglich ist ein frommes und demütiges Fragen nach der Wahrheit — ein Fragen, das stets bereit ist, sich belehren zu lassen, und bemüht ist, auf der Bahn der gesunden Lehre der Väter zu wandeln. Selige Einfalt (simplicitas), die den Weg diffiziler Fragen verläßt und den ebenen und festen Pfad der Gebote Gottes wandelt! Viele haben die Frömmigkeit (devotionem) verloren, weil sie zu hoch hinauf forschen wollten. Gefordert wird von dir Glaube und ernsthaftes Leben, nicht hohe Erkenntnis und tiefer Blick in die Geheimnisse Gottes. Wenn du nicht verstehst und begreifst, was in dir ist, wie kannst du begreifen, was über dir ist? Unterwirf dich Gott, demütige deinen Sinn unter den Glauben, und es wird dir so viel Licht der Erkenntnis gegeben, als dir nützlich und nötig ist"[53].

---

[52] De imitatione Christi, l. 1 c. 3 (Opera, Bd. 2, 8f.): Quid prodest magna cavillatio de occultis et obscuris rebus; de quibus nec arguemur in iudicio quia ignoravimus? ... et quid curae nobis de generibus et speciebus? ... O si tantam adhiberent diligentiam ad extirpanda vicia et virtutes inserendas sicuti ad movendas quaestiones, non fierent tanta mala et scandala in populo: nec tanta dissolutio in coenobiis.

[53] De imitatione Christi, l. 4 c. 18 (Opera, Bd. 2, 136f.): Cavendum est tibi a curiosa et inutili perscrutatione huius profundissimi sacramenti: si non vis in dubitationis profundum submergi. Qui scrutator est maiestatis: opprimetur a gloria. Plus valet Deus operari: quam homo intellegere potest. Tolerabilis pia et humilis inquisitio veritatis: parata semper doceri, et per sanas patrum sententias studens ambulare. Beata simplicitas, quae difficiles quaestionum relinquit vias: et plana ac firma pergit semita mandatorum Dei. Multi devotionem perdiderunt: dum altiora scrutari voluerunt. Fides a te exigitur et sincera vita: non altitudo intellectus neque profunditas mysteriorum Dei. Si non intelligis nec capis quae infra te sunt, quomodo comprehendes quae supra te sunt? Subdere Deo et dabitur tibi scientiae lumen prout tibi fuerit utile ac necessarium.

In der soeben ausführlich zitierten Stelle aus dem Schlußkapitel der „Nachfolge Christi" nimmt Thomas — ähnlich wie Bernhard — Luthers Kritik an der theologia gloriae vorweg. Luther hat der Scholastik vorgeworfen, sie sei theologia gloriae, weil sie sich erdreiste, zu Gott gleichsam hinaufspekulieren zu wollen, und dabei die Menschheit Christi aus dem Auge verliere. Eben davor warnt Thomas: Qui scrutator est maiestatis: opprimetur a gloria[54]. Luther mahnt, daß wir uns mit dem „allerwenigsten Wissen" zufriedengeben und nicht das „hohe" Wissen suchen sollen[55]. Eben dazu mahnt auch Thomas von Kempen: Wir sollen die schwierigen Fragen meiden und nicht „zu Hohes" erforschen[56]. Nicht „hohe Erkenntnis" (altitudo intellectus) oder Blick in die Tiefe der göttlichen Geheimnisse wird von uns verlangt, sondern Einfalt (simplicitas). Wir sollen nicht zu viel, sondern das wahrhaft Wichtige studieren[57].

Wie Luther erkennt Thomas die positive Bedeutung der Anfechtungen für das geistliche Leben. Während jedoch bei Luther diese positive Bedeutung sowohl für das Leben als für die Theologie behauptet wird, beschränkt sich Thomas auf die Beschreibung von deren Funktion im Rahmen der devoten Spiritualität. Er sieht in den Anfechtungen auch keine notwendige Durchgangsstation auf dem Wege zum Glauben, wie Luther das tut. Immerhin ist Thomas überzeugt, daß die christliche Existenz von der Anfechtung gezeichnet ist: „Solange wir in dieser Welt leben, können wir nicht ohne Betrübnis und Anfechtung bleiben. Daher heißt es im Buche Job: ‚Anfechtung ist das Leben des Menschen auf Erden' (Job 7,1) ... Keiner ist so vollkommen und heilig, daß er nicht irgendwann Versuchungen erleiden müßte. Wir können von ihnen nicht ganz frei sein. Jedoch sind die Versuchungen oft sehr nützlich für den

---

[54] AaO. — Vgl. Bernhard v. Clairvaux, z. B. De erroribus Abaelardi, c. 5,11 (PL 182,1062D).

[55] Vgl. o. 122ff.

[56] De imitatione Christi, aaO.: Beata simplicitas, quae *difficiles quaestionum relinquit vias* ... Multi devotionem perdiderunt: dum *altiora scrutari* voluerunt.

[57] In den Ermahnungen des Thomas, nicht vielerlei zu lesen, macht sich unter anderem ein gewisser Einfluß des Neuplatonismus geltend. Vgl. die Verwendung des neuplatonischen Schemas „unum — multum" in De imitatione Christi, l. 1 c. 3 (Opera, Bd. 2, 9): Ex *uno* verbo omnia; et *unum* loquuntur omnia; et hoc est principium, quod et loquitur nobis. Nemo sine illo intelligit, aut recte iudicat. Cui omnia *unum* sunt, et omnia ad *unum* trahit, et omnia in *uno* videt; potest stabilis corde esse: et in Deo pacificus permanere. O veritas Deus: fac me *unum* tecum in caritate perpetua. Taedet me saepe *multa* legere et audire: in te est totum quod volo et desidero. — Zum Schema „unum — multum" vgl. Weier, Das Thema vom verborgenen Gott, 161f.

Menschen — wenn sie auch lästig und schwer sind. Denn in ihnen wird der Mensch gedemütigt, gereinigt und belehrt. Alle Heiligen sind durch viele Trübsale und Anfechtungen hindurchgegangen und haben Nutzen daraus gezogen. Wer jedoch die Anfechtungen nicht ertragen konnte, wurde verworfen und hat versagt"[58].

Thomas hat dem in der devotio moderna lebendigen Gedanken der Nachfolge Christi[59] durch sein Werk De imitatione Christi eine klassische Form geschenkt. Luther hat dem Gedanken der imitatio gegenüber Bedenken gehabt. Er fürchtet, daß „Nachfolge" gar zu leicht rein äußerliche Nachahmung ohne den rechten Geist werden könne. Er hat das besonders an der Frage der imitatio sanctorum gezeigt[60]. Hinzu kommt folgendes. Er betrachtet die Hl. Schrift „in Funktion"[61]: sie beugt uns nieder im Gesetz, richtet uns auf im Evangelium. Dadurch wird nicht eigentlich die Nachfolge, sondern das „Gegenüber" des Glaubens an Christus erweckt. — Immerhin fehlt auch bei Luther der Gedanke der Nachfolge Christi nicht ganz[62].

Ergebnis

Im Bereich der devotio moderna ist Theologie als solche zum Problem geworden, und zwar dadurch, daß man versuchte, vom Kern der geistlichen Aufgabe her das Theologie-Betreiben in seinem Wert, aber auch in seinem Unwert zu erfassen. Das Resultat war nun freilich nicht eine neue Theologie, die ganz von dem geistlichen Ernst getragen gewesen wäre, der die Kritik an dem Theologie-Betrieb und an „unnützer" Theologie in Gang gebracht hatte. Das Ergebnis war vielmehr eine re-

---

[58] De imitatione Christi, l. 1 c. 13 (Opera, Bd. 2, 21f.): Quamdiu in mundo vivimus: sine tribulatione et temptatione esse non possumus. Vnde in Iob scriptum est. Temptatio est vita hominis super terram ... Nemo tam perfectus est et sanctus, qui non habeat aliquando temptationes: et plene eis carere non possumus. Sunt tamen temptationes homini saepe valde utiles licet molestae sint et graves: quia in illis homo humiliatur, purgatur et eruditur. Omnes sancti per multas tribulationes et temptationes transierunt et profecerunt. Et qui temptationes sustinere nequiverunt: reprobi facti sunt et defecerunt.

[59] W. Moll, Johannes Brugman et het Godsdienstig Leven onzer Vaderen in de vijftiende Eeuw etc., Bd. 2, Amsterdam 1854, 69-79: X. Veelvuldig gebruik der Levens van Jezus bij onze devoten ... De navolging van Christus.

[60] WA 56,335,26-336,2 (zu Röm 7,1): Ideo mirabili stultitia et Simianam fabulam agunt, qui opera sanctorum volunt imitari et gloriantur de patribus ac maioribus suis, Vt nunc religiosi. Sed stulti non primum spiritum eorum querunt, Vt similes eorum sint, Sed vt similia eorum agant neglecto spiritu.

[61] H. Fagerberg, Die Theologie der lutherischen Bekenntnisschriften, Göttingen 1965, 77ff. und 99ff.

[62] P. Althaus, Die Theologie Martin Luthers, Gütersloh ²1963, 123.

servierte, fast mißtrauische Haltung gegenüber theologischem Bemühen, die von geistiger Enge oft nicht weit entfernt war[63] und theologisches Ringen schnell mit dem Etikett des Ehrgeizes zu versehen bereit war.

Anderseits dürfen diese wenig erfreulichen Konsequenzen nicht den geistlichen Ernst verdecken, mit dem das Theologie-Betreiben einer kritischen Prüfung unterworfen wurde. Dabei gerät der Inhalt der spekulativen Theologie, etwa die spekulative Gotteslehre, in den Bereich der Kritik.

Ferner ist zu sagen, daß — von der Befassung mit Kirchenrecht, Moral und Aszetik einmal abgesehen — das Kreuz Christi und damit das Geheimnis unserer Erlösung stark in den Mittelpunkt der frommen „ruminatio" tritt. Solches ruminari ist aber im Sinne der Devoten gar nicht vom echten Theologie-Betreiben zu scheiden.

So gesehen hat die devotio moderna trotz ihrer Reserven gegenüber dem Betreiben von Theologie den Boden mitbereitet, den Versuch zu unternehmen, Theologie aus dem vollen Ernst geistlicher Verantwortung heraus zu betreiben, sich fernzuhalten von dem „hohen" Wissen, nämlich der Spekulation hinauf zur gloria dei, und statt dessen das Kreuz Christi, das Streben nach Tugend und Reinheit des Herzens und Liebe zu Gott herauszustellen.

Man kann nicht sagen, eben das sei im Grunde die Gegenüberstellung von theologia crucis und gloriae, wie Luther sie vollzogen hat. Denn dessen Rechtfertigungslehre ist in seine theologia crucis eingegangen. Diese hat nichts zu tun mit Streben nach Tugend und Reinheit des Herzens im Sinn eines geistlichen Aufstieges. Trotzdem ist seine Auffassung, von dem, was Theologie-Betreiben grundsätzlich nicht sein dürfe und was es sein müsse, in bemerkenswerter Weise vorbereitet.

IV. Repräsentanten des Humanismus

Im ersten Teil unserer Untersuchung ist die Stellung Luthers zum Humanismus im allgemeinen und zu Erasmus im besonderen schon ausführlich zur Sprache gekommen. Nun, wo es darum geht, die geistige Atmosphäre Luthers zu beschreiben, muß noch einmal vom Humanismus die Rede sein. Denn der Erasmus, mit dem Luther in den zwanziger Jahren gekämpft hat, zeigte sich ihm von einer anderen Seite als jener, der be-

[63] Vgl. die Antibarbari des Erasmus. — Post, The Modern Devotion, 320; 676.

reits und gerade in seiner Frühzeit überragendes Ansehen besaß und dessen Theologieverständnis daher als repräsentativ gelten darf für den Humanismus, dessen Luft er mehr oder weniger geatmet hat.

Außer der Theologieauffassung des Rotterdamers soll im folgenden auch die des Faber Stapulensis ausgebreitet werden, weil Luther dessen Psalmenkommentar und Kommentar zum Römerbrief ausgiebig und früh studiert hat.

1. Kapitel

Erasmus von Rotterdam

a) Kritik am „Judaismus" in Ordensleben und Theologie

Schaut man vom Standpunkt der voll ausgebildeten Theologie Luthers zurück auf die Dictata super Psalterium (1513-15), so überrascht, wie deutlich dort bereits entscheidende Positionen sich anbahnen. Vielleicht am bemerkenswertesten — wenigstens im Rahmen unserer Themenstellung — ist die Art und Weise, wie er gleich in der Erklärung der ersten Psalmen Geist und Buchstabe der Schrift unterscheidet, das buchstäbliche Verständnis als judaisierendes Gesetzesverständnis verdeutlicht und diese Überlegung benutzt, um Entartung von Theologie und Ordensleben seiner Zeit herauszustellen. Es wurde bereits darauf aufmerksam gemacht, daß Luther die Deutung des Buchstabengeistes als Judaismus in dem von ihm benutzten Quincuplex Psalterium des Faber Stapulensis vorgebildet fand. Auch Faber geht es übrigens um Reform. Jedoch erscheint Luther gleich von Anfang an als der entschiedenere. Das entspricht natürlich seiner Art. Aber es ist außerdem zu fragen, ob die Kritik, die Faber ausspricht, nicht Ausdruck einer im Humanismus verbreiteten Haltung war. Zum mindesten ist hier noch ins Auge zu fassen, daß Erasmus mit Nachdruck Ähnliches vorgebracht hat.

Schon 1504, also zu einem Zeitpunkt, als Luther absolut noch nicht auf der Bühne erschienen war, hat sich der Rotterdamer Gedanken um das Judaismus-Problem gemacht. Nach der Veröffentlichung des Enchiridion militis christiani äußert er seinem Freunde John Colet gegenüber, er habe mit dieser Schrift keinen anderen Zweck verfolgt, als den Irrtum derer zu bekämpfen, die das Wesen der religio (= des Ordenslebens) „in Zeremonienwesen und geradezu mehr als jüdischer Beobachtung körperlicher Dinge" sehen, statt in echtem Bemühen um den Geist der Frömmigkeit[1].

Das ist nur eine kurze Bemerkung, aber sie soll offenbar eine Angabe der Grundintention, der Sinnspitze sein. In der Tat ist erstaunlich, mit welcher Heftigkeit das Enchiridion den „Judaismus" der Ordensleute tadelt und mit welcher Ausführlichkeit es die Theologie des hl. Paulus heranzieht, um das Gebaren der Ordensleute als Gesetzesgeist im Sinne des Apostels zu brandmarken. Von den Regeln der wahren Christlichkeit, die Erasmus aufstellt[2], ist die fünfte geradezu eine einzige Warnung vor dem Judaismus. Wir sollen uns von „fleischlichem" Denken abwenden und dem „Geistigen" zuwenden[3]. Man hüte sich, aus einem Christen ein Jude zu werden[4]. Es gehe darum, so führt er aus, unser Christentum nicht von der Ordensprofeß her zu verstehen, sondern vom Taufgelübde her. Damals hätten wir nicht gelobt, Juden zu werden, das heißt Menschen, die um rein menschlicher Überlieferungen wegen das Gebot Gottes übertreten, sondern geistige Menschen[5]. „Rein menschliche Überlieferungen", traditiunculi hominum, Menschensatzungen, sind hier deutlich im Gegensatz zu Gottes Gebot verstanden.

Daß diese Ansätze des Rotterdamers in Wittenberg bekannt wurden, zeigt ein Brief Spalatins an ihn aus dem Jahre 1516. Darin spricht dieser das Problem an. Er, Erasmus, verstehe unter Gesetzesgerechtigkeit oder Gerechtigkeit der Werke das Zeremonienwesen[6]. Freilich geht Spalatin sofort zur Kritik über. Erasmus habe noch nicht begriffen, daß Gesetzesgerechtigkeit die Beobachtung des gesamten Dekalogs betreffe, nicht nur das Zeremonienwesen[7]. Aber das tut nichts zur Sache. Klar ist, daß die Kritik des Erasmus an den „religiosi" und ihre Charakterisierung als Iudaizantes 1516 (und also wohl auch schon etwas vorher) im Freundeskreis Luthers diskutiert wurde.

Interessant sind zu dem Thema drei Briefe des Erasmus, auf die

---

[1] Allen, ep. 181,46-50: Enchiridion non ad ostentationem ingenii aut eloquentiae conscripsi, verum ad hoc solum, vt mederer errori vulgo religionum constituentium in ceremoniis et obseruationibus pene plusquam Iudaicis rerum corporalium, earum quae ad pietatem pertinent mire negligentium.
[2] Holborn 55ff.
[3] AaO., 72,11ff.
[4] AaO., 77,35.
[5] Holborn 78,10-15: Quod autem professus es, an ne faceres, quod olim in baptismo iurasti te Christianum, hoc est spiritualem, non Iudaeum futurum? Quippe qui propter traditiunculas hominum transgrederis mandata dei.
[6] Allen, ep. 501,49-51: Scribit mihi amicus (sc. Lutherus) te in Apostolo interpretando iustitiam operum, seu legis seu propriam, intelligere cerimoniales illas et figurales obseruantias.
[7] AaO.

G. Chantraine verweist: an Servatius Roger aus dem Jahre 1514, an Lambert Grunnius (1516) und an Paul Volz (1518)[8]. Diese Briefe zeigen schon durch ihren großen Umfang, daß Erasmus ihrem Thema Gewicht beimißt.

Für unseren Zusammenhang ist der Brief an Grunnius besonders ergiebig. In diesem spricht Erasmus von Pharisäismus. Man lege gewaltigen Wert auf die Ordensgelübde. Sie seien aber eine Bindung, die man mit Knechtschaft vergleichen müsse und nicht biblisch fundiert sei. Pharisäisch lasse man lieber einen Menschen (an den Gelübden) zugrunde gehen, als hier etwas freier zu denken[9]. Das Zeremonienwesen sei pharisäisch, es gründe die Frömmigkeit auf rein äußere Dinge[10]. Der Pharisäismus streite mit geistiger Frömmigkeit[11]. Von dem Zeugnis Christi (von seiner „Profeß", vgl. Ordens-„profeß") sei man zum Judaismus abgesunken[12].

Dort, wo es um Hilfe für den Menschen ging, hat Jesus sich nicht gescheut, bei Schriftgelehrten und Pharisäern Anstoß zu erregen. Wer in der Gegenwart dem Christentum helfen will, komme nicht daran vorbei, die heutigen „Pharisäer" vor den Kopf zu stoßen. Man brauche sich nur vorzustellen, Paulus würde in der Gegenwart leben[13].

Aus diesen Ausführungen ergibt sich, daß Erasmus das „Zeremonienwesen" und die Veräußerlichungen des Ordenslebens im Sinne des Pharisäismus versteht, wie er in den Evangelien beschrieben wird, und des judaisierenden Gesetzesgeistes, gegen den Paulus gekämpft hat.

Es bleibt nun die Frage, ob diese Vorwürfe des Erasmus gegen das Ordensleben etwas mit seiner Auffassung von Theologie zu tun haben, ob sie also sein Theologieverständnis mitbestimmen.

---

[8] G. Chantraine, SJ, „Mystère" et „Philosophie du Christ" selon Érasme. Étude de la lettre à P. Volz et de la „Ratio verae theologiae" (1518): Bibliothèque de la Faculté de Philosophie et Lettres de Namur, Bd. 49, Namur - Gembloux 1971, 78ff.; 86; 128; 140f. — Vgl. Allen, epp. 181; 296; 447; Holborn 3ff. — Chantraine führt aaO. auch das Enchiridion und den zitierten Brief an John Colet aus dem Jahre 1504 an.

[9] Allen, ep. 447,553-562: Non hic disputabo de votis monasticis, quae quidem supra modum exaggerant; quum hoc genus obligationis, pene dixeram seruitutis, nec in Nouo nec in Vetere Testamento reperiatur . . . Sed isti vere sunt illi Pharisaici qui bouem et asinum delapsos in puteum extrahunt violato Dei sabbato, hominem totum perire sinunt ob suum sabbatum.

[10] AaO., 568f.: Ex illis Pharisaicis ceremoniis incredibile dictu quam attollant supercilium, vniuersam pietatem in extrariis constituentes.

[11] AaO., 592: Non ad spiritualem pietatem sed ad Pharisaismum instituunt.

[12] AaO., 621f.: Qui defecissent a Christi professione ad Iudaismum seu paganismum.

[13] AaO., 694-697: At in sananda contracta, in illuminando caeco, in restituendo manco, in vellendis spicis palam neglexit, imo studio prouocauit scandalum scribarum et Pharisaeorum: quod in idem fecisset beatus Paulus, vbi nunc esset Christianismus?

Das versucht G. Chantraine in seinem Erasmus-Werk ausführlich nachzuweisen. Er erklärt, die Kritik des Erasmus am Ordensleben und seine Kritik an der scholastischen Theologie verliefen parallel. Wie den scholastischen Disputen fehle den Zeremonien der Inhalt. Der Vorwurf des Partikularismus treffe sowohl die kasuistischen Vorschriften als die Ordensregeln. Scholastik und Ordensleben seien nicht mehr auf Christus, den wahren Felsen, zentriert[14].

Chantraine verfolgt die Fäden auf tiefliegende Wurzeln zurück, nämlich das Verständnis von Taufe und Eucharistie. Das wahre christliche Gelübde sei nicht das Ordensgelübde, sondern das Taufgelübde[15]. Und die wahre Theologie sei die Lehre der Taufe[16]. Die philosophia Christi sei daher nicht dem Mönchsstand reserviert[17]. Die Eucharistie nährt die Seelen. So nähre die rechte Lehre des Evangeliums die Seelen[18].

Natürlich ist hier nicht möglich, so weittragende Aussagen zu überprüfen. Nur auf folgende Momente sei verwiesen. Erasmus fühlt sich zu seiner Kritik am Ordensleben durch Hieronymus autorisiert[19]. Hieronymus ist für ihn Idealbild des echten Mönches. Aber er ist für ihn auch großes theologisches Vorbild[20]. An Hieronymus kann Erasmus sozusagen ablesen, daß der wahre Ordensmann Theologe sein muß. In seiner Jugendschrift De contemptu mundi hat er diesen Zusammenhang zwischen Ordensleben und Theologie geradezu leidenschaftlich formuliert[21].

Wir kommen zum Anfang unserer Überlegungen zurück. Wenn Erasmus das Ordensleben seiner Zeit als judaisierenden Gesetzesdienst brandmarkt, so fällt der Schatten dieses Vorwurfes auch auf die scholastische Theologie.

In der Ratio verae theologiae ruft er aus: „Es gibt die Pharisäer und Rabbinen in unserer Zeit!" Es sind jene, die Theologie aus Ehr-

---

[14] Chantraine, „Mystère" et „Philosophie", 142.
[15] AaO., 79; 86. [16] AaO., 140ff.
[17] AaO., 85. [18] AaO., 166.
[19] AaO., 86.
[20] De contemptu mundi, c. 11 (LB V 1260A): Ad persuadendum nostra non valet auctoritas, unum in medium adducam Hieronymum, quem et vita gravem, et eruditio fecit insignem. — Es folgt Lob der Studien, besonders der Theologie (aaO., B-C). — Vgl. Chantraine, aaO., 82ff.
[21] Erasmus beschreibt das Glück des zurückgezogenen Lebens. Nicht zuletzt bestehe es im Studium der Schrift, der großen Theologen und der bonae literae. Dann fährt er fort (De contemptu 11 = LB V 1260C): Inter haec summo otio, summa libertate vacuum curis versari, an non id est delitiarum paradisum incolere? — Vgl. Chantraine, aaO., 85.

geiz oder Stolz betreiben oder durch Leidenschaft verdorben sind. Sie werfen sich zu Verkündigern Christi auf, in Wirklichkeit aber zerstreuen sie seine Herde. Man muß beten, daß diese Pharisäer sich bessern oder von der Herde Christi entfernt werden[22].

b) Die Antibarbari

Die Kritik des Erasmus an der scholastischen Theologie richtet sich nicht nur auf einen Punkt, also den Punkt des Judaismus. Das hätte überhaupt nicht seiner Art entsprochen. Die Vielfalt seiner Kritik läßt sich darlegen an Hand seiner Antibarbari. Deren erstes Buch hat Gaguin in Paris bereits 1495 begutachtet. Erst 1520 fand es den Weg in die Öffentlichkeit. Dieses Buch verdeutlicht insofern die Stellungnahme des Erasmus während eines ganzen Lebensabschnittes[23].

Die Antibarbari enthalten eine ausführliche Abrechnung mit den bildungsfeindlichen Tendenzen innerhalb der devotio moderna und nicht zuletzt mit dem falsch verstandenen Ideal der simplicitas. Außerdem findet sich in ihnen eine ins einzelne gehende Kritik an der scholastischen Theologie. Darüber zunächst.

Die Kritik, die Erasmus an der Scholastik übt, betrifft sozusagen deren ganze geistige Gestalt[24]: den Stil ihrer Darlegungen, und zwar sowohl den sprachlichen Stil als den „Stil" der Argumentation, die geistige Grundhaltung, in der die Scholastiker ihren eigenen Werken und den Werken außerhalb ihrer jeweiligen Schule gegenüberstehen, ihre Methode, ihre Betätigung im Lehrsaal, aber auch ihre Betätigung auf der Kanzel.

Die Darlegungen, mit denen Erasmus den Stil scholastischer Lehrbücher seiner Zeit geißelt, erinnert an entsprechende Darlegungen Luthers. Vieles am scholastischen Stil empfindet der Rotterdamer als abstoßende Unbildung. Schon die Bezeichnungen für die verschiedenen scholastischen Schulrichtungen, wie Albertisten, Thomisten, Skotisten, Ockhamisten, Durandisten, erscheinen seinem am klassischen Latein ge-

---

[22] Holborn 305,17-29 (24-26!): Habent enim et nostra tempora suos Pharisaeos ac rabbinos, habent suos hypocritas, habent sua phylacteria.
[23] E.-W. Kohls, Die Theologie des Erasmus: ThZ, Sonderband I/1, Basel 1966, 37f.
[24] „Gestalt" ist hier verstanden im Sinne der geisteswissenschaftlichen „Gestaltanalyse": Vgl. F. Weinhandl, Die Gestaltanalyse, Erfurt 1927, 20ff. — Zur Gesamthaltung des Erasmus gegenüber der Scholastik vgl. P. Mestwerdt, Die Anfänge des Erasmus. Humanismus und „Devotio moderna": Studien zur Kultur und Geschichte der Reformation, Bd. 2, Leipzig 1917, 332ff. Vf. legt dar, daß Erasmus im Grunde die Scholastik als Ganze abgelehnt habe. Freilich habe ihm die schöpferische Kraft gefehlt, „ein umfassendes System neuer Theologie zu gestalten" (aaO., 333).

schulten Ohr als barbarisch[25]. Wie Luther in seinem Schriftchen „An die Ratherren aller Städte deutsches Lands" (1524) geißelt er die Minderwertigkeit des scholastisch beeinflußten Sprachunterrichtes und insbesondere der Hilfsmittel zur Erlernung der lateinischen Sprache. Er zählt wie Luther eine Litanei solcher Schriften auf, zum Teil sind es bei beiden dieselben (Catholicon, Modista, Graecista, Florista)[26]. Erasmus klagt, daß solch minderwertige Bücher eine völlig ungerechtfertigte Hochschätzung genießen im Vergleich mit den Schriftstellern der Antike[27]. Mit Spott stellt er die Geschmacklosigkeit solcher Traktate heraus, die schon in ihrem Titel zum Ausdruck komme, wie Gemmula, Margarita, Floretum, Rosetum, Speculum, Catholicon, Mammetreptum[28]. In der beliebten Bezeichnung vieler Werke als Summa oder Summarum summa erblickt er ein Zeichen von geistiger Enge: weil nämlich durch solche Titel der Eindruck entstehe, daß man sich durch das Lesen dieser Bücher das Studium der großen Meister, besonders der Kirchenväter ersparen könne[29].

Im einzelnen nennt Erasmus eine Reihe von Pönitentialsummen[30]. Außer der Summarum summa[31] die Summa des Antoninus[32], des Pisanus[33], die Summa (de casibus conscientiae) des Astesanus[34], die Summa angelica des Angelus de Clavasio[35]. Als Luther am 10. Dezember 1520 am Elstertor zu Wittenberg die päpstliche Bulle und eine Reihe juristischer und scholastischer Bücher verbrannte, befand sich auch ein Exemplar der Summa angelica darunter. Er apostrophierte sie als Summa diabolica[36].

[25] Opera omnia I/1,81,16-20.
[26] Zu Luther vgl. o. 101. — Zu Erasmus vgl. Opera omnia I/1,58,12 (= Catholicon); — I/1,58,11; 61,16 (= Modista); — I/1,89,20 (= Floretum); — I/1,61,16; 61,17; 90,1 (= Graecista).
[27] Opera I/1,61,13-62,1.
[28] Opera I/1,89,16-90,2.
[29] Opera I/1,90,2-7.
[30] Opera I/1,110,24f.
[31] Mazzolini de Prierio, Summa summarum, ca. 1516. — Vgl. F. Michalski, De Sylvestri Prieriatis, O. P., Magistri S. Palatii (1456-1523) vita et scriptis, Münster 1892; P. Michaud-Quantin, Sommes de casuistique et manuels de confession au moyen âge (XII-XVI siècles): Analecta Mediaevalia Namurcensia, Bd. 13, Löwen 1962, 101-103.
[32] Antoninus Florentinus, Summa theologica, 4 Bde. — Vgl. Michaud-Quantin, Sommes de casuistique, 73-75; Opera I/1,110 Anm. 24.
[33] Bartholomaeus de Pisa, OP, Summa de casibus conscientiae, ca. 1238?, genannt „Pisanella" oder „Pisana". — Vgl. Michaud-Quantin, 60f.; Opera I/1,110 Anm. 25.
[34] Astesanus, OFM, Summa de casibus conscientiae, ca. 1317, genannt „Astesana". — Vgl. Michaud-Quantin, 57-60; Opera I/1,110 Anm. 25.
[35] Angelo Carletti da Chiavasso (Angelus de Clavasio), Summa angelica. — Vgl. Michaud-Quantin, 99-101; Opera I/1, 110 Anm. 25.
[36] Michaud-Quantin, 101.

Erasmus wirft den Verfassern der Summen-Literatur vor, daß sie ohne Sinn und Verstand die verschiedensten Ansichten unzusammenhängend aneinandergereiht hätten[37].

Auch gegen das Kirchenrecht bezieht Erasmus Stellung. Spöttisch bemerkt er, das Decretum Gratiani erschrecke ihn weniger durch seine Autorität als durch seinen voluminösen Umfang[38]. Ferner tadelt er die Fragesucht[39] und nicht zuletzt die Gepflogenheit, das theologische Gewicht bestimmter Autoren derart zu übertreiben und zu preisen, daß selbst das Evangelium von dem Scheinglanz solcher Autoren überstrahlt scheine[40].

Erasmus ist überzeugt, daß die Scholastiker nicht verstehen, wie man einen Text interpretieren muß. Ihre Methode ist als Interpretationsmethode ungeeignet[41]. In der Tat hat der Humanismus neue Weisen der Texterklärung erschlossen. Hier ist auch die Mahnung des Erasmus zu erwähnen, einfältig an den Text heranzugehen und sich vom Text selbst belehren zu lassen. Man ist an Luthers Warnung erinnert, Meister der Schrift sein zu wollen, statt sich von ihr belehren zu lassen.

Das Bild, das die Antibarbari ergeben, wird bestätigt und in einigen Zügen ergänzt durch die Ratio verae theologiae (1518)[42]. So verdient Beachtung die Kritik an den scholastischen Predigten. In ihnen würden ohne wahrhaft geistliches Interesse gelehrte Quästionen erörtert, Autoren wie Skotus und Ockham bemüht, so daß die Hörer, die nach geistlicher Nahrung verlangen, enttäuscht und leer nach Hause gehen[43]. Unpassenderweise würden auch kirchenrechtliche Dinge erläutert. Solche Verkündigung sei geradezu teuflisch und daher ungeeignet, die Gewissen zu trösten[44].

An diesen Ausführungen ist auffallend, daß Erasmus den schon von Gerson[45] gegen die Scholastik erhobenen Vorwurf, ihre Entartungen seien teuflisch, aufgreift. Es wäre eingehender zu untersuchen, als es in dieser Arbeit möglich ist, *wie* lebendig dieser Gedanke im Milieu Luthers war. Wenn dieser behauptet, daß die „evangelische Lehre" der Scholastik wie Christus dem Teufel gegenüberstehe[46], so

[37] Opera I/1, 110,24-111,4.
[38] Opera I/1,107,13-17.
[39] Allen, ep. 2136,190f.
[40] Opera I/1,90,6-10.
[41] Opera I/1,70,18-20.
[42] Ratio seu methodus compendio perveniendi ad veram theologiam 1518 (Holborn 175-305).
[43] Holborn 301,10-25.
[44] Holborn 301,25-36.
[45] Vgl. o. 254ff.
[46] WA 11,284,6-8.

sprach er jedenfalls aus, was in seiner Zeit schon mehrfach deutlich angeklungen war. Beachtung verdient auch der Hinweis des Erasmus, daß der geistliche Trost Aufgabe des Predigers sei. Denn Luther hält der Scholastik entgegen, daß es Aufgabe des Theologen sei, die Gewissen zu trösten. Der Gedanke des Trostes hat übrigens eine eigene Literaturgattung des Spätmittelalters angeregt[47]. Erasmus beschließt seine Angriffe mit einer grundsätzlichen Erklärung: Es geht mehr um Frömmigkeit als um Disputationen. Man muß sich an die „Quellen" halten. Dort, wo Zweifel entsteht, ist die Hl. Schrift maßgeblich. Gebet schafft eher Klarheit als syllogistisches Schlußfolgern. Reinheit des Lebens ist Voraussetzung für eine reine Lehre[48]. Wenn man sagt, es sei für einen Theologen eine Schande, große scholastische Theologen nicht zu kennen, so ist es in Wahrheit doch schimpflicher, nicht zu wissen, was Christus gelehrt und Paulus geschrieben hat. Der Theologe hat seinen Namen von der Offenbarung Gottes, nicht von menschlichen Meinungen[49].

Zum Schluß sei noch kurz auf die Kritik des Erasmus an der Geisteshaltung der devotio moderna eingegangen, wie sie in den Antibarbari ausgesprochen ist. Ausdrücklich führt er die Bildungsfeindlichkeit der „Devoten" auf die Betonung der simplicitas zurück[50]. Jedoch will er damit dieses Ideal nicht einfachhin beiseite schieben[51]. Er spricht vielmehr von einer „simplicitas, nescio quae"[52], und das heißt von einer simplicitas, der die notwendige nähere Bestimmung abgeht, nämlich ihre Abschirmung gegenüber geistiger Enge.

Erasmus gibt einen guten Einblick, mit welchen Argumenten gegen eine feinere Bildung gearbeitet wurde. Man wies auf die einfältige Unbildung der Apostel hin. Er kontert: Als ob der Himmel an Unbildung seine Freude haben könne[53]! Man betonte die Vergänglichkeit

---

[47] Vgl. o. 168f.

[48] Holborn 305,1-10.

[49] Holborn 305,11-15: Si turpe ducunt nescire, quid definit Scotus, turpius est nescire, quid decernat Christus. Si parum theologicum est non assequi, quae scripsit Durandus, minus theologicum est non assequi, quae scripsit Paulus. A divinis oraculis nomen habet theologus, non ab humanis opinionibus.

[50] Opera I/1,97,9-15: Abunde se religiose arbitrantur, si literarum, politiorum nihil prorsus attigerint, suis bene consultum putant, si ea quae in scholis didicerunt, obliuiscantur. Iam vero ciuibus suadere non desinunt, ne liberos suos ad externas scholas, quas vniuersitates vocant, ire sinant. Perisse propemodum illos, qui sese illuc tanquam ad manes demiserint, aut non redire aut redire deteriores. Simplicitatem nescio quam illis praedicant, literas a virtute auocare animos nec bonam parare mentem sed eripere magis.

[51] Dagegen O. Schottenloher, Erasmus im Ringen um die humanistische Bildungsreform: Reformationsgesch. Studien u. Texte, Bd.61, Münster 1933, 89ff.

[52] Opera, aaO.   [53] Opera I/1,76,2-7.

alles Irdischen, also auch der Bildung. Erasmus dagegen: Ihm läge sehr wohl daran, nicht so ungebildet zu sterben, wie er geboren sei[54].

Jedoch geht es nicht nur um die Widerlegung einiger argumenta ad hominem wie der angeführten, wichtiger sind die Einwände, die offen in Frage stellen, ob Bildung nicht für den Weg zu Gott ein Hindernis darstelle. Das Streben nach simplicitas sei der wahre Weg zu Gott. Das Wissen mache meist selbstbewußt und hindere das Wachstum der Einfalt. Außerdem seien die litterae (nämlich die Schriften der heidnischen Antike) oft unmoralisch. Das Wissen (so insbesondere auch das scholastische Wissen) sei oft unnütz.

Erasmus führt gegen diese Argumente zahlreiche Gegenargumente ins Feld, von denen folgende hervorgehoben seien. Er betont die Geschiedenheit der Bereiche des Vollkommenheitsstrebens und der Bildung[55]. So wenig man technische Kunstfertigkeit deshalb ablehnen kann, weil der Künstler vielleicht unmoralisch ist, so wenig die Bildung, wenn ihr Träger moralisch versagt[56]. Die Bildung ist dem Moralischen viel verwandter, als es scheint. Wahre Bildung macht nicht stolz, sondern demütig. Wahre Bildung führt dazu, nicht fremdes, sondern das eigene Wissen zu verachten[57]. Bildung muß sich mit echter Frömmigkeit und sittlicher Integrität verbinden[58]. Darin findet sie ihre Vollendung[59]. „Gut ist die Wissenschaft, die Liebe ist besser"[60]. Das Wissen begünstigt die moralische Entfaltung[61]. Was die Schriften der Antike anbelangt, so muß man eben zwischen unnützen, schlüpfrigen, verpesteten und außerordentlich nützlichen, heilsamen und geradezu notwendigen unterscheiden, die schlechten beiseite lassen, die guten aber für uns sicherstellen[62].

c) Kennzeichen der wahren Theologie

Wir stehen nun an einem Punkt, an dem die weitere Betrachtung des erasmischen Theologieverständnisses stark von unserer Zielsetzung her begrenzt werden muß, nämlich von dem Vergleich mit Luther. Nachdem die kritische und insofern negative Seite dieses Theologieverständnisses deutlich geworden ist, drängen sich zwei Hauptfragen

[54] Opera I/1,97,24-28.
[55] K. A. Meißinger, Erasmus entdeckt seine Situation. Gedanken über die Antibarbari: ARG 37 (1940) 198.
[56] Opera I/1,98,11-13.   [57] Opera I/1,78,5-12.
[58] Opera I/1,96,1-4.   [59] Opera I/1,96,4f.
[60] Ebd.   [61] Opera I/1,98,13f.
[62] Opera I/1,81,23-25. — Vgl. Kohls, Die Theologie des Erasmus, Textbd., 67f.

auf. Zunächst die Frage, wie sich des Erasmus scharfe Kritik zu seiner ständigen Mahnung der moderatio verhält, die er gegenüber Luther erhebt. Sodann, und das ist der wesentliche Punkt, wie denn nun sein Theologieverständnis im positiven Sinne beschaffen ist.

Beginnen wir mit der zweiten, der wesentlichen Frage. Zusammenfassend lautet die Antwort, daß Erasmus wahre Theologie beschreibt als eine Hinführung zum Geheimnis Christi[63]. Dieser muß die Mitte aller Theologie sein.

In Luthers Theologieverständnis spielt die Erwägung, daß man genügend Zeit und Muße für schlichte Schriftlesung sichern müsse, eine bemerkenswerte Rolle. Melanchthon hat von dem ocium ad Christi doctrinam gesprochen. Ähnliche Gedanken finden sich bei Erasmus in seiner Paraclesis aus dem Jahre 1516. Sie diente als Vorrede zu seiner Ausgabe des Neuen Testamentes. „Es gibt viele tausend Christen", schreibt er, „die zwar im übrigen gebildet sind, die Evangelien und die Apostelbriefe jedoch niemals in ihrem Leben gelesen haben. Die Mohammedaner halten ihre Glaubensweise hoch, die Juden lernen heute noch von Kindesbeinen an ihren Moses. Warum tun wir nicht das gleiche für Christus?"[64] Wir dürfen uns nicht von heidnischen Philosophen beschämen lassen, die für das Haupt ihrer Schulrichtung auf das tapferste gekämpft haben. Warum richten wir nicht noch viel energischer all unser Denken auf Christus?[65]

Christus ist der Fels, auf den all unser Denken zentriert sein soll[66]. In diesem Sinne sucht Erasmus die Theologie auf ihre wahre Einfalt zurückzuführen[67]. Wie das Ordensleben die Überwucherungen durch rein menschliche Traditionen überwinden soll, so soll der echte Theologe unnütze Spekulationen meiden und sich vom Geheimnis Christi ergreifen lassen. Ein echter Theologe ist, wer sich von der Lehre

---

[63] Chantraine, aaO., 163.

[64] Holborn 146,31-35: Tot sunt milia Christianorum, qui cum alioqui docti sint, euangelicos et apostolicos libros ne legerint quidem unquam in omni vita. Mahumetaei sua tenent dogmata, Iudaei et hodie ab ipsis cunabulis suum ediscunt Mosen. Cur nos non idem praestamus Christo?

[65] Holborn 140,19-25: Platonici, Pythagorici, Academici, Stoici, Cynici, Peripatetici, Epicurei, suae quisque sectae dogmata tum penitus habent cognita, tum memoriter tenent, pro his digladiantur illi vel emorituri citius quam auctoris patrocinium deserant. At cur non multo magis tales animos praestamus auctori nostro principique Christo? — Vgl. M. Hoffmann, Erkenntnis und Verwirklichung der wahren Theologie nach Erasmus von Rotterdam: BHTh 44, Tübingen 1972, 59ff.; Kohls, Die Theol. des Erasmus, Textbd., 99ff.

[66] Chantraine, aaO., 114ff.

[67] Holborn 141,27-29: Nihil enim hic necesse est, ut tot anxiis disciplinis instructus accedas. Simplex et cuivis paratum est viaticum.

Christi innerlich erfassen und umformen läßt[68]. Echte Theologie entspricht der Taufe, die den Menschen umformt, und sie entspricht der Eucharistie, weil sie die Seele nährt[69].

Das Geheimnis Christi ist nicht von der Geschichte losgelöst. Es ist zugleich Christi fabula. Es umschließt Kreuz und Herrlichkeit[70].

Wahre Theologie ist auch Frömmigkeit. Sie ist pia doctrina und docta pietas[71], also unlösliche Einheit beider.

Wahre Theologie ist auf Schlichtheit aus[72]. Hier bewährt sich das in anderer Hinsicht kritisierte Grundanliegen der doctores devotarii, nämlich ihr Bemühen um simplicitas[73]. Nicht zuletzt in diesem Sinne wollte Erasmus, daß die Dogmen des Christentums kurz zusammengefaßt in eine „summa" — was man wohl mit Kurzformel des Glaubens übersetzen darf — zusammengebündelt würden[74].

Erasmus ist nicht einfachhin traditionsfeindlich. Aber er möchte statt schlechter, nämlich ungeprüfter und wuchernder Tradition, die Rückkehr zu reinen und wertvollen Traditionen. Statt scholastischer Theologie empfiehlt er die vetus theologia, eine an Kirchenvätern orientierte Theologie[75].

Das Studium der Hl. Schrift muß in der Theologie zentrale Bedeutung haben[76].

d) Das Theologieverständnis bei Erasmus und Luther

Fragt man nach dem Verhältnis des erasmischen Theologieverständnisses zum Theologieverständnis Luthers, so ist wohl an erster Stelle hervorzuheben, daß beide Theologen ergriffen sind von dem Anliegen, gegenüber der scholastischen Theologie das Problem der wahren Theologie ganz grundsätzlich aufzurollen. Die devotio moderna

---

[68] Holborn 146,8f.: Si quis pie philosophetur orans magis quam argumentans et transformari studens potius quam armari. — Vgl. Chantraine, aaO., 184ff. u. ö.
[69] AaO., 166ff. u. ö.
[70] AaO., 275ff.
[71] AaO., 102ff.
[72] Holborn 141,23-27: Ex paucis hisce Libris velut e limpidissimis fontibus haurire liceat longe minore negotio quam ex tot voluminibus spinosis, ex tam immensis iisque inter se pugnantibus interpretum commentariis Aristotelicam doctrinam, ut ne addam quanto maiore cum fructu.
[73] G. B. Winkler, in: Erasmus von Rotterdam, Ausgewählte Werke, hrsg. W. Welzig, Bd. 3, Darmstadt 1967, XX.
[74] C. J. de Vogel, Erasmus and Church Dogma, in: (Hrsg.) J. Coppens, Scrinium erasmianum, Bd. 2, Leiden 1969, 111ff.; Chantraine, aaO., 260ff.
[75] Chantraine, aaO., 161ff.
[76] Holborn 146,6-8: Existimo puram ac germanam illam Christi philosophiam non aliunde felicius hauriri quam ex euangelicis libris, quam ex apostolicis litteris.

schloß in sich die Gefahr, das Ringen mit theologischen Problemen abzuwerten. Luther und Erasmus versuchen, theologische Arbeit und theologisches Ringen als wesentlichen Teil des Christlichen selbst zu zeigen, nämlich als Hören und Verkündigen der Lehre des Evangeliums. Erasmus ist wie Luther überzeugt, daß Theologie nicht unverbindliche Lehre sein kann und darf. Sie muß uns innerlich ergreifen und umformen. Solche Umformung ist Werk des Hl. Geistes in uns[77].

Die Stellungnahme des Erasmus zur devotio moderna macht offenkundig, welches Problem diese der Theologie aufgegeben hat. Einerseits hat die devotio moderna das Verständnis von Theologie vertieft, indem sie nachdrücklich darauf hinwies, daß die Scholastik sich in vielem von ihrer eigentlichen Aufgabe entfernt habe. Sie regte neu die Vertiefung in die Hl. Schrift an. Andererseits aber konnte ihr Ideal der simplicitas dazu verleiten, den theologischen Studien überhaupt mit einem gewissen Mißtrauen zu begegnen, ja sie zu vernachlässigen. Erasmus hat dieses Problem schonungslos aufgedeckt[78]. Er und Luther (und zum Beispiel auch Faber Stapulensis) haben es zu lösen versucht, indem sie das Bemühen um Einfachheit mit der Leidenschaft theologisch-wissenschaftlichen Erkenntnisbemühens verbunden haben, ja diesem eben dadurch einen besonderen Impuls verliehen. Beide setzen die Hilfsmittel der Sprachwissenschaft für die Erreichung des theologischen Erkenntniszieles ein.

Jedoch unterscheidet sich Luther gerade an diesem Punkte auch von Erasmus, insofern er mit großem Nachdruck und völlig kompromißlos das eigentliche theologische Erkenntnisziel der Entfaltung der bonae literae voran-, ja geradezu entgegenstellt.

In der Ablehnung der Scholastik sind sich Erasmus und Luther weitgehend einig. Erasmus geißelt die literarische Minderwertigkeit vieler scholastischer Werke und die Barbarei des gesamten (spät-) scholastischen Stils. Nicht nur Luther, sondern auch Erasmus bringt dem Kirchenrecht keinerlei Sympathien entgegen. Erasmus ist ferner überzeugt, daß die scholastische Methode bei der Aufgabe der Textinterpretation versagt. Er lehnt die scholastische Predigtweise ab. Erasmus geht wie Luther so weit, die Entartungen des scholastischen Lehrbetriebes als teuflisch zu bezeichnen. Er vergleicht die „Sorte" (genus) der scholastisch ausgerichteten Theologen und Prediger mit den Pharisäern. Jedoch hat Erasmus nicht wie Luther die Scholastik kompromißlos abgelehnt. In seinen späteren Jahren sucht er gerade-

---

[77] Chantraine, aaO., 171f.   [78] Kohls, aaO., 35ff.

zu eine Synthese zwischen dem Humanismus und einer von Entartungen gereinigten Scholastik. In den Auseinandersetzungen zwischen ihm und Luther distanziert er sich immer mehr von extremen Lösungen.

Trotz der tiefgehenden Gemeinsamkeiten unterscheidet die Theologie des Luther und Erasmus sich nicht nur inhaltlich, sondern auch durch die zugrunde liegende geistige Haltung. Der Streit um den freien Willen hat diesen Unterschied als tiefen Graben ans Licht gebracht. Beide beurteilen nicht nur die Kraft des menschlichen Willens unterschiedlich, beide haben nicht nur unterschiedliche hermeneutische Auffassungen, sondern sie denken von Grund aus anders. Luther hat das in seiner Stellungnahme zu der scheinbar so formalen Forderung des Erasmus zur Mäßigung (moderatio) zeigen können.

Wenn man vergleicht, wie Luther in De servo arbitrio von seinen Anfechtungen und Verzweiflungen spricht, wie dagegen Erasmus etwa in seiner Frühschrift De contemptu mundi das Lob des inneren Friedens in der Zurückgezogenheit und Ruhe eines stillen Gelehrtenlebens preist[79], so sieht man zudem, daß der theologische Gegensatz beider Männer seinen Hintergrund in einem tief gegensätzlichen Lebensgefühl hat, in dem er sich sehr deutlich spiegelt.

Es bleibt nun noch die bereits gestellte Frage zu beantworten, wie des Erasmus scharfe Kritik an den kirchlichen und theologischen Mißständen seiner Zeit sich mit seiner Forderung der Mäßigung verträgt. Als Antwort scheint mir nur möglich, daß jedenfalls der ältere Erasmus, das heißt jener Erasmus, der sich von den Reformatoren abgegrenzt hat, immer eindringlicher auf dieser Forderung bestanden hat.

Korollar: Die Kritik des späten Erasmus an der reformatorischen Geisteshaltung

„Die erasmische Kritik gilt der Radikalität des reformatorischen Wollens und dessen hochgespannten Erwartungen, nicht dem Willen zur Neuerung überhaupt"[80]. Man soll nicht alles ändern wollen und braucht nicht alles, was reformbedürftig ist, gleich völlig zu beseiti-

---

[79] De contemptu mundi, c. 11 (LB V 1260C): Inter haec (sc. studia) summo otio, summa libertate vacuum curis versari, an non id est deliciarum paradisum incolere? — AaO., c. 10 (LB V 1254A): Tranquillitatem vero quis commorarit?

[80] K. H. Oelrich, Der späte Erasmus und die Reformation: Reformationsgeschichtliche Studien und Texte, Bd. 86, Münster 1961, 54.

gen[81]. Erasmus denkt nicht daran, die Schuld für die mit der Reformation verbundenen Gewaltsamkeiten allein den Neugläubigen aufzubürden. Seine Kritik an den Übelständen der Kirche bleibt unerbittlich. Mönche und scholastische Theologen „haben das Seil zu straff gespannt, jetzt reißt es. Sie haben die Autorität des Papstes nahezu über die Christi gesetzt, haben die ganze Frömmigkeit an den Zeremonien bemessen und einen unerhörten Beichtzwang ausgeübt. Die Mönche führten ungestraft das Regiment und dachten schon offen an Tyrannei. Es trat schließlich ein, daß sprichwortgemäß das Seil gerissen ist. Es konnte nicht anders kommen"[82]. Das Bild des zu stark angespannten Seils kehrt bei Erasmus immer wieder, wenn er die Art und Weise der innerkirchlichen Ursachen der Reformation kennzeichnen will[83].

Bedeutsam ist, daß Erasmus in diesem Zusammenhang der Verachtung der bonae literae großes Gewicht beimißt. Das gilt schon für seine Briefe aus der Anfangszeit der Reformation. Zugleich betont er darin, daß man mit Mäßigung vorgehen und den Aufruhr vermeiden müsse. Man soll die das Herz kalt lassende und disputiersüchtige Theologie zu den Quellen zurückrufen — jedoch eher verbessern als vernichten[84]. Ähnlich äußert er sich noch 1529, er habe die Theologen ermahnt, ihre quaestiunculi endlich aufzugeben und sich vielmehr an die Quellen der Schrift und an die alten Lehrer der Kirche zu halten. Im übrigen sei er der Ansicht, daß man die scholastische Theologie nicht beseitigen, sondern reinigen solle[85].

Erasmus beobachtet, wie sich in der Auseinandersetzung zwischen Neugläubigen und Altgläubigen die Positionen immer mehr verhärten. Sein Widerwille gegen die extremen Positionen vertieft sich immer mehr[86]. Er ist überzeugt, daß die reaktionären Kräfte, vor allem Mönche und scholastische Theologen, unter dem Vorwand der Ketzer-

<hr />

[81] Praestigiarum libelli cujusdam detectio. 1526 (LB X 1572B): Nec omnia tamen tollantur quae mutanda sunt.

[82] Allen, ep. 1901,71-77 (1527): Illi nimium tendebant funiculum, qui nunc rumpitur. Pontificis autoritatem propemodum anteponebant Christo, ceremoniis metiebantur totam pietatem . . . Euenit tandem vt iuxta prouerbium ruptum sit τὸ καλῴδιον τεινόμενον. Nec aliter euenire potuit. — Vgl. Allen, ep. 2206,21-123 (1529).

[83] Oelrich, aaO., 63.

[84] Allen, ep. 980,43f. (an Luther 1519): Scholae non tam adspernandae sunt quam ad studia magis sobria reuocandae. — Vgl. Allen, epp. 950,12-18; 1002,8-18; 1672,86f.

[85] Allen, ep. 2136,190-194 (1529): Adhortatus sum theologos vt omissis questiunculis quae plus habent ostentationis quam pietatis, conferrent sese ad ipsos Scripturarum fontes et ad veteres Ecclesiae doctores. Ceterum scholasticam theologiam non sublatam, sed puriorem magisque seriam esse volui. Hoc, ni fallor, fauere est, non ledere.

[86] Oelrich, aaO., 66.

bekämpfung stärker als vordem mit allen Mitteln jede ihnen nicht genehme Regung in der menschlichen Gesellschaft, insbesondere auch die bonae literae, zu unterdrücken suchen: „Die Gewalttätigkeit Luthers hat uns diese Tyrannei beschert, indem er auf verkehrte Weise versucht hat, alles zu befreien"[87]. Erasmus hört seine scholastischen Gegner laut und höhnend äußern, aus dem humanistischen Wissenschaftsbetrieb sei das Übel der neuen Lehre erwachsen. Schon 1526 schreibt er: „Es gibt einige alte Feinde der bonae literae, vor allem aus der alten Sippe der Mönche und Theologen, die mit kunstvollen Tricks und großem Eifer sich bemühen, die verfeinerte Bildung mit dem Geschäft Luthers zu vermengen. Unter dem Mantel der Religion befriedigen sie ihren privaten Haß"[88]. Mit Schrecken sieht Erasmus, daß die Mönche und scholastischen Theologen eine führende Rolle im Kampf gegen die Reformation erobern und daß sie diesen Kampf auf Kosten des Humanismus führen[89]. Mönche und Theologen lockern nicht die alten Fesseln, sondern schnüren sie von Tag zu Tag noch fester[90]. Er habe einen fairen Kampf mit der Scholastik gekämpft: er habe sie verbessern, nicht aber auslöschen wollen. Nun habe sie wieder frischen Wind in den Segeln. Eine freiere Wissenschaftlichkeit müsse nun fast ganz dahinsterben[91]. Erst habe es den Anschein gehabt, als werde durch das Schwert des Geistes, nämlich das Wort Gottes, die Tyrannei gelöst. Nun sei sie nur noch drückender geworden[92].

Zwei Jahre nach dem Erscheinen von De servo arbitrio schreibt

[87] Allen, ep. 2058,8-10 (1528): Lutetiae et in Hispania simpliciter insaniunt. Hanc tyrannidem nobis peperit Lutheri violentia, dum sinistre conatur omnes libertati restituere. — Vgl. Oelrich, aaO., 89.

[88] Allen, ep. 1716,34-38 (1526): Sunt aliquot iam olim bonarum litterarum hostes, praesertim ex antiqua gente monachorum ac theologorum, qui hoc miris technis magnaque contentione agunt vt elegantiores litteras cum Lutheri negocio permisceant, simulque priuatis odiis religionis praetextu seruiant. — Vgl. Allen, epp. 1635,25-28; 1653,25-27.

[89] Allen, ep. 1690,101-104 (1526).

[90] Allen, ep. 1653,24f. (1525): Altera pars adeo nihil remittit, vt indies astringet priora vincula. — Vgl. Allen, ep. 1697f. (1525): Lutherus ... conduplicauit nobis seruitutem. — Allen, epp. 1672,86-91; 1901,45-50.

[91] Allen, ep. 1558,290-297 (1525): Videamus vtranque factionem . . . ad perdendas elegantiores et politiores literas mire consentire. Altera pars impudentissime clamat ex bonis literis nasci sectas, altera multa habet quibus omnia displicent quae hactenus recepta sunt in vitam mortalium. Proinde ne quid reliquum faciant quod non mouent, disciplinas omnes humanas nituntur e medio tollere, sine quibus hominum vita manca sit et sordida.

[92] Allen, ep. 1672,86-91 (1526): Theologia scholastica, quam correctam optabamus, non extinctam, obsolescit. Emoriuntur fere omnes disciplinae liberales ... Tyrannis illorum quos videbatur oppressurus gladio spiritus, quod est verbum Dei exasperata est, non sublata.

Erasmus an Martin Bucer: „Daß (Luther) mich so possenhaft behandelt hat, erbost mich nicht so sehr, aber da er die Sache des Evangeliums verriet, Fürsten, Bischöfe, Pseudomönche und Pseudotheologen guten Männern über den Hals brachte, die schon unerträgliche Knechtschaft verdoppelte, das ist es, was mich quält"[93].

Gleichwohl versucht Erasmus, auch das Positive an Luthers Lehre ernst zu nehmen. Er gesteht ein, daß Luther viel Wahres gesagt habe, bedauert aber immer seine Maßlosigkeit[94]. —

Abschließend sei hervorgehoben, daß der späte Erasmus mehr als alles andere die Bedenkenlosigkeit Luthers beklagt. Dieser scheue nicht einmal davor zurück, öffentlichen Aufruhr heraufzubeschwören. Luther hat in der Tat nicht nach den realen Folgen seines Tuns gefragt, wenn er der Überzeugung war, damit den Willen Gottes zu erfüllen[95]. Erasmus betrachtet es demgegenüber als eine schwere sittliche Verpflichtung, die realen Folgen unseres Tuns auf das ernsthafteste zu bedenken und uns um den Frieden zu mühen[96].

2. KAPITEL

FABER STAPULENSIS

K. Holl hebt hervor, daß die Betonung des grammatischen Sinnes durch Luther, „soweit die Bibel in Betracht kam, auch dem Humanismus etwas Neues" war[1]. Er begründet seine Aussage mit der Tatsache, daß Erasmus noch in seiner „Methodus" die allegorische Auslegungsweise des Origenes gepriesen habe[2]. Jedoch ist für die Beurteilung der Frage, wie weit Luthers Auslegungskunst durch den

---

[93] Allen, ep. 1901,45-50: Et hic est huius negocii coryphaeus, cui non admodum succenseo, quod me tam scurriliter tractauit; quod Euangelii causam prodidit, quod principes, episcopos, pseudomonachos, pseudotheologos in capita bonorum virorum immisit; quod seruitutem, que iam erat intolerabilis, conduplicauit, id vero discruciat animum meum. (Übers. zit. n. Oelrich, aaO., 110.)

[94] Allen, ep. 2175,5-11 (1529): Quae Lutherus destomachatur in nostros, veriora sunt quam vellem. De libero arbitrio de bonis operibus ac meritis, deque similibus, themata sunt quae cum fructu pietatis disputari possent inter eruditos, si absit peruicacia veritatis inimica et odium excaecans omne iudicium. Et quae Lutherus vrget, si moderate tractentur, mea sententia propius accedunt ad vigorem Euangeliorum.

[95] WA 18,632,29: Respondeo, satis erat quidem dicere, Deus voluit. — Daß die Reformation „ihrer Intention nach sicher nicht Revolution" gewesen sei, legt W. v. Loewenich dar. Ders., Reformation oder Revolution?, in: Festgabe J. Lortz, Schicksal und Aufgabe, Bd. 1, Baden-Baden 1957, 5-14.   [96] Oelrich, aaO., 56.

[1] K. Holl, Luthers Bedeutung für den Fortschritt der Auslegungskunst: Ges. Aufsätze, Bd. 1, Tübingen ⁶1932, 552.   [2] Holl, aaO.

Humanismus vorbereitet wurde, besonders auch der Einfluß Jacques Lefèvres zu bedenken.

Luther hat für die Vorbereitung seiner ersten Psalmenvorlesung ausgiebig das Quincuplex Psalterium und bei der Ausarbeitung seines Römerbriefkollegs den Pauluskommentar Fabers studiert[3]. In einem Brief Luthers vom 19. Februar 1518 wird Faber neben Erasmus als tantus bonarum literarum princeps gepriesen[4].

a) Die besten Führer für die Studien

Den Einstieg zum Problem der Auslegung hat Faber schon in seinen ersten Veröffentlichungen durch eine Frage gewonnen, die dann in seinem Schrifttum immer wiederkehrt: die Frage nach den besten Führern für die Studien[5]. Faber wurde aus verschiedenen gewichtigen Motiven zu dieser Fragestellung gedrängt. Der Sinn der Frage ist zunächst, die großen Meister der Vergangenheit ausfindig und ihre Werke den Studenten zugänglich zu machen.

Anfänglich war Faber überzeugt, der größte aller Lehrmeister für das Studium sei Aristoteles[6]. Jedoch weitete sich sein Blick sehr bald. Einen Höhepunkt seines Suchens nach den Führern der Studien zeigt sich in dem Kommentar zur Politik des Aristoteles. Darin hat er einen Studienplan dargelegt, in dem er dreißig verschiedene Führer für die Studien nennt[7]. Bedeutsam ist an diesem Studienplan, daß in ihm Faber auch im Anschluß an Hieronymus einen ausführlichen Vorschlag zum Schriftstudium macht[8]. Neben den Werken großer

---

[3] Luther hat das Quincuplex Psalterium ausführlich glossiert: WA 4,466-526. „In der Zeit vor dem Erasmischen Neuen Testament" (nämlich vor 1516) hat Luther „den allergrößten Teil seines Bedarfs an humanistischer Auslegungshilfe" durch Werke von Faber gedeckt (K. A. Meißinger, Der katholische Luther, München 1952, 73). — Vgl. Weier, Das Thema vom verborgenen Gott, 4ff.

[4] WABr Nr. 60,14 (19. Februar 1518).

[5] z. B. In Aristotelis physicos libros paraphrasis, 1492, Prologus, fol. b i^r; Compendiaria in Aristotelis Ethicon introductio, Wien 1501, fol. a i^r (1. Aufl. 1494); In artem oppositorum introductio (Bovillus, C.), 1501, Praef., fol. 1^v-2^r, usw.

[6] In Aristotelis octo physicos libros paraphrasis, 1492, Prol., fol. b i^r: Infirmus noster admodum intuitus e nostris profundis tenebris ad illos divinos fulgores (sc. antiquos philosophos) omnino deficiens hebetescit. Quae omnia summus Aristoteles praesentiens divino beneficio iutus nostram sortem miserae nostrae litterariae vitae ducem sese praebuit.

[7] Politicorum libri octo, 1506, l. VIII, c. 6 Annotationes, fol. 123^v-124^r.

[8] AaO., fol. 124^r: Hieronymus . . . pro Romanae cuiusdam virginis institutione scribens, discat, inquit, primo psalterium ... proverbiis Salomonis ... ecclesiaste ... Iob ... evangelia .. apostolorum acta .. epistolas .. prophetas .. pentateuchum, regum et paralipomenon libros. Esdrae ... Hester ... Caveat apocrypha ... — Vgl. Hieronymus, ep. LIII, Ad Paulinum (PL 22, Nr. 276-280).

Gelehrter nennt er hier mit Nachdruck die Bibel. Die Werke der Gro-
ßen im Reiche des Geistes sollen Führer zum Studium sein — und die
Bibel? Ist sie in Analogie zu den Werken der Meister Führer zum
Studium?

Offenbar meint Faber es so. Denn in seinem ersten Schriftkommen-
tar, dem Quincuplex Psalterium, erklärt er, daß für ihn nun an die
Stelle menschlicher Gelehrsamkeit die Weisheit der Bibel getreten sei.
Er erkennt die Gefahr, daß die eigentlich theologischen Anliegen
durch die Ideale des Humanismus überdeckt werden können[9].

b) Das hermeneutische Problem

Seine zahlreichen Kommentare zu verschiedenen Autoren und besonders zu Aristoteles hatten seinen Blick dafür geschärft, wie bei der
Kommentierung eines Textes dessen Zuverlässigkeit[10] (also die
Aufgabe der Textkritik) und das schlichte Hören auf seinen Wortlaut
das Ausschlaggebende sind[11]. Stets hatte er versucht, „Aristoteles
durch Aristoteles" selbst zu erklären[12]. Ebenso verfuhr er bei der Erklärung der übrigen von ihm behandelten Autoren. So hielt er es nun
auch bei der Erklärung der Schrift[13]. Der „Zusammenklang" aller
Teile der Schrift muß die einzelnen Stellen erklären[14].

[9] Qu. Psalterium, Ps. 118, IX, Adv. 3. versu, fol. 186ᵛ: Et revera divina lex divina
volumina deberent esse nostra carmina, nostrae meditationes et iuges laudes toto
tempore nostrae fugientis et momentaneae peregrinationis in hoc stadio probationis
nostrae. Carmina haec quam dulcia erunt in altero saeculo; quam amara, quam
luctifica Tibulliana et Catulliana et quae eiusmodi sunt. Prima illa vitae lectio. At
impurorum authorum... carmina sunt mortis; sed mortis secundae et perpetuae
mortis lectio. Hanc confessionem meam suscipiat deus ad meam et multorum salutem. — Qu. Psalt., Ps. 103, Adv. 20. versu, fol. 155ᵛ; Ps. 118, 1a2, fol. 174ᵛ.

[10] Libri Logicorum, 1503, fol. 1ᵛ: Cum logicos libros ante id temporis adeo vitiatos
mendisque scatentes fuisse constet, ut a nemine legi satis sincere potuerint, iuvenibus
per tot annos illusis quibus non auctorum sensa, sed novita quaedam et frigiduscula
tanquam mala gramina propinabantur. Non tam certe (ut conicio) docentium, quam
vitiatorum codicum iniuria. — In seinem Quincuplex Psalterium hat Faber durch
Nebeneinanderstellung von vier verschiedenen Textversionen einen zuverlässigen
(fünften) Text zu ermitteln versucht; in seinem Pauluskommentar setzt er neben den
Text der Vulgata eine eigene Übersetzung nach dem Griechischen. — Vgl. Weier,
Das Thema vom verborgenen Gott, 10f.

[11] Decem librorum moralium Aristotelis tres conversiones, 1535 (1. Aufl. 1497),
fol. 1ᵛ: Quaestionum et argumentationum (nisi doctrinalium quae in littera continentur) viam non tenui, quia mores non longa verborum disceptatione, sed sana
intelligentia et recta educatione... parentur.

[12] A. Renaudet, Préréforme et humanisme à Paris pendant les premières guerres
d'Italie (1494-1517), Paris ²1953, 133.   [13] Weier, Das Thema, 51f.

[14] Qu. Psalt., Praef., fol. aiʳ: Nulloque virorum ducimur auspicio: manifesta in luce
monentem ipse deum vidi, vocemque his auribus hausi. Ii tamen, quorum auspiciis
ducor, ii quos imitor, idipsum dicere potuerunt. Et concordia scripturarum maxima
ex parte nos ad hoc pervexit.

Faber hat das schlichte Textverständnis in ständiger Auseinandersetzung mit dem scholastischen Studienbetrieb an der Pariser Universität betont. Leidenschaftlich beklagt er, daß man sich dort in die Finsternisse unfruchtbarer Meinungsverschiedenheiten und unnützer Fragen verstrickt habe, die nur von einem wahren Verständnis des Textes der großen Autoren wegführe[15]. Daß sich Fabers Auslegungskunst in besonderer Weise an praktisch-pädagogischen Erwägungen entzündet hat, erhellt daraus, daß er außer großen Kommentaren kleine übersichtliche Einleitungsschriften verfaßt hat, in denen der Stoff der großen Werke zusammengefaßt wird[16].

Faber hat den Übergang zur Schrifterklärung wie eine Bekehrung empfunden. In seinem Psalmenkommentar klagt er sich an, daß er sich viel zu lange mit weltlichen Studien abgegeben habe und das einzig Notwendige und Wichtige, das Studium der Schrift, nicht genügend gepflegt habe[17]. Trotzdem hat er die innere Zuordnung seiner Arbeit an profanen und theologischen Autoren und seiner Arbeit an der Bibel nie in Frage gestellt[18]. Er hat vielmehr die Auslegungskunst, die er durch jahrzehntelange Editions- und Interpretationsarbeit an den verschiedensten philosophischen und theologischen Stoffen erlernt hatte, auf die Bibel angewendet[19].

Sein erster Kommentar, eine Einleitung in die sechs ersten Bücher

---

[15] In Aristotelis octo physicos libros paraphrasis, Prol., fol. biʳ: Hi (sc. moderni philosophi) quae conducerent, pauca reperunt. Aut ad opinionum tenebras demersi devolutique sunt, aut obscuris ambagibus legentium mentes natura cognoscendi cupidas eluserunt. — Introductiones: in Suppositiones, in Praedicabilia etc., 1498 (1. Aufl. 1496), fol. 1ᵛ: ... qui cum in cute quod promittunt nihil intus habent, quo id, quod promittunt, exhibeant. Aperte enim loquor, neque vos, neque alium quemquam fallere volens. — Libri Logicorum, 1503: Omne enim malum studiis inseminatum fere est, quia austorum litteris dimissis ipsisque auctoribus ad vana glossemata sese totos contulere. — Ebd., fol. 1ᵛ: Queri saepe solebas... tot tantaque per omnia passim studia disciplinarum labes irrepsisse, non humanarum modo verum (quod magis dolendum est), etiam et divinarum.

[16] Paraphrasis octo Physicorum Aristotelis, 1492; Introductio in metaphysicorum libros Aristotelis, 1493; Totius philosophiae naturalis paraphrases, 1501/2; Compendiaria in Aristotelis Ethicon introductio, 1494; Epitome compendiosaque introductio in libros arithmeticos divi Severini Boethii, 1503 (1. Aufl. 1496); Introductiones: in Suppositiones, etc., 1496.

[17] Vgl. o. 294, Anm. 9.

[18] Kurz nach dem Erscheinen des Psalteriums erklärt Beatus Rhenanus in einem Brief an Michael Hummelberg, in welchem Verhältnis die nun durch Faber begonnene Arbeit der Schrifterklärung zu seiner bisherigen Arbeit stehe (30. Juli 1509); vgl. Horawitz-Hartfelder, Briefwechsel des Rhenanus, Nr. 9, S. 22): Hic enim non eas modo disciplinas quas liberales vocant, sed etiam ipsam theologiam supremam suo candori restituere aggressus est: laudabile quin potius divinum hominis institutum, qui inferiora ad superorum assecutionem ordinata esse agnoscens, gradus ipsos, quibus ad summum ascendas, prius rite disposuit.

[19] Renaudet, Préréforme et humanisme, 622.

der aristotelischen Metaphysik, erschien 1490[20]. Sein erster Bibelkommentar, das Quincuplex Psalterium, 1509. In der Zwischenzeit hat er eine Fülle von Editionen und Kommentaren zustande gebracht. Daraus ergibt sich, daß Faber — im Gegensatz zu Luther — gewissermaßen als Meister, nicht als Anfänger der Auslegungskunst mit der Interpretation der Bibel begonnen hat. Die hermeneutischen Grundsätze, die Faber im Quincuplex Psalterium angewendet hat, sind großenteils dieselben Grundsätze, die er bereits zuvor bei der Auslegung philosophischer und theologischer Autoren befolgt hat. Freilich wächst auch Faber an der Bibel. Seine Auslegungskunst gewinnt insbesondere an Ernst und persönlichem Einsatz.

Vor allem ist hier hervorzuheben, daß Faber von Anfang an den Grundsatz vertreten hat, daß der Text eines Autors sich selbst erklären muß, daß es also darum geht, den Text selbst festzustellen, auf ihn hinzuhören und aus dem Zusammenklang des Ganzen das Einzelne zu verstehen[21]. In seinen Bibelkommentaren bemüht sich Faber dementsprechend um einen textkritisch zuverlässigen Text und versucht dann, auf diesen Text sorgsam zu hören und durch die concordia scripturae, durch den Zusammenklang des Ganzen, die Bedeutung der einzelnen Stellen zu klären[22].

Faber nähert sich damit der These Luthers, daß die Schrift ihr eigener Ausleger sei auch insofern, als er mit seiner Arbeit gegen die Scholastik Stellung bezieht. Doch seine Ausführungen haben keinen antirömischen Akzent[23]. Gerade das ist hier interessant. Es zeigt sich nämlich, daß der Grundsatz: scriptura sacra sui interpres auch einen undogmatischen Aspekt hat, der noch nichts mit der Frage zu tun hat, inwieweit das kirchliche Lehramt über den wahren Sinn einer Schriftstelle entscheiden kann und soll. Es zeigt sich, daß die Frage der Selbstauslegung der Schrift in der von Faber gesehenen Wurzel eine dogmatisch nicht relevante Frage der Hermeneutik ist.

Es seien nun noch die hauptsächlichen Auslegungsgrundsätze erwähnt, die Faber in seinen ersten beiden (von Luther benutzten) Schriftkommentaren darlegt.

Lefèvre hat die Frage nach dem vierfachen Schriftsinn als Weg zur Bibelerklärung abgelehnt[24]. Für ihn gibt es nur den Literalsinn[25].

---

[20] In sex primos Metaphysicorum libros introductio. — Vgl. Renaudet, aaO., 132, Anm. 5.   [21] Vgl. o. 294, Anm. 10 u. 295, Anm. 15.   [22] Vgl. o. 294, Anm. 14.
[23] Weier, Das Thema, 52.
[24] Qu. Psalt., Praef., fol. aᵛ: Sensus igitur litteralis et spiritualis coincidunt, non quem allegoricum aut tropologicum vocant, sed quem spiritus sanctus in propheta loquens intendit.   [25] Ebd.

Freilich unterscheidet er zwischen einem doppelten Literalsinn[26], jenem, den die Juden suchen[27], der in der Schrift als „Buchstabe" verurteilt wird, und jenem geistigen Sinn, der die Absicht des Verfassers wiedergibt[28]. Luther hat die Frage nach der „intentio" des Hagiographen mit Nachdruck gestellt. Auch für Faber ist diese Frage wichtig[29]. Wie Luther lehnt er die allegorische Auslegung im Sinne des Origenes ab und verlangt, nach dem eigentlichen Sinn der Schrift zu fragen[30]. Luther geht über Faber hinaus, indem er ausführlich das Verhältnis von Allegorie und eigentlichem Sinn der Schrift behandelt. Er erkennt, daß die Schrift selbst in vielen Fällen mit Absicht sich der bildlichen Redeweise bedient, und daß dann der allegorische Sinn der eigentliche Sinn der Schrift ist[31].

Insbesondere hat Faber die innere Zuordnung von vox und verbum[32], buchstäblichem und geistigem Sinn[33], im Anschluß an Gedanken des Cusanus[34] lichtvoll dargelegt. Er bestimmt dieses Verhältnis in ähnlicher Weise wie Luther später gegenüber den Schwärmern und der jüdischen Exegese.

Die Anwendung cusanischer Gedanken läßt Faber auch erkennen, daß das „verbum", das heißt der innere und wahre Sinn der Schrift, im tiefsten eines sein muß, nämlich das eine ewige Wort Gottes selbst[35]. So

---

[26] Qu. Psalt., Praef., fol. ai^r: Duplex sensus litteralis.

[27] Qu. Psalt., Praef., fol. a^r: Alia littera surgit, quae (ut inquit apostolus) occidit, et qui spiritui adversatur. Quam et Iudaei nunc sequuntur.

[28] Qu. Psalt., Praef., fol. a^v: Eum sensum litterae vocemus, qui cum spiritu concordat et quem spiritus sanctus *monstrat*. — Ebd.: Sensus... quem spiritus sanctus in propheta loquens *intendit*. — Qu. Psalt., Praef., fol. a^r: Sensus *intentionis* prophetae et spiritus sancti in eo loquentis. — Vgl. *Cusanus*, De filiatione dei (H IV,60,7-14); De dato patris luminum (H IV,121).

[29] Zu beachten ist hier auch, daß Faber das Wort der Schrift als „Zeugnis", „Vorschrift" versteht. — Vgl. Weier, Das Thema, 143.

[30] Qu. Psalt., Praef., fol. a^r: Sensus intentionis prophetae et spiritus sancti in eo loquentis. — Qu. Psalt., Praef., fol. a^v: Sensus igitur litteralis... non quem allegoricum... vocant.

[31] Holl, Luthers Bedeutung, 555; G. Ebeling, Evangelische Evangelienauslegung, München 1942 (Nachdruck 1962), 273f., 280, 283ff., 286ff., 298ff., 303ff., 307ff., 321ff., 331, 343, 344ff. — Bei Lefèvre klingt das Problem an: Qu. Psalt., Ps. 96, Adv. 6. versu, fol. 146^r.

[32] Qu. Psalt., Ps. 118,IX t 8, fol. 186^v: Scripturae igitur et prophetarum oracula lex ipsa non sunt sed quaedam legis expressio, multo magis a lege differens quam scriptura a voce, quam vox a conceptione, quam umbra a luce, quam vestigium a veritate.

[33] Qu. Psalt., Praef., fol.a^v: Eum sensum litterae vocemus, qui cum spiritu concordat.

[34] Cusanus, De filiatione dei (H IV 60,1-7).

[35] Qu. Psalt., Ps. 118, VII z 4, fol.183^r: Quis te, dominorum domino verior, qui es veritas?... Quis te clementior, qui es ipsa clementia, misericordia et benignitas, qui solo verbo omnia curas: languida sanas, mortua vivificas, non existentia creas? Quapropter servus tuus si irrideatur,... consolatur, quia tu verbo tuo illi vitam praebes. — Qu. Psalt., Ps. 118 X i 4, fol.187^v: Tu verbo virtutis tuae omnia fers,

kommt Lefèvre schon vor Luther zur Betonung der einen Sinnmitte der Schrift. Vom gleichen Ansatzpunkt aus stößt er auch zu der Erkenntnis durch, daß die Schrift, die im *ewigen* Wort Gottes ihren tiefsten Grund hat, nicht nur für die Vergangenheit Geltung haben kann, sondern für Vergangenheit, Gegenwart und Zukunft in gleicher Weise aktuell lebendig ist[36].

c) Existentielle Bedeutung der Schrift

Faber war durchdrungen von der existentiellen Bedeutung der Schrift. Dazu hatten seine Freunde aus dem Kreise der devotio moderna beigetragen[37]. In seinem Quincuplex Psalterium erklärt er rundweg, daß die fällige Reform der Klöster wesentlich von einer Belebung der Schriftstudien abhänge[38].

Es wurde dargelegt, welche Bedeutung bei Luther der Grundsatz des semper incipere hat und wie dieser Grundsatz einerseits die Lebendigkeit des Schriftwortes voraussetzt, anderseits den persönlichen Einsatz, die ständig neue Versenkung in das Bibelwort verlangt, wie die Kunst der

verbo me illuminasti, verbo me humiliasti, verbo me inflammasti; tu verbo tuo pariter meo medere languori. — Qu. Psalt., Ps. 118 IX t 8, fol. 186ᵛ: Certe lex verbo dei enuntiata divina est conceptio. — Qu. Psalt., Ps. 118 IX t 8, fol.186ᵛ: Si lex principis est mentis eius ratio ad recte convenientibus mediis gubernandum et gubernata ad bonum dirigendum ... Lex quoque divina mentis divinae ratio erit, qua convenientissimis mediis gubernat et gubernata ad optimum traducit, statuens nihilominus parenti praemium et transgredienti poenam. Huius enim illa symbolum est, illa typus, haec exemplar et veritas. —
Ebd.: Non enim tua conceptio, tua ratio aliud est a te deus. Quo modo igitur unus es et simplicissimus, sic tua lex una ac simplicissima est.

36 Qu. Psalt., Ps. 96, Adv. 6. versu, fol.146ʳ: In qua (sc. veritate exemplarium) mysteria rerum, quae etiam nondum factae fuerunt et sunt et fuerunt ab aeterno; in eaque coincidunt esse, fuisse et fore ut in centro circuli ante dextrum et sinistrum ... modus loquendi propheticus:... quo fit, ut ille sermo semper verus sit et immutabilis, humanus autem nunc verus, nunc falsus et mutabilitati obnoxius, ubi esse, fuisse et fore diversa sunt et nequaquam coincidentia. — Vgl. *Luther,* WA 34/I,29,14ff.

37 Primum volumen Contemplationum Raimundi, 1505, fol.1ᵛ: Colebam insuper mirifice eos, qui zelo dei mundum calcantes et verbis et operibus accedentium mentes ad deum elevabant: Momburnum (inquam) sanctae memoriae Liveracensem abbatem, Burganium, Rolinum; innumerorum paene ad sanctiorem vitam coenobiorum restitutores, Ioannem Standucium, austeritate vitae (dum viveret) admodum austera et pertinaci, et in omni sanctimonia vitae alios quam plurimos. — Vgl. Renaudet, Préréforme et humanisme, 254ff.; A. Hyma, Renaissance to Reformation, Michigan 1951, 130, 135. —

38 Qu. Psalt., Praef., fol.1ʳ: Frequens coenobia subii, at qui hanc (sc. sacrae scripturae) ignorarent dulcedinem, veros animorum cibos nescire prorsus existimavi. Vivunt enim spiritus ex omni verbo, quod procedit de ore dei ... Et ab eo tempore, quo ea pietatis desiere studia, coenobia periere, devotio interiit et exstincta est religio et spiritualia pro terrenis sunt commutata, caelum dimissum et accepta terrena: infelicissimum sane commercii genus.

Auslegung erst in wahrhaft „theologischer" Begegnung mit der Schrift sie selbst ganz eigentlich wird[39].

Auch Faber betont, daß wir der Schrift so begegnen müssen, daß wir von ihr umgewandelt werden: Gott erleuchtet uns durch das himmlische Licht des Wortes[40]. Wen aber Gott erleuchtet, den demütigt er zugleich: „Demut und deine Lehre (o Gott) sind so miteinander verbunden, daß du keinen anschaust, außer wen du belehrst und demütigst . . . Da du das höchste Licht bist, so ist dein Anschauen ‚Erleuchten' und in Wahrheit ‚Zur-Demut-Führen'"[41]. Faber betont auch schon, daß es bei der Versenkung in die Schrift um den Glauben geht: „Denke den Glauben weg: und ein jeder geht armselig aus der Welt. Denn welche größeren Reichtümer könnten wir uns in diesem Leben erwerben als jene, die zur ewigen Glückseligkeit führen? Und das wirkt vor allem anderen der Glaube. Aber du fragst, auf welche Weise man in dieser Welt durch den Glauben genährt wird? Auf keine andere Weise, meine ich, als durch Versenkung (meditatione) in das göttliche Gesetz und durch heilige Betrachtung (contemplatione) der göttlichen Dinge"[42]. Der Unterschied zwischen der Auffassung Lefèvres und Luthers besteht hier darin, daß dieser die Begegnung mit der Schrift stets als Widerspiel von Anfechtung und Glaube erlebt, während Faber nur die Beziehung zwischen Demut und Glauben erwähnt.

Das Gegenspiel von Anfechtung und Glaube ist ein wichtiges Motiv für Luthers Forderung des semper incipere: Der Glaube ist nie fester Besitz, sondern muß gegen Anfechtungen immer wieder neu errungen werden. Dieses Motiv fehlt bei Faber. Ein anderes Motiv nennt auch er, warum wir in der Erkenntnis der Schrift von Stufe zu Stufe voran-

---

[39] Vgl. o. 160ff.

[40] Qu. Psalt., Ps. 118 X i 3, fol.187ᵛ: Verbum igitur tuum supersperanti servo tuo petitum indulsit intellectum: repente factus est sciens. Non enim ad docendum tempore eget. Nam si sensibilis lux momento res carneis obtutibus manifestat, quanto magis tua lux spiritualibus mentium luminibus mandata tua ocyssime revelat.

[41] Qu. Psalt., aaO.: Humilitas et tua doctrina sunt nexa, ut ad nullum respicias, nisi ad eum, quem doces et humilias. Ad quam (ais) respiciam, nisi ad humilem et trementem verba mea? Nam cum tu sis summa lux, tuum respicere est illuminare et in veritate humiliare.

[42] Qu. Psalt., Ps. 36, Adv. 3. versu, fol.61ᵛ: Tolle fidem: omnis ex hoc mundo discedit miser. Quas enim maiores in hac vita possumus nobis comparare divitias, quam quod ad divitias perducunt aeternas? Quod vel prima omnium ipsa fides operatur. Sed quaeres quo pacto quis fide pascatur in hoc mundo? Non alio modo crediderim quam meditatione divinae legis et sacra divinorum contemplatione.
Offenbar deutet Lefèvre hier das Wort der Schrift als Gnadenmittel. Vgl. dazu E. Bizer, der das Eigentliche der „reformatorischen Entdeckung" Luthers darin zu erkennen meint, „daß Luther das Wort als Gnadenmittel entdeckt" habe. Ders., Fides ex auditu. Eine Untersuchung über die Entdeckung der Gerechtigkeit durch Martin Luther, Neukirchen ²1961, 7.

schreiten sollen: Es ist die unendliche Tiefe des göttlichen Wortes, für das die Hl. Schrift die endliche „Ausfaltung" (explicatio) darstellt[43]. Hintergrund für die Ausführungen Lefèvres sind Erwägungen über die Verborgenheit Gottes, dessen unendliches Licht uns unzugänglich bleibt[44]. Er schließt sich hier an Ausführungen des Cusanus über das Verhältnis von göttlichem Wort und Hl. Schrift und über die Verborgenheit Gottes an[45]. Den cusanischen Grundsatz der docta ignorantia macht er für die Begegnung mit der Schrift fruchtbar. Er hilft ihm, die Forderung der Demut tiefer zu begründen: „Wissen von Gott" aus rein menschlicher Kraft zerflattert vor der unendlichen Überlegenheit und Fülle Gottes zu elendem Nichtwissen. Vor ihm ist ehrliches Bekenntnis des Nichtwissens wahres Wissen, und wenn er uns beisteht, macht Demut uns gesund. Wissen von Gott ist Gnadengeschenk von Gott[46].

[43] Qu. Psalt., Ps. 118, 16 a 4, fol.194rv: Quia tuum ... verbum et tuum eloquium ... ratio sunt cognoscendarum iustificationum tuarum, ideo cognitae semper relinquuntur amplius perfectiusque cognoscendae seu forma quaedam ad infinitum cognoscibile archetypum. — Qu. Psalt., Ps. 118, 16 a 3, fol.195r: Ceterum si verbum nostrum pro mentis nostrae et eloquium pro oris nostri est ratione, ergo et verbum tuum et eloquium tuum pro tuae. Ut igitur verbum nostrum finitum et comprehensibile et eloquium mensuratum et effabile, optimo iure evenit, ut tuum verbum infinitum sit et incomprehensibile et tuum eloquium immensum et ineffabile. — Qu. Psalt., Ps. 96, Adv. 6. versu, fol.146r: ... cum expressionem aeternae veritatis respicimus eiusque per mysteria ipsa explicationem. — Zum Begriff der explicatio vgl. *Cusanus*, De filiatione dei (H IV 83); Weier, Das Thema, 78ff.
[44] Qu. Psalt., Ps. 35, Expos. cont. 10, fol.59r: O rex noster ... te agnoscentes agnoscemus patrem, te agnoscentes veram lucem de vera luce agnoscemus lucem illam paternam, lucem fontanam et inaccessibilem. — Vgl. 1 Tim 6,16. — Vgl. *Cusanus*, De dato patris luminum (H IV 108,5ff.). — Qu. Psalt., Ps. 118 IX t 4, fol. 186r: An ideo inscrutabilis, domine, quia tu es infinitum sapientiae pelagus et quantumcumque praebueris doctrinae, semper aqud te amplius tenes praebendum, atque ideo doctus *semper petit se magis edoceri*. — Ebd.: Et certe si praeceptor quispiam esset infinite doctus, semper discipulus quantumcumque didicisset, peteret *adhuc amplius erudiri*, et novus eum sciendi stimularet ardor. Tam bonum, tam pulchrum est scire, et maxime te scire qui es omne bonum. Neque enim erga illum aliud esse posset quam discipulus. An etiam fide doctus petit in bonitate tua, quae est veritas et fidei substantia, *plenius edoceri?*
[45] Vgl. Weier, Das Thema, 69f.
[46] Qu. Psalt., Ps. 118, 2 b 4, fol.177r: A sole ut ab inexhauribilis lucis pelago ad omnium oculos lumen diffunditur, sine quo ea, quae sunt in sensibili mundo, absconsa manent et incognita. Sed quid est hoc, domine, nisi tuae immensae bonitatis imago, quae omnibus pro uniuscuiusque captu se diffundit et communicat? — Ebd.: Verum sicut sine lumine solis sensibiles colores nobis sunt imperceptibiles, aeque sine tuo lumine et tua doctrina praecepta tua oculo mentis nostrae manent impervia. Nam ut sensibile sensibili et spirituale spirituali luce eget — quid ergo faciat spiritualis cultor et agnitor tuae bonitatis, nisi dicat: „Benedictus es, domine; doce me iustificationes tuas"? — Qu. Psalt., Ps. 118, 17 p 2, fol.187r: Ut sole sub terris se condente oculi versantur in tenebris, at eodem exortus attingente omnia quamplurimum plena sunt lumine, hunc in modum verbo dei se condente mentes omnes caecae sunt, quo quidem ex oriente protinus divino opplente lumine videndi sensum recipiunt et vident et cognoscunt admirabilia testimonia tua. — Vgl. Qu. Psalt., Ps. 118, X i 1, fol.187v; Qu. Psalt., Ps. 57, Adv. 8. versu, fol.89v.

Luther selbst stellt in einem Brief an Spalatin vom 19. Oktober 1516 den Unterschied zwischen seiner Theologie und der Theologie Fabers heraus: Ganz sicher sei Lefèvre ein überaus ernster Gelehrter, der für das Geistige (im Gegensatz zum Buchstaben!) einen Sinn hat, aber es fehle ihm jene Einsicht, die erst im eigenen Tun aufbricht und bei der Ermahnung an andere[47]. Luther hat bei anderen Gelegenheiten wiederholt darauf hingewiesen, daß die eigene Erfahrung einen erst zum Theologen mache. Er nennt das die practica theologiae[48]. Immer meint er dabei den Kampf zwischen Anfechtung und Tröstung in der Begegnung mit der Bibel. Luther spürt gegenüber Faber, daß dieser Kampf, den er so stark erlebt hat, seine Überlegenheit gegenüber Faber begründet.

In diesem Zusammenhang verdient ein Brief Luthers vom 1. März 1517 an Lang Erwähnung. Darin äußert er sich über Erasmus. In dessen Theologie gelte das Menschliche mehr als das Göttliche: „Ich fürchte, daß er (Erasmus) Christus und die Gnade Gottes nicht genügend betont. In diesem Punkte ist er weit unverständiger als der Stapulensis"[49]. Wenn Faber nach dem Urteil Luthers „weit verständiger" über „Christus und die Gnade Gottes" denkt als Erasmus, so ist damit ausgesprochen, daß Fabers Rechtfertigungslehre relativ günstig zu bewerten sei[50]. Luthers Kritik an Faber ist damit auf den Punkt, den er in seinem erwähnten Brief an Spalatin hervorhebt, eindeutig eingegrenzt: daß ihm jene Einsicht fehle, die nur durch eigene innere Erfahrung und durch Ermahnung anderer gewonnen werden kann.

Als Ausleger der Hl. Schrift verbindet Lefèvre einen mystisch kontemplativen und praktischen Zug mit echter Wissenschaftlichkeit. Er hatte sich schon sehr früh mit der Mystik befreundet[51]. Er schätzte die Contemplationes Raimundi[52] und die Werke des Ps.-Dionysius[53] überaus hoch. Er pflegte engen Kontakt mit den Anhängern der devotio moder-

---

[47] WABr Nr. 27,37-40: Nam et Stapulensi, viro alioquin (bone Deus) quam spirituali et sincerissimo, haec intelligentia deest in interpretando divinas literas, quae tamen plenissime adest in propria vita agendo, et aliena exhortando.

[48] Vgl. o. 119f.

[49] WABr Nr. 35, 18-20: Timeo, ne Christum et gratiam dei non satis promoveat, in qua multo est quam Stapulensis ignorantior: humana praevalent in eo plus quam divina.

[50] Zur Rechtfertigungslehre Fabers vgl. F. Hahn, Faber Stapulensis und Luther: ZKG 57 (1938) 356-432; Weier, Das Thema, 152ff.; 193ff.

[51] Primum volumen Contemplationum Raimundi, 1505, fol.1ᵛ: Viso titulo De contemplatione scilicet quae fit in deo rapior illico libri legendi desiderio. — Vgl. Weier, aaO., 16ff.   [52] Ebd.

[53] Theologia vivificans. Cibus solidus. Dionysii Caelestis hierarchia, 1499, fol. aiiijʳ: Omnium sane scripturarum supremum dignitatis apicem, summumque decus augustam reverentiam et auctoritatem obtinere dinoscuntur sacrosancta evangelia ... Mox ea sequuntur sanctae arcanae Iesu revelationes, apostolorum acta et epistolae et prophetarum monumenta, quae veteris legis continentur organo. Porro eloquia proxime et dignitate et auctoritate sequuntur ea hagiographa sanctaque scripta, quae

na in Paris. Diese Neigung zur Mystik zeigt sich an vielen Stellen seines Psalmenkommentars[54], besonders auch darin, wie er seine Exegese oft in ein Gebet übergehen läßt[55]. Das Urteil, das Luther über Fabers Theologie fällt, betrifft gerade deren mystische Seite. Luther anerkennt den Ernst Fabers und seinen Sinn für das Geistige, er vermißt aber die theologische Fundamental-Auseinandersetzung zwischen Anfechtung und Glaube.

SCHLUSS

Es ist wohl am Platze, am Schluß kurz Rechenschaft über die getane Arbeit abzulegen und eine zusammenfassende Stellungnahme zu Luthers Theologieverständnis zu versuchen.

Es lag nahe, den Einstieg für die Darlegung bei seiner berühmten Gegenüberstellung der theologi crucis und gloriae aus dem Jahre 1518 zu unternehmen. Wir haben sodann verfolgt, wie sein Theologieverständnis sich in seinen verschiedenen Dimensionen weiter entwickelt hat und wie dabei Linien aufscheinen, die sich mehr oder weniger ununterbrochen durch sein weiteres Wirken verfolgen lassen: so sein Kampf gegen die Überdeckung des Gotteswortes durch menschliche Zusätze, sein Kampf

---

apostolorum auditores ad fidelis ecclesiae instituendam futuram sobolem reliquere. Inter quae sunt divini Dionysii Areopagitae sacratissima opera tanta excellentiae dignitate eminentia, ut commendationem eorum nullus unquam verbis valeat assequi summam. — Ebd. fol.aiiir: Mihi nunquam post sacrosancta eloquia ... quicquam his magni et divini Dionysii operibus sacratius ... sufficere haud dubie possent ad totius orbis vivificam illuminationem. — Vgl. Decem librorum moralium Aristotelis tres conversiones, 1535 (1. Aufl. 1497), Lib. X, c. 7, n. iiiiv.

54 Qu. Psalt., Ps. 46, Adv. 1. versu, fol.75r: Qui mentem suam ad ineffabilem et incomprehensibilem in iubilo elevare novit, hic maxime divinitatis laudator est et agnitor ... Et quantum theologia negativa praecellit affirmativam, tantum apud pias mentes laus iubilatoria praecedit hymnidicam. — Qu. Psalt., Ps. 64, Adv. 1. versu, fol.96v: „Tibi silentium laus deus in Sion", quod apophaticam negativamque theologiam respicit, cum mens in meditatione immensitatis et incomprehensibilitatis divinae silet, agnoscens quicquam dicendo non posse eum laudare, qui omni laude in immensum superior est, multo minus quam possit totam maris undam pugillo concludere. Et hoc silentium divinae laudis, quo vel maxime deus laudatur, reseratum est in exordiis fundationis Sion deifero Paulo, Bartholomeo, Joseph iusto, Dionysio, Hierotheo et — ut Athanasio placet — Antiphato. Quem laudandi modum abitror apud ferventes vitae contemplatricis in fine rediturum et in principio et in fine signa Christi apparebunt . . . — Vgl. *Maimonides*, Dux dubitantium, l.1 c. 58, fol. 23r: Multiplicaverunt etiam verba in hoc, quod non est utile . . . „Te decet hymnus in Sion, tibi silentium laus", id est taceres laus tibi.

55 z. B. Qu. Psalt., Ps. 35, Expos. cont., 10, fol. 59r: O rex noster . . te agnoscentes agnoscemus patrem, te agnoscentes veram lucem de vera luce agnoscemus lucem illam paternam, lucem fontanam et inaccessibilem. — Qu. Psalt., Ps. 103, Expos. cont. 1, fol. 154v: Quia tu dominator, Christe, creator, recreator et reparator meus, exaltatus es superexcellenter. — Qu. Psalt., Ps. 118 IX t 8, fol 186v: Non enim tua conceptio, tua ratio aliud est a te, deus.

um die lebendige Einheit der Theologie, sein zunehmendes Erkenntnis-interesse an dem positiven oder negativen Zusammenhang von Theologie und geschichtlicher Wirklichkeit, sein pastorales Bemühen.

Vom Jahre 1518 haben wir zurückgefragt nach den Anfängen. Unser Rückfragen geschah in zwei Stufen. Einmal haben wir gefragt nach Ansätzen für Luthers Theologieverständnis in seiner frühen theologischen Entwicklung. Dabei sind wir bereits verschiedentlich auf die Frage nach seinen Quellen gestoßen. Diese Quellenfrage haben wir als zweite Stufe des Zurückfragens gestellt. Dabei ging es nicht darum, im Sinne eines Quellenapparates die Herkunft einzelner Aussagen oder Aussagegruppen Luthers zu beleuchten, sondern um die problemgeschichtliche Einordnung: um die Frage, wie im näheren und weiteren geistigen Umkreis Luthers über Theologie gedacht worden ist.

Für die Beurteilung von Luthers Reflexionen über Theologie ist wesentlich, daß für ihn im Begriff von Theologie die Frontstellung gegen die theologia gloriae enthalten ist. Seine Art von Reflexion über Theologie ist nicht möglich, ohne auch über theologia gloriae zu reflektieren. Zum Begreifen wahrer Theologie gehört die Bezugnahme auf die theologia gloriae so notwendig hinzu, wie zum Begreifen des Evangeliums die Bezugnahme auf das Gesetz hinzugehört. Hierbei ist aber folgendes mitzubedenken. Luther versteht theologia gloriae nicht als *Idee* von etwas Verwerflichem, sondern als eine konkrete, von ihm mit aller Deutlichkeit bezeichnete geschichtliche Realität. Die theologi gloriae sind bestimmte Personengruppen, so wie die Juden, von denen das Evangelium spricht, eine Gruppe von Menschen sind.

In bezug auf die Tatsächlichkeit eines geschichtlich konkreten Gegenbildes zu wahrer Theologie fühlte sich Luther auffallend schnell sicher. Schon in seinen ersten Vorlesungen konfrontiert er seine eigenen Ziele mit einer schlechten Wirklichkeit, auf die er sich bezieht. In den Dictata super Psalterium (1513-15) bringt er diese negative Wirklichkeit bereits in Zusammenhang mit gesetzlich judaistischem Geist. Was einzelne Kirchenväter aus geistlichem Eifer ausgesprochen hatten und was im Mittelalter wiederholt worden war: daß es eine teuflische Theologie gebe, das wird nun mit dem Ernst einer entscheidenden theologischen conclusio ausgesagt und — so muß man ja wohl sagen — hinausgeschrien in die Öffentlichkeit der Kirche: Der Papst und seine Anhänger mitsamt ihrer Theologie seien vom Teufel. Luthers Interesse an dieser Konfrontation hat nicht nachgelassen, es hat sich im Laufe der Jahre eher noch gesteigert.

Der Verteufelung falscher Theologie entspricht, daß sozusagen der

Glanz wahrer Theologie herausgestellt wird — ganz und gar kein äußerer Glanz. Den suchen ja nach Luther die theologi gloriae. Wohl aber gibt es einen verborgenen Glanz. Insofern wahre Theologie es nämlich mit Erleuchtung zu tun hat. Der augustinische Ansatz, daß echte Theologie nur möglich ist mit Hilfe göttlicher Erleuchtung, wird mit Bereitschaft zu weittragenden Konsequenzen durchdacht. Die göttliche Erleuchtung ereignet sich, so ist Luther überzeugt, coram biblia: wenn der Mensch die Hl. Schrift nicht nach seinem eigenen Sinn verdrehen will, sondern das Wort in sich eindringen und wirken läßt — das Wort der Schrift, das voll göttlicher Kraft ist. Das ist der wahre Glanz der Kreuzestheologie.

Abschließend möchte ich mein Urteil folgendermaßen zusammenfassen. In der Konfrontation von echter und falscher Theologie, von theologia crucis und theologia gloriae überbietet Luther eine problemgeschichtliche Linie, die weit in die Vergangenheit zurückreicht. Die kritische Frage an ihn lautet, ob eben das, was seiner Konfrontation so viel Farbe und Kraft gibt, nämlich der Bezug auf konkrete geschichtliche Gegebenheiten, das heißt näherhin die Behauptung, die „Scholastik" und die Lehre des Papstes und seiner Anhänger seien theologia gloriae, ob also solche Identifizierung berechtigt war.

Je deutlicher man die Differenziertheit der geistigen Situation Luthers ins Auge faßt, desto mehr wird man die genannte Identifizierung Luthers als grobe Schematisierung einer bunten geschichtlichen Wirklichkeit bezeichnen müssen. Aber damit ist nicht alles gesagt. Es bleibt sein theologisches Anliegen. Ich möchte meinen, daß es Friedrich Gogarten gelungen ist, das lutherische Kern-Anliegen, das in der Identifizierung geschichtlicher Realitäten mit der theologia gloriae verborgen liegt, zu verdeutlichen. Er erklärt — und zwar mit direkter Bezugnahme auf Luther —, daß jede Zeit neu den Versuch unternehmen müsse zu erkennen, was in ihrer konkreten Situation Gesetzesgeist sei. Für jede Zeit sei Gesetz etwas Besonderes, Eigenes. Sie könne diesen Versuch nicht vermeiden, weil sie nur dann auch verstehen könne, was Evangelium für sie, für ihre Gegenwart bedeute[56].

Beides muß zugleich gesehen werden: die drängende Gewalt des Anliegens und die Fragwürdigkeit der Identifizierung der Idee einer theologia gloriae mit der spätmittelalterlichen geistlichen und theologischen Wirklichkeit. Das Ringen dieser Zeit um das Verständnis von Theologie war jedenfalls vielfältig und von erstaunlichem Tiefgang.

[56] Fr. Gogarten, Der Mensch zwischen Gott und Welt, Stuttgart 41967, 86ff.

Aristoteles, Opera, hrsg. I. Bekker, Berlin 1831.
Arnold v. Geilhoven, Gnotosolitos sive speculum conscientiae, Brüssel 1476.
Augustinus, Confessiones: CSEL 33.
— Contra ep. Fundamenti: CSEL 25/1.
— De civitate dei: CSEL 40/1-2.
— De doctrina christiana: PL 34.
— De Genesi ad litteram: CSEL 28/1.
— De spiritu et littera: CSEL 60.
— In Ioannis ev. tractatus: PL 35.
Die *Bekenntnisschriften* der Evangelisch-lutherischen Kirche, Göttingen ⁶1967.
Bekenntnisschriften und Kirchenordnungen der nach Gottes Wort reformierten Kirche, hrsg. W. Niesel, Zürich ³1938.
Bernhard v. Clairvaux, Opera: PL 182-185.
Biel, Gabriel, Epitome et collectorium ex Occamo circa quattuor Sententiarum libros, Tübingen 1501 (Nachdruck Frankfurt/M. 1965).
Eckhart, Meister, Die deutschen Schriften, hrsg. J. Quint, Bd. 5, Stuttgart 1963.
— Meister Eckart, hrsg. Fr. Pfeifer: Deutsche Mystiker des vierzehnten Jahrhunderts, Bd. 2, Göttingen ³1914.
Erasmus v. Rotterdam, Opera omnia, hrsg. J. Clericus, Bd. 1-10, Leiden 1703-1706 (Nachdr. Hildesheim 1961/2).
— Opera omnia, hrsg. Union Académique Internationale et Académie Royale Néerlandaise des Sciences et des Sciences humaines, Amsterdam 1969ff.
— Opus epistolarum, hrsg. P. S. Allen, Bd. 1-12, Oxford 1906-58.
— Ausgewählte Werke, hrsg. A. u. H. Holborn: Veröffentlichungen der Kommission zur Erforschung der Geschichte der Reformation und Gegenreformation, München 1933.
— De libero arbitrio διατριβή sive collatio, hrsg. J. v. Walter: Quellenschriften z. Gesch. d. Prostestantismus, H. 8, Leipzig 1910 (²1953).
— Ausgewählte Werke, hrsg. W. Welzig, Darmstadt 1967ff.
Faber Stapulensis, Compendiaria in Aristotelis Ethicon introductio, Paris 1494.
— Decem librorum moralium Aristotelis tres conversiones, Paris 1535 (1. Aufl. 1497).
— Epistola ad Romanos etc., Paris 1512.
— Epitome compendiosaque introductio in libros arithmeticos divi Severini Boethii etc., Paris 1503.
— In Aristotelis physicos libros paraphrasis, Paris 1492.
— Introductio in Metaphysicorum libros Aristotelis, Paris 1493.
— Introductiones: in Suppositiones, in Praedicabilia etc., Paris 1948.
— Libri Logicorum, Paris 1503.
— Politicorum libri octo, Paris 1506.
— Primum volumen Contemplationum Raimundi etc., Paris 1505.
— Quincuplex Psalterium: gallicum, romanum, hebraicum, vetus, conciliatum etc., Paris 1509.
— Theologia vivificans. Cibus solidus. Dionysii Caelestis hierarchia etc., Paris 1499.
— Totius philosophiae naturalis paraphrases etc., Paris 1501/2.
Florens Radewijns, Verba notabilia, hrsg. J. F. Vregt: Archief voor de Geschiedenis van het Aartsbisdom Utrecht 10 (1882) 427-472.
— Multum valet, hrsg. J. F. Vregt: Archief voor de Geschiedenis van het Aartsbisdom Utrecht 10 (1882) 383-427.
Gerhard Groote, Conclusa et Proposita, non vota in nomine Domini: Schöpff, Bd. 8, Dresden 1864.
— Epistolae, hrsg. W. Mulder, SJ: Tekstuitgaven von Ons Geestelijk Erf, Bd. 3, Antwerpen 1933.

Gerhard Zerbolt v. Zütphen, Devotus tractatulus de spiritualibus ascensionibus, s. l. a. (Gutenberg-Museum Mainz, Ink. 262).

— Tractatulus devotus de reformatione virium animae, s. l. 1492 (Gutenberg-Museum Mainz, Ink. 761).

— De literis sacris in lingua vulgari legendis et de precibus vernaculis: Schöpff, Bd. 5, Dresden 1860.

Gerson, s. Johannes G.

Gregor d. Gr., Liber regulae pastoralis: PL 77.

Gregor v. Rimini, Super primo sententiarum, Paris 1482.

Hieronymus, Ep. ad Paulinum: PL 22.

Hugo v. St. Viktor, De sacramentis christianae fidei: PL 176.

Johannes v. Dambach (de Tambaco), Consolatorium theologicum, Basel 1492.

Johannes Duns Skotus, Opera omnia, Bd. 1, hrsg. C. Balič, OFM, Rom-Vatikanstadt 1950.

Johannes Gerson, Opera, 4 Teile in 2 Bdn., Basel 1518.

— Oeuvres complètes, hrsg. P. Glorieux, Bd. 1-8, Paris 1960ff.

Johannes Herolt, Liber discipuli de eruditione christifidelium, Straßburg 1490; Köln 1496.

Johannes Klimakus, Scala paradisi: PG 88.

Johannes v. Staupitz, s. v. Staupitz, J.

Johannes Tauler, Die Predigten Taulers, hrsg. F. Vetter: Deutsche Texte des Mittelalters, Bd. 11, Berlin 1910.

— Sermons de J. Tauler et autres écrits mystiques, hrsg. A. L. Corin, 2 Bde.: Bibl. de la Faculté de Philosophie et Lettres de l'Université de Liège, Bd. 33 u. 42, Paris 1924/29.

— Predigten. Vollständige Ausgabe, übertr. u. hrsg. G. Hofmann, Freiburg 1961.

Jonas, Justus, Dr. Martin Luther's Antwort an Erasmus von Rotterdam, daß der freie Wille Nichts sey, in: Die Werke Martin Luther's, hrsg. G. Pfizer, Frankfurt/M. 1840.

Luther, Martin, Werke, Weimar 1883ff.

Moses Maimonides, Dux seu director dubitantium aut perplexorum, Paris 1520.

Nikolaus v. Clémanges, Liber de studio theologico: Achéry, Bd. 1, Paris ²1723.

Nikolaus v. Kues, Opera omnia, hrsg. Heidelberger Akad. d. Wissensch., Leipzig-Hamburg 1932ff.

— Opera, hrsg. Faber Stapulensis, Bd. 1, Paris 1514 (Nachdr. Frankfurt/M. 1962).

Pelbart Ladislav v. Temesvár, Pomerium sermonum de tempore, Hagenau 1511.

Peter v. Ailly, Super primo, tertio et quarto sententiarum, Lyon 1500.

— Exerzpte aus Gregor v. Rimini, hrsg. L. Saint-Blancat, La théologie de Luther et un nouveau plagiat de Pierre d'Ailly, Textanhang: Positions luthériennes 4 (1956) 77-81.

Petrus Cantor, Verbum abbreviatum: PL 205.

Ps.-Dionysius Areopagita, De mystica theologia: PG 3.

Reuchlin, Johannes, Vocabularius breviloquus, Basel 1481.

— De rudimentis hebraicis, Pforzheim 1506.

— Septem Psalmi poenitentiales hebraici cum grammatica translatione latina, Tübingen 1512.

Rhenanus, Beatus, Briefwechsel, hrsg. A. Horawitz u. K. Hartfelder, Leipzig 1886.

v. Staupitz, Johannes, Sämtliche Werke, hrsg. J. K. F. Knaake, Bd. 1, Potsdam 1867.

— Tübinger Predigten, hrsg. G. Buchwald u. E. Wolf: Quellen u. Forschungen z. Ref. gesch., Bd. 8, Leipzig 1927.

— Salzburger Nach- und Abschriften von Predigten und Traktaten Staupitzens, hrsg. E. Wolf, in: Staupitz und Luther: Quellen u. Forschungen z. Ref.gesch., Bd. 9, Leipzig 1927, 275-284.

Tauler, S. Johannes T.

Theologia teutsch, Straßburg 1519.

Thomas v. Aquin, Expositio super librum Boethii De Trinitate, hrsg. B. Decker: Studien u. Texte z. Geistesgesch. d. Mittelalters, Bd. 4, Leiden 1959.

— Scriptum super libros sententiarum magistri Petri Lombardi, Bd. 1, hrsg. P. Mandonnet, Paris 1929.

— Summa theologiae, rec. Leonina, Rom 1950.
Thomas v. Straßburg, Dialogus de recto studiorum fine ac ordine et fugiendis vitae saecularis vanitatibus, hrsg. B. Pez: Bibliotheca ascetica antiquo-nova, Bd. 4, Regensburg 1724.
Wilhelm von Ockham, Super quattuor libros sententiarum: Opera plurima, Bd. 3, Lyon 1494-96.

Friedensburg, W., (Hrsg.), Urkundenbuch der Universität Wittenberg, Bd. 1, Magdeburg 1926.

LITERATUR

Aland, K., Die theol. Fakultät Wittenberg und ihre Stellung im Gesamtzusammenhang der Leucora während des 16 Jahrhunderts, in: (hrsg.) L. Stern, 450 Jahre Martin-Luther-Universität Halle-Wittenberg, Bd. 1, Halle 1952, 155-237.
Althaus, P., Die Theologie Martin Luthers, Gütersloh [2]1963.
Antweiler, A., Der Begriff der Wissenschaft bei Aristoteles: Grenzfragen zwischen Theologie und Philosophie, Bd. 1, Bonn 1936.
Appel, H., Anfechtung und Trost im Spätmittelalter und bei Luther: Schriften des Vereins für Reformationsgesch., Jg. 56 Nr. 165, Leipzig 1938.
Auer, A., Leidenstheologie im Spätmittelalter: Kirchengeschichtliche Quellen u. Studien, Bd. 2, St. Ottilien 1952.
Auer, J., Das Theologieverständnis des Johannes Duns Scotus und die theologischen Anliegen unserer Zeit: WiWei 29 (1966) 161-177.
Bäumer, R., Der junge Luther und der Papst: Cath 23 (1969) 392-420.
— Martin Luther und der Papst: Katholisches Leben und Kirchenreform im Zeitalter der Glaubensspaltung, Bd. 30, Münster 1970.
Baring, G., Bibliographie der Ausgaben der „Theologia deutsch" (1516-1961). Ein Beitrag zur Lutherbibliographie: Bibliotheca bibliographica Aureliana, Bd. 8, Baden-Baden 1963.
Bauch, G., Wittenberg und die Scholastik: Neues Archiv f. Sächs. Geschichte u. Altertumskunde, Bd. 18, Dresden 1897.
Bauer, K., Die Wittenberger Universitätstheologie und die Anfänge der Deutschen Reformation, Tübingen 1928.
Bauerreis, R., OSB, Wer ist der mittelalterliche Prediger „Soccus"?: Studien und Mitteilungen zur Geschichte des Benediktiner-Ordens und seiner Zweige, NF. Bd. 65 Jg. 1953/54, München 1955.
Baur, L., Dominicus Gundissalinus de divisione philosophiae: BGPhMA IV/2-3, Münster 1903.
Beintker, H., Neues Material über die Beziehungen Luthers zum mittelalterlichen Augustinismus: ZKG 68 (1957) 144.
Beißer, Fr., Claritas scripturae bei Martin Luther: FKDG 18, Göttingen 1966.
Beumer, J., SJ, Conclusiones theologie: ZkTh 63 (1939) 360-365.
— Theologie als Glaubensverständnis, Würzburg 1953.
Bizer, E., Fides ex auditu. Eine Untersuchung über die Entdeckung der Gerechtigkeit durch Martin Luther, Neukirchen [2]1961.
Boehmer, H., Der junge Luther, Leipzig [4]1951.
Boman, Th., Das hebräische Denken im Vergleich mit dem Griechischen, Göttingen [4]1965.
Bornkamm, H., Luther und das Alte Testament, Tübingen 1948.
Brandenburg, A., Gericht und Evangelium. Zur Worttheologie in Luthers erster Psalmenvorlesung: Konfessionskundliche und kontroverstheologische Studien, Bd. 4, Paderborn 1960.
v. Campenhausen, Frhr. H., Reformatorisches Selbstbewußtsein und reformatorisches Geschichtsbewußtsein bei Luther, 1517-22: ARG 37 (1940) 128-150.

Chantraine, G., SJ, „Mystère" et „Philosophie du Christ" selon Érasme. Étude de la lettre à P. Volz et de la „Ratio verae theologiae" (1518): Bibliothèque de la Faculté de Philosophie et Lettres de Namur, Bd. 49, Namur-Gembloux 1971.

Charland, Th.-M., OP, Artes Praedicandi. Contribution à l'histoire de la rhétorique au moyen âge: Publications de l'Institut d'Études Médiévales d'Ottawa, Bd. 7, Paris-Ottawa 1936.

Chenu, M.-D., OP, La théologie comme science au XIIIe siècle: BiblTh 33, Paris 1957.

Combes, A., Les deux „Lectiones contra vanam curiositatem in negotio fidei" de Gerson: Divinitas 4 (1960) 299-316.

Conolly, J. L., John Gerson, Reformer and Mystic, Löwen 1928.

Cruel, R., Geschichte der deutschen Predigt im Mittelalter, Detmold 1879.

Dagens, J., Humanisme et évangelisme chez Lefèvre d'Étaple, in: Courants religieux et humanisme a la fin du XVe et au début du XVIe siècle, Colloque de Strasbourg 1957, hrsg. Université de Strasbourg, Centre d'études supérieures spécialisé d'histoire des religions, Paris 1959, 121-134.

Damerau, R., Rezension v. (hrsg.) H. A. Oberman u. J. Courtenay, G. Biel, Canonis Misse exp., Tl. 3, Wiesbaden 1966: TLZ 92 (1967) 680-683.

Decker, Br., Art.: Augustinismus in der Theologie und Philosophie des Mittelalters: LThK².

Denifle, H., OP, — *Weiß, A.*, OP, Luther und Luthertum in der ersten Entwicklung. Quellenmäßig dargestellt, Mainz ²1906/1909.

Dolfen, Chr., Die Stellung des Erasmus von Rotterdam zur scholastischen Methode, Osnabrück 1936.

Douglass, E. J. D., Justification in Late Medieval Preaching: Studies in Medieval and Reformation Thought, Bd. 1, Leiden 1966.

Ebeling, G., Cognitio Dei et hominis, in: Festgabe H. Rückert, Geist und Geschichte der Reformation (= Arbeiten zur Kirchengeschichte, Bd. 38), Berlin 1966, 271-322.

— Evangelische Evangelienauslegung. Eine Untersuchung zu Luthers Hermeneutik, München 1942.

— Luther. Einführung in sein Denken, Tübingen 1964.

— Lutherstudien, Bd. 1, Tübingen 1971.

Egenter, R., Verunft und Glaubenswahrheit im Aufbau der theologischen Wissenschaft nach Aegidius Romanus, in: Festgabe J. Geyser, Philosophia perennis, Bd. 1, Regensburg 1930, 197-208.

Ehrle, F. Kard., Der Sentenzenkommentar Peters von Candia, des Pisaner Papstes Alexander V.: FStud Beih. 9, Münster 1925.

Elert, W., Morphologie des Luthertums, Bd. 1, München ²1958.

Englhardt, G., Die Entwicklung der dogmatischen Glaubenspsychologie in der mittelalterlichen Scholastik vom Abaelardstreit (um 1140) bis zu Philipp dem Kanzler (gest. 1236): BGPhThMA 30/4-6, Münster 1933.

Ernst, W., Spätmittelalterliche Heiligenpredigten. Eine Untersuchung der Sermones de Sanctis bei Gabriel Biel, in: Festgabe E. Kleineidam, Sapienter ordinare (= Erfurter theol. Studien, Bd. 24), Leipzig 1969, 232-259.

Fagerberg, H., Die Theologie der lutherischen Bekenntnisschriften von 1529 bis 1537, Göttingen 1965.

Feckes, K., Gabriel Biel, der erste große Dogmatiker der Universität Tübingen in seiner wissenschaftlichen Bedeutung: ThQ 108 (1927) 50-76.

— Die Rechtfertigungslehre des Gabriel Biel und ihre Stellung innerhalb der nominalistischen Schule, Münster 1925.

Finkenzeller, J., Offenbarung und Theologie nach der Lehre des Johannes Duns Skotus: BGPhMA 38/5, Münster 1961.

Fraenkel, P., Testimonia patrum. The function of the patristic argument in the theology of Philip Melanchthon: Travaux d'Humanisme et Renaissance, Bd. 46, Genf 1961.

Friedensburg, W., Geschichte der Universität Wittenberg, Halle 1917.

Gförer, J., Die deutsche Kanzel im Mittelalter: ThQ 120 (1939) 206-337.

Gilson, É., Die Mystik des heiligen Bernhard von Clairvaux, Wittlich 1936.

Glorieux, P., Le chancelier Gerson et la réforme de l'enseignement, in: Mélanges offerts à É. Gilson, Toronto-Paris 1959, 285-298.
— L'enseignement universitaire de Gerson: Recherches de théologie ancienne et médiévale, Löwen 23 (1956) 88-113.
— Notations biographiques sur Nicolas de Clémanges, in: Mélanges offerts à M.-D. Chenu (= BiblThom 37), Le Saulchoir 1967, 291-310.
Goff, Fr. R., The Postilla of Guillermus Parisiensis: Gutenberg-Jahrbuch, Jg. 34, Mainz 1959, 73-78.
Gogarten, Fr., Der Mensch zwischen Gott und Welt, Stuttgart ⁴1967.
— Die Verkündigung Jesu Christi. Grundlagen und Aufgabe, Tübingen ²1965.
Grabmann, M., Die Geschichte der katholischen Theologie seit dem Ausgang der Väterzeit, Freiburg 1933.
— Der lateinische Averroismus des 13. Jahrhunderts und seine Stellung zur christlichen Weltanschauung: SAM 1931, H. 2.
— Die theologische Erkenntnis- und Einleitungslehre des hl. Thomas von Aquin auf Grund seiner Schrift „In Boethium de Trinitate". Im Zusammenhang der Scholastik des 13. und beginnenden 14. Jahrhunderts dargestellt, Freiburg/Schw. 1948.
Grane, L., Contra Gabrielem. Luthers Auseinandersetzung mit Gabriel Biel in der Disputatio contra Scholasticam Theologiam 1517: Acta Theologica Danica, Bd. 4, Gyldendal 1962.
— Gregor von Rimini und Luthers Leipziger Disputation: StTh 22 (1968) 29-49.
Greschat, M., Renaissance und Reformation: EvTh 29 (1969) 645-662.
Grimm, H. J., The Human Element in Luther's Sermons: ARG 49 (1958) 50-60.
Grisar, H., SJ, Luther, 3 Bde., Freiburg 1911/12.
Hägglund, B., Theologie und Philosophie bei Luther und in der occamistischen Tradition: Lunds Universitets Årsskrift, N. F. Avd. 1 Bd. 51 Nr. 4, Lund 1955.
Haendler, Kl., Wort und Glaube bei Melanchthon. Eine Untersuchung über die Voraussetzungen und Grundlagen des melanchthonischen Kirchenbegriffes: Quellen und Forschungen z. Ref.gesch., Bd. 37, Gütersloh 1968.
Hahn, Fr., Faber Stapulensis und Luther: ZKG 57 (1938) 356-432.
Hamel, A., Der junge Luther und Augustin. Ihre Beziehungen in der Rechtfertigungslehre nach Luthers ersten Vorlesungen 1509-1518 untersucht, 2 Bde., Gütersloh 1935.
Haubst, R., Das Bild des Einen und Dreieinen Gottes in der Welt nach Nikolaus von Kues, Trier 1952.
— Die Christologie des Nikolaus von Kues, Freiburg 1956.
— Johannes von Franckfurt als der mutmaßliche Verfasser von „Eyn deutsch Theologia": Scholastik 33 (1958) 375-398.
— Welcher „Frankfurter" schrieb die „Theologia deutsch"?: Theologie und Philosophie 48 (1973) 232-236.
Heintze, G., Luthers Predigt von Gesetz und Evangelium: FGLP, R. 10 Bd. 11, München 1958.
Höss, I., Georg Spalatin 1484-1545. Ein Leben in der Zeit des Humanismus und der Reformation, Weimar 1956.
Hoffmann, M., Erkenntnis und Verwirklichung der wahren Theologie nach Erasmus von Rotterdam: BHTh 44, Tübingen 1972.
Holl, K., Gesammelte Aufsätze zur Kirchengeschichte, Bd. 1, Tübingen ⁶1932.
Iserloh, E., Luther und die Mystik, in: (Hrsg.) I. Asheim, Kirche, Mystik, Heiligung und das Natürliche bei Luther. Vorträge des Dritten Internationalen Kongresses für Lutherforschung, Göttingen 1967, 60-83.
— Luthers Stellung in der theologischen Tradition, in: (Hrsg.) K. Forster, Wandlungen des Lutherbildes (= Studien und Berichte der Kath. Akademie in Bayern, H. 36), Würzburg 1966.
Iwand, H. J., Glaubensgerechtigkeit nach Luthers Lehre: ThEx 75, München 1941.
Jeremias, A., Johannes Staupitz. Luthers Vater und Schüler. Sein Leben, sein Verhältnis zu Luther und eine Auswahl aus seinen Schriften: Quellen. Lebensbücherei christlicher Zeugnisse aller Jahrhunderte, Bd. 3/4, Berlin 1926.
Jetter, W., Drei Neujahrs-Sermone Gabriel Biels als Beispiel spätmittelalterlicher Lehrpredigt, in: Festgabe H. Rückert, Geist und Geschichte der Reformation (= Arbeiten zur Kirchengeschichte, Bd. 38), Berlin 1966, 86-126.

Jonas, E., Die Kanzelberedsamkeit Luthers nach ihrer Genesis, ihrem Charakter und ihrer Form, Berlin 1852.

Kampschulte, F. W., Die Universität Erfurt in ihrem Verhältnis zu dem Humanismus und der Reformation, 2 Bde., Trier-Lintz 1858/60.

Kiesling, E. C., The early sermons of Luther and their relation to the Pre-reformation sermon, Michigan 1935.

Klein, L., Die Bereitung zum Sterben. Studien zu den frühen reformatorischen Sterbebüchern, Diss. Göttingen 1958.

Kleineidam, E., Wissen, Wissenschaft, Theologie bei Bernhard von Clairvaux: Erfurter Theol. Schriften, H. 1, Leipzig 1955.

Knolle, Th., Luthers Reform der Abendmahlsfeier in ihrer konstitutiven Bedeutung: Schrift und Bekenntnis, Hamburg 1950.

Koch, O., Gegenwart oder Vergegenwärtigung Christi im Abendmahl. Zum Problem der repraesentatio in der Theologie der Gegenwart, München 1965.

Kohls, E.-W., Die Theologie des Erasmus: ThZ Sonderbd. 1, 2 Bde., Basel 1966.

Krause, G., Studien zu Luthers Auslegung der Kleinen Propheten: BHTh 33, Tübingen 1962.

Krebs, E., Theologie und Wissenschaft nach der Lehre der Hochscholastik. Anhand der bisher ungedruckten „Defensa doctrinae d. Thomas" des Hervaeus Natalis: BGPhMA 11/3-4, Münster 1912.

Kroeger, M., Rechtfertigung und Gesetz. Studien zur Entwicklung der Rechtfertigungslehre beim jungen Luther: FKDG 20, Göttingen 1968.

Krumwiede, H., Glaube und Geschichte in der Theologie Luthers. Zur Entstehung des geschichtlichen Denkens in Deutschland: FKDG 2, Göttingen 1952.

Landmann, F., Predigten und Predigtwerke in den Händen der Weltgeistlichkeit des 15. Jahrhunderts nach alten Bücherlisten des Bistums Konstanz: Kirche und Kanzel 6 (1923) 130-136; 203-211; 277-284; 7 (1924) 53-60; 119-125; 207-214.

Lang, A., Die theologische Prinzipienlehre der mittelalterlichen Scholastik, Freiburg 1964.

Leclercq, J., OSB, Saint Bernard mystique: Les grands mystiques, Brügge 1948.

van Leeuwen, A., OFM, L'église règle de foi dans les écrits de Guillaume d'Occam: EThL 11 (1934) 249-288.

Leff, G., Gregory of Rimini. Tradition and Innovation in Fourteenth Century Thought, Manchester 1961.

Linhardt, R., Die Mystik des hl. Bernhard von Clairvaux, München 1923.

Link, W., Das Ringen Luthers um die Freiheit der Theologie von der Philosophie: FGLP, R. 9 Bd. 3, München 1940.

Linsenmayer, A., Geschichte der Predigt in Deutschland von Karl dem Großen bis zum Ausgange des vierzehnten Jahrhunderts, München 1886.

Löfgren, D., Die Theologie der Schöpfung bei Luther: FKDG 10, Göttingen 1960.

v. Loewenich, W., Augustin und das christliche Geschichtsdenken: Gottes Wort und Geschichte, H. 6, München 1947.

— Von Augustin zu Luther, Witten 1959.

— Luther als Ausleger der Synoptiker: FGLP, R. 10 Bd. 5, München 1954.

— Luthers Theologia crucis: FGLP, R. 2 Bd. 2, München [4]1954.

Lohse, B., Die Bedeutung Augustins für den jungen Luther: Kerygma und Dogma 11 (1965) 116-135.

— Ratio und fides. Eine Untersuchung über die ratio in der Theologie Luthers: FKDG 8, Göttingen 1957.

Lorenz, R., Die Wissenschaftslehre Augustins: ZKG 67 (1955/56) 29-60; 213-251.

Lortz, J., Martin Luther, Grundzüge seiner geistigen Struktur, in: Festgabe H. Jedin, Reformata reformanda, Bd. 1, Münster 1965, 214-246.

— Luthers Römerbriefvorlesung. Grundanliegen: TThZ 71 (1962) 129-153; 216-247.

— Die Reformation in Deutschland, 2 Bde., Freiburg [4]1962.

de Lubac, H., Exégèse Médiévale. Les quatre sens de l'Écriture, Bd. II/2, Paris 1964.

Maurer, W., Der junge Melanchthon zwischen Humanismus und Reformation, 2 Bde., Göttingen 1967/69.

— Melanchthons Anteil am Streit zwischen Luther und Erasmus: ARG 49 (1958) 89-114.
— Pura doctrina in der vorlutherischen Theologie: Lutherische Nachrichten 10 (1971) H. 56, 1-15.
McSorley, H. J., Luthers Lehre vom unfreien Willen nach seiner Hauptschrift „De Servo Arbitrio" im Lichte der biblischen und kirchlichen Tradition: Beiträge zur ökumenischen Theologie, Bd. 1, München 1967.
v. Mehr, B., OFMCap, De historiae praedicationis pervestigatione: CollFr 12 (1942) 6-40.
Meier, L., OFM, Die Barfüßerschule zu Erfurt: BGPhThMA 38/2, Münster 1958.
— Contribution à l'histoire de la théologie a l'université d'Erfurt: RHE 50 (1955) 454-479; 839-866.
Meinhold, P., Geschichte der kirchlichen Historiographie, Bd. 1, Freiburg-München 1967.
— Luther heute. Wirken und Theologie Martin Luthers, des Reformators der Kirche, in ihrer Bedeutung dargestellt, Berlin-Hamburg 1967.
— Luthers Sprachphilosophie, Berlin 1958.
Meißinger, K. A., Erasmus entdeckt seine Situation. Gedanken über die Antibarbari: ARG 37 (1940) 188-198.
— Der katholische Luther, München 1952.
— Luther, München 1953.
Meller, B., Studien zur Erkenntnislehre des Peter von Ailly: FreibThSt 67, Freiburg 1954.
Mestwerdt, P., Die Anfänge des Erasmus. Humanismus und „devotio moderna": Studien zur Kultur und Gesch. der Reformation, Bd. 2, Leipzig 1917.
Meyer, H., Abendländische Weltanschauung, Bd. 3, Paderborn ²1952.
— Die Wissenschaftslehre des Thomas von Aquin: PhJ 47 (1934) 171-206; 308-345; 441-486; 48 (1935) 12-40; 289-312.
Meyer, H. B., Luther und die Messe: Konfessionskundliche und kontroverstheol. Studien, Bd. 11, Paderborn 1965.
Michalski, Fr., De sylvestri Prieriatis, o. p., Magistri S. Palatii (1456-1523), vita et scriptis, p. I, Münster 1892.
Michaud-Quantin, P., Sommes de casuistique et manuels de confession au moyen âge (XII-XVI siècles): Analecta mediaevalia namurcensia, Bd. 13, Löwen-Lille-Montreale 1962.
Moeller, B., Tauler und Luther, in: La mystique rhénane, Colloque de Strasbourg 1961, hrsg. Université de Strasbourg, Centre d'études supérieures spécialisé d'histoire des religions, Paris 1963, 157-168.
Moll, W., Johannes Brugman en het Godesdienstig Leven onzer Vaderen in de vijftiende Eeuw, 2 Bde., Amsterdam 1854.
Monnerjahn, E., Zum Begriff der theologischen Unklarheit im Humanismus, in : Festgabe J. Lortz, Reformation Schicksal und Auftrag, Bd. 1, Baden-Baden 1958, 277-304.
Niebergall, A., Die Geschichte der christlichen Predigt, in: Leiturgia. Handbuch des evangelischen Gottesdienstes, Bd. 2, hrsg. K. F. Müller — W. Blankenberg, Kassel 1955, 181-354.
Oberman, H. A., Spätscholastik und Reformation, Zürich 1965 (vgl. The harvest of medieval theology, Cambridge-Massachusetts ²1967).
Oelrich, K. H., Der späte Erasmus und die Reformation: RGStT 86, Münster 1961.
Padberg, R., Erasmus als Katechet: Untersuchungen zur Theologie der Seelsorge, Bd.9, Freiburg 1956.
Paulus, N., Zur Geschichte der Predigt beim ausgehenden Mittelalter: Katholik, Jg.74 F.3 Bd. 10, Mainz 1894, 279-287.
Payne, J. B., Erasmus. His Theology of the Sacraments, (s. l.) 1970.
— Toward the Hermeneutics of Erasmus, in: (Hrsg.) J. Coppens, Scrinium erasmianum, Bd.2, Leiden 1969, 13-49.
Pesch, O. H., Existentielle und sapientiale Theologie. Hermeneutische Erwägungen zur systematisch-theologischen Konfrontation zwischen Luther und Thomas von Aquin: ThLZ 92 (1967) 731-742.
— Theologie der Rechtfertigung bei Martin Luther und Thomas von Aquin. Versuch

eines systematisch-theologischen Dialogs: Walberberger Studien, Theol.R. Bd.1, Mainz 1967.

van de Pol, W. H., Das reformatorische Christentum in phänomenologischer Betrachtung, Einsiedeln 1956.

Post, R. R., The Modern Devotion. Confrontation with Reformation and Humanism: Studies in Medieval and Reformation Thought, Bd.3, Leiden 1968.

Potthast, A., Wegweiser durch die Geschichtswerke des europäischen Mittelalters bis 1500, 2 Bde., Berlin ²1896.

Preuß, H., Die Vorstellungen vom Antichrist im späteren Mittelalter, bei Luther und in der konfessionellen Polemik. Ein Beitrag zur Theologie Luthers und zur Geschichte der christlichen Frömmigkeit, Leipzig 1906.

Quint, J., Meister Eckhart, in: (Hrsg.) B. Geyer, Friedrich Ueberwegs Grundriß der Geschichte der Philosophie, Bd.2, Berlin ²1928, 561-571.

Raeder, S., Das Hebräische bei Luther untersucht bis zum Ende der ersten Psalmenvorlesung, Tübingen 1961.

Renaudet, A., Préréforme et humanisme à Paris pendant les premières guerres d'Italie (1494-1517), Melun ²1953.

Reu, J. M., D. Martin Luthers Kleiner Katechismus. Die Geschichte seiner Entstehung, seiner Verbreitung und seines Gebrauchs. Eine Festgabe zu seinem vierhundertjährigen Jubiläum, München 1929.

Ritter, G., Zur Geschichte des deutschen Universitätswesens am Vorabend der Reformation. Eine Selbstanzeige und Erwiderung: ARG 35 (1938) 146-161.

— Die Heidelberger Universität. Ein Stück deutscher Geschichte, Bd.1, Heidelberg 1936.

— Studien zur Spätscholastik II. Via antiqua und via moderna auf den deutschen Universitäten des 15. Jahrhunderts: SAH 1922, H.7.

Rudolf, R., Ars moriendi. Von der Kunst des heilsamen Lebens und Sterbens: Forschungen zur Volkskunde, Bd.39, Köln-Graz 1957.

Saint-Blancat, L., La théologie de Luther et un nouveau plagiat de Pierre d'Ailly: Positions luthériennes 4 (1956) 61-81.

Scheel, O., Dokumente zu Luthers Entwicklung (bis 1519), Tübingen ²1929.

— Martin Luther. Vom Katholizismus zur Reformation, 2 Bde., Tübingen ³/⁴1921/30.

Schneyer, J. B., Geschichte der katholischen Predigt, Freiburg 1969.

— Repertorium der lateinischen sermones des Mittelalters für die Zeit von 1150-1350: BGPhThMA 43/1-4, Münster 1969ff.

— Wegweiser zu lateinischen Predigtreihen des Mittelalters: Bayerische Akad. d. Wissenschaften. Veröffentlichungen d. Kommission f. d. Herausgabe ungedr. Texte aus d. mittelalterlichen Geisteswelt, Bd.1, München 1965.

Schottenloher, O., Erasmus im Ringen um die humanistische Bildungsreform: Reformationsgesch. Studien u. Texte, H.61, Münster 1933.

Schwarzwäller, Kl., Theologia crucis. Luthers Lehre von Prädestination nach De servo arbitrio, 1525: FGLP, R.10 Bd.39, München 1970.

Söhngen, G., Die katholische Theologie als Wissenschaft und Weisheit: Cath 1 (1932) 49-69.

— Philosophische Einübung in die Theologie. Erkennen — Wissen — Glauben, Freiburg-München 1955.

Sperl, A., Melanchthon zwischen Humanismus und Reformation: FGLP, R.10 Bd.15, München 1959.

Stakemeier, E., Civitas Dei. Die Geschichtstheologie des hl. Augustinus, Paderborn 1955.

Steck, K. G., Lehre und Kirche bei Luther: FGLP, R.10 Bd. 27, München 1963.

Stegmüller, Fr., Repertorium commentariorum in sententias Petri Lombardi, 2. Bde., Würzburg 1947. — Forts.: V. Doucet, OFM, Commentaires sur les sentences. Supplément au répertoire de M. Frédéric Stegmueller: AFrH 47 (1974) 88-170; 400-427.

Steinmetz, D. C., Misericordia Dei. The Theology of Johannes von Staupitz in its late medieval Setting: Studies in Medieval and Reformation Thought, Bd.4, Leiden 1968.

312

Taylor, H. O., Erasmus and Luther: Thought and Expression in the Sixteenth Century, Bd.2, New York 1962.

Tiecke, J. G., OCarm, De Werken van Geert Groote, Utrecht-Nijmegen 1941.

Tschackert, P., Die Entstehung der lutherischen und reformatorischen Kirchenlehre, Göttingen 1910.

de Vogel, C. J., Erasmus and Church Dogma, in: (Hrsg.) J. Coppens, Scrinium erasmianum, Bd.2, Leiden 1969, 101-132.

Vogelsang, E., Der angefochtene Christus bei Luther: Arbeiten zur Kirchengeschichte, Bd. 21, Berlin-Leipzig 1932.

— Die Bedeutung der neuveröffentlichten Hebräerbrief-Vorlesung Luthers von 1517/18. Ein Beitrag zur Frage: Humanismus und Reformation: Sammlung gemeinverst. Vorträge und Schriften aus dem Gebiet der Theologie und Religionsgesch., H.143, Tübingen 1930.

— Zur Datierung der frühesten Lutherpredigten: ZKG 50 (1931) 112-145.

— Luther und die Mystik: Luther-Jahrbuch, Bd.19, Hamburg 1937, 32-54.

Weier, R., „Aus Gnade gerechtfertigt", in: (Hrsg.) R. Haubst, Nikolaus von Kues als Promotor der Ökumene: Mitteilungen und Forschungsbeiträge der Cusanus-Gesellschaft, Bd.9, Mainz 1971, 118-124.

— Das Thema vom verborgenen Gott von Nikolaus von Kues zu Martin Luther: Buchreihe der Cusanus-Gesellschaft, Bd.2, Münster 1967.

— Das Theologieverständnis Martin Luthers und dessen Bedeutung für die Gegenwart: Cath 24 (1970) 183-188.

Werner, K., Die Scholastik des späteren Mittelalters, Wien 1883.

Wolf, E., Über „Klarheit der Heiligen Schrift" nach Luthers „De servo arbitrio": ThLZ 92 (1967) 721-730.

— Peregrinatio. Studien zur reformatorischen Theologie und zum Kirchenproblem, München 1954.

— Staupitz und Luther. Ein Beitrag zur Theologie des Johannes von Staupitz und deren Bedeutung für Luthers theologischen Werdegang: Quellen u. Forschgen. z. Ref.gesch., Bd.9, Leipzig 1927.

Zimmermann, A., Ontologie oder Metaphysik? Die Diskussion über den Gegenstand der Metaphysik im 13. und 14. Jahrhundert: Studien und Texte zur Geistesgesch. des Mittelalters, Bd.8, Leiden-Köln 1965.

Zumkeller, A., OESA, Die Augustinerschule des Mittelalters: Vertreter und philosophisch-theologische Lehre (Übersicht nach dem heutigen Stand der Forschung): AAug 27 (1964) 167-262.

— Martin Luther und sein Orden: AAug 25 (1962) 254-290.

Zur Mühlen, K.-H., Nos extra nos. Luthers Theologie zwischen Mystik und Scholastik: BHTh 46, Tübingen 1972.

317

DATE DUE

PRINTED IN U.S.A.